LE PATRIARCHE

Chaim Bermant

LE PATRIARCHE

roman

*Traduit de l'anglais
par Bernard Geniès*

BALLAND

Titre original : The Patriarch

La version originale a été publiée
par St-Martin's Press, New York.

1.

Dans toutes les familles il existe des parents dont on ne parle pas et d'autres dont on ne cesse de parler. Oncle Hector entrait à la fois dans ces deux catégories car, étant un sujet de controverses et d'embarras, il était en conséquence un sujet de fascination. Ceux de ma génération le connaissaient, et cela n'allait pas sans une certaine admiration, comme le Méchant Oncle (ou plutôt *le* méchant oncle car nous en avions plusieurs).

Mère ne supportait pas que l'on mentionnât son nom à table. Il avait épousé sa sœur Arabella (Ara, comme nous l'appelions généralement) et elle était persuadée qu'il l'avait tuée. Lorsque je l'entendis en parler pour la première fois, j'imaginai qu'il avait employé la manière forte — ce qui, d'après ce que j'ai entendu dire de tante Ara, relevait tout à fait du domaine du raisonnable — mais quand je fus plus âgé il me parut évident que le procédé avait été bien plus subtil. D'autres prétendaient même qu'Ara avait « tué » Oncle Hector, une façon pour eux de suggérer qu'elle l'avait dépossédé de sa virilité, bien que dans l'évidente réalité oncle Hector était vivant et tante Ara ne l'était pas.

Pour des raisons que je ne comprends toujours pas, j'étais le neveu préféré d'Hector mais lorsque notre famille quitta Glasgow pour Londres au début des années cinquante (je soupçonne que nous déménageâmes parce que ma mère redoutait son influence sur moi), nous perdîmes presque le contact. Je lui écrivais de temps à autre et il me répondait le plus souvent à l'occasion de mon anniversaire ou à Noël en joignant à sa lettre un petit chèque (ce qui ne plaisait pas du tout à ma mère : d'abord elle ne se faisait pas à l'idée de notre relation, ensuite elle estimait qu'un juif n'avait pas à adresser des cadeaux de Noël à d'autres juifs. « C'est mal élevé de s'inviter aux fêtes des autres », disait-elle).

Les années passèrent. J'allai à l'université, puis au service militaire. Je fus affecté en Malaisie. Alors, ou il cessa de m'écrire ou ma mère intercepta les lettres mais le résultat, c'est que je perdis le contact avec lui.

A la fin des années soixante, je décrochai un poste de maître de conférence à l'université de Glasgow et je me trouvai habiter à deux pas de chez lui. Je ne l'avais pas prévenu de mon arrivée mais dès que je fus installé, j'allai lui rendre visite. Il vivait dans ce qui était considéré du temps de mon enfance comme un immeuble de luxe avec son entrée carrelée, sa rampe d'escalier en fer forgé et ses portes aux ventaux richement ornés de verre coloré. L'immeuble, alors, ne respirait pas seulement la richesse, avec l'éclat des cuivres étincelants et des bois nobles, mais l'opulence. Cet éclat avait aujourd'hui disparu. Il régnait à la place une odeur de déchéance — à l'image de l'immeuble délabré, des vies décadentes, de la mauvaise nourriture — qui s'accentuait plus on montait. Hector habitait au dernier étage. Les vitres colorées de sa porte avaient été remplacées par un verre fumé, semblable à celui des pubs. Il y avait un cordon et un bouton pour sonner mais aucun des deux systèmes ne fonctionnait. Je frappai sur la vitre durant presque cinq minutes avant qu'une vague silhouette ne surgisse dans le sombre vestibule et ne se dirige vers la porte. Deux doigts repoussèrent un fin rideau de dentelles et un nez se colla à la vitre.

« Qui est-ce ?

— C'est moi, Sammy.

— Sammy qui ?

— Sammy Krochmal.

— Qui ?

— Krochmal. »

J'entendis des verrous glisser puis un cliquetis de chaînes et de clés. On aurait dit que l'oncle était le gardien des Joyaux de la Couronne. La porte s'ouvrit.

Je crus d'abord avoir frappé à la mauvaise porte. Je n'avais pas vu mon oncle depuis bientôt dix ans et j'avais gardé le souvenir d'un homme grand et droit, même s'il n'était plus tout jeune. Devant moi se tenait un personnage voûté et recroquevillé qui s'appuyait lourdement sur une canne. Lorsqu'il alluma la lumière de l'entrée je le reconnus tout de suite. Le crâne chauve légèrement bosselé n'avait pas changé, ni son long nez qui paraissait seulement un peu plus long et un peu plus rouge, ni son expression mélancolique, ni ses yeux d'un bleu pâle et ses paupières rouges comme s'il souffrait d'un rhume des foins chronique. Quand il me vit, aucune joie n'éclaira son visage et il ne sembla pas même me reconnaître.

« Je suis Sammy, le fils de Caroline, répétai-je.

— Je le vois bien. Je suis peut-être sourd et infirme, je perds la mémoire, mais je ne suis pas aveugle. Tu n'as pas changé. Depuis le temps que je ne t'ai vu, tu aurais dû grandir un peu mais tu es un nain comme feu ton père. » Tout en parlant il me conduisit à la cuisine. Sur la table se trouvaient les restes d'un repas et dans l'évier ceux d'un repas précédent. « Pardon pour le fouillis, je ne m'attendais pas à de la visite.

— Ai-je interrompu ton repas ?

— Non, j'allais débarrasser. Je suis content d'avoir une excuse pour ne pas le faire. Je suppose que tout le monde me croit mort.

— Pourquoi devrait-on le penser ?

— Parce que personne n'écrit, personne ne téléphone. Il est vrai qu'à mon âge je devrais être mort et j'ai d'ailleurs souvent souhaité l'être. La semaine dernière, je suis tombé dans les escaliers et je ne pensais qu'à une chose alors que je n'en finissais pas de rouler. Il m'était égal de mourir mais, mon Dieu, j'espérais surtout ne pas être blessé. Je suis resté deux jours en bas des escaliers avant que l'on ne vienne me relever ; c'est fréquent dans ce quartier. Ils pensaient que j'avais fait la fête et m'ont laissé dessoûler. Ce qu'il y a de bien à Glasgow, c'est que l'on respecte ta vie privée. Tel que tu me vois, je viens de sortir de l'hôpital.

— Pourquoi n'as-tu prévenu personne ?

— Je n'avais aucune raison de croire que cela intéresserait quelqu'un.

— Pourquoi ne m'as-tu pas écrit ?

— Pourquoi n'ai-je pas quoi ?

— Écrit.

— A qui ?

— A moi.

— A toi ?

— Tu m'écrivais d'habitude.

— Oui, lorsque j'avais un chèque à t'envoyer mais je n'en ai plus les moyens, je ne peux même plus avoir de carnet de chèques.

— Ce n'est pas ce que j'attendais de toi.

— Je le sais, mais lorsqu'un oncle ne peut même pas adresser un misérable chèque à son neveu, à quoi est-il bon ? Je suis resté deux jours en bas des escaliers. Je ne me suis rien cassé mais j'ai attrapé une pneumonie et je me suis dit : ça y est, mon heure est venue. On va vous en débarrasser en un rien de temps, m'ont dit les médecins. Oui, vous allez vous débarrasser de mon cadavre, leur ai-je répondu, mais ils m'ont guéri. Rien ne les arrête, ces canailles. »

Je l'invitais chez moi de temps à autre mais il se sentait trop mal fichu pour sortir durant ce qu'il appelait « la saison froide ». Cette année-là, l'hiver se prolongea bien avant dans le printemps, aussi je pris l'habitude de venir lui rendre visite deux ou trois fois par semaine et de lui apporter un petit paquet de ses biscuits préférés ou un gâteau aux noix.

Nous nous rencontrions toujours dans la cuisine, probablement parce que c'était la seule pièce chaude de l'appartement. Elle était spacieuse et il l'avait aménagée comme une salle de séjour en disposant dans l'alcôve un canapé-lit et près d'un radiateur à gaz deux fauteuils en cuir. Sa cuisinière et son placard à provisions se trouvaient dans une petite arrière-cuisine contiguë. Je n'étais jamais admis dans les autres pièces à l'exception de la salle de bains, une grande pièce décorée de faïence noire et de verre dépoli. Un énorme chauffe-bains trônait, dont les chuintements et les gargouillements devaient avoir un effet paralysant sur le système digestif de quiconque l'utilisait. Il y avait, si je m'en souviens bien, deux autres chambres, une salle à manger, un salon dont les portes étaient fermées à clé comme s'il redoutait que l'on découvre ce qu'elles abritaient.

Je lui demandai pourquoi il ne prenait pas un plus petit appartement, qui reviendrait moins cher à chauffer et serait plus facile à entretenir.

« J'ai un bail à long terme et la location d'un garde meubles me coûterait plus cher que celle de cet appartement. De toutes façons, que ferais-je de toutes mes choses ? »

Je me souvenais de ces « choses » depuis mon enfance. Elles me semblaient alors toutes énormes, probablement parce que j'étais tout petit. Les pièces me paraissaient des cavernes avec leurs plafonds élevés et leurs grandes fenêtres. Il y avait d'immenses fauteuils dont la tapisserie chamarrée était clouée de boutons de velours, un long divan tendu de brocart, des vases assez grands pour abriter un petit garçon (et qui m'avaient d'ailleurs souvent abrité), de lourdes tentures de velours, de la porcelaine fine dans de vilaines vitrines, des tableaux sans valeur dans de magnifiques cadres, du papier peint gaufré à fleurs de lys. Sur un piano droit recouvert d'un napperon de dentelles se trouvaient un tas de photos et une vasque en cuivre contenant des roseaux ; au-dessus du marbre noir de la cheminée, une peinture à l'huile représentait Ara dans le rôle de Desdemone. Son visage était d'une pâleur mortelle.

Dans la salle à manger, meublée de chaises et d'une table imposantes ainsi que d'un buffet richement sculpté, il avait accroché un portrait de son père, Nahum. Je lui dis un jour qu'il ressemblait à un digne victorien. « C'est vrai. Quand il était jeune il se donnait l'allure d'un gentleman anglais tels qu'on se les représentait en Ecosse. Mais en vieillissant, il s'était tassé sur lui-même et il finissait par ressembler de plus en plus au petit juif qu'il était ». Il parlait souvent de son père et de ses frères, beaucoup moins de sa mère et de ses sœurs et presque jamais de sa femme.

Dans la cuisine, il gardait une photo de famille qui avait été prise durant la Première Guerre mondiale et qui symbolisait, sinon une période faste, du moins un point crucial de son existence. Nahum se tenait au premier plan avec sa femme et, entre eux, trois jeunes enfants : Jacob, Victoria et Benjamin ; à l'arrière-plan figuraient les trois autres enfants : Sophie, Alex et Hector. Alex et Hector portaient tous les deux un uniforme d'officier.

« C'était une vraie guerre celle-là. La dernière, ce n'était que de la rigolade à côté », me dit Hector.

Sophie, une forte femme au teint sombre, portait également une sorte d'uniforme que je ne pouvais identifier.

« Elle appartenait à un quelconque corps de volontaires. Il n'était pas une bonne cause qu'elle ne tentât de soutenir. Elle avait du galon comme tu peux le voir. C'était une espèce de mère supérieure laïque. Si nous avions été catholiques, père lui aurait acheté un couvent ou alors elle aurait peut-être fondé son propre ordre. Une sainte femme, d'une haute tenue morale. Elle aurait pu être canonisée.

— Elle est toujours vivante, tu sais.

— C'est la seule chose qui puisse jouer contre elle. »

La photo lui donnait un air sévère alors que je me souvenais d'elle comme d'une belle Italienne, d'une madone épanouie.

« Les gens avaient du mal à croire que j'étais son frère. Nous formions un groupe hétérogène, aussi bien en apparence que pour le reste. Regarde les visages, ils n'ont aucun trait commun. Alex, la Tige comme on l'appelait — une tige fine mais droite — était pédant, prétentieux, maniaque. Si Sophie était l'âme de la famille, il en était le cerveau.

— Vicky n'était-elle pas très intelligente ?

— Qui n'était pas quoi ?

— Vicky, intelligente.

— Oh ! elle était assez intelligente mais elle n'a jamais eu l'occasion d'en faire la preuve. Ensuite, il y a Jacob, un garçon au bon cœur, mais une énigme. J'ai toujours pensé qu'il était un peu falot mais d'une certaine façon, il a mieux réussi que nous. Je pensais qu'il était arriéré comme Benny et vois ce qu'il est devenu. » Il soupira profondément. « Mais à quoi bon en parler ? Ils sont tous morts et tout est fini.

— Ils ne sont pas *tous* morts.

— Ceux qui comptaient le sont. Les meilleurs partent toujours. Quand tu auras mon âge, tu sentiras combien on t'a négligé. »

Il continuait ainsi à parler du passé de la famille tout en faisant de méprisants apartés sur ce qu'elle était devenue aujourd'hui. Je restais assis tranquillement à côté de lui jusqu'à ce que la lumière du jour décline et le crépuscule étende son voile sombre. Que font donc les vieillards qui n'ont pas de parents dont ils puissent être fiers et de parents en bonne santé dont ils puissent se plaindre ? me demandais-je à moi-même.

« Nous étions une famille bizarre, dit-il.

— La plupart des familles le sont.

— Qu'est-ce que tu dis ?

— La plupart des familles le sont.

— La plupart des familles sont quoi ?

— Bizarres.

— Oui mais la nôtre était plus bizarre que les autres.

— Elle pouvait l'être, vu sa taille.

— Nous sommes devenus anglais trop vite et nous nous sommes enrichis trop vite.

— Mais vous avez perdu votre argent.

— Voilà le problème. Nous nous sommes acheté un statut d'Anglais mais nous n'avons pas eu les moyens de nous y maintenir. Le moins qu'un parvenu puisse faire, c'est d'être riche. »

Par une froide soirée d'hiver où le vent soufflait en tempête, on frappa à ma porte alors que j'étais en train de travailler. Je crus qu'il s'agissait encore d'un petit étudiant hirsute qui me dérangeait à tout propos pour me demander la solution de problèmes insolubles. Je me levai vivement pour lui dire deux mots lorsque la porte s'ouvrit et Hector apparut, portant un feutre tout bosselé et un lourd pardessus noir dont le col d'astrakan était rongé aux mites.

« Tu sembles abasourdi, dit-il.

— Surpris, plutôt. Je ne pensais pas que tu sortirais par une nuit comme celle-ci.

— Je me sens mieux. J'ai eu envie d'aller prendre l'air. »

Il tenait toujours sa canne mais à cause peut-être de son feutre et de son col de fourrure il paraissait plus grand et semblait se tenir plus droit. Il ôta son chapeau et s'assit dans un fauteuil. Nous parlâmes comme d'habitude du temps, de sa santé et du fait que les gens le croyaient mort, ou souhaitaient qu'il le fût, ou le traitaient comme s'il l'était. J'avais l'impression qu'il n'était pas sorti par une telle nuit, où les vitres tremblaient et le vent hurlait, pour me faire une simple causette et j'attendais assez impatiemment qu'il en vienne à l'objet de sa visite. Mais il continuait comme à l'accoutumée et je me demandais comment mettre fin à cette visite lorsqu'il me demanda inopinément :

« Que ferais-tu si tu devenais riche du jour au lendemain ?

— Je réaliserais les choses que j'ai toujours voulu faire. »

Il remua la tête en signe de désaveu. « Si tu avais mon âge tu serais trop vieux pour les faire ou même pour vouloir les faire. »

A ce moment-là, je croyais qu'il parlait en l'air mais quelques semaines plus tard, il était question de lui dans tous les journaux. La manchette de l'un d'eux proclamait : GLASGOW : UN HÉROS DE GUERRE HÉRITE D'UNE FORTUNE AMÉRICAINE.

« C'est la seconde fois de ma vie que je fais les titres des journaux et c'est à peu près aussi déplaisant que la première », me dit-il.

D'après les journaux il avait hérité de deux millions de dollars.

« J'espère que c'est vrai. D'habitude, ils estiment le montant de la somme et ils la doublent. Mais là où il y a testament, il y a des hommes de loi — les notaires américains, anglais, les comptables, les employés, les percepteurs — et quand ils auront prélevé leur part il ne me restera plus que quelques shillings », affirma-t-il. En dépit de ses dénégations la somme se révéla substantielle. Tout ceux qui pensent que l'argent ne peut offrir une nouvelle jeunesse se trompent. Il rajeunit. Son pas devint plus alerte, son expression plus énergique. Sa conversation devint plus animée à la fois dans le contenu et le ton. Il cessa d'être dur d'oreille. Sa mémoire s'améliora. Ce n'était plus un vieillard au mauvais caractère, ou du moins son mauvais caractère avait pris une forme plus agréable.

« Nul ne sait combien il a de parents avant qu'il ne devienne riche, dit-il. Quand je n'avais pas d'argent, tout le monde pensait que j'étais mort et je pouvais passer des semaines entières sans entendre une voix humaine ou voir un visage humain. J'ai même pensé à me faire débrancher le téléphone puisqu'il n'était plus qu'un objet de décoration. Maintenant il n'arrête pas de sonner et je suis submergé d'invitations à chaque courrier pour des *bar mitzvahs*[1], des fiançailles, des mariages, des noces d'argent. Il y a un mois, je ne connaissais personne ; aujourd'hui tout le monde me connaît. Est-ce que tu crois que je vais aller à leurs fichus mariages ? » Il fit un bras d'honneur. « A leur enterrement, peut-être. »

Plus tard, au cours de cette année-là il m'invita à l'accompagner dans une croisière pendant les fêtes de Noël. Son offre me surprit car si beaucoup de choses avaient changé chez lui il était toujours aussi avare. Dans un premier temps, j'acceptai avec joie mais je redoutais qu'il n'eût retenu des cabines en classe économique sur quelque vieux rafiot déglingué. De plus, j'avais projeté de passer mes vacances avec ma mère et l'idée de la laisser seule ne m'enchantait guère. Un soir, il se présenta à ma porte avec des brochures de voyage en papier glacé et les photos d'une ville flottante. Mes hésitations fondirent en un clin d'œil.

« Est-ce que cela ne va pas coûter trop cher ? demandai-je.

— Une fortune, mais de quoi te mêles-tu ? C'est moi qui paie. »

Nous voyageâmes en première classe. La moyenne d'âge des passagers était d'environ quatre-vingt-dix ans et un bon nombre d'entre eux paraissaient encore sensiblement plus âgés. Ils voyageaient accompagnés d'infirmières et d'équipes d'auxiliaires médicaux. Ce n'était guère enthousiasmant et le temps était épouvantable. Je me consolais de mon mieux en me rattrapant sur l'excellente nourriture.

L'heure des repas n'allait pas cependant sans présenter quelques inconvénients. Les passagers arrivaient avec des sacs remplis de médicaments qu'ils disposaient sur la table à la façon de joueurs d'échecs rangeant leurs pions. Les stewards se précipitaient de temps à autre sur un vieux qui venait de rendre l'âme en piquant du nez dans sa soupe ou en glissant tranquillement sous la table. Ce dramatique spectacle de la mortalité tendait à produire un effet

---

1. *Bar Mitzvah* (ou fils du Commandement). Cérémonie religieuse qui marque l'entrée du jeune juif à l'âge de treize ans dans la communauté spirituelle.

néfaste sur l'appétit. De plus, un ou deux vieux qui pouvaient difficilement se déplacer disparurent mystérieusement et l'on suspecta leur garde-malade de les avoir aidés à passer par-dessus bord. L'atmosphère n'était donc pas très sympathique et j'avais hâte d'arriver au terme de ce voyage.

J'avais l'impression qu'Hector avait eu son idée derrière la tête en me demandant de l'accompagner et le fait d'y penser m'empêchait de me détendre. La nuit précédant notre arrivée au port, alors que les passagers clopinaient de-ci, de-là, portant de faux nez et des chapeaux de clown, il me dit : « Tu es historien n'est-ce pas ? » L'intonation de sa voix laissait entendre que c'était là un travail sans grand intérêt, ce qui était peut-être vrai.

« Historien économique, répondis-je.

— Ce qui veut dire ?

— Je suis un spécialiste de l'histoire du charbon dans le sud Ayrshire durant la dernière partie du XIXᵉ siècle.

— Cela ne me paraît pas très excitant.

— Je crains que ce ne le soit pour personne mais j'essaie d'en parler d'une façon vivante. J'introduis des personnages aussi souvent que possible et je dis toujours quelque chose de leur vie.

— Et ta vie consiste à ça, à fouiller dans le charbon ?

— Oui, si l'on veut.

— Je vais te proposer quelque chose de plus excitant. Pourquoi est-ce que tu ne fouillerais pas dans l'histoire de la famille juive des Raeburn ?

— Parce que c'est le genre de sujet qui ne permet pas d'avoir un travail à l'université ou de décrocher un doctorat. D'autre part, personne ne voudrait le publier car il y a peu de gens qui sont prêts à le lire. Les Raeburn nés Rabinovitz le souhaiteraient peut-être mais ils ne sont pas si nombreux, et puis parmi ceux qui restent tous ne savent pas lire, tous ne désirent pas lire et ceux qui le désirent encore ne sont pas forcément disposés à sortir de l'argent de leur poche pour un objet aussi bizarre qu'un livre...

— Oui, mais pense aux Raeburn qui sont morts. Nous avons eu tout ce qu'il fallait dans la famille : des saints, de la richesse, de l'érudition, de l'excentricité, de la folie, du scandale et même, comme ta mère voudrait nous le faire croire, un meurtre. Que veux-tu de plus ? Du cannibalisme ? De l'inceste ? Ce pourrait être un succès.

— Je doute de convaincre mon éditeur avec cela.

— Ne t'inquiète pas de ton éditeur. *Je suis* convaincu et qui plus est, je suis prêt à le financer. N'as-tu jamais été tenté d'écrire un *vrai* livre ?

— Tenté ? J'en rêve. Mais par où commencerais-je ? Est-ce qu'il existe des archives, des documents, des journaux intimes ?

— Je possède tous les papiers de ton père et cette pie de Sophie a gardé toutes les lettres. Je pense qu'Alex tenait un journal. La matière ne manque pas.

— Je crains que cela ne soit aussi austère que mes livres sur le charbon. Quand je dis que je désire écrire un *vrai* livre je pense à un livre avec des dialogues et de véritables personnages parlant un véritable langage.

— Sers-toi de ton imagination, invente des dialogues.

— Cela ne te gênerait pas ?

— Pas du tout.

— Tu penses que je peux écrire un roman ?

— Appelle ça comme tu veux tant que les personnages et les situations sont tirés des faits réels.

— Et je serais libre de raconter tout ce que je découvrirais ?

— Tout.

— Y compris l'origine de tes deux millions ?

— Il ne s'agissait pas de deux millions et pas même d'un, mais cet argent m'a rendu service.

— Qui te les a légués ?

— Je ne le sais pas vraiment, même si j'ai mon idée là-dessus.

— Comment cela est-il possible ?

— C'est à toi de le découvrir.

2.

Certaines histoires prétendent que les Rabinovitz seraient parents de Saul Ben Yehuda Wahl, un marchand juif du XVIᵉ siècle qui, d'après la légende, fut roi de Pologne pendant un jour. Le premier point est tout autant dénué de sens que le second et il en est de même pour les nombreuses autres légendes apparentant les Rabinovitz à tout juif éminent qui ait jamais vécu, qui soit mort ou qui ait mis le pied en Pologne ou en Lituanie. C'est seulement au XIXᵉ siècle que les histoires circulant dans la famille depuis des générations commencent à tenir compte de la légèreté des faits. Que ce soit une note trouvée dans une Bible familiale ou quelqu'autre morceau de papier, rien n'indiquait de fait une origine noble. On découvre en réalité un brassage complexe de gens de la Torah et de gens du commerce, les premiers étant souvent issus de la branche masculine, les seconds de la branche féminine, les filles de marchands épousant les fils de rabbins. (La destinée des filles de rabbins n'est pas très évidente car elles ont tendance à disparaître des histoires. Etaient-elles noyées à la naissance ou étaient-elles enlevées par les cosaques ?)

Les membres de cette famille s'étaient dispersés puisqu'il en existait des branches à Potsdam, Baranovitch, Vitebsk et Volkovysk. Seule cette dernière branche devait survivre, comme en atteste une lettre datée de Sivan 5652 — ce qui correspond à peu près à mai 1892 — et adressée par Yechiel Ben Meir Rabinovitz, marchand à Volkovysk, à Moshe Ben Yechiel Moss, marchand à Glasgow. Elle est écrite d'une belle main en yiddish et dit ceci :

« Pardonne-moi ce long silence depuis ma dernière lettre mais les mauvaises nouvelles se propagent toutes seules et il y en a peu de bonnes. Les horreurs des provinces du Sud nous ont été épargnées jusqu'à présent, Dieu merci, mais nous sommes inquiets du lever au coucher. Les hommes cherchent à partir n'importe où. Les uns s'en vont vers l'Australie ou l'Allemagne, d'autres pour l'Amérique, l'Argentine, l'Afrique, n'importe où, pourvu que ce soit loin de cette vallée de larmes. Seules les affaires ne bougent pas. Je voudrais m'en aller aussi mais mes biens me retiennent. Qui voudrait d'un commerce de lin alors que personne n'achète plus de lin ? Je ne me trouve même pas dans la situation d'un paysan qui pourrait manger son blé ou d'un boulanger qui pourrait manger son pain. Mon magasin est plein à craquer et mes caisses sont vides ; j'ai d'innombrables soucis et mon seul espoir est que mes enfants, Dieu les aide, puissent commencer une nouvelle vie. Mon fils Nahum qui a maintenant seize ans (puisse-t-il vivre jusqu'à cent vingt ans !) est un jeune homme plein de promesses. En de meilleurs temps je l'aurais envoyé à la *Yeshiva* [1] car il semblait destiné à suivre les traces de notre vénéré ancêtre, le saint Nahum Phaebus de Kalisch. Mais, comme il est écrit, là où il n'y a pas de blé, il n'y a pas de Torah. Il est mon seul fils et s'il ne peut subvenir à nos besoins, qui le fera ? Sa sœur, Esther, sa cadette d'un an, est vive, intelligente et jolie comme un charme ; elle a des doigts de fée : elle fait la cuisine, le ménage et des broderies à la perfection, comme tout ce qu'elle entreprend d'ailleurs. Mais quand les fils partent, que peuvent espérer les filles ? J'aimerais qu'elle parte avec Nahum en souhaitant qu'ils deviennent heureux et que les espoirs que leur mère et moi avons mis en eux soient réalisés. Malgré son jeune âge, Nahum est un garçon tout à fait responsable et capable de s'occuper de lui-même et de sa sœur. Pourront-ils abuser de votre hospitalité au tout début de leur séjour ? Votre père, que son âme soit bénie ! passait pour le plus brave homme de Volkovysk. On dit qu'il n'a jamais repoussé personne, même si son hôte s'éternisait ou formulait des prières insensées. Mes enfants, grâce à Dieu, n'arriveront pas sans le sou. Je sais que vous êtes le fils de votre père mais j'espère que vous ne vous offenserez pas s'ils insistent pour régler les frais de leur séjour. »

On ignore quelle fut la réponse à cette lettre. Il se peut que Moss ait répondu qu'il ne pouvait recevoir qu'une personne, il se peut aussi que Yechiel ait eu l'impression qu'il ne pouvait pas laisser sa fille quitter le foyer familial. Si c'est le cas, ce fut une décision bien

---

1. *Yeshiva :* école talmudique.

malheureuse à la lumière des développements futurs. Quoi qu'il en soit, Nahum, après être passé par Riga et Newcastle, arriva tout seul à Glasgow. Une photo prise peu de temps après son arrivée montre un jeune homme maigre à l'air décidé et paraissant bien plus que ses seize ans.

Moshe Moss — ou Moss Moss comme on l'appelait dans le coin — « marchand de Glasgow », était en fait un négociant en poulets qui achetait des poulets, vendait des poulets, sentait le poulet, parlait le poulet et qui, vers la fin de sa vie, se mit à ressembler à un poulet. Sa femme, une mégère criarde qui se sentait peu gâtée par la vie — et c'était vrai — s'en prenait à tout ce qu'elle avait sous la main : son mari, sa fille, ses hôtes et, quand il n'y avait personne, ses poulets. Les volatiles trop vieux, trop maigres ou trop coriaces pour être vendus prenaient le chemin de la marmite ; la famille mangeait rarement autre chose. On avait l'impression, dira Nahum plus tard, de manger de la filasse bouillie. Cette expérience le dégoûta à tout jamais du poulet.

Nahum eut du mal à trouver du travail, aussi Moss Moss lui offrit-il un emploi dans son affaire de poulets.

« Avec les poulets, on ne peut pas avoir de problèmes, tout le monde en mange, disait-il.

— C'est vrai, mais j'espérais faire quelque chose d'autre, répondit Nahum.

— Pourquoi n'ouvrirais-tu pas une banque ? » suggéra amèrement Moss. Il était vexé de ce que Nahum rejetait sa généreuse offre d'emploi ; par contre sa dernière suggestion n'était pas tombée dans l'oreille d'un sourd.

Nahum était arrivé à Glasgow avec quelques roubles en poche et surtout quelques souverains d'or, la légende familiale en fixe le nombre à cinq. Cela représentait à l'époque une somme déjà appréciable qu'il commença à prêter moyennant un intérêt que l'on ignore. En quelques mois, il avait doublé son petit capital. Ayant alors acquis l'expérience des prêts à court terme, il envisagea ceux à long terme et consentit des prêts sur un mois. Comme il avait coutume de le dire, le Seigneur était alors à ses côtés, si bien qu'à la fin de l'année il eut assez d'argent pour ouvrir un bureau. C'est alors qu'il vécut sa première mésaventure. Il avait prêté environ la moitié de son capital à un petit négociant du nom de Goodkind moyennant une hypothèque sur sa maison. Trois mois, six mois, une année passèrent et Goodkind était toujours dans l'impossibilité de rembourser. Il contracta même de nouveaux emprunts à un taux plus élevé pour rembourser le premier, si bien qu'à la fin de l'année il devait bien plus d'argent qu'il ne pouvait espérer en gagner par son travail et il ne parlait plus de le rembourser. Nahum lui adressa une lettre rédigée en bonne et due forme pour lui demander le remboursement d'au moins une partie du prêt et en le menaçant de saisie. N'ayant pas obtenu de réponse au bout d'une semaine, il se rendit en personne chez Goodkind qui habitait quelques rues plus loin. Il frappa. Pas de réponse. Il manœuvra la poignée de la porte qui s'ouvrit. C'était au cœur de l'hiver et la maison était froide comme un tombeau. Aucun feu ne brûlait dans l'âtre de la cuisine presque vide de meubles et d'ustensiles, on aurait même dit, s'il n'y avait eu quelques miettes de pain sur le rebord de la fenêtre, qu'aucun aliment n'y avait été entreposé.

« Henry, c'est toi ? demanda une voix hargneuse qui provenait d'une autre pièce.

— Non, c'est moi, un visiteur.

— Qu'est-ce que vous voulez, nom d'une pipe ? »

Il ouvrit la porte et là, sur un grand lit, il vit, allongée sous un tas de haillons crasseux, une harpie au teint de cendre qui serrait dans ses bras un petit enfant malingre. Il n'avait jamais vu, même à Volkovysk, le spectacle d'une telle pauvreté.

« Qui êtes-vous ? Que voulez-vous ?

— Je cherche monsieur Goodkind.

— Tout le monde le cherche. J'ignore où il se trouve, le diable a dû l'emporter. Et je n'ai pas d'argent si c'est ce que vous cherchez. Je n'ai pas mangé depuis deux jours. »

Nahum s'enfuit. Mais, réflexion faite, il alla dans une épicerie acheter du pain, du lait, du beurre et des œufs qu'il laissa dans la cuisine.

Quelques jours plus tard, il tomba sur Goodkind et lui reprocha de négliger sa famille.

« Ma famille ? Où avez-vous vu ma famille ? dit-il.

— Alors qui était cette femme qui se trouvait dans votre maison ?

— Ce sont mes locataires, la source de tous mes ennuis. Je n'arrive pas à leur faire payer le loyer et je ne peux pas les mettre à la rue. J'allais m'en débarrasser l'été dernier mais elle a eu un bébé. Je suppose que d'ici l'été prochain elle en aura un autre.

— Alors quand allez-vous commencer à me rembourser ?

« — Si j'avais de l'argent je le ferais dès aujourd'hui. Vous n'êtes pas la seule personne à qui je dois de l'argent mais vous serez le premier remboursé et vous le serez dès que j'arriverai à mettre la main sur un penny. Je suis très surpris de voir que vous êtes toujours dans les affaires. Vous prêtez encore de l'argent de cette façon ? Vous n'avez même pas examiné ma comptabilité. »

En fait, Nahum ne prêtait qu'à des gens qui ne tenaient pas de comptabilité mais il comprit ce que Goodkind voulait dire.

Il s'écoula un bon laps de temps avant que Goodkind ne puisse le rembourser mais en guise de compensation il offrit ce qu'il appelait ses talents d'expert. Il parlait et savait écrire l'anglais, paraissait assez respectable (mais quelque peu débraillé), toutes qualités qui étaient précieuses à Nahum.

Selon Goodkind, Glasgow pullulait de juifs russes et polonais désireux de se rendre en Amérique. Chaque jour, des navires quittaient Glasgow mais ils ne savaient jamais très bien lequel prendre. Lui, Goodkind, connaissait bien les compagnies maritimes puisqu'il faisait affaire avec elles ; par contre, il ne savait pas parler yiddish et n'avait pas d'argent. D'après lui, ils pourraient faire ensemble une sacrée équipe. Et c'est ce qu'ils firent.

Naturellement, ils eurent de petits différends, la plupart étant provoqués par la propension de Nahum à faire crédit. Il manquait à de nombreux voyageurs quelques shillings pour payer leur billet. Goodkind, qui n'était pas très exigeant, acceptait dans certains cas des paiements en nature. Il acquit ainsi tout un bric-à-brac qui lui permit par la suite d'ouvrir un bazar. De son côté, Nahum consentait souvent un crédit sur la foi d'une reconnaissance de dette même si, comme le fit remarquer Goodkind, certains des débiteurs ne savaient pas signer de leur nom le document. Pourtant, leur association prospéra.

Moss avait une fille appelée Miri, une enfant vive, aux grands yeux et aux traits fins. Il existe une photo d'elle prise avec ses parents : elle est si belle qu'il est difficile de croire qu'elle puisse être la fille de ces parents-là. Nahum était sensible à son charme et souvent, quand elle frappait à la porte de sa chambre pour lui transmettre un message ou lui porter un verre de thé, il avait envie de lui demander de rester mais il n'en avait jamais le courage.

Lorsque Nahum se révéla un jeune homme capable de réussir dans la vie, Moss espéra en faire son beau-fils mais Nahum quitta alors le foyer des Moss (qu'il appelait « le poulailler ») et se dénicha un studio au sud de la ville, dans le quartier de Gorbals. Il écrivit à la maison pour suggérer que sa sœur vienne le rejoindre. Son père lui répondit :

« Je suis heureux que Dieu ait récompensé tes efforts au point que tu sois déjà dans ta propre maison et que tu puisses faire venir ta sœur. N'est-il pas écrit que « les hommes pieux doivent être récompensés ainsi que ceux qui recherchent le chemin de la droiture ». Je ne veux pas anticiper les bonnes nouvelles, par crainte de mauvais œil, mais je dois t'annoncer que ta sœur doit bientôt se fiancer à un jeune homme promis à un bel avenir, un petit-fils de ton parrain, le saint Reb Yechtzkel Meir de Klotsk (bénie soit sa mémoire !). Il s'agit de Yerucham Mikhols, un étudiant renommé dans toute la province qui va devenir rabbin sous peu. Tu dois te souvenir de lui car il a passé plusieurs mois à la maison. J'ai toujours souhaité, selon la volonté de Dieu, qu'il devienne mon beau-fils. Si nous avions vécu en de meilleurs temps, j'aurais été heureux de l'aider, lui, sa femme et toute la famille car il n'est pas de plus grand honneur pour un homme de bonne volonté que d'aider un étudiant de la Torah. Malheureusement, les affaires vont si mal qu'elles en sont presque au point mort et bien que je sois, Dieu merci, en mesure d'offrir à Esther un toit, des vêtements de lin et des meubles, je ne me vois pas subvenir aux besoins d'une autre génération et je pense qu'en conséquence Yerucham serait bien avisé de trouver un poste avant de se marier. Il a traversé le pays de long en large sans trouver quelque chose qui corresponde à ses désirs. Comme je l'ai dit et comme tu as dû l'entendre dire, c'est un excellent étudiant et un bon professeur. Il présente bien et tout le monde en dit du bien. N'y aurait-il pas quelque chose à Glasgow pour lui ? »

Il se trouva qu'on avait effectivement besoin d'un rabbin à Glasgow ; on proposait en outre une maison, un salaire modeste mais régulier et un certain prestige social. Nahum se demanda toutefois si Yerucham était l'homme qui convenait.

Il y avait à cette époque en Europe de l'Est un grand nombre de *Yeshivoth* ; toutes ne pouvaient nourrir leurs étudiants, qui avaient pris l'habitude de s'inviter chaque jour dans des maisons différentes. Pour Yerucham, le lundi était le jour des Rabinovitz. Nahum se souvenait de ce grand jeune homme solennel qui était son aîné de trois ou quatre ans. Tout paraissait sombre chez lui : ses vêtements, sa barbe, son teint, son humeur. Il avait des traits fins et on aurait pu le trouver beau s'il avait été capable de sourire, ce que Nahum ne l'avait jamais vu faire. Il ne l'avait non plus jamais entendu parler car il levait rarement les yeux de son assiette et quand il ne mangeait pas, il se balançait d'avant en arrière, perdu dans ses saintes pensées. Il se balançait aussi durant les prières après le repas, prières qu'il entonnait d'une voix sifflante et les yeux fermés comme s'il souffrait d'un violent mal de tête. A la minute précise où il avait terminé il s'en allait mais s'il remerciait son Créateur d'une manière exubérante, il n'avait jamais, aussi longtemps que Nahum s'en souvienne, remercié ses hôtes. La mère de Nahum le fit remarquer un jour mais son père répondit : « Pourquoi me remercier quand tout ce que j'ai me vient du Seigneur ? »

Nahum n'était pas très satisfait de la réponse de son père. Il ne connaissait pas très bien sa sœur (car il avait passé la plus grande partie de sa jeunesse à la *Yeshiva*) mais le peu qu'il savait ne l'avait guère préparé à l'éventualité que son cœur s'enflammât pour un tel personnage. Esther était une femme sociable, bien éduquée et pleine de vie. Elle avait été couvée par ses parents et il ne pouvait l'imaginer épousant un rabbin. De plus, bien qu'étant lui-même très pieux, il avait tendance à se méfier d'une dévotion excessive. Il avait l'impression qu'en faisant entrer Yerucham dans la famille c'était comme si l'on introduisait un maître-autel dans la salle de séjour. Il lui était plus facile d'admirer Yerucham que de l'aimer mais il n'était même pas très sûr de l'admirer. Cependant, si sa sœur et son père lui avaient prouvé leur affection, il ne voyait aucun intérêt à faire connaître ses sentiments. Il en parla à Moss qui avait une certaine influence sur la communauté.

« Ils veulent un homme qui parle bien l'anglais et qui ait éventuellement un diplôme universitaire, mais cet homme-là ne voudra pas d'eux et il leur faudra bien se décider avec ce qui leur reste. Est-ce qu'il présente bien ? demanda Moss.

— Très bien, dit Nahum qui exhiba une photo.

— C'est une belle photo mais est-ce qu'il s'agit de l'homme dont nous parlons ? dit Moss.

— Bien sûr. Je le connais ainsi que sa famille.

— Quand a-t-elle été prise, il y a dix ou vingt ans, non ?

— Elle est récente ; il n'a que vingt-deux ans.

— A-t-il un extrait d'acte de naissance ? Tu ne peux imaginer le nombre de fraudeurs auxquels nous avons affaire.

— Il a tout ce qu'il faut.

— Est-ce qu'il rasera sa barbe, ou sa moustache au moins ? S'il ne taille pas sa moustache il se fera des taches de soupe sur les revers de sa veste, or ce qu'ils veulent surtout, c'est un homme qui ait des revers propres. »

Connaissant Glasgow, Nahum se garda d'évoquer davantage la piété du jeune homme.

Moss réussit à persuader les membres du conseil d'administration de la synagogue d'inviter Yerucham à venir leur parler, mais ils se refusèrent à lui payer le voyage. Il y avait suffisamment de candidats sur place, prêts à venir sans causer le moindre frais ; aussi Nahum lui envoya-t-il l'argent. Il arriva quelques mois plus tard ; Nahum, accompagné de Moss et d'une petite délégation de la synagogue, vint le chercher à Queen Street Station : ils furent très impressionnés par son allure et sa barbe. Quant à Nahum, il faillit bien ne pas le reconnaître. Il s'était un peu remplumé et s'il ne se tenait pas encore droit, il n'avait plus le dos voûté des étudiants de la *Yeshiva*. Il était vêtu très correctement, élégamment même, il avait taillé sa barbe et sa moustache, il souriait continuellement et exhibait une belle rangée de dents saines. Moss fit un petit discours de bienvenue sur le quai de la gare au nom de la délégation et il y répondit. Quand il parla à la synagogue deux jours plus tard, l'endroit était plein à craquer et dans la galerie les femmes tendaient tellement le cou pour saisir ses paroles qu'elles menaçaient de tomber sur leurs congénères masculins en contrebas.

« Merveilleux ! », « Admirable ! », « Incroyable ! » disait-on de tous les côtés. Le seul défaut c'est qu'il ne parlait pas l'anglais. Eux non plus d'ailleurs, mais ils étaient à la recherche d'un rabbin qui ne serait pas seulement un leader spirituel mais aussi leur ambassadeur auprès des *goyim*[1]. Moss (qui semblait avoir pris fait et cause pour Yerucham), Nahum et Yerucham leur certifièrent qu'il lui faudrait peu de temps pour apprendre l'anglais. Il commença à prendre des leçons dès le lendemain, et avant même la fin de la semaine il saluait le monde en disant « Bonjour » (malheureusement, il le disait aussi en fin de soirée), « Quelle belle journée », « Comment allez-vous ? » Certains voulaient déjà l'engager mais comme il avait été convenu d'entendre un autre candidat qui parlait l'anglais, ils ne pouvaient prendre leur décision avant de l'avoir entendu.

« Je le connais, dit Moss. On le voit partout. Il parle bien l'anglais

---

1. *Goyim* : pluriel de *goy* qui signifie « non juif ». On dit aussi les « gentils ».

mais tout le reste est mauvais chez lui. Sa femme et lui se disputent avec tout le monde et il ne peut jamais garder un travail plus d'un an et même pas plus d'un mois parfois. Tu peux dire à Yerucham que le boulot est pour lui. »

Nahum fit rapidement parvenir la nouvelle à la maison. Son père lui répondit en lui demandant de façon pressante d'activer le cours des choses. « La pauvre enfant languit de son aimé et il en sera ainsi tant qu'ils ne seront pas mariés. »

Le rabbin parlant l'anglais, un petit homme mince accompagné d'une grande femme mince, arriva avec une maîtrise de lettres en poche. Tous les deux s'exprimaient parfaitement et il décrocha la place. La décision divisa la communauté ; Moss et plusieurs autres s'en séparèrent et formèrent leur propre congrégation dans une petite synagogue avec Yerucham pour rabbin. Certes, ils ne pouvaient lui offrir le salaire, pas plus que le logement proposé par l'autre congrégation, mais Moss promit à Yerucham qu'il en disposerait en temps voulu.

Nahum ne savait trop comment présenter la nouvelle à son père ; il mit l'accent sur les éléments les plus positifs.

« L'important, écrivit-il, c'est que Yerucham a maintenant le pied à l'étrier. Il touchera un modeste salaire mais c'est une petite congrégation qui lui prendra peu de temps. Il pourra ainsi apprendre l'anglais (il a déjà appris quelques expressions) et peut-être même entrer à l'université. S'il décroche un diplôme, toutes les portes lui seront ouvertes. »

Il était également rassuré par le fait (bien qu'il n'en parlât pas à son père) que Yerucham avait beaucoup mûri au cours de ces quelques semaines passées à Glasgow. Par ailleurs, il n'était plus si pieux et si maussade qu'il l'avait craint. Durant les prières, il se balançait avec moins de ferveur et au cours des repas il levait les yeux de son assiette. Il pouvait tenir une conversation sans citer le nom de Dieu après chaque respiration. Il pouvait même être galant et il séduisait les femmes partout où il allait. Nahum ne doutait pas qu'il réussirait, même si ses chances immédiates paraissaient bien maigres. Il demanda à son père de ne pas retarder le mariage plus longtemps, ce à quoi celui-ci lui répondit d'un ton acerbe : « Il ne m'appartient pas de retarder ou d'avancer quoi que ce soit. »

Quelques semaines plus tard, il écrivit à nouveau : « J'ignore s'il veut attendre de devenir le Grand Rabbin de l'Empire Britannique mais Esther n'attendra pas, et je m'opposerai à ce qu'elle attende même si elle le désire. Je pense qu'il devrait revenir tout de suite pour qu'ils puissent se marier et repartir tous les deux à Glasgow. Pourrais-tu lui avancer l'argent du voyage ? Si tu ne le peux, je le lui adresserai par retour du courrier. Je ne lis pas les lettres d'Esther mais je sais qu'il ne lui écrit pas aussi souvent qu'il le devrait. J'ai aussi le sentiment que ses lettres ne lui apportent plus les mêmes joies qu'autrefois. Elle ne me dit jamais rien. Elle parle un peu plus à sa mère qui ne m'en dit rien non plus. C'est ainsi. Je paie tout, je me fais du souci et personne ne me dit quoi que ce soit. Je me sens parfois comme un étranger dans ma propre maison. Est-ce que tu pourrais parler avec Yerucham pour essayer de savoir ce qui se passe ? »

Yerucham habitait chez Moss (ce qui contribuait quelque peu à détruire son image de personnage élégant car il commençait à sentir le poulet. Il est vrai qu'il appréciait la cuisine de Mme Moss et il en profitait visiblement). Moss était à la fois son patron, son mentor et son professeur d'anglais (un professeur qui se révéla imparfait car son anglais était coloré d'expressions campagnardes empruntées aux paysans du Lanarkshire avec qui il traitait). Nahum estima que le mieux était de prendre Moss à part pour lui demander de parler à Yerucham.

« Mais certainement, dit Moss, je lui parlerai comme un père et je te rapporterai ce qu'il m'aura dit. »

Nahum vivait alors dans une maison de deux pièces. La cuisine était grande et il en fit sa pièce principale puisque dans l'alcôve latérale il y avait un lit. Il sous-loua l'autre pièce à un juif russe qui ne parlait pas yiddish, qui en fait parlait peu, se déplaçait silencieusement, payait régulièrement son loyer, parfois même en avance lorsqu'il partait pour quelques jours.

Un soir, Nahum était seul dans la cuisine en train de boire du thé tout en se livrant à son occupation favorite, la comptabilité, lorsqu'il entendit tousser et cracher dans les escaliers ; quelques instants après, on frappa à sa porte. C'était Moss : il resta un moment sur le palier en essayant de retrouver son souffle puis il s'affala sur une chaise.

« Les escaliers me tueront, dit-il en haletant. Je me demande comment les gens peuvent vivre aussi longtemps avec les escaliers — les escaliers et le brouillard. J'ai dû avaler une tonne de suie en venant ici. Je ne voyais pas plus loin que le bout de mon nez — ce qui n'est pas si mal vu sa taille — et j'ai dû trouver mon chemin à l'aveuglette, en tâtonnant avec le bout de mon parapluie. Tu te souviens des ciels clairs du pays ? De l'air pur ? Des rivières limpides ?

Des champs, des arbres, des lacs, des prairies ? Et dire que nous avons quitté notre *golderneh medineh*[1] pour ce pays ! Je pense parfois que nous devrions nous faire examiner le cerveau. »

Nahum le laissa parler. Il savait que Moss n'était pas homme à venir faire des civilités. Il lui servit un verre de thé et attendit avec appréhension qu'il entre dans le vif du sujet. Moss prit son temps, cassa en deux un morceau de sucre, but son thé bruyamment tout en chauffant sur le verre ses mains gantées de mitaines. Il faisait un froid de canard dans la pièce.

« A ce que je vois, tu n'apprécies guère les pièces surchauffées.

— Je quitte la maison très tôt et quand je rentre il est presque l'heure d'aller se coucher, alors à quoi bon allumer un feu ?

— Et puis les hivers d'ici ne sont rien comparés à ceux de la Russie. Si l'on s'habille assez chaudement, on peut se passer de feu toute l'année. Ce qui compte, ce sont les sous-vêtements : avec des *gatkess*[2] bien chauds, tu es suffisamment protégé. »

Il but son thé en silence, puis il dit : « Au fait, quelle sorte de relation y a-t-il entre Yerucham et ta sœur ?

— Je pensais que tu le savais.

— Je pensais aussi que tu le savais et c'est la raison pour laquelle je te le demande.

— Ils projettent de se marier.

— *Ils* projettent ?

— Elle projette.

— Ah !

— Pourquoi ce ah ?

— Parce que j'ai fait ce que tu m'as demandé. Je l'ai pris à part et je lui ai dit : « Tu sais, cette pauvre fille se languit de toi, tu devrais lui écrire plus souvent, elle veut savoir ce qui se passe. » Ce n'était pas facile à dire, comme tu peux l'imaginer. Après tout, il n'est que mon locataire et je ne partage pas ses petits secrets mais finalement je suis diplomate et j'ai agi très diplomatiquement. « La pauvre fille a le droit de savoir ce qui se passe, ai-je dit, et... » Il s'interrompit.

« Et ?

— Il a dit qu'il n'y avait rien d'officiel entre ta sœur et lui, mais rien non plus d'impossible. C'est une fille charmante, une belle fille, une fille intelligente, issue d'une bonne famille, une fille que tout

---

1. *Golderneh medineh :* littéralement « le pays doré ».
2. *Gatkess :* caleçons.

homme serait fier d'épouser, mais... » Il s'arrêta pour avaler une longue gorgée de thé comme s'il voulait prendre des forces. « Mais il est amoureux de ma Miri et veut l'épouser.

— Miri ?

— Miri.

— Elle n'a que quatorze ans.

— Pardon, quinze. L'an prochain, si Dieu le veut, elle en aura seize. Ma mère s'est mariée à quatorze ans. De toute façon, Miri est une fille mûre, quel que soit son âge. Et puis, s'il est amoureux d'elle et elle de lui, que puis-je faire ? Qu'est-ce que tu ferais à ma place ?

— Je le mettrais à la porte. »

Nahum se versa un verre de thé et s'assit sur la chaise abandonnée par Moss. Il se demanda ce qu'il allait faire, ce qu'il allait dire à son père et comment il allait le lui dire. Il prit un stylo et une feuille de papier, mais ses doigts étaient trop engourdis et il se sentait trop triste pour écrire. Il aurait voulu dormir pour oublier. Mais il ne pouvait trouver le sommeil et il resta éveillé, fixant le plafond et imaginant les visages tourmentés de son père et de sa sœur. Il essaya de se rassurer en pensant que les choses n'allaient peut-être pas si mal : dans son for intérieur, il avait toujours douté de Yerucham et maintenant ce doute le submergeait. Le saint homme était devenu un homme ordinaire puis, un peu trop rapidement, un parfait citadin. Ses papillotes, qu'il avait l'habitude de glisser derrière ses oreilles, avaient disparu au bout d'une semaine et sa barbe, assez longue, s'était raccourcie en un jour : il ne lui restait plus sur le menton qu'une petite barbiche. Sa situation d'heureux pensionnaire chez Mme Moss ne faisait qu'aggraver le doute. Nahum avait remarqué que Mme Moss (et au départ il avait pris cela pour une négligence), lavait son assiette à viande et son bol à lait dans le même évier ; de plus, il suspectait Moss de tordre lui-même le cou de ses poulets afin d'économiser quelques pence au lieu de les porter au *shochet*[1]. Bien que rabbin, Yerucham ne semblait guère affecté par ces pratiques. Et puis, il y avait sa relation avec Miri. Il s'endormit en songeant que sa sœur n'épouserait pas un charlatan.

Le lendemain soir, il s'attela à la rédaction de sa lettre et décida d'annoncer la nouvelle progressivement.

---

1. *Shochet :* l'expert ou exécuteur chargé de tuer les animaux selon les rites juifs en faisant souffrir le moins possible et en éliminant le sang. La viande ainsi obtenue est dite kasher.

Il demanda à son père si Yerucham et Esther étaient officiellement fiancés car, plus il en apprenait sur Yerucham et moins il était convaincu du bon parti qu'il pouvait représenter. Il avait aussi de sérieux doutes sur l'avenir de Yerucham car, disait-il, il y avait abondance de rabbins à Glasgow et il n'était plus certain qu'il puisse obtenir un poste satisfaisant. Sa lettre croisa une missive angoissée de son père lui disant qu'il avait entendu de sordides rumeurs sur Yerucham, rumeurs qu'il estimait être des calomnies « concernant un jeune homme pieux et saint ». De telles nouvelles voyageaient vite, même à l'époque, et il suppliait Nahum de lui confirmer qu'elles étaient inexactes. Nahum dut répondre que ces bruits étaient fondés et qu'Esther avait évité une catastrophe ; il se contentait d'espérer qu'elle voudrait l'envisager sous cet angle.

Son père mit un certain temps à encaisser le coup, mais tout s'acheva par une prière remerciant Dieu « de nous infliger ces petits tourments qui nous évitent les grands ». Quant à Esther, ajoutait-il, « elle est si joyeuse et elle a si bien pris la nouvelle que ta mère et moi craignons pour elle ». Il y avait un post-scriptum : « Nous avons été déçus pour Esther mais peut-être, si Dieu le veut, nous apprendras-tu une bonne nouvelle te concernant. »

La nouvelle concernant Yerucham et Miri avait doublement affecté Nahum. Durant les froides nuits passées sous le toit des Moss son cœur se réchauffait à la pensée de leur fille. Il prenait grand plaisir à la regarder, surtout les jours de Sabbath et de fêtes quand elle lavait, frottait et arrivait presque à supprimer l'odeur de poulet. Il aimait aussi son sourire légèrement ironique ; il avait l'impression qu'elle se moquait de lui, de sa timidité, de sa maladresse. Ce qui lui importait peu car cela signifiait qu'elle était consciente de son existence. Si elle avait été plus âgée et s'il avait occupé une meilleure position sociale, il aurait sérieusement songé à l'épouser. Elle était très bien faite à l'exception de sa taille et de sa poitrine, trop lourde et trop opulente pour quelqu'un de son âge. Elle avait un cou élancé, de grands yeux noirs et espiègles. Un jour qu'elle se trouvait seule à table avec Nahum, elle lui avait confié qu'elle désirait devenir actrice ; elle passait pourtant la plus grande partie de ses journées en compagnie de sa mère, une femme de forte corpulence et à l'aspect négligé, à plumer des poulets, à les vider et à tenir la maison.

Après qu'il eut emménagé dans ses meubles, Nahum était souvent venu manger chez les Moss pendant le week-end ; à ses yeux, la cuisine de la mère n'était qu'un modeste tribut à payer en regard du sourire de leur fille. Certes, il n'avait jamais laissé percer ses intentions mais il avait l'impression d'être considéré par ses parents comme un futur prétendant. Yerucham avait été plus direct et plus précis dans son approche.

Ils se marièrent pour le seizième anniversaire de Miri. Ce fut un grand mariage. On se gava de foie de poulet haché, de soupe de poulet, de divers morceaux de l'animal servis sous des apprêts différents et l'on dit que ceux qui mangèrent les six plats figurant au menu repartirent en caquetant.

L'heureux couple partit en lune de miel une semaine. Quand ils revinrent, Yerucham avait le menton lisse (mais la moustache était restée intacte). Il fit également savoir que l'on devrait dorénavant l'appeler James. Un mois plus tard, il quitta le rabbinat pour devenir l'associé de son beau-père.

Nahum se faisait toujours du souci pour sa sœur; d'une certaine façon, il se sentait responsable de son malheur. Il écrivit à la maison pour suggérer qu'elle vienne le rejoindre. Glasgow, expliqua-t-il, fourmillait de jeunes fiancés potentiels et il ne doutait pas qu'elle en trouverait un convenable. Il projetait par ailleurs de s'installer dans un plus grand appartement et elle pourrait tenir son ménage. Son père fit la sourde oreille. Il semblait en vouloir à Glasgow pour la façon dont les choses s'étaient passées avec Yerucham. « D'après ce que j'ai entendu dire, cela ne me paraît pas l'endroit idéal pour une véritable fille d'Israël. » Quelques semaines après, Nahum reçut un petit mot ainsi rédigé : « Ta sœur nous a quittés. Nous en avons fait notre deuil. Tu peux faire la même chose. J'attendais trop d'elle, je voulais trop pour elle. L'orgueil précède la chute. »

Nahum fut abasourdi et il ne sut que penser. Il supposa qu'elle s'était convertie au christianisme mais cela paraissait impossible. Comme il ne pouvait en savoir davantage par son père, il écrivit en désespoir de cause à sa mère en souhaitant qu'elle soit plus explicite, mais elle ne fit que lui répondre ceci : « Cela me fait trop souffrir d'en parler plus en détail, mais si ce qui est arrivé a surpris ton père, cela ne m'a pas surprise. » Quelques semaines plus tard, un nouvel arrivant en provenance de Volkovysk lui raconta toute l'histoire. Sa sœur était partie avec un *sheigatz*[1], « un ruffian roux, un soldat, un

---

1. *Sheigatz* : un voyou, un garnement.

déserteur, un double déserteur puisqu'il n'avait pas seulement quitté l'armée mais aussi sa femme et ses enfants ».

« Voilà ce que j'appelle des *tzores*[1], dit Moss Moss.

---

1. *Tzores* : des ennuis, des malheurs.

3.

A Volkovysk, il y avait un proverbe très connu qui disait : « Si tu ouvres la porte au diable, il fera venir ses parents » ; Nahum se le rappelait souvent. Presque tout ce qui aurait pu mal tourner avait mal tourné. Il n'imaginait pas seulement l'angoisse de son père, il la ressentait à la fois dans ce qu'il écrivait mais surtout dans ce qu'il n'écrivait pas et dans ses silences qui se faisaient de plus en plus longs entre ses lettres. Il lui était encore plus difficile d'imaginer ce que sa sœur ressentait car il ne l'avait jamais réellement connue. Par ailleurs, il n'aurait jamais pu supposer qu'elle puisse faire ce qu'elle avait fait, qu'elle puisse s'enfuir avec un soldat russe alors qu'elle avait aimé Yerucham. Il avait toujours eu la vague impression que les femmes de la famille n'avaient jamais vraiment partagé les mêmes conceptions que son père et lui-même et qu'elles manifestaient une certaine hostilité à l'encontre de certaines cérémonies et traditions de leur foi.

Chaque année, pour la Pâque, il y avait une grande réunion de famille. Son père trônait au bout de la table, tel un roi ; Nahum siégeait à ses côtés comme un prince héritier, puis venaient des parents proches ou éloignés, des oncles, des cousins, des tantes. Les hommes étaient regroupés à un bout de la table et les femmes à l'autre bout. Ces dernières, et surtout sa mère, sa sœur et sa tante Katya jouaient les trouble-fêtes car, tandis que les hommes lisaient la Haggadah, discutaient de l'Exode et des autres événements commémorés en ce jour, on entendait des bavardages et des gloussements à l'autre bout de la table. Yechiel devait les interrompre de temps à autre, tapant sur la table jusqu'à en faire trembler le vin dans les verres.

« C'est la Pâque, criait-il, et pas un marché au poisson. » Le silence revenait pour un instant mais pour un instant seulement.

Pour la fête de *Tisha B'av*[1] Nahum soupçonnait sa mère de ne jeûner qu'une demi-journée et sa sœur de ne pas jeûner du tout, mais il pensait qu'en dehors de ses sentiments à l'égard du judaïsme et de la tradition juive, elle partageait son respect et son affection pour leur père.

Il aurait voulu se rendre à Volkovysk pour savoir exactement ce qui s'était passé et voir comment allait son père. Mais comme par ailleurs ses affaires commençaient à bien marcher il ne souhaitait pas les mettre en danger en s'absentant trop longtemps pour un voyage à Volkovysk. Il n'était pas pressé de s'enrichir mais il craignait, si la situation continuait à se détériorer en Russie, d'avoir un jour ou l'autre toute la famille sur les bras.

Durant la première année de leur association, Nahum et Goodkind évitèrent de trop prélever sur l'affaire, puis les choses s'améliorèrent à un point tel qu'ils durent trouver des bureaux, ce qui signifiait qu'il fallait donner un nom et une base juridique à leur entreprise.

Ils allèrent consulter un juriste, Tobias, un homme maigre à la voix grave qui portait de grosses lunettes, avait un visage rabougri et des verrues grosses comme des tétons.

« Rabinovitz c'est un nom dur à porter toute une vie. Il y a des centaines de façons de l'épeler et on vous demandera de le faire à chaque fois.

— Mais c'est mon nom, dit Nahum.

— Vous êtes né avec un prépuce, cela ne signifie pas que vous deviez le garder. Imaginez le nombre de fois où vous devrez, au cours de votre vie, écrire, dire, épeler votre nom. Mais ce qu'il y a de plus important c'est que vous comptez vous agrandir, nouer des contacts internationaux, n'est-ce pas ? Bien. Les étrangers aiment croire qu'ils traitent avec une vieille entreprise anglaise or dans votre nom il n'y a rien d'anglais, rien qui indique une idée de vieille souche anglaise. »

Goodkind acquiesça.

« Mais c'est malhonnête, s'exclama Nahum.

— Monsieur Rabinovitz, je souhaite que ce soit la chose la plus malhonnête que vous ayez à faire dans votre vie.

— Mais ce nom est celui d'une famille connue.

---

1. *Tisha B'av* : fête qui commémore la destruction du premier temple en 586 av. J.-C. et celle du second en 70 de notre ère.

— A Volkovysk peut-être, mais vous êtes à Glasgow maintenant. Il faut un nouveau nom dans un nouveau monde.

— Quel genre de nom ? Rabin ?

— Non, si vous devez changer, il faut le faire carrément. Pourquoi pas Raeburn ?

— C'est anglais ?

— C'est écossais, ce qui est encore mieux. Les meilleurs noms anglais sont écossais.

— Alors nous nous appellerons Raeburn et Goodkind ?

— Pourquoi ne pas laisser tomber le " et " pour vous appeler tout simplement Goodkind-Raeburn. Cela sonne bien. »

On retint donc le nom de Goodkind-Raeburn, bien que Nahum ne fût pas très heureux de porter un nom qui n'était ni celui de son père ni le sien ; c'était un peu comme s'il naviguait sous pavillon pirate.

Il existe une photographie des deux associés, prise devant leur bureau par un jour de canicule, à ce qu'il semble, tous deux portant chapeau rond et moustache (celle de Raeburn est soignée, celle de Goodkind est fournie) ; un troisième personnage, grand et mince, se tient en retrait : c'est leur employé, l'admirable Colquhoun.

Dans les premiers temps, ils se présentèrent comme agents maritimes mais bientôt ils se lancèrent dans les transports. Ils créèrent ainsi ce que Goodkind appela leur propre « flotte », qui consistait en deux remorques, un cheval baptisé George et un roulier nommé O'Leary.

Nahum continuait à vivre dans son petit appartement. Lorsque son locataire partit, il n'en chercha pas d'autre. Mᵐᵉ O'Leary venait à peu près une heure par jour faire le ménage et la cuisine. Il s'accordait peu de plaisirs car ses dépenses croissaient plus vite que ses gains. Goodkind se plaignait, d'ailleurs, de ce qu'il hésitait bien trop à mettre la main dans le tiroir-caisse.

« Je suis censé être associé à cette affaire ; je ferais mieux d'être son employé », se lamentait-il.

C'était bien vrai. Un jour, Colquhoun les invita à venir manger chez lui. Il vivait dans une confortable maison correctement meublée. Il avait une séduisante épouse qui répondait au nom de Jessie. Elle leur fit un repas comme jamais ils n'en avaient goûté de toute leur vie, avec du saumon poché qu'ils arrosèrent de généreuses rasades de whisky.

« Nous ne vivons pas ainsi, dit Goodkind d'une voix rauque tandis qu'ils zigzaguaient sur le chemin du retour.

« — Il peut dépenser ce qu'il gagne, mais pas nous, dit Nahum.

— Quand pourrons-*nous* commencer à dépenser ?

— Lorsque nous serons solidement installés.

— Et quand cela va-t-il arriver ? Quand nous posséderons la White Star Line ? »

Malgré la croissance du volume des affaires, Nahum se sentait curieusement troublé et insatisfait, les soirs d'été surtout. L'hiver semblait davantage propice au travail et il aimait rentrer le soir près d'un bon feu avec la bouilloire sur le foyer et le plat, préparé par Mme O'Leary, dans le four. Après dîner, il s'endormait parfois sur une chaise près du feu. En été, quand le soleil rougeoyait dans le ciel et que les bâtisses de pierre laissaient échapper la chaleur accumulée durant la journée, il n'avait pas envie de rentrer à la maison ; son cœur débordait de vagues envies, de désirs imprécis. Lorsque Miri était encore célibataire, il avait l'habitude d'aller faire un saut chez les Moss : la vue de la jeune fille le réconfortait, même si elle tenait un poulet mort entre les jambes. La maison des Moss avait perdu de son attrait maintenant que la jeune fille était partie et Nahum ne s'était guère fait de nouveaux amis. Durant son enfance à Volkovysk il n'avait eu qu'un seul ami, un garçon nommé Shyke qui, bien que très intelligent, était aussi exubérant et sauvage que lui, Nahum, était calme. Cependant, jusqu'à ce qu'il emménage à Glasgow, ou du moins jusqu'au mariage de Miri, il n'avait pas vraiment souffert de l'absence d'amis. Pour la première fois de sa vie, il se sentit seul. Un jour, après avoir marché le long des rues, il frappa à la porte de Goodkind. Après un instant de silence, Goodkind apparut, l'air un peu surpris.

« Tu désires quelque chose ? demanda-t-il d'une voix peu accueillante.

— Non, non, je me demandais simplement comment tu allais.

— Comment je vais ? Tu viens de me voir il y a une heure ou deux.

— Oui, oui, c'est vrai ; alors ça va ?

— Oui, ça va. Tu ne te sens pas bien ?

— Si, si. Bon, et bien je vais m'en aller. »

Goodkind, étant la seule personne qu'il fréquentait, comptait beaucoup pour Nahum ; cependant, il ne savait rien de sa vie privée hormis le fait qu'il avait une femme et des enfants qui vivaient avec sa mère à Liverpool. Il se demandait souvent pourquoi il ne les faisait pas venir à Glasgow maintenant qu'il avait des revenus réguliers. Goodkind ne lui en parlait jamais ; la réponse se trouvait peut-être derrière cette porte et il ne se sentait guère encouragé à le lui demander. Le fait d'avoir été repoussé ajouta à son sentiment de tristesse. Il se demanda s'il n'allait pas faire un saut chez Colquhoun ou chez O'Leary.

Mme O'Leary, qui prodiguait souvent des conseils qu'on ne lui demandait pas, lui dit un jour : « Le mariage ce n'est pas le paradis, mais pour sûr un homme a besoin d'une femme qui l'attende à la maison quand il rentre après une longue journée. »

Nahum se rendait régulièrement à la synagogue pour le Sabbath. Depuis que le bruit courait que ses affaires n'allaient pas trop mal, on l'invitait fréquemment à manger et il se trouvait souvent assis près d'une jeune fille bonne à marier. Un vieux rabbin qui officiait à l'occasion comme marieur — il s'agissait plutôt d'un vieux marieur qui officiait à l'occasion comme rabbin — l'importunait presque tous les jours avec son choix de marchandises quelque peu défraîchies. A certains moments, Nahum avait l'impression que toute la vie des juifs de Glasgow s'organisait autour d'une vaste conspiration visant à l'inciter au mariage.

Il était par ailleurs conscient du vif désir qu'avaient ses parents d'apprendre une « bonne nouvelle » et bien qu'il essayât de leur remonter le moral en évoquant sa prospérité grandissante, il ne s'agissait pas vraiment de *la* bonne nouvelle qu'ils attendaient. Les lettres de son père étaient truffées de recommandations du genre : « Une bonne épouse est plus précieuse qu'un rubis », « Celui-là qui n'a ni enfants ni petits-enfants ne sait pas ce qu'est le bonheur. » Nahum pensait qu'en se mariant rapidement pour le simple plaisir de ses parents, il aurait porté bien loin le sens de la piété filiale.

Les lettres en provenance de la maison se firent bientôt plus fréquentes et moins affligées mais son père et sa mère restaient silencieux sur le sujet qui l'intéressait le plus : sa sœur. Comme il ne pouvait briser le mur de leur silence, il écrivit à Shyke mais il n'eut pas de réponse. Il apprit par la suite, de la bouche d'un nouvel arrivant en provenance d'une petite ville voisine de Volkovysk, que Shyke avait émigré.

« Il ne s'entendait pas bien avec son père, je pense qu'il est parti en Amérique », lui dit-il.

Un soir, Nahum fut invité à dîner chez Black, un homme d'affaires local avec qui il avait traité à l'occasion. Nahum pensait se retrouver assis près d'une jeune fille, comme d'habitude. Il ne s'attendait pas à être entouré de trois robustes et guère séduisantes demoiselles.

« Elles se suivent de près et sont toutes aussi belles les unes que les autres *kein ein horeh*[1], dit le père après le repas.

— Elles ont l'air de bien se porter, ajouta Nahum.

— C'est le cas, *kein ein horeh*, et d'ailleurs qu'y a-t-il de plus important dans la vie qu'une bonne santé ? Ce sont des filles intelligentes, cultivées. Aucune n'est née ici mais elles parlent un si bel anglais que c'en est un plaisir de les entendre. Vous parlez bien l'anglais aussi.

— Oui, j'essaie.

— Vous avez quand même une pointe d'accent malgré tout. Ecoutez mes filles, aucune n'a d'accent ; on jurerait qu'elles sont nées ici. Avez-vous la nationalité anglaise ?

— Pas encore.

— Moi, je l'ai. J'ai été naturalisé il y a trois ans. Vous savez, j'ai voté aux dernières élections. Conservateur. Les libéraux élus, il serait inutile de devenir sujet britannique. Ils sont en train de détruire le pays en le tiraillant de toutes parts. Elles jouent toutes les trois du piano. Voulez-vous les entendre ? »

Nahum n'en avait aucune envie mais il se résigna à écouter le petit récital de chacune.

« Vous n'aviez pas cela à Volkovysk, hein ? Les juives jouent ainsi du piano. En fait, vous n'aviez pas de piano là-bas. De par ma position, Dieu merci, je puis veiller à ce qu'aucune d'entre elles ne se salisse les mains. »

Toutes les trois ressemblaient à des roses un peu trop épanouies avec leurs belles dents, leurs joues roses, leur beau teint, leurs cheveux châtains et leurs yeux sombres. Aucune n'était vraiment désagréable à regarder mais les trois ensemble, c'en était presque trop.

Une après-midi, il tomba sur l'une des sœurs qui marchait en compagnie de sa mère, et à côté de qui elle paraissait bien mince. Il s'arrêta pour parler à la mère mais il était conscient que la fille le couvait du regard. Il y eut soudain une averse et ils durent se réfugier sous l'encadrement de la porte d'une boutique. La mère aperçut un objet qu'elle désirait à l'intérieur du magasin et Nahum, gêné, se retrouva seul avec la fille. Ils se regardèrent quelque temps en silence.

Puis il dit : « Vous êtes celle du milieu, n'est-ce pas ?

---

1. *Kein ein horeh :* qu'elles soient préservées du mauvais sort (littéralement : sans le mauvais sort).

— Non, je suis la plus jeune, Elsa. J'ai dix-sept ans.
— Vraiment ?
— Oui. »
Silence.
Nahum cherchait désespérément un sujet de conversation.
« D'où vient votre père ?
— Oh ! de quelque part en Russie. Il n'aime pas en parler.
— Pourquoi ?
— Je ne le lui ai jamais demandé. »
Silence.
« Allez-vous toujours à l'école ?
— Mon Dieu, non. Est-ce que j'ai l'air d'une écolière ? »
Il lui certifia que non. La mère mettait un temps fou à faire ses achats.
« Aimez-vous Alice ?
— Qui est-ce ?
— Ma sœur aînée. Mon père espère que vous voudrez l'épouser.
— L'épouser ? Je ne l'ai rencontrée qu'une fois.
— Mais elle n'est pas mal, n'est-ce pas ?
— Vous l'êtes toutes.
— Vous croyez ?
— Oui, et vous en particulier.
— Je suis grosse et en vieillissant je deviendrai comme mère. Toutes les femmes sont obèses dans la famille. Vous devriez voir ma tante Sarah. Elle aurait sa place dans un cirque. »
Il avait déjà vu la tante Sarah et il savait qu'elle n'exagérait pas.
« Où habitez-vous ? demanda-t-elle.
— A Portugal Street.
— Ce n'est pas très loin d'ici. Il y a quelqu'un qui vous aide ?
— Une femme vient me faire le ménage et la cuisine.
— Et elle subvient vraiment à tous vos besoins ?
— Non, non, pas à *tous*. » Un désir pressant l'envahit qu'il crut partagé par elle. Sa poitrine se souleva et toucha presque les revers de sa veste. La mère apparut à ce moment et il la salua d'un petit cri de soulagement.

Ce soir-là, il était seul chez lui quand il entendit frapper à la porte. C'était Elsa. Il la regarda, bouche bée.

« Vite, dit-elle, je ne peux pas rester longtemps. Ma mère croit que je suis chez tante Sarah. » Tandis qu'il la conduisait vers la cuisine, elle s'arrêta et regarda autour d'elle, l'air consterné.

« C'est ici que vous vivez ?

— Oui, naturellement. » Que croyait-elle donc qu'il faisait ici ? « Mon père dit que vous êtes un homme d'affaires important.

— Un quoi ?

— Un homme d'affaires important.

— Je suis un homme d'affaires et c'est tout. Pourquoi me le demandez-vous ?

— Vous n'avez qu'un deux pièces ici.

— Et alors ? Cela me suffit.

— A moi, cela ne me suffit pas. » Elle ramassa son châle qui était tombé par terre et se sauva.

Nahum resta planté là un moment, abasourdi. Les manières de sa mère et de sa sœur l'avaient souvent désorienté et il n'avait jamais vraiment compris le fonctionnement de l'esprit féminin. Qu'est-ce donc qui l'avait conduite si inopinément à sa porte et avait fait naître en elle de tels espoirs ?

Il n'avait jamais pensé qu'une déception puisse autant le faire souffrir. Après leur rencontre dans la rue et leur conversation devant la boutique il s'était cru amoureux. Au bureau, il n'avait pu travailler et quand il était rentré à la maison il n'avait cessé de voir dans l'assiette de haddock fumé préparé par Mme O'Leary le visage d'Elsa ; lorsqu'elle apparut en chair et en os, ce fut comme une vision incarnée. Quand il la vit disparaître aussi rapidement, il eut l'impression qu'après tout, il avait eu une vision. Mais il n'y avait rien d'imaginaire dans ce que la pensée et la vue de la jeune fille avaient provoqué. A ce moment, la solitude lui pesa et il dévala l'escalier. Dans la rue, la pluie le calma mais l'idée de retourner à la maison lui était insupportable. Il ne savait où aller et après avoir erré dans les rues une heure environ, il entra dans un pub.

C'était la première fois qu'il entrait dans un tel établissement ; les conversations s'arrêtèrent à la vue de cette soudaine apparition qui dégoulinait de pluie. Il s'approcha du bar en hésitant, conscient de ce qu'une douzaine de paires d'yeux le dévisageaient avec curiosité.

« Un whisky, s'il vous plaît, demanda-t-il.

— Un d'mi ?

— Un quoi ?

— Un d'mi ?

— Oui, une demi-bouteille fera l'affaire. »

Le barman parut surpris mais il sortit une demi-bouteille et un verre ; Nahum se dirigea vers une table d'angle où un vieux bonhomme somnolait, tel un loir, près d'un verre vide. Il s'anima à la vue de la bouteille.

« Vous en voulez une goutte ? » demanda Nahum.

L'homme le regarda bouche bée, comme s'il ne pouvait en croire ses oreilles. « Hein ?

— Voulez-vous une goutte de whisky ?

— Ouais, juste une petite goutte si c'est possible. »

Nahum, qui n'était pas encore très familiarisé avec les subtilités de l'esprit britannique, lui donna ce qu'il demandait.

« Une petite goutte de plus quand même. »

Nahum lui en versa une rasade qu'il avala d'un trait. « A vot' santé », dit-il quand le verre fut vide.

Les autres avaient remarqué ce qui se passait dans le coin et Nahum se retrouva bientôt entouré de cinq ou six personnages tous prêts à boire à sa santé. La demi-bouteille fut bientôt vide et il en commanda une autre, puis une troisième.

Quand Mme O'Leary arriva le lendemain matin pour faire le ménage, elle le trouva tout habillé sur son lit, tel un cadavre.

« Sainte Marie, Mère de Dieu », s'écria-t-elle. A ce bruit, Nahum revint à la vie et s'assit en se prenant la tête à deux mains comme s'il craignait qu'elle ne tombe en mille morceaux.

« Mon pauvre, dit-elle, on dirait que vous revenez de loin.

— J'ai la même impression », dit-il.

A quelques rues de chez lui, il y avait des bains où il se rendait le vendredi après-midi. L'eau chaude l'aida à retrouver ses esprits ; quand il sortit de l'eau, il s'assit sur le rebord de la baignoire et, sa serviette à la bouche, il se livra à ce que son père appelait un *din v'cheshbon*, une autocritique. Il vivait à Glasgow depuis presque cinq ans. Qu'avait-il fait ? Il avait monté une affaire assez florissante mais il n'avait toujours pas d'ami. Il pensa que s'il s'était placé assez tôt sur la ligne de départ, il aurait pu épouser Miri. Il se demandait maintenant si les sentiments qu'il avait éprouvés pour elle n'allaient pas l'empêcher de nouer une véritable relation avec une autre personne. Sa rencontre avec Elsa avait été davantage qu'une simple péripétie car il se rendait compte que la pensée de la jeune fille le troublait physiquement, si ce n'est émotionnellement. L'épouse de Colquhoun, Jessie, une femme vive, les yeux pétillants, les joues roses, les lèvres charnues, produisait le même effet sur lui et il redoutait de se retrouver dans la même pièce qu'elle au cas où il perdrait le contrôle de ses mains. Un jour, elle avait insisté pour lui enlever une tache de graisse sur son revers ; il était resté assis bien longtemps après que les autres se fussent levés et ils avaient cru qu'il avait trop bu. La boisson y était peut-être pour quelque chose mais la solitude le prédisposait à l'excitation et le rendait vulnérable à la tentation. C'est pour cette raison que le Talmud conseillait le mariage à dix-huit ans. Il en avait vingt-deux et il se serait probablement marié si on le lui avait proposé. Il était moins habile dans la gestion de sa vie que dans celle de ses affaires. Il ne pouvait se confier à personne, même s'il pensait que Jessie aurait pu l'écouter attentivement. Miri avait été sa plus proche confidente. Il avait pris ses distances avec elle et son mari dès le début de leur mariage mais elle fut gravement malade après la naissance de son premier enfant, une fille. Il lui rendit visite plusieurs fois à l'hôpital et durant sa convalescence mais ses visites se firent moins nombreuses passée cette période. Sa seconde grossesse fut aussi difficile que la première et elle se trouvait encore à l'hôpital quand il vint la voir. Elle lui dit alors : « Est-ce que je dois faire un bébé à chaque fois que je veux te voir ? » Il aurait bien aimé lui rendre visite plus souvent mais Yerucham, qui se mettait en quatre pour faire montre d'amitié à son égard, l'en dissuadait. S'il n'avait fait que détester l'homme, les choses auraient pu s'arranger à coup sûr mais son sentiment tenait davantage de la répulsion. Yerucham avait la singulière habitude de toucher les gens à qui il s'adressait, de mettre la main sur leur épaule ou de les tenir par le bras comme s'ils allaient s'enfuir. Nahum frissonnait quand il le touchait.

« Vous devriez venir voir ma femme plus souvent, vous êtes son meilleur remède », lui dit Yerucham. Quelques mois plus tard, ils déménagèrent pour une plus grande maison en banlieue et Nahum les perdit quasiment de vue. Curieusement, il se sentait plus à l'aise pour parler avec les femmes (surtout celles qui étaient hors de sa portée) qu'avec les hommes. Il se demandait s'il n'avait pas quitté la maison trop tôt et trop jeune. Il éprouva soudain une vive nostalgie, physique presque, pour Volkovysk, ses parents et la maison. Cela lui venait peut-être du sentiment de pénitence qui survient après la débauche, ou bien de la crainte du long et chaud été à venir. Finalement, il décida quand même d'aller voir sa famille. Cela ne l'inquiétait pas de laisser la direction des affaires à Goodkind car celui-ci était maintenant plus mesuré et de toute façon il y avait toujours la solide poigne de Colquhoun.

Trois semaines plus tard, il était dans le train. Il voyagea en première classe ; il se devait bien cela. Mais ce n'était pas l'unique raison : il avait donné à ses parents, sans l'intention réelle de les duper, l'image d'un homme d'affaires qui avait réussi. Au départ, il avait agi ainsi pour tenter de les consoler de la déception causée par Esther mais par ailleurs le chiffre d'affaires qu'il réalisait paraissait important, du moins traduit en équivalent russe. Maintenant qu'il devait se manifester en chair et en os, il se sentait obligé de coller à cette image. Comme il aimait s'habiller il avait déjà une belle garde-robe. Il acheta de coûteux bagages en cuir et de magnifiques cadeaux pour ses parents, tante Katya, oncle Sender et ses enfants, etc.

C'était la première fois qu'il mettait les pieds dans un wagon de première classe et au moment où il s'assit dans son fauteuil, il sentit qu'il allait vivre une nouvelle expérience. Avant, il n'avait fait que de courts trajets ; il était maintenant un véritable *voyageur*. La première chose qu'il remarqua, ce ne fut pas le confort des sièges ou des wagons ou l'élégante compagnie mais le manque d'odeur. Lors de ses voyages précédents, il avait mariné dans les odeurs, et pas seulement celle de la fumée âcre de la locomotive que l'on finissait par ne presque plus remarquer, mais celle des humains. Les gens sentaient le hareng, l'oignon, l'ail, le poisson, le chou, la sueur et autres senteurs plus ou moins définissables. Les passagers de première classe, eux, ne dégageaient quasiment aucune odeur, comme s'ils venaient d'un autre monde. De plus, en entrant dans le wagon, il avait eu l'impression qu'il pénétrait dans son *milieu*[1] naturel. Il lui semblait qu'il existait des gens pour qui, quels que soient leurs moyens, le fait d'aller en première classe allait de soi et il se rangeait parmi ceux-là. Il se promit de ne plus voyager en troisième classe. Cela signifiait qu'il ferait moins d'économies et que son affaire se développerait plus lentement mais l'extravagance était le meilleur des plaisirs.

Il regretta de ne pas avoir organisé ses vacances six mois plus tôt car il aurait alors ajouté les plaisirs de l'expectative à ceux du voyage. La pensée des frais engagés — il n'avait jamais autant dépensé en si peu de temps — troubla un peu sa quiétude mais il apprécia énormément le voyage. Il passa par Newcastle, Hambourg, Berlin où il prit l'Orient Express jusqu'à Bialystock. Là, il monta dans une desserte locale et il fut aussitôt submergé par une vague de nostalgie qui le caressa comme le vent chaud venant de la fenêtre ouverte. Ce furent

---

1. En français dans le texte.

les odeurs qui lui rappelèrent qu'il était de retour à la maison, *der heim* : odeurs de poussière, d'aiguilles de pin desséchées, de résine qui évoquaient le cœur de l'été russe. Il ignorait quel processus mental le faisait se sentir heureux de revenir dans un pays que tant de ses compagnons avaient quitté pour leur salut. Ce n'était pas seulement la pensée de retrouver sa famille qui l'émouvait mais bien plus l'idée de retrouver la Russie elle-même. Il n'avait pas à se plaindre de l'Angleterre, et encore moins de Glasgow : il y avait trouvé une liberté et une chance qu'il n'aurait pu espérer en Russie. Pourtant, il ne s'était jamais vraiment senti chez lui et après cinq années d'exil il commençait à se demander s'il le serait jamais. Il supposait que son attachement à la Russie tenait simplement au fait qu'il y était né : on aime sa terre natale comme on aime sa mère, même si, comme cela était le cas, cet amour est non payé de retour.

Il gardait un bon souvenir de Volkovysk et si son père ne lui avait pas demandé de partir, il aurait été heureux d'y rester. Il se souvenait des rivières claires et vives, des ciels immenses, des rues pavées, des maisons en bois aux volets peints de couleurs chatoyantes, des grandes forêts, des lacs.

L'arrivée d'un train était un événement rare à Volkovysk, aussi la gare et ses environs débordaient d'une foule grouillante de petits garçons, de vieillards, de paysans avec leurs moutons et leurs chèvres, de chiens aboyant, de poules caquetant, de canards cancanant, de rouliers agitant leur fouet, de chevaux piaffant, de porteurs proposant en hurlant leurs services aux voyageurs qui descendaient. L'apparition de Nahum fit sensation. On ne voyait guère de beaux bagages en cuir et de costumes bien coupés à Volkovysk, surtout par temps chaud. Il fut immédiatement entouré d'une foule de curieux. Le cocher qui l'avait pris en charge dut quasiment se frayer un chemin à coups de fouet pour sortir de la cour de la gare et il fut suivi presque jusqu'à la maison par une troupe de garçons aux pieds nus.

Nahum avait écrit pour annoncer son arrivée sans préciser l'heure ou le jour, d'une part parce qu'il n'était pas sûr des horaires — après Bialystock, ils devenaient quelque peu fantaisistes — et d'autre part parce qu'il supposait qu'à cette époque de l'année, en fin juillet, la famille serait à la *dacha* et il ne voulait pas que l'on se sente obligé de venir le chercher. D'autant plus qu'il avait toujours détesté être accueilli ou vu dans une gare.

Comme il l'avait pensé, la maison était vide et les volets clos. Il demanda qu'on le conduise à la *dacha,* située à environ vingt-cinq

43

kilomètres de la ville. C'était une maison à colombages, ceinte d'une large véranda et sise au milieu des pins, au bord d'un lac. Il faisait presque nuit quand il arriva.

Il avait gardé de bons souvenirs de la *dacha*. Chaque été, ses parents, les oncles, les tantes, les cousins et les domestiques venaient y séjourner. La maison retentissait des rires et des éclats de voix. Lorsque la famille s'assemblait sous la véranda dans la fraîcheur du soir tandis que le soleil commençait à décliner, on entendait au loin des éclats de rire et de musique, des cris d'enfants, des aboiements, portés par la brise nocturne et glissant sur l'eau. Mais aujourd'hui la véranda était déserte et le lac ressemblait à un miroir dont la surface était seulement troublée par quelque insecte. Il n'y avait pas un bruit. Ce silence l'inquiéta.

4.

Tandis qu'il se dirigeait vers la maison, un personnage portant une calotte émergea de l'ombre et s'arrêta près de la porte ouverte. Nahum reconnut le long nez et les petits yeux vifs de son cousin Lazar. Il avait bien grandi d'une tête depuis qu'il ne l'avait vu mais il était toujours aussi maigre et avait le dos voûté.

« *Nu*[1], Lazar, dit jovialement Nahum, tu ne me reconnais pas ? »

Le jeune homme s'approcha de lui, le regard avide, l'air envieux, incrédule. « Tu parais si riche, dit-il. Si on ne m'avait pas dit que tu venais, je ne t'aurais pas reconnu. Est-ce que tu sais pour ton père ? »

Nahum s'inquiéta soudain. « Mon père ? »

— Il a été très malade, le pauvre, mais il se remet sur pieds. Il était chagriné de ne pas connaître ta date d'arrivée ; il aurait aimé venir t'accueillir à la gare. Il cherche toujours un prétexte pour aller voir un train. »

Lazar le conduisit à la maison. Deux personnages silencieux étaient assis à une grande table et buvaient du thé. Tous les deux étaient en robe de chambre ; son père portait une grande calotte carrée et sa mère une espèce de serviette autour des cheveux.

« Je vous ai amené un visiteur », dit Lazar.

La mère se retourna mais elle ne put reconnaître immédiatement la silhouette qui se découpait dans l'entrée sombre ; soudain, elle se leva et porta les mains à son visage.

« C'est Nahum, Yechiel, c'est Nahum. »

Le père tenta de se lever mais il retomba dans sa chaise. Nahum se

---

1. *Nu* : interjection que l'on peut traduire par : alors !

précipita vers lui et ils s'embrassèrent, faisant montre d'une émotion que tous trouvèrent un peu excessive. Lazar, gêné, regardait ailleurs. La mère se mordait la lèvre.

« Tu dois m'excuser, je n'ai pas été très bien, dit le père.

— Très bien ? s'exclama la mère, tu as de la chance d'être en vie, oui.

— Pourquoi ne m'a-t-on pas prévenu ? demanda Nahum.

— Qu'est-ce que tu aurais pu faire ? J'ai eu une petite attaque d'apoplexie mais j'ai toujours un bon bras et — il posa son bras sur l'épaule de Nahum — un bon fils. »

Nahum était bouleversé par son aspect physique. Son père autrefois était un homme robuste et droit qui avait une magnifique couronne de cheveux, une barbe longue et fournie à la façon de celle des Assyriens. Maintenant, alors qu'il n'avait que la cinquantaine, ses cheveux étaient devenus blanc neige, sa barbe s'était éclaircie et il avait la bouche tordue. Il ne voyait plus de l'œil gauche et son bras gauche pendait sur le côté, flasque. Il essayait de prendre les choses à la légère.

« Je ne suis plus l'homme que j'ai été, mais quelle importance tant que j'ai la santé ? » dit-il.

Il voulut se relever pour parler à Nahum mais sa femme lui ordonna d'aller se coucher.

« Tu vois ce que c'est que d'avoir une femme ? Tu ne peux même pas parler à tes propres enfants. » Mais il fit ce qu'on lui disait et s'endormit bientôt.

« Il prend tout cela avec un grand courage, dit Nahum.

— Il est plus courageux que je ne l'aurais cru. Tu te souviens comme il était geignard ? C'est un sacré bonhomme maintenant et il a toute sa tête.

— Pourquoi ne m'as-tu pas prévenu ?

— Il ne le voulait pas et de toutes façons comment aurais-je pu te l'annoncer ? « Ton père a eu une petite attaque d'apoplexie » ? Qu'est-ce que tu en aurais pensé à deux mille cinq cents kilomètres de là ? Comment une attaque peut-elle être petite ? Au début, j'ai pensé qu'il ne survivrait pas et j'ai failli t'envoyer un télégramme. Quand il a été mieux, j'ai espéré qu'il se rétablirait complètement. Je l'espère toujours, même si cela tient du miracle qu'il n'aille pas plus mal. Il y a

peut-être une chose qui le ferait aller mieux. Il m'a dit, *nebbich*[1] :
« J'ai l'air d'un grand-père, je me sens l'âme d'un grand-père et
j'aimerais bien avoir des petits-enfants. » Je crois qu'il pensait à
Esther.

— Encore !

— Encore ? Elle n'a jamais quitté ses pensées mais il n'en parle
jamais explicitement, du moins quand il est réveillé. Tu lui ferais
plaisir en te mariant mais tu sais, depuis l'affaire de Yerucham il ne
porte guère les filles de Glasgow dans son cœur. Il a toujours pensé
que Yerucham était un saint et dans son esprit il le reste ; pour lui, la
faute en incombe aux filles de Glasgow.

— Je ne comprends pas comment Esty a pu tomber amoureuse
d'un homme comme Yerucham. Qu'est-ce qu'elle comptait faire avec
un saint ?

— Il présentait très bien mais elle a agi de son mieux pour le faire
descendre de son piédestal : elle lui a demandé de tailler sa barbe, elle
lui a appris les bonnes manières. Je pense qu'elle avait bien vu qu'il
s'agissait d'un imposteur mais elle considérait cela comme une
panacée. Elle espérait ainsi pouvoir le rendre meilleur. Elle pensait
qu'il ferait un bon époux et ça a été un choc pour elle quand elle a
découvert que ce n'était pas le cas. A quoi ressemble sa femme ?

— Elle est petite, jolie mais elle a vieilli depuis son mariage et, si
cela peut consoler quelqu'un, je pense qu'elle n'est pas très heureuse.
Est-ce que tu as des nouvelles d'Esty ?

— Non. On ne prononce plus son nom dans cette maison, à
l'exception de ton père durant son sommeil.

— Où est-elle ?

— Personne ne le sait. Je n'essaie pas de te cacher quelque chose,
je ne sais rien. Et toi, où en es-tu ?

— Nulle part.

— N'est-il pas temps d'entreprendre quelque chose ? Comme ton
père l'a dit : « Je souhaite qu'il soit d'abord mari et père, et
millionnaire plus tard. » N'est-il pas temps pour toi de t'installer dans
la vie ?

— Il me serait peut-être plus facile de m'installer dans la vie si un
certain nombre de choses étaient réglées. Pourquoi toi et père ne
pouvez-vous pas venir à Glasgow ? Qu'est-ce qui vous retient ici ?

---

1. *Nebbich :* désigne les gens faibles qui inspirent la pitié. On pourrait le traduire ici par : le pauvre.

— Les affaires surtout.

— Il n'arrête jamais de grogner quand il en parle.

— Quel homme d'affaires ne le fait pas ?

— Ecoute un peu. Si c'est une affaire qui marche, vous pouvez trouver un acheteur ; si ce n'est pas le cas, réduisez les pertes et vendez.

— Les choses ne sont pas si simples à Volkovysk. Ton père ne sait même pas s'il fait des profits ou des pertes. Ce qu'il sait par contre c'est que le sort de trente familles dépend de lui : il doit se débrouiller pour payer les salaires et gagner de quoi m'entretenir ainsi que tante Katya, Lazar, oncle Sender et les autres. De toute façon, à supposer qu'il vende, que pourrait-il faire à son âge ?

— A son âge ? Il a combien ? Cinquante-cinq ? Ce n'est rien.

— En Angleterre peut-être, mais en Russie, c'est un vieux, surtout après tout ce qu'il a vécu. Ici au moins, malgré sa mauvaise humeur, ses migraines, ses chagrins, il vit dans un environnement familier. Qu'est-ce qu'il ferait en Angleterre ? Il ne pourra jamais apprendre la langue.

— Je connais des millionnaires qui ne parlent pas un mot d'anglais.

— Oui, mais ils n'ont pas commencé à cinquante-cinq ans et après une attaque d'apoplexie. Non, Nahum, nous viendrons à ton mariage et nous en resterons là.

— Tu parles comme si votre avenir était assuré. La Russie n'est pas un pays stable.

— Non, et elle ne l'a jamais été. Mais cette instabilité dure depuis des siècles et elle peut se prolonger encore aussi longtemps, au moins jusqu'à notre mort. »

Le lendemain, le temps était chaud et lourd. Nahum se souvenait très bien de la rigueur des hivers mais il avait oublié combien les étés pouvaient être chauds. Il passa la majeure partie de la matinée à discuter avec son père sous la véranda. Quand la chaleur devint insupportable, il se changea et alla se baigner dans le lac. Lazar barbotait dans les roseaux près de la rive.

« Tu ne sais pas nager ? demanda Nahum.

— Je n'ose pas. Mon père s'est noyé accidentellement et ma mère ne veut pas que je me baigne. Elle aurait une attaque si elle me voyait maintenant. » Il avait seize ou dix-sept ans mais on aurait dit qu'il en avait cinq.

Quelques minutes plus tard, sa mère apparut. Elle ignora son fils et regarda Nahum d'un air admiratif. « Tu ne viens pas embrasser ta tante ? lui demanda-t-elle.

— Je suis tout mouillé.

— Cela ne fait rien, surtout par un jour comme celui-ci. »

Il sortit de l'eau et l'embrassa timidement sur la joue.

« Ce n'est pas une façon d'embrasser sa tante », dit-elle en l'attirant vers elle pour l'embrasser sur les lèvres. Il se recula, le souffle coupé. Il lui fallut quelques minutes pour retrouver tous ses esprits.

« Tu parais en pleine forme, fit-elle remarquer.

— Toi aussi.

— J'ai chaud et je me sens toute poussiéreuse. J'ai bien envie de plonger dans l'eau tout habillée. » Alors, comme si elle répondait à un défi, elle s'assit, délaça ses bottines, enleva ses bas et plongea. Son fils la regarda comme si elle était devenue folle et il sortit tout affolé des roseaux.

« Tu venais te baigner tout nu ici il n'y a pas si longtemps. Tu as vite grandi. As-tu une maîtresse ?

— Une quoi ?

— Une maîtresse.

— Tu as de mauvaises lectures, tante Katya.

— Ne m'appelle pas tante, j'ai l'impression d'être vieille. Tu dois avoir beaucoup de succès, n'est-ce pas ? Les hommes qui ont du succès n'ont-ils pas de maîtresses en Angleterre ?

— D'abord, je ne rencontre pas le succès que tu me prêtes et ensuite, je suis à Glasgow, une ville d'Ecosse où l'on est beaucoup plus strict sur de tels sujets qu'on ne l'est en Russie.

— Tu n'as donc pas de maîtresse ?

— Je n'ai pas de maîtresse.

— Quel gâchis. »

Katya, la plus jeune sœur de sa mère, était une femme rondelette, vive de tempérament et, comme l'avait dit une fois quelqu'un, *shikseih*, c'est-à-dire jolie. Elle avait le teint rose, des cheveux blonds, des yeux bleus vifs et des fossettes. On l'appelait la sœur « polissonne » et elle faisait honneur à son titre en prenant un malin plaisir à poser des questions et faire des remarques scabreuses.

« Nageons jusqu'à l'autre rive du lac, proposa-t-elle.

— Tu risques d'être gênée par le poids de tes vêtements.

— Je les enlèverai dès que nous serons hors de vue. »

Nahum se demanda s'il devait la croire ou non. Il n'avait jamais très bien su à quel moment il fallait prendre sa tante au sérieux. C'est alors que le temps se couvrit. Le tonnerre gronda et il y eut des éclairs. De cinglantes rafales de vent agitèrent la surface du lac et sifflèrent dans les roseaux. Il se mit à pleuvoir et le lac se couvrit soudainement d'un million de petits cratères. Nahum appréciait et il resta debout dans l'eau, laissant la pluie ruisseler sur sa peau. Katya était, ou prétendait être effrayée et elle se serra contre lui tant que l'orage dura.

Ils soupèrent sous la véranda ; ce fut un de ces délicieux repas dont il avait gardé le souvenir depuis son enfance : ils mangèrent des concombres coupés en dés, des radis et des oignons de printemps mélangés à de l'ail et des graines de carvi que l'on servit avec une crème aigre, des harengs fumés. On termina par des fraises sauvages arrosées d'un jus de citron.

« Je suppose qu'en Angleterre vous devez manger une demi-vache pour le souper, dit Katya. J'ai entendu dire que là-bas ils ne mangent que de la viande.

— Je n'ai jamais rien mangé d'aussi délicieux depuis cinq ans, dit Nahum.

— Qui s'occupe de ta maison ? demanda Katya.

— Une femme vient me faire la cuisine et le ménage.

— Elle s'en va quand elle a fini ?

— Oui.

— Arrête un peu, Katya, nous savons où tu veux en venir ; le pauvre en a déjà assez avec moi », dit la mère.

Les deux sœurs étaient assises d'un côté de la table, Nahum et Lazar se trouvaient en face d'elles tandis que le père se tenait à une extrémité de la table. Avec ses cheveux blancs, son bras mort, son visage crispé il ressemblait à un pauvre infirme. Un observateur aurait difficilement pu croire que Eva était sa femme : elle avait des cheveux roux qui commençaient à tourner au gris et des yeux verts. Cependant, sa généreuse corpulence et son nez la faisaient davantage ressembler à sa plus jeune sœur. Leur cou aurait pu être un peu plus élancé mais il n'empêche, elles étaient toutes les deux séduisantes. Elles semblaient issues d'une lignée de paysans aisés mais il leur manquait le regard sombre et expressif que Nahum prêtait aux femmes juives. On prétendait que leur mère avait été violée par un cosaque mais d'après le souvenir qu'il gardait de sa grand-mère maternelle il aurait fallu un régiment armé jusqu'aux dents pour mener à bien la tâche. Ce qui le frappait chez sa mère et sa tante, c'était leur arrogante fierté à ne point paraître juives. La famille de son père s'était apparemment opposée à leur mariage d'une part parce que l'on pensait qu'il s'agissait d'une mésalliance — les Rabinovitz étaient une famille riche et respectable — d'autre part parce que l'on doutait fort des sentiments religieux de la promise. Elle venait d'Odessa, le plus grand centre juif de la Russie. Aux yeux des juifs orthodoxes, cette ville, fière de sa vie intellectuelle et de ses riches traditions culturelles, apparaissait pourtant comme la Sodome des derniers jours. Eva avait accepté d'habiter dans une maison kasher et d'observer le Sabbath mais elle avait clairement affirmé qu'en aucune circonstance elle ne porterait de perruque (coutume en usage chez les matrones juives de la famille de Yechiel) ou de fichu sur la tête, ce qui ne l'empêchait pas d'en porter un lorsque Yechiel recevait un rabbin ou quelque sage juif à la maison. Leur mariage fut un des plus joyeux que la ville et les environs aient jamais vus.

Nahum n'avait jamais été aussi proche de sa mère qu'il l'avait été de son père mais il était fier de sa beauté. Il avait placé une photographie d'elle dans sa chambre : c'était un sujet d'admiration et de commentaires. Miri lui avait dit que s'il espérait trouver une femme comme celle-là, il ne se marierait pas. Il avait hérité des traits fins, des yeux noirs et du port droit de son père mais il aimait à penser qu'il avait quelque chose de l'aplomb de sa mère.

« Pour combien de temps es-tu ici ? demanda Katya.

— Deux semaines.

— Est-ce que tu vas rester ici tout le temps ou comptes-tu voyager ?

— Je n'ai aucun projet mais je pense aller voir la famille de Shyke. »

Les deux sœurs échangèrent un clin d'œil et il eut l'impression, à moins que ce ne fût un effet de son imagination, que Katya avait changé de couleur.

« Il est parti pour l'Amérique, n'est-ce pas ? »

Katya se pencha vers lui jusqu'à ce qu'une mèche de ses cheveux touchât les siens. « Il a fait comme Esty, lui souffla-t-elle.

— Tu devrais aller voir son père, un *nebbich*, dit Yechiel.

— Je ne dirais pas de Grossnass que c'est un *nebbich*, rétorqua Eva.

— Il est riche maintenant, dit Katya.

— Je ne me souviens pas l'avoir connu pauvre, remarqua Nahum.

— Il a des tanneries, des distilleries, des manufactures de tabac et plein d'autres choses encore, ajouta Eva.

— Cela ne change rien, c'est un *nebbich* et tu dois aller le voir », insista Yechiel.

Ils séjournèrent encore trois jours à la *dacha* mais le temps se couvrant et se rafraîchissant, ils rentrèrent à Volkovysk.

La présence de Nahum mit la ville en émoi. Dix mille habitants environ la peuplaient et près de la moitié de la population était juive. De tous ceux qui avaient émigré à l'ouest, notamment en Angleterre et en Amérique (l'imagination locale croyait que le premier pays était une île située au large du second), on pensait qu'ils avaient réussi. Quant à ceux qui pouvaient se permettre de revenir faire un séjour (et un séjour seulement car tous ceux qui revenaient pour rester faisaient par là l'aveu de leur échec) ils passaient pour des petits Rothschild. Aussi, la maison des parents de Nahum vit défiler une interminable procession de visiteurs, de parents, d'amis, de connaissances, de camarades d'école et de la *Yeshiva*, de pèlerins qui voulaient voir ce protégé de la fortune et lui serrer la main dans l'espoir probablement d'en retirer quelque chose. La cote de son père, qui avait baissé au sein de la communauté lors de la fuite d'Esther, avait retrouvé son ancien niveau.

Tout cela déprima Nahum, peut-être parce que le retour aux sources de l'enfance est toujours attristant. De Volkovysk il gardait le souvenir des matinées hivernales, froides, étincelantes, de la neige brillant sous le soleil couchant, de fraîches et paisibles soirées d'été, de couleurs lumineuses, de grands espaces : ciels clairs, eaux limpides, paysages diaphanes. Maintenant tout était gris, les rues, les maisons, les visages, les vies. Il y avait à peine un immeuble en bon état dans toute la ville. Les ponts, les bâtiments publics ou privés semblaient tomber en ruine comme si les gens s'en désintéressaient. Les rivières où il allait pêcher, autrefois vives et limpides, étaient maintenant sombres et paresseuses. Tout allait à vau-l'eau. Finalement, il se demanda si ce qu'il voyait traduisait sa propre humeur ou la réalité.

L'oncle Sender vint lui rendre visite, ce qui le déprima encore davantage. Il se souvenait de lui ; son père l'avait toujours présenté comme le « cerveau de la famille » mais le grand homme jovial d'hier paraissait maintenant usé, désœuvré et tristement pédant. Il lisait beaucoup le Talmud ainsi que la littérature russe et allemande, aussi sa conversation était-elle truffée de citations. Certaines sonnaient faux aux oreilles pourtant peu éduquées de Nahum. Le Sender bon enfant et jovial qu'il avait connu était devenu un personnage veule. Il avait une femme, en mauvaise santé, et six enfants ; tous étaient entretenus par son frère. Aux yeux de Nahum il était évident que Sender aurait pu être plus joyeux s'il avait moins lu et travaillé davantage. Le fait d'avoir une attitude détendue envers la vie était positif mais il profitait des revenus d'un autre.

« As-tu une grande maison ? demanda-t-il à Nahum.

— J'en ai une petite mais pour l'instant cela me suffit.

— As-tu une pièce pour ranger tes livres ? N'est-ce pas ton Shakespeare qui disait que l'on peut juger un homme d'après ses livres ? As-tu vu ma bibliothèque ? Quand Wachsman était à Volkovysk — tu sais de qui je veux parler, *le* Wachsman — il m'a dit que ce que j'avais là valait bien plus que ce qu'il aurait jamais dans sa banque. Et c'était il y a dix ans ! Ma bibliothèque s'agrandit chaque jour et ma maison est devenue trop petite pour elle ; même les enfants ont des livres. Tu dois te souvenir du proverbe de Rab Assai : « Donne à tes enfants la nourriture spirituelle, le reste ils le trouveront eux-mêmes. »

Les enfants, il est vrai, ne paraissaient pas mal nourris mais ils étaient dépenaillés et sales. Katya, qui était obsédée par la propreté, allait de l'un à l'autre, mouchant les nez et essuyant les bouches.

« J'envisage moi aussi de m'établir en Angleterre, c'est un pays de culture, n'est-ce pas ? dit Sender.

— Je ne sais pas, j'habite en Ecosse.

— Ecosse, Angleterre, c'est la même chose.

— Tant que tu y es, dis que la Russie et la Pologne c'est la même chose.

— Oui, c'est la même chose, sauf que la Pologne est un peu différente. Crois-tu que j'aimerais l'Ecosse ?

— Non », répondit Nahum d'une voix ferme.

Nahum regretta son geste d'impatience envers son oncle mais, en plus de son sentiment de déprime, il s'inquiétait beaucoup pour son père. Sa mère avait insisté sur le fait que ses capacités intellectuelles étaient intactes mais ce n'était pas toujours vrai. Il s'endormait dès qu'il s'asseyait pour se détendre et lors des repas il semblait même somnoler. Malgré son handicap il essayait toujours de faire une journée complète de travail. Nahum lui demanda s'il n'avait jamais envisagé de vendre.

« Tout le monde y pense à condition d'en obtenir un bon prix, mais les seules offres que l'on me fait émanent de gens qui veulent racheter mon affaire avec mon propre argent. Ils voudraient me donner un kopeck et payer le solde avec les profits des deux cents prochaines années. Ils pensent que mes facultés intellectuelles se sont atrophiées puisque mon bras l'est aussi. »

Il montra ses livres de comptes à Nahum ; ils étaient tenus moitié en russe, moitié en yiddish mais Nahum n'y comprit rien.

« Moi non plus, je n'y comprends rien », confessa son père.

Le lendemain il obtint de plus amples détails en allant rendre visite au père de Shyke, Grossnass, un grand homme rond portant une petite barbe carrée. Il reçut Nahum à bras ouverts et le noya dans un nuage d'ail.

« Oh ! Un gentleman anglais. Je ne t'aurais pas reconnu. On m'a dit que tu étais un nouveau Wachsman ou du moins que tu allais le devenir. *Nu,* ça fait quel effet d'être riche ? » dit-il.

Nahum fut sur le point de lui rétorquer : « Vous devriez le savoir » mais il répondit : « C'est beaucoup mieux que d'être pauvre.

— Tu n'es pas venu pour me voir n'est-ce pas ? Tu veux savoir pour Shyke ; tout le monde veut savoir, comme s'ils ne savaient pas déjà. Moi, je veux tout oublier. Ton père a eu son lot de *tzores* et j'ai eu les miens. Sais-tu qu'il ne vit plus ici ?

— On m'a raconté des choses contradictoires à son sujet.

— Il a renié son Dieu, sa religion, sa famille, son peuple. Il ne respecte plus les *Shabbos* ou les *Yom Tov*[1], il ne mange plus kasher. Il n'est plus juif. Il n'est plus mon fils.

— Où est-il ?

— Ne me le demande pas. Je ne le sais pas et je ne veux pas le savoir ; tu remues le couteau dans la plaie. » Il posa sa main grassouillette sur le genou de Nahum. « Passons à des choses plus gaies. Parle-moi de toi. Tu es devenu bel homme, comme ton père quand il était jeune, *nebbich*. Il a souffert le pauvre homme. Son fils lui apporte au moins quelques joies, il est mieux loti que moi. Tu fais plaisir à voir, tu t'habilles bien. »

Nahum se leva.

« Non, non, ne t'en va pas, j'ai beaucoup de choses à te demander. Es-tu marié ?

— Non.

— Tu as quelqu'un en vue ?

— Je ne suis pas venu ici pour parler de cela.

---

1. *Shabbos* ou *Sabbath* est le septième jour de la semaine juive. C'est le samedi. *Yom Tov :* ce sont les jours de fête dans leur ensemble.

— Non mais puisque tu es là, on peut en parler. Tu dois savoir que j'ai la plus jolie fille de Volkovysk et que son père, Dieu merci, n'est pas pauvre ; malheureux peut-être mais pas pauvre. » Il se leva de sa chaise et cria vers l'entrée : « Sorke ! »

Une frêle jeune fille aux yeux noirs, les joues rouges et les cheveux longs apparut aussitôt.

« Regarde-la donc et dis-moi si je me trompe.

— Monsieur Grossnass, je ne prétends pas être une autorité en la matière.

— Qui pourrait l'être mieux que toi, un homme du monde, un homme qui a voyagé, un gentleman anglais ? » Grossnass palpa les revers de la veste de Nahum. « Beau costume. Tailleur anglais ?

— Tailleur juif.

— Mais le tissu est anglais, c'est de la qualité ! » Il toucha à nouveau les revers. « Il nous faudrait du tissu comme ça par ici. Nos tailleurs sont habiles mais le tissu ne vaut rien. »

La jeune fille l'interrompit. « Puis-je me retirer, père ? J'étais en train de faire quelque chose. »

Il la congédia d'un geste de la main. « Alors, est-ce que j'exagère ? Elle n'est pas comme ta sœur, bénie soit-elle. Elle a été élevée dans l'honneur et l'obéissance, comme toutes mes filles. Je ne critique pas ton père, le ciel m'en préserve, mais il laissait faire Esther à sa guise. Avec les livres qu'elle lisait et la compagnie qu'elle fréquentait, cela devait arriver. Mes filles ne lisent ni le russe ni l'allemand et je me demande si j'ai eu raison de leur apprendre l'hébreu, une langue qu'elles écrivent et lisent parfaitement. Mes filles compensent les malheurs que j'ai connus avec mon fils. » Il posa à nouveau sa main sur le genou de Nahum. « Elle n'a que dix-sept ans mais elle a des doigts de fée : elle sait faire la cuisine comme seule sa mère — qu'elle repose en paix — savait la faire et puis, elle sait coudre, faire le ménage. Regarde ma maison. Dieu merci, j'ai des domestiques mais on a toujours besoin de quelqu'un pour diriger une maison. Elle le fait et elle n'a que dix-sept ans. Ce serait une terrible perte pour moi mais qu'importe, elle peut s'en aller demain à condition qu'elle parte avec l'homme qu'il lui faut. Tu es dans la marine marchande, n'est-ce pas ?

— Je suis agent maritime.

— Bien, alors je t'achèterai un navire.

— C'est une offre généreuse monsieur Grossnass mais j'ai d'autres sujets de préoccupation.

— Tu veux parler de ton père ? Ton mariage le guérirait. Cela ferait de lui un nouvel homme. Il viendrait vivre chez toi à Glasgow sans qu'il soit forcément à ta charge. Qu'est-ce qui le retient ici, sa belle-sœur folle ?

— Il hésite à lâcher ses affaires.

— Lâcher ses affaires ? Mais ce sont ses affaires qui le lâchent.

— Ah bon ? J'avais l'impression que ça allait mieux.

— Il fait un bon chiffre d'affaires mais il faut voir dans quelles conditions il le réalise. Il fait du crédit comme s'il était la providence. J'ai failli racheter son affaire il y a environ un an ou deux quand j'étais moi-même à court de lin. Il est venu me voir avec le registre de ses dettes qu'il me demandait de considérer comme des avoirs. « Des avoirs ? ai-je dit.

— Des avoirs, m'a-t-il répondu. L'argent que l'on me doit représente des avoirs. — C'est un passif exigible, lui ai-je répondu ; plus les gens vous doivent d'argent, plus vous leur êtes redevable. » Si ton père pouvait recouvrer ne serait-ce que la moitié de ses dettes, il serait riche. Je ne dis pas, le ciel m'en préserve, que c'est un homme pauvre mais il pense que son affaire est une mine d'or alors qu'en fait c'est un gouffre.

— A combien estimez-vous la valeur approximative de son affaire ?

— Tout dépend de l'acheteur. Personnellement, si je rachetais son affaire, je ne considérerais pas cela comme un cadeau. »

Nahum était depuis assez longtemps dans le monde des affaires pour savoir reconnaître une offre déguisée : si son père se défaisait de son entreprise, il était certain que Grossnass serait sur les rangs. Nahum chercha par la suite à dénicher d'autres acheteurs éventuels mais il ne pouvait décider son père à vendre. Il commença à se demander si ce dernier avait les capacités intellectuelles suffisantes pour juger de la situation.

« Sa tête ne va pas plus mal qu'avant mais tu ne tireras rien de lui. Quand ça va bien et qu'il y a des acheteurs, il ne veut pas partir ; quand ça va mal, il ne peut pas vendre et il ne peut pas partir. Seule une catastrophe l'obligerait à partir », lui dit sa mère.

5.

S'il manquait une chose à Nahum en Angleterre, c'était bien l'avènement du *Sabbath* (et l'avènement surtout), ces quelques minutes avant le coucher du soleil le vendredi après-midi quand on mettait fièvreusement la dernière main aux préparatifs, quand les boutiques fermaient, les transports s'arrêtaient, les bougies commençaient à luire dans les maisons et quand les fils et les pères, revêtus de leurs plus beaux habits — le visage propre, les ongles coupés, les bottes cirées — se rendaient à la synagogue. Ce jour-là, les synagogues étaient pleines à craquer. Il régnait alors une atmosphère de sérénité que l'on ignorait à Glasgow. La ville s'animait à la tombée du soir et il fallait se frayer un chemin pour se rendre à la synagogue à travers des rues peuplées d'ivrognes. La menace planant sur la vie juive en Russie était bien plus sérieuse mais on l'oubliait quelque peu durant le *Sabbath* et les tourments d'une semaine de labeur s'estompaient en ce jour de félicité.

Un vendredi, Nahum se dirigeait lentement vers la synagogue en compagnie de Lazar et de son père, lourdement appuyé sur leurs bras. Les beaux jours étaient revenus sans que l'on s'y attende et le soleil se couchait dans un ciel écarlate lorsque Lazar fit remarquer que l'horizon ne s'embrasait pas seulement à l'ouest mais aussi à l'est, comme s'il y avait deux soleils couchants. D'autres gens s'arrêtèrent pour regarder ce phénomène et ils entendirent au loin, portées par la brise du soir, des voix surexcitées et inquiètes. L'été avait été très long, très chaud, et il n'avait guère plu. Les forêts et les villes pouvaient prendre feu et les incendies, dont certains duraient plusieurs jours, n'étaient pas rares. Nahum se sentit un peu mal à l'aise mais son père haussa les épaules et ils continuèrent leur chemin.

Cependant, des retardataires arrivèrent vers la fin du service et quelqu'un chuchota le mot de « pogrom ». Le chantre expédia en quatrième vitesse la cérémonie mais les plus craintifs et les moins dévots partirent chez eux avant même la fin.

D'habitude, après la cérémonie, les assistants se souhaitaient *Good Shabbos*[1], demandaient des nouvelles de leurs familles, échangeaient des commérages tandis que Yankelson, le *Shammos*[2] attendait impatiemment que les lieux se vident pour aller souper. Ce soir-là, les lieux se vidèrent en un clin d'œil. Yechiel ne pouvait presser le pas et il rentra doucement à la maison en clopinant, accroché au bras de Nahum tandis que les gens se précipitaient chez eux (Lazar était aussi parti en courant). La lueur des chandelles avait disparu, les volets se fermaient et des voix angoissées résonnaient dans les rues sombres. Nahum commença à s'inquiéter mais son père restait imperturbable. Le temps qu'ils rentrent à la maison, toutes les fenêtres et presque toutes les portes avaient été barricadées. Katya hurlait : « Nous allons être violées, nous allons être violées. » Nahum se demanda si c'était de l'hystérie ou l'expression d'un désir.

Personne n'eut d'appétit, à l'exception de Yechiel. Ils avalèrent rapidement leur repas sans entonner le *zemiroth* (chanson chantée à table). Les femmes se rongèrent les ongles mais Yechiel insista pour que l'on dise les prières après le repas, comme s'il ne se passait rien.

« Il est vraiment gâteux, vraiment ! » glissa Katya à sa sœur. Nahum se demanda si c'était vrai ou si, au contraire, il ne puisait pas dans sa foi un plus grand courage que les autres. Leur vieille domestique, Anna, essaya de les calmer, sans plus d'effet.

« Elle ne craint rien, *elle* », dit Katya.

Le repas achevé, ils demandèrent à Anna d'éteindre la lumière. Yechiel alla se coucher. Ceux qui restèrent se tassèrent les uns contre les autres dans le noir et parlèrent à voix basse. Lazar commença à pleurer.

En ces circonstances Nahum ressentait plus durement leur isolement. Dans des villes comme Volkovysk, les juifs l'emportaient en nombre sur les gentils. Et puis, ils étaient mieux éduqués, plus intelligents, plus riches. Selon Nahum, ils auraient dû organiser un semblant d'auto-défense mais au lieu de cela ils restaient là, assis dans le noir à bavarder. Des gens comme les Shyke, courageux, intrépides

---

1. *Good Shabbos* : Bon Sabbath.
2. *Shammos* : c'est l'équivalent du bedeau dans l'église catholique.

et qui auraient dû être les leaders naturels de la communauté, ne s'en étaient guère occupés pas plus que les jeunes hommes qui étaient restés. En écoutant les sanglots de Lazar il se demanda s'il avait eu aussi peur la dernière fois que la ville avait été menacée de pogrom. Il ne s'en souvenait pas.

La nuit fut interminable et ils restèrent assis, figés, l'oreille tendue. Des chiens aboyèrent mais on ne percevait guère de mouvement à l'extérieur. De temps à autre, le galop d'un cheval se faisait entendre et Katya s'accrochait alors à la manche de Nahum, maintenant sa prise bien après que le bruit se soit évanoui.

« C'est peut-être une fausse alerte, dit Nahum.

— La lueur dans le ciel n'avait rien de faux. C'était un vrai feu, et un grand, répondit sa mère.

— Mais on n'entend rien.

— C'est ce qui m'inquiète. C'est comme ça que cela a commencé la dernière fois. Le silence, et puis... »

Katya commença à pleurnicher.

« Pourquoi n'irions-nous pas tous nous coucher ? proposa Nahum.

— Qui pourra dormir ? demanda sa mère.

— Père semble bien dormir.

— Ton père a cessé de prendre garde à ce qui pouvait arriver à lui ou aux autres depuis qu'Esther est partie.

— Je veux quitter la Russie, j'en ai assez, dit Katya. Si nous nous en sortons vivants, la première chose que je ferai c'est d'aller acheter des billets de chemin de fer pour Lazar et moi. Nous irons à Glasgow avec toi. » Elle semblait parler sérieusement et Nahum trouva cette idée plus inquiétante que la perspective d'un pogrom.

Il voulut sortir pour voir ce qui se passait, à supposer qu'il se passait quelque chose, mais tous l'en dissuadèrent d'une seule voix inquiète. Finalement, il s'endormit. Quand il se réveilla, les premières lueurs de l'aube perçaient à travers les fentes des volets. Lazar disait une prière pour éloigner le malheur.

« Ne prie pas si tôt, lui dit Katya. On ne sait pas ce que le jour nous réserve. »

Mais la lumière du jour les rassura et Nahum se leva pour ouvrir les volets.

« Pas maintenant, ce n'est pas prudent, cria Katya.

— Pour l'amour du ciel, contrôle-toi, lui dit sa sœur.

— Tu te souviens à Odessa ? Ils lançaient des torches par les fenêtres ouvertes.

— Nous ne sommes pas à Odessa.

— Tout va bien, regarde », dit Nahum. Il n'y avait rien à voir à l'exception de quelques poulets picorant entre les pavés et un chat errant. Il sortit. Au début, il se retrouva seul et le bruit de ses pas résonna étrangement à ses oreilles. Bientôt, d'autres gens s'aventurèrent dehors, seuls ou par groupes de deux, en cherchant autour d'eux, l'air craintif, des signes de destruction. Il n'y en avait pas, à Volkovysk du moins. Mais dans une ville voisine il y avait eu un incendie. Un ouvrier de la distillerie de Grossnass avait été renvoyé pour vol. Il était revenu le soir pour mettre le feu à la distillerie et à un entrepôt voisin. L'incendie s'était rapidement communiqué aux maisons et aux boutiques contiguës. La synagogue locale avait été détruite ; on avait assisté à des scènes de pillage et on parlait même de viols bien que de telles allégations soient difficilement contrôlables car à cette époque les victimes confessaient rarement leur malheur. Il n'y avait pas eu de victimes et le coupable avait été arrêté mais néanmoins les événements de la nuit avaient eu un effet éprouvant sur une communauté déjà suffisamment affectée. Le soir, lors du souper, Eva déclara qu'il leur faudrait vendre et partir : « Je ne veux plus revivre une nuit comme celle-là. »

Les migrations se produisaient toujours par vague car rien n'incitait davantage un juif à partir que le spectacle d'autres juifs sur le départ. Nahum remarqua que l'agent de voyages local était assiégé par les clients et il en vint à se demander si ce n'était pas l'agent, ou un proche ami, qui avait chuchoté le mot de « pogrom ».

Katya, et il fut heureux de l'entendre dire, pensait un peu moins à Glasgow. Un parent de son ex-mari qui vivait à Chicago lui avait écrit plusieurs fois pour lui proposer de le rejoindre. Katya pensait que Chicago offrait de meilleures perspectives à Lazar que Glasgow.

« Peu importe l'endroit où tu vas, lui dit sa sœur, du moment que tu pars d'ici. Nous allons tous partir. Je ne veux plus jamais vivre une nuit comme celle-là. »

Quand Yechiel fit remarquer qu'il ne s'était rien passé, les deux sœurs lui tombèrent dessus.

« Tu veux qu'on reste là, à attendre de se faire tuer ? demanda Katya.

— Mais ce n'était qu'une histoire d'ivrogne qui réglait ses comptes. » Il se tourna vers Nahum. « N'y a-t-il pas d'ivrognes à Glasgow ?

— Il n'y a que ça mais là n'est pas le problème. On peut supporter des ivrognes tant que l'on n'a pas les nerfs à fleur de peau. Ici, on en vient à craindre sa propre ombre. Il suffit de chuchoter le mot de « pogrom » pour faire trembler toute la ville.

— Tu n'as pas eu peur, toi ? demanda Katya.

— Un peu, mais la peur est contagieuse. »

Les événements de la nuit l'avaient davantage humilié qu'inquiété et il se demandait s'il aurait eu le même sentiment en face d'un véritable pogrom. Il approuva sa mère lorsqu'elle dit qu'ils devaient prendre des dispositions immédiates pour partir.

« Ce n'est pas le moment de vendre, dit Yechiel.

— Alors fais-en cadeau à quelqu'un, rétorqua sa femme.

— Ce ne sera pas nécessaire. Tu as un contremaître sérieux. Vends-lui la compagnie et il te paiera sur les profits de l'année.

— Il est sérieux quand je suis dans les parages mais s'il doit me payer sur les profits, il veillera à ce qu'il n'y en ait pas.

— Si ton affaire est à ce point importante, tu n'as qu'à rester mais, moi je pars », dit Eva.

Nahum avait convenu de partir cette semaine-là mais cela lui devenait impossible tant que la situation resterait aussi confuse. Il télégraphia à Goodkind qu'il repoussait son départ d'une semaine.

« Tu dois avoir un associé digne de confiance pour agir ainsi, fit remarquer son père.

— J'ai un associé vraiment digne de confiance. »

Le lendemain, il reçut un télégramme ainsi libellé :

SUIS EN ROUTE HAMBOURG URGENT ME CONTACTER IMMÉDIATEMENT HOTEL EMPEROR CHANCE DE NOTRE VIE GOODKIND

Les mains de Nahum tremblaient, tandis qu'il le lisait et le relisait.

« Une mauvaise nouvelle ? lui demanda son père.

— Une nouvelle incompréhensible, répondit Nahum.

— A-t-il fait une bêtise ?

— J'ignore ce qu'il a fait ou ce qu'il essaie de faire mais tout ce que je sais c'est que je dois l'en empêcher. »

Il avait un train dans moins d'une heure. Il fit immédiatement ses valises.

« Tu pars comme ça ? Ta mère et Katya ne sont pas là, elles vont être surprises, dit son père.

— Tu m'excuseras auprès d'elles. »

En partant, il se retourna et vit son père près de la barrière du jardin : il avait une épaule plus basse que l'autre, un bras pendait à son côté et son œil valide pleurait. Il hésita un moment et se demanda si après tout il ne ferait pas mieux de rester mais il monta dans la voiture qui l'entraîna, au milieu des poulets caquetant, le long des rues poussiéreuses.

6.

Nahum se fit du souci durant le voyage. Cela le tracassait de n'avoir pu régler les affaires de son père, qui semblait par ailleurs tellement âgé et en mauvaise santé qu'il doutait de le revoir un jour. Le télégramme de Goodkind l'inquiétait aussi.

Nahum l'estimait dans le travail car, même s'il ne présentait pas bien, il s'exprimait parfaitement et avait un jugement infaillible pour les affaires courantes ; par contre il était victime de ce qu'il appelait « les spasmes de l'ambition » et il devenait dangereux pour les affaires importantes. De temps à autre, habituellement vers la fin du mois (Nahum pensait que ce devait être lié au cycle lunaire) il présentait des projets si ridicules que Nahum avait de sérieux doutes quant à sa santé mentale. Il avait en particulier un faible pour les entreprises qui battaient de l'aile. Il les repérait comme un vautour repère la charogne.

« Ils sont sans le sou ; tu pourrais les racheter pour une bouchée de pain et remettre l'affaire sur pied », argumentait-il. Ce à quoi Nahum répondait : « C'est peut-être possible avec ton argent mais pas avec le nôtre. » Et comme Nahum était l'actionnaire majoritaire de leur association, il avait toujours le dernier mot.

Avant de quitter Glasgow, il avait exigé et obtenu la promesse solennelle qu'il ne conclurait aucun engagement entraînant une dépense supérieure à cent livres.

« Mais supposons que la chance de notre vie se présente ?

— Je ne serai absent que quinze jours.

— Elle pourra toujours se présenter.

— Tu n'auras qu'à la laisser passer. Je crains fort que tu n'achètes un transatlantique dès que j'aurai le dos tourné. »

La poêle à frire qui servait de visage à Goodkind s'éclaira à ces mots.

« Quelle excellente idée ! Ce sont les armateurs qui s'enrichissent, tu sais. Nous ne sommes que leurs serviteurs et nous ne travaillons que pour de misérables commissions. Nous sommes à leur merci. Si les tarifs baissent, le fret peut passer d'une ligne à l'autre mais dans tous les cas nous perdons. Et eux, ils ont une position sociale. Pense aux grands du commerce maritime : pour les gens ordinaires ce sont des chevaliers ou des barons tandis que l'agent maritime n'est qu'un parasite. »

Nahum se remémorait ces paroles et le regard exalté de Goodkind alors que le train roulait dans la nuit. Il redoutait que le but de la démarche ne consistât tout simplement à acheter un navire. Il pensa qu'ils n'avaient pas assez d'argent pour acquérir une péniche et encore moins une embarcation capable de naviguer en mer. Il ne savait pas non plus quelles étaient les possibilités de crédit mais si Goodkind était, de par son apparence, pas très impressionnant, il l'était en paroles et son charme gauche séduisait parfois. Lorsqu'il changea de train à Bialystock, Nahum se précipita au bureau des télégrammes pour envoyer le texte suivant : SUIS EN ROUTE NE SIGNE RIEN. Cela le réconforta un peu et il s'endormit bientôt.

Quand il arriva à Hambourg et pénétra dans le hall de l'hôtel Emperor, ses angoisses refirent surface. C'était un magnifique palace : le sol des couloirs était recouvert de marbre et les murs de miroirs ; des chandeliers lançaient mille éclats et il y avait des plafonds en voûte et des meubles tendus de brocart. Les pensionnaires de l'endroit étaient tout aussi élégants que le décor. Où que l'on se tournât, on voyait des galons de soie, de satin et d'or. Nahum, dont les vêtements étaient un peu poussiéreux et fripés après son voyage, avait l'impression de ressembler à un domestique. Il dut attendre Goodkind près de vingt minutes mais quand il le vit, il faillit ne pas le reconnaître. Goodkind se dirigeait vers lui en tenue de soirée, une écharpe de soie autour du cou et un chapeau haut de forme à la main.

« Monsieur Rabinovitz, je présume. Qu'est-ce que tu deviens ? Après deux semaines en Russie on dirait encore que tu viens de descendre du bateau. Tu n'as plus ton allure de gentleman anglais et on dirait que tu as dormi avec ton costume.

— J'ai dormi avec mon costume. Tout le monde ne peut pas se permettre de séjourner dans des endroits où il y a des couloirs en marbre.

— Pour gagner de l'argent, il faut en dépenser mon petit gars. Nous avons une importante transaction en perspective et nous ne pouvons pas nous permettre de ressembler ou de vivre comme des *schnorrers*[1]. Je t'ai retenu une chambre. Pourquoi n'irais-tu pas prendre un bain et te changer, nous irions ensuite manger un morceau.

— Une chambre, ici ?

— Mais où donc veux-tu aller autrement ?

— Combien cela va coûter ?

— Qu'est-ce qui t'es arrivé ? Je pensais que puisque tu étais parti en Russie dans un wagon de première classe tu avais compris que tu étais un homme qui avait les moyens. Revenons-en au point de départ. Que s'est-il passé depuis ?

— Même si j'ai dépensé une fortune, ce n'est pas une raison pour en dépenser une autre ; de plus j'ai payé tout cela avec mon argent personnel.

— D'accord, je paierai.

— Qu'est-ce que ça veut dire ?

— Ça veut dire que je paierai ta chambre avec mon argent, si tu insistes.

— Je n'insiste pas, mais je ne vois pas pourquoi nous devrions séjourner dans l'hôtel le plus luxueux d'Europe.

— Il ne vient qu'en deuxième position : le plus coûteux était complet. Mais je crois qu'il est inutile de te parler tant que tu es de cette humeur. Va prendre un bain, nous bavarderons ensuite. Si cela peut te calmer, je puis te dire que j'ai reçu ton télégramme et que je n'ai rien signé. J'espère seulement que ce contretemps ne mettra pas la transaction en péril. »

L'immense baignoire, équipée de robinets de bronze aux formes recherchées, avait la taille d'un bassin portuaire et à chaque fois qu'il s'enfonçait dans l'eau apaisante, il voyait l'image d'un grand navire fumant au mât duquel était fixée une ordonnance de mise sous séquestre.

Goodkind entra dans sa chambre alors qu'il s'habillait. « Alors, on se sent mieux ?

— Un peu.

— Bien. Tu dois être affamé, je suppose...

---

1. *Schnorrer* : le mendiant.

« — Avant toute chose, j'aimerais savoir ce que nous faisons ici. Veux-tu acheter un navire ?

— Est-ce que je te l'ai dit ?

— Je plaisantais, mais es-tu sérieux ?

— Parfaitement. Nous ne pouvons hélas pas nous le payer tout seuls mais je pense avoir trouvé un partenaire. Tu dois mettre un de tes plus beaux costumes, car nous devons impressionner ces gens.

— Quels gens ?

— Tu feras leur connaissance dans une minute mais avant, est-ce que cela te dérangerait si je te taillais un peu la moustache et les cheveux ? Tu fais un peu négligé. »

Nahum se calma et s'assit devant la glace de la salle de bains. Goodkind s'exécuta avec une telle dextérité que l'on aurait pu croire qu'il avait été barbier autrefois.

Ce qui l'avait amené à Hambourg, expliqua-t-il, c'est que la petite compagnie maritime dont ils avaient été les agents, et qui faisait la liaison entre Hambourg et Newcastle, avait fait faillite. Sa flotte était aux mains d'un syndic et, à moins qu'elle ne soit vendue autrement, serait bientôt mise aux enchères. Ladite flotte consistait en quatre navires dont un seul était en état de naviguer. Il était coté A 1 à la Lloyds mais Goodkind l'avait examiné et on lui avait dit qu'il était possible de le faire figurer en première classe pour sept ou huit cents livres.

« Tu dis sept ou huit cents comme s'il s'agissait de la même somme, fit remarquer Nahum.

— D'accord, disons huit cents.

— Si les réparations s'élèvent à huit cents livres, on peut imaginer son prix de vente.

— Franchement, je ne pense pas que tu puisses l'imaginer. Tu n'es pas habitué à penser à de telles sommes.

— C'est combien ? »

Goodkind hésita.

« J'attends.

— Vingt mille livres.

— Je savais que tu étais fou mais j'ai l'impression que tu penses que je le suis aussi.

— C'est la chance de notre vie.

— De notre vie ? Nous pouvons faire faillite à tout moment mais je pense qu'avec ça, c'est le moyen le plus rapide d'y arriver. De toute façon, où crois-tu que nous allons trouver vingt mille livres ? Tu viens d'hériter ?

— Nous n'aurons que dix mille livres à trouver. Je t'ai dit que j'ai trouvé un partenaire et en fait nous n'aurons même pas besoin d'avoir dix mille livres. Les banques nous en prêteront cinq mille, je peux en prendre deux mille sur mes propres ressources et tu pourrais en prendre trois mille sur les tiennes sans trop de problèmes.

— Malheureusement, je ne peux pas. J'ai pris des dispositions pour faire venir ma famille de Russie.

— Mais ils ne sont pas sans le sou, n'est-ce pas ?

— Ils auront peut-être un peu d'argent quand mon père aura liquidé son affaire mais cela prendra du temps. D'ici là, je dois leur trouver une maison. Pour moi, c'est donc hors de question, je n'ai pas l'argent nécessaire.

— Est-ce que ta famille est prête à venir dès maintenant ?

— Non, pas immédiatement.

— Tu as donc de l'argent en ce moment.

— Continue et dis-moi que le navire se paiera tout seul.

— Mais bien sûr.

— Goodkind, toi et moi avons eu de la chance jusqu'à présent, ne fichons pas tout par terre.

— Tu ne réalises donc pas qu'une fois le bateau en main nous posséderons toutes les réserves dont nous avons besoin, un avoir tangible, solide, négociable, d'une valeur de dix mille livres ? Pense à tout l'argent que nous pourrons ainsi emprunter.

— Pense à l'argent que nous devrons rembourser.

— Nahum, tu ne seras jamais millionnaire.

— Je n'ai jamais eu l'intention de le devenir. Tout ce que je désire c'est rester solvable et je sais que je ne le serai plus si j'écoute tes projets insensés.

— Ne nous disputons pas, attends de rencontrer Eizenberg. »

Herr Eizenberg était un homme de grande taille à l'air sévère ; il parlait l'anglais avec un accent allemand guttural et prononçait chaque mot comme s'il se livrait à un exercice de prononciation. C'était un affréteur que l'abandon de la ligne avait mis à mal. Si Goodkind-Raeburn étaient disposés à réparer au moins un navire et à l'affecter de nouveau au trajet Hambourg-Newcastle, il était prêt à garantir un contrat à long terme qui pourrait servir de caution pour obtenir des prêts à long terme. Nahum écouta impassible ses propositions puis il déclara que son associé et lui auraient besoin d'une journée ou deux pour réfléchir.

Eizenberg protesta : « M. Goodkind a déjà eu une semaine pour réfléchir. Combien de temps cela va-t-il durer ?

— Je vous donnerai une réponse définitive demain », répondit Nahum en lançant un regard noir à son associé.

« Tu sais, dit Goodkind plus tard, nous ne pouvons pas le faire attendre éternellement. Nous ne sommes sans doute pas les seuls sur cette affaire.

— Mais nous sommes probablement les seuls qui puissions écouter ses propositions sans le mettre à la porte.

— Alors, tu n'as pas dû le comprendre, même si je dois reconnaître que je n'arrive pas toujours à le suivre. Ne vois-tu pas qu'en nous accordant un contrat à long terme, il ne cautionne pas seulement nos emprunts mais qu'il nous apporte aussi l'argent liquide qui nous permettra de couvrir une grande partie de nos frais de fonctionnement ?

— Comment pourra-t-il cautionner nos emprunts ? Si nous échouons, ce sont nos avoirs qu'ils saisiront, pas les siens.

— Mais ce sont ses relations avec les banques qui nous permettront de faire des emprunts. Avant que je ne le rencontre, on n'a voulu m'en accorder nulle part. Avec le contrat d'Eizenberg en poche, toutes les portes s'ouvriront. Manifestement, c'est un homme qui a du bien.

— Mais pourquoi n'achète-t-il pas ce vieux rafiot lui-même ? C'est le contrat qui l'intéresse.

— Ne t'inquiète pas, j'ai tout prévu et nous pourrons discuter des conditions.

— Peut-être mais je ne pense pas que nous devions le faire car, franchement, la ligne Hambourg-Newcastle ne m'intéresse pas vraiment. Si nous achetons un bateau ce devrait être pour établir une liaison entre Riga ou Dantzig et Leith car en l'état actuel du marché nous ne pouvons pas entrer en compétition avec les autres lignes. Par contre, nous pouvons concurrencer les chemins de fer en transportant des passagers *et* des bagages. D'après ce que je sais toutes les familles juives de l'Est qui possèdent des meubles de quelque valeur ne veulent pas s'en séparer et si nous pouvions partir de Riga nous pourrions ainsi raccourcir une grande partie du trajet en train et nous approprier une bonne part du marché.

— Mais où trouveras-tu l'argent ? J'ai passé une semaine à courir toutes les banques. Je suis allé à Francfort, à Hanovre, Cologne, j'ai tout essayé, des Rothschild aux plus petits.

— As-tu essayé Wachsman ?

— Qui ?

— Wachsman.

— Jamais entendu parler de lui. C'est probablement un de ces parvenus d'usurier. »

Wachsman était un des personnages légendaires de Volkovysk. Tout le monde prétendait se souvenir du gamin en haillons qui errait dans les rues, y compris ceux qui étaient nés bien longtemps après lui. Sa famille n'était pas plus pauvre que les autres et s'il allait pieds nus c'est qu'en été tous les enfants, les plus riches inclus, aimaient enlever leurs souliers. On disait aussi qu'il avait été un enfant prodige : à l'âge de dix ans, alors qu'il allait à la *Yeshiva,* on prétendait qu'il savait par cœur des opuscules entiers du Talmud et qu'à l'âge de sa *bar mitzvah* il était assez avancé pour se passer de professeur et étudier seul. On disait aussi que le grand-père de Nahum lui avait donné son premier travail. D'autres gens prétendaient la même chose et en fin de compte il semblait avoir travaillé pour la moitié de la ville, ce qui n'était guère possible vu que sa famille déménagea en Allemagne quand il avait quatorze ou quinze ans. Lorsqu'il revint dix ans plus tard pour doter un orphelinat en souvenir de son père, il était déjà millionnaire (du moins il le disait, ce qui n'était peut-être pas tout à fait la même chose).

Nahum avait neuf ans à cette époque et il se rappelait bien cette visite. La ville entière était venue l'accueillir, y compris la brigade des sapeurs-pompiers au grand complet et en uniforme. Les familles les plus en vue se disputèrent le privilège de l'accueillir et finalement l'honneur échut à Yechiel qui recruta des domestiques et importa même de la vaisselle d'Angleterre comme si la maisonnée s'honorait d'une visite royale. Nahum se souvenait encore de sa déception lorsqu'une grande voiture attelée s'était arrêtée et qu'un petit personnage à la barbe pointue et portant une canne blanche en était sorti. En entrant dans la maison, il avait tapoté la tête de Nahum et pincé sa joue. Quand Nahum revint à Volkovysk tel un petit Wachsman, les gens se souvinrent de cet épisode et se demandèrent si la bonne fortune de Wachsman ne lui avait pas ainsi été communiquée.

Wachsman était banquier et ses bureaux se trouvaient à Berlin. Il avait des agences dans plusieurs villes allemandes. Nahum et

Goodkind appelèrent celle de Hambourg dans l'espoir d'obtenir un rendez-vous avec le grand homme en personne.

Le bureau de Hambourg était très petit et faisait minable. Nahum fut reçu par le directeur, un petit homme au cou fort qui lui dit que Wachsman était très occupé et recevait rarement.

« Dites-lui que je suis le fils de Yechiel Rabinovitz, dit Nahum.

— Tous ceux qui veulent le voir sont toujours les fils de quelqu'un, rétorqua le directeur. Le mieux que je puisse faire, c'est d'envoyer un télégramme et nous verrons ce qui se passera. » La réponse arriva au bout de quelques heures, disant que Wachsman se trouvait à Menton sur la Riviera et y resterait jusque fin octobre.

« Alors c'est fichu, dit Goodkind.

— Non, non, c'est maintenant ou jamais, il n'y a pas de temps à perdre », dit Nahum.

Il s'étonna de son propre enthousiasme. La veille, il avait vaguement pensé à rompre leur association car il estimait que Goodkind avait tendance à l'entraîner vers des eaux dangereuses. Maintenant, il courait de l'avant, entraînant dans son sillage un Goodking essoufflé qui le suivait en se faisant tirer l'oreille. Nahum se demanda quelles étaient les raisons de ce changement. Cela venait-il de cette sensation de bien-être qu'il ressentait après une nuit passée dans ce splendide hôtel ? Ou bien était-ce à cause de la conviction qu'il était sur le point de devenir lui aussi une sorte de Wachsman ? L'enthousiasme de Goodkind n'était pas en cause car il semblait moins battant maintenant et paraissait même nourrir quelque appréhension. Il fut sidéré lorsque Nahum acheta des billets de première classe pour un train à destination de Menton.

« N'as-tu pas dit toi-même que nous devions dépenser de l'argent pour en gagner ? demanda Nahum.

— Oui, à l'hôtel, pour impressionner les gens. Mais nous n'avons personne à impressionner dans un train. »

Ils passèrent par Hanovre, Cologne, la vallée du Rhin et Francfort. Nahum avait le sentiment d'être un enfant qui fait son premier voyage et ses compagnons de voyage lui plurent tout autant que le paysage avec ses rivières sinueuses, ses châteaux, les vignes grimpant sur les coteaux. Le voyage pour Volkovysk, à travers la grande plaine européenne, avait été agréable mais une fois accoutumé à la nouveauté de l'environnement cela devenait ennuyeux. Son voyage vers le sud prenait une dimension mystique : c'était son chemin de Damas. Lorsqu'il avait mis le pied dans le wagon de première classe à

Glasgow, il avait eu l'impression d'entrer dans son monde naturel mais l'image avait disparu après son séjour à Volkovysk. Aujourd'hui, il avait à nouveau le sentiment de se trouver enfin en compagnie des gens d'une classe à laquelle il était prédestiné. Il lui avait toujours semblé que son père avait été un aristocrate déchu et peut-être était-ce à lui que revenait la charge de ramener la famille vers un meilleur sort. Le luxe du train, les tapis dans les couloirs, les riches placages, l'élégante compagnie lui donnaient l'impression qu'il avait déjà accompli une partie de sa tâche.

A Hambourg, Nahum avait insisté pour manger dans un restaurant kasher où, d'après Goodkind, « la nourriture était infecte, le service horrible et les prix exorbitants », aussi Goodkind attendait-il avec intérêt de voir comment se réglerait la question de la nourriture dans ce train. Se précipiterait-il pour acheter un petit pain à chaque buffet de gare ou se rendrait-il au wagon-restaurant ? Goodkind était agnostique et il ne savait pas trop quels rites religieux Nahum respectait. En fait, il s'attabla devant une assiette de poisson arrosé d'une sauce onctueuse qui contenait, Goodkind en était certain, des crevettes et autres denrées interdites. Nahum sembla apprécier et Goodkind se tut, de crainte d'entraver son plaisir.

Ils burent aussi du vin. Nahum avait déjà goûté ces vins épais, sucrés, parfumés, que l'on boit dans les foyers juifs pour le Sabbath et les fêtes. Il avait aussi bu des alcools tels que vodka, gin, whisky, cognac, schnapps et *ninet-ziker* (ou « quatre-vingt-dix » et qui était presque, comme son nom l'indique, de l'alcool pur), mais jamais l'un de ces vins de table sec, frais et pétillant.

« Les *goyim* savent vivre », dit-il en commandant une autre bouteille. Lorsqu'il se leva en titubant légèrement pour rejoindre son compartiment, il suivit une grande femme blonde à l'allure majestueuse dont le parfum emplissait tout le wagon-restaurant. Il voulut la voir de face mais comme il s'approchait d'elle, le train entra en sifflant dans un tunnel ; il aperçut furtivement le reflet de son visage sur la vitre du wagon : elle avait un cou élancé, un petit menton, une bouche assez grande et des pommettes saillantes. Il allait prendre son courage à deux mains pour l'aborder lorsqu'il s'entendit appeler par un serveur.

« Excusez-moi monsieur, un gentleman désire vous parler. »

C'était Goodkind. « Tu te conduis déjà en millionnaire. Je n'ai presque plus d'argent et tu n'as pas réglé l'addition », gémit-il.

Nahum se demanda s'il avait vu cette femme ou si au contraire elle n'était que le produit de son imagination. Il parcourut le train de long en large sans retrouver trace d'elle. Dans l'intervalle le train ne s'étant pas arrêté elle ne pouvait donc être descendue. Ou alors était-ce un effet du vin ? Il but une autre bouteille au dîner mais il n'en résulta qu'un violent mal de tête et il alla se coucher avec l'impression d'être un enfant qui avait dépensé son argent de poche sans compter.

Le lendemain matin, quand il vint prendre son petit déjeuner, Goodkind comptait sa monnaie, l'air piteux.

« Un café et un petit pain coûtent plus cher dans ce train que trois plats dans un restaurant de Glasgow, dit-il. C'est le ruine-express. Je n'ai pas fermé l'œil cette nuit et le bruit des roues me disait toujours la même chose, et de plus en plus fort tandis qu'elles tournaient de plus en plus vite : catastrophe, catastrophe, catastrophe, faillite, faillite, faillite, qu'allons-nous faire, qu'allons-nous faire, qu'allons-nous faire, r-u-u-u-u-uine, r-u-u-u-u-uine.

— Tu n'es pas obligé de faire du théâtre à cette heure de la matinée.

— Tu ne crois pas que tout cela est ruineux ?

— Tu peux parler. Qui a eu cette idée ?

— C'est moi, mais il me semble que tu l'as reprise à ton compte. »

Ils se parlèrent à peine jusqu'à leur arrivée à Menton.

A cette époque, Menton était très à la mode pour les juifs de la haute bourgeoisie (banquiers, marchands et industriels) d'Europe orientale. C'était une classe numériquement peu importante ; ils venaient principalement des grandes villes de l'empire russe, villes dont les juifs étaient généralement expulsés. Ils parlaient russe, ou polonais, ou allemand, ou français, et parfois ces quatre langues, mais on ne les entendait jamais parler yiddish entre eux. Ils avaient vaincu leur pauvreté, avaient délaissé leur foi (sans vraiment l'abjurer) et le seul trait juif qui subsistait en eux était cette tendance qu'ils avaient à venir ensemble sur la Riviera. Là, ils trouvaient des maris pour leurs filles, des épouses pour leurs fils et l'assurance que les juifs pouvaient encore se faire une place au soleil.

Nahum avait une tante, la sœur aînée de sa mère, qui était allée à Menton ; sa mère en parlait chaque fois qu'elle se plaignait de n'être jamais sortie de Russie. Il n'avait jamais rencontré cette tante mais quand on en parlait une lueur d'inquiétude apparaissait dans le regard de Yechiel et Nahum supposait qu'elle avait dû quitter à la fois Menton et la communauté juive. Pour sa mère, Menton incarnait le symbole de la réussite sur cette terre et pour son père un avertissement sur les conséquences de la réussite. Nahum se demanda si la principale raison qui l'avait incité à aller rejoindre Wachsman n'était pas qu'il voulait voir de ses propres yeux cette ville légendaire. En rencontrant Wachsman à Menton il côtoierait du même coup deux légendes.

« Nous courons après la lune. Tu ne sais même pas s'il te recevra.

— S'il sait que je suis ici, il me recevra. Il est venu chez nous.

— Tu n'arrêtes pas de me le dire. »

Ils rejoignirent leurs chambres d'hôtel pour se reposer et se changer ; ils convinrent de se retrouver en bas un peu plus tard dans la soirée. Nahum descendit le premier. En passant devant la salle à manger, il remarqua un personnage familier, un petit homme chauve avec une grosse tête et une barbiche à la Napoléon III. Ses lunettes se trouvaient sur la table et il inclinait tellement la tête qu'elle en tombait presque dans son assiette. C'était exactement le Wachsman dont il se souvenait ; il se dirigea vers lui pour le saluer. Le petit homme leva les yeux.

« Je suis Nahum Raeburn-Rabinovitz, le fils de Yechiel de Volkovysk. »

A ces mots, l'homme se leva d'un bond, agita ses bras dans tous les sens et commença à crier : « Dehors, dehors, jetez-le dehors, imposteur, dehors ! »

Les dîneurs le regardèrent, des serviteurs surgirent de partout.

« Jetez-le dehors ! » Sa voix devint hystérique. « Dehors, dehors ! Imposteur ! Dehors ! » Nahum se replia rapidement vers Goodkind qui avait assisté à la scène du vestibule d'entrée.

« J'ai l'impression que notre présence n'est pas très désirée, dit-il.

— Le vieux doit être devenu gâteux ou alors il me prend pour un autre mais c'est quand même une drôle de façon de se comporter.

— Tu vois, j'ai fait l'erreur de t'entraîner à Hambourg, tu as fait l'erreur de m'entraîner ici, alors, disons que nous sommes quittes. Je rentrerai en train ce soir. Si tu veux rester, tu régleras les dépenses avec ton argent. » Il monta faire ses valises et partit une heure plus tard sans dire un mot. Qui prétendra après cela que les gros ont bon caractère ? pensa Nahum.

Ils avaient déjà eu des différends, mais Nahum estima cette fois que c'était sérieux. Lorsqu'il était fâché, Goodkind changeait totalement d'allure et même de personnalité. Son visage devenait rouge, son double menton prenait encore davantage d'ampleur, ses yeux s'exorbitaient et sa voix montait d'un ton. Et surtout, il perdait son aplomb typiquement anglais pour devenir irritable et maussade. Nahum se demanda si leur association survivrait à cette excursion. Il admettait que ses propres actions n'avaient pas toujours été rationnelles. Il avait fait plus de quinze cents kilomètres à travers l'Europe pour voir un homme sans avoir eu l'assurance d'être reçu par lui. Il avait l'impression d'avoir été entraîné malgré lui par son propre destin. Au sein de leur association, il avait toujours été l'élément le plus circonspect, le plus prudent. « Tu te comportes comme un véritable Ecossais », lui avait dit un jour Colquhoun. Il avait pris cela pour un compliment car c'est ainsi qu'il aimait à se croire.

Il sortit pour respirer une bouffée d'air marin, le visage soucieux. Il sentit alors qu'on lui donnait une petite tape sur le coude. Il se retourna et se trouva face au petit homme à la barbiche et aux grosses lunettes.

« Excusez-moi, dit-il, il me semble vous connaître. »

Nahum eut envie de lui répondre : « Oui, vous vouliez me faire expulser du restaurant ce soir », mais l'homme avait probablement oublié l'incident.

« Je m'appelle Raeburn-Rabinovitz. Je suis...

— Raeburn-Rabinovitz ?

— Non, mon vrai nom est Rabinovitz. Je suis de Volkovysk.

— De Volkovysk ? C'est bien ce que je pensais. Alors, vous devez être... mais vous ne pouvez être... vous êtes trop jeune. Je suis également de Volkovysk. » Il regarda autour de lui et chuchota : « Je m'appelle Wachsman.

— *Le* Wachsman, dit Nahum, comme s'il l'ignorait.

— Pas si fort, s'il vous plaît, il y a des *schnorrers* partout qui prétendent être de Volkovysk. A Menton même, j'étais tranquillement assis dans un restaurant lorsqu'un jeune imposteur est venu me voir en racontant l'histoire habituelle, à savoir qu'il était de Volkovysk. Tous les gens à qui je m'adresse se disent de Volkovysk, comme si cela leur donnait droit à une pension. Ainsi, vous êtes de Volkovysk ? Un endroit charmant, non ?

— Il paraît charmant quand on en est éloigné.

— De braves gens, un peu simplets, mais braves. Comment avez-vous dit vous appeler ?

— Rabinovitz.

— Rabinovitz ? Alors vous devez être... non, vous ne pouvez pas l'être. Vous n'êtes pas le fils de Nahum ?

— Je suis son petit-fils.

— C'était un saint, un excellent homme d'affaires et un fin lettré. Il m'a appris tout ce que je sais, ou du moins tout ce que je savais car le savoir est comme le sexe : moins vous l'utilisez et plus il se tarit. Vous me savez banquier, philanthrope, homme du monde mais savez-vous que j'ai été autrefois un *ilui,* un enfant prodige ? J'aurais pu être un *godol bador,* un des plus grands hommes de ma génération mais lorsque mon père est mort, j'ai dû subvenir aux besoins de ma famille et entrer dans le monde des affaires. Je n'y ai pas mal réussi mais être *godol*[1] dans le monde de la finance, ce n'est pas la même chose qu'être *godol* dans l'enseignement. Je m'étais promis de retourner à mes livres une fois ma fortune faite mais quand on ne fréquente qu'une sorte de livres, il est difficile de retourner aux autres. Que faites-vous, jeune homme ?

— Je suis dans la marine marchande.

— C'est un très bon... la marine marchande, vous dites ?

— Oui. »

Il s'arrêta et posa sa main sur le bras de Nahum. « Laissez tomber si vous le pouvez, jeune homme. Si vous commencez avec des navires, vous finirez au fond de la mer. J'en ai sorti des eaux noires du marasme des navires et des affréteurs mais j'en ai coulé aussi parce qu'il était impossible de les sauver. J'ai eu des flottes entières au titre du paiement de créances mais c'était un cadeau empoisonné. Cela coûte plus cher de laisser un grand navire à quai que de payer cent ouvriers. Que faites-vous, du fret, des voyageurs ?

— Nous faisons surtout les voyageurs et un peu de fret.

— Vous feriez mieux d'inverser. Les voyageurs, c'est enquiquinant. Avec le fret, vous travaillez à votre propre rythme tandis que les voyageurs arrivent par vagues, par milliers et par milliers. Ils veulent tous partir en même temps et le pire c'est qu'ils veulent tous aller dans la même direction, vers l'Amérique, si bien que même si vous partez à plein, vous revenez à vide. Et puis, ils créent toutes sortes d'ennuis. Si quelqu'un meurt de je ne sais quoi à bord on dit aussitôt que vous avez la peste, comme si les gens ne mouraient jamais à terre. Et puis, il y a la concurrence. La North German Lloyd propose le voyage Brême-Amérique pour deux livres par tête — imaginez un peu : deux livres par tête ! — nourriture comprise. La liaison Hambourg-Amérique passera au même prix et vous ne pourrez pas

---

1. *Godol* ou *godol bador* signifie homme important, qui a de la valeur.

mieux faire que Ballin. Comment peut-on rivaliser avec de tels prix ?

— Je ne travaille pas sur l'Atlantique. Je veux exploiter une ligne régionale. Les gens ont toujours besoin d'aller de Russie à Brême ou à Hambourg. Actuellement, ils sont obligés de prendre le train et cela coûte cher. Un navire pourrait les prendre en charge à Riga ou à Dantzig et je sais par expérience qu'il y a un trafic constant entre la Baltique et la côte orientale de l'Angleterre. Tous les gens ne connaissent peut-être pas ces bas tarifs et certains désirent peut-être s'arrêter en Angleterre pour souffler un peu avant de repartir. De toute façon, quelles qu'en soient les raisons, nous sommes très occupés.

— Vous opérez à partir de l'Angleterre ?

— Oui.

— Vous connaissez Kagan, alors.

— Kagan ?

— Le directeur de mon agence londonienne. Tout le monde le connaît. Parlez-lui navires et voyez ce qu'il vous répondra.

— Nous avons assez bien réussi jusqu'à présent.

— Vous voulez dire que vous gagnez de l'argent ?

— Oui.

— Beaucoup ?

— Suffisamment.

— Je me demande comment vous faites. Je suppose que vous transportez des passagers à destination de l'Angleterre mais qu'est-ce que vous transportez dans l'autre sens ?

— Du charbon, des machines, du textile.

— Vous voulez dire que vous employez des cargos pour le transport des passagers ? C'est dangereux, surtout dans la mer du Nord qui est une mer difficile. Si vous condamnez les panneaux, avant que vous ayez pu faire quoi que ce soit vous aurez asphyxié la moitié des passagers. C'est le genre d'incidents qui donne mauvaise réputation à un navire. Allez donc voir Kagan et dites-lui que c'est moi qui vous envoie, je vais lui adresser un télégramme. Vous verrez ce qu'il vous dira. »

Wachsman était un homme de parole.

Lorsque Nahum se rendit à Londres, il fila tout droit à la banque de Kagan et fut immédiatement introduit dans un grand bureau lambrissé qui sentait le cuir et les cigares. Un grand personnage barbu vint à sa rencontre et le salua. Kagan, n'était son crâne chauve, ressemblait à un rabbin trop choyé et trop nourri.

« Si vous étiez avec Wachsman, vous venez de Menton à coup sûr, dit-il. Il suffit de regarder le calendrier pour savoir où il se trouve. Il a des habitudes très régulières. Il est un peu plus irrégulier dans ses jugements mais c'est toujours un génie, un génie. Je suppose que vous êtes originaire de son pays. Les miens sont aussi venus de là, il y a des siècles bien sûr. Est-ce que cela va toujours aussi mal là-bas, comme on le dit ici ? Les gens viennent en Angleterre en pensant que les rues de Londres sont pavées d'or. Ils oublient leur foi dès qu'ils posent le pied sur ce sol profane mais ils s'enrichissent rarement. Quel intérêt y a-t-il pour un homme à perdre son âme s'il ne gagne même pas son pain ? Je ne prétends pas parler de mon expérience mais quitte à être pauvre, je pense qu'il vaut mieux l'être en Russie ou en Pologne plutôt que dans l'East End de Londres.

— Oui, mais dans l'East End ils n'ont pas à craindre les pogroms.

— Pour le moment, cependant si les juifs continuent à affluer vers Londres au même rythme qu'aujourd'hui, nul ne sait ce qui peut arriver. Il existe une forte opposition à l'immigration ; elle n'est que verbale pour le moment mais elle pourrait bien dégénérer en violence un jour ou l'autre. Les gens détestent le spectacle de la pauvreté, ils en ont déjà assez avec la leur. De toute façon, je ne pense pas que les juifs, quel que soit leur nombre et même s'ils arrivaient ici en redingote et chapeau haut de forme, puissent être bien accueillis. Bon, changeons de sujet. Je suppose que vous n'êtes pas venu ici pour me parler des juifs.

— Si, d'une certaine façon », dit Nahum qui lui expliqua le plan qu'il avait en tête.

« Wachsman a essayé de vous vendre un bateau ?

— Au contraire, il m'a dit de laisser tomber les navires et la marine marchande.

— C'est sa tactique d'approche. C'est un génie, un génie. S'il voulait vendre du gin, il se ferait passer pour un membre de la ligue antialcoolique. C'est le meilleur vendeur du monde. Non seulement, il vend ce qu'il veut mais il vous donne toujours l'impression d'avoir acheté contre son avis, si bien que si vous vous cassez les dents, il prétendra qu'il vous avait prévenu. Alors, il vous a vendu un bateau ?

— Non, mais j'aimerais en acheter un.

— Je m'en doutais. Je crains que vous ne soyez venu à la mauvaise adresse. Je ferais tout pour Wachsman sauf de me trancher la gorge mais si je dois contribuer à accroître le flot des juifs sur Londres cela équivaudrait pour moi à me trancher la gorge.

— Mais ils arrivent, de toute façon.

— Possible mais ce n'est pas à moi, ni, si je puis me permettre de le dire, à vous de les aider à venir dans ce pays. L'île est petite et surpeuplée, le travail est rare, la pauvreté sévit et il existe un fort sentiment antijuif. Il y a déjà trop de juifs dans l'East End et cela nuit aussi bien à leurs intérêts qu'à ceux des autres.

— Mais je n'ai rien à voir avec l'East End. Tous les navires avec lesquels je traite sont basés à Newcastle, Leith ou d'autres ports du Nord-Est et la plupart de leurs passagers vont en Amérique.

— C'est toujours leur intention mais s'ils n'ont pas les moyens de se payer le billet ils s'arrêtent ici pour gagner ce qui leur manque. S'ils y parviennent, ils n'ont plus aucune envie de partir et s'ils échouent, ce qui arrive souvent, ils n'ont plus d'argent et doivent être soutenus par le Comité Juif d'Assistance. Je suis l'un des administrateurs de ce Comité et je puis vous dire que nous sommes presque en faillite, en faillite. Maintenant vous venez me demander à moi, Amadeus Kagan, d'ajouter à leur nombre : jamais. Je ne donnerai pas un penny. » Le ton de sa voix allait en montant, ses yeux étaient exorbités, sa barbe hérissée et son visage rougissait. Nahum attendit qu'il se calme avant de lui dire que quatre-vingts pour cent de ses passagers allaient en Amérique.

— Comment le savez-vous ?

— Parce que je fais le transbordement.

— Et le reste, je suppose, s'infiltre vers Londres.

— C'est peu vraisemblable. D'après ce que j'ai constaté, la plupart s'installent à Glasgow ou dans le Nord-Ouest et il me semble que si vous pouviez créer des communautés conséquentes en province...

— Cela ferait contrepoids à l'attraction de Londres ?

— Exactement.

— L'argument n'est pas nouveau. Je ne suis pas convaincu mais je suis prêt à étudier vos chiffres. »

Nahum retourna à son hôtel et télégraphia à Colquhoun de recueillir les chiffres nécessaires et de venir à Londres par le premier train. Goodkind l'avait irrité durant les jours passés ensemble et il sentit qu'il serait plus satisfaisant de travailler avec Colquhoun.

Les papiers demandés arrivèrent le lendemain matin, portés par Cameron, un jeune homme aux joues roses et aux cheveux cendrés que Colquhoun lui avait présenté comme étant « un garçon plein de promesses ». Il ne devait avoir guère plus de quinze ou seize ans et

Nahum fut surpris que Colquhoun ait pu confier une mission si importante à un simple écolier.

« Monsieur Colquhoun n'a pas pu venir et il m'a demandé de vous remettre cette lettre », dit l'employé.

Le texte était bref et sibyllin. « Goodkind a dû partir pour Liverpool (ennuis familiaux) et je n'ai donc pu quitter Glasgow. Le jeune Cameron a tous les papiers que tu as demandé. Quand pouvons-nous espérer te revoir ? »

« Avez-vous quelque chose à ajouter à cette lettre ?

— Non, monsieur Goodkind ne parle pas beaucoup de lui, vous savez. »

Il étudia les documents durant le petit déjeuner et les adressa à Kagan en y ajoutant un petit mot où il lui demandait s'il était possible qu'ils se rencontrent à nouveau aujourd'hui car il lui fallait prendre le train de nuit pour Glasgow.

Il ne s'attendait guère à obtenir une réponse avant le déjeuner, aussi descendit-il vers Whitechapel, quartier qui n'était pas très éloigné de son hôtel. C'était la première fois qu'il s'y rendait et, passé Aldgate, il s'arrêta, stupéfait. Il se trouvait sur la rive d'un monde différent. La pauvreté et la saleté le faisaient penser à Glasgow mais il s'agissait ici d'une pauvreté juive et d'une saleté juive. Les visages étaient les mêmes que ceux que l'on pouvait voir en Russie. On pouvait lire des inscriptions en hébreu et l'on entendait parler yiddish partout. Il aurait pu se trouver à Volkovysk, un Volkovysk animé et bruyant. Les tramways et les charrettes passaient avec fracas sur les pavés, des locomotives à vapeur grondaient sur les viaducs qui quadrillaient l'endroit et plongeaient des rues entières dans la pénombre. Cependant, même là où il n'y avait pas de viaducs, le voisinage semblait plongé dans un éternel crépuscule et des particules de suie tombaient comme du grésil noir.

Il entra dans un petit restaurant qui ressemblait plutôt à une salle de réunion. Des groupes de gens bavardaient autour des tables mais rares étaient ceux qui semblaient manger. Les conversations s'arrêtèrent dès qu'il entra et vingt paires d'yeux le suivirent jusqu'à sa place.

« Moshe, cria une voix, tu as un client. »

Le propriétaire, un homme corpulent coiffé d'une casquette noire, fit son apparition, jeta un œil sur Nahum et revint avec une nappe tachée de soupe mais fraîchement repassée qu'il posa sur l'ancienne tachée de soupe et chiffonnée.

« D'où vient le juif ? demanda-t-il en yiddish.

— Glasgow.

— Et avant ?

— Volkovysk.

— Ah, un endroit charmant.

— Vous le connaissez ?

— Non, mais le beau-fils de mon beau-frère en vient.

— Comment s'appelle-t-il ?

— Son nom ? Je suis fâché avec mon beau-frère, alors comment voudriez-vous que je sache le nom de son beau-fils ? Vous êtes dans les affaires ? Je ne sais pas pourquoi je le demande. Est-il possible d'imaginer quelqu'un venant ici pour le plaisir ?

— Qu'est-ce que vous avez à manger ?

— Tout ce que vous voulez.

— Où est le menu ?

— Pas besoin de menu. Vous dites ce que vous voulez et on le fait mais la spécialité de ma femme c'est le *tzolent*[1].

— Elle le fait en milieu de semaine ?

— Ecoutez, le *tzolent* c'est comme le vin, plus vous le gardez longtemps et meilleur c'est. Elle le fait le vendredi et pour le mercredi suivant c'est extra.

— Mais nous sommes jeudi.

— Alors il est super extra.

— Avez-vous du canard ?

— Oui, nous avons aussi du poulet.

— Je ne mange pas de poulet.

— Vous ne mangez pas de poulet ?

— Je ne mange pas de poulet.

— Vous êtes malade ?

— Non, je ne suis pas malade.

— Je n'ai jamais entendu parler de quelqu'un qui ne mange pas de poulet mais si vous voulez du canard ma femme peut vous faire du poulet à la sauce canard. »

Nahum se leva.

« Qu'est-ce qui se passe ? Vous avez perdu l'appétit ?

— Non, j'ai perdu patience. »

Il alla dans un autre restaurant où on le servit rapidement. La cuisine était bonne mais il fut dérangé par une éternelle procession de

---

1. Le *tzolent* est une sorte de ragoût composé de viande et de légumes qui se prépare le vendredi, veille du Sabbath (jour où il est interdit de faire du feu).

colporteurs : l'un proposait des lacets, l'autre des allumettes, un troisième des casquettes et des bougies, un quatrième n'avait rien à vendre mais il avait une fille à marier et demandait dix shillings.

A la fin du repas, il fut rejoint par un personnage assez âgé qui portait une canne et des lunettes. Il ne vendait ni ne demandait rien mais il s'assit en face de Nahum comme s'il n'avait jamais vu quelqu'un manger. Les verres de ses lunettes étaient si épais que Nahum se demandait s'il le regardait ou s'il avait le regard perdu dans le vide.

Il parla finalement : « Faites-vous de bonnes affaires ?

— Pourquoi me demandez-vous cela ?

— Beau costume, belle cravate, belle chemise. Regardez autour de vous, allez dans la rue. Vous ne verrez aucun costume de ce genre de ce côté d'Aldgate. Pour *Shabbos* ou *Yom Tov* peut-être, mais pas en semaine. Vous avez un commerce ?

— Non, je n'ai pas de commerce.

— Ça ne vous dérange pas que je vous le demande ?

— Si.

— Vous commencez à parler comme un Anglais. Depuis combien de temps êtes-vous ici ?

— Depuis cinq ans.

— Cinq ans et vous voulez déjà que les gens se mêlent de leurs oignons ? Ça semble bien marcher pour vous et je voudrais savoir comment vous avez fait. Moi, j'ai tout essayé et j'ai tout raté. Je vais vous dire, c'était plus facile en Russie.

— Vous croyez ?

— Oui, je le crois. En Russie, les choses allaient mal de toutes façons et on pouvait toujours espérer qu'en partant elles iraient mieux. Je suis parti pour l'Allemagne, puis la France et enfin l'Angleterre mais tout n'a fait qu'empirer. En Russie, j'étais célibataire, ici je suis marié, ce qui aggrave peut-être mon sort. *Tzores* partagés, *tzores* doublés.

— Pourquoi vous êtes-vous arrêté dans l'East End au lieu d'aller en province ?

— En province ? Ici au moins il y a la religion. En province ils sont tous *goyim*.

— Je viens de province.

— Ça se vois, vous mangez avec votre chapeau sur la tête. »

Quand il revint à son hôtel, il était presque trois heures mais il n'y avait toujours pas de message de Kagan. Pendant deux heures il lut, écrivit des lettres et comme il n'avait toujours pas de nouvelles, se rendit à la banque. On le renvoya d'un employé à l'autre et il finit par se retrouver devant un personnage à l'air empressé et à la mâchoire tombante qui lui dit que Kagán était trop occupé pour recevoir quelqu'un.

« Je pense qu'il voudra me voir, dit Nahum, je suis Raeburn.

— Vous êtes le gentleman qui était ici hier et qui a envoyé des papiers ce matin ?

— Oui.

— Je crains qu'il ne puisse voir personne aujourd'hui. Je suis sûr que si vous appelez demain...

— J'ai un train à prendre ce soir. »

A ce moment, Kagan sortit de son bureau et, apercevant Nahum, donna l'impression de vouloir y retourner.

« Ah ! vous voilà, dit Nahum. Puis-je vous voir une petite minute ?

— Je suis très occupé, monsieur Raeburn.

— Je le suis aussi. J'en ai pour une minute.

— Bon, très bien. » Il lui montra le chemin et resta debout derrière son bureau. Nahum s'assit et Kagan l'imita.

« Avez-vous lu les papiers que je vous ai adressés ? » demanda Nahum.

Kagan soupira. « Je les ai vus et je crois que nous perdons notre temps tous les deux. Vous voyez...

— Puis-je vous interrompre ?

— Si vous le devez.

— Je suis allé dans l'East End et j'ai vu ce qui vous effraie. Vous avez une autre Russie au seuil de votre porte.

— Il ne s'agit pas du seuil de ma porte mais de celui des gens qui sont leurs voisins. Ils sont anglais et veulent rester en Angleterre. Ils commencent eux-mêmes à se sentir dans une ville étrangère, un pays étranger et ils ne le supporteront plus longtemps.

— C'est pour cette raison que je pense mériter votre aide. Je construirais de nouveaux centres juifs à Edimbourg, Dundee, Newcastle, Sunderland...

— Vous me l'avez dit hier mais j'ai examiné vos comptes en détail et sincèrement je pense que vous n'êtes pas bien placé pour faire ce genre de choses.

— Pas pour le moment, mais quand nous nous serons développés...

— Avez-vous une idée des sommes dont vous aurez besoin ?

— Oui.

— Monsieur Raeburn, un emprunt doit être proportionnel à des avoirs. Je ne veux pas dire que vous avez voulu me tromper mais j'ai l'impression que vous n'êtes rien de plus qu'un petit commerçant. Vous parlez d'acheter des bateaux alors que vous avez encore des dettes sur une charrette et un cheval.

— Il n'y a rien de mal à devoir de l'argent si on le rembourse. Nous faisons des profits et notre affaire se développe.

— Qu'importe, les sommes dont vous aurez besoin sont bien au-delà de votre portée, bien au-delà. Monsieur Raeburn, il faut apprendre à marcher avant d'apprendre à courir. L'ambition est une chose mais la fantaisie, monsieur Raeburn, reste de la fantaisie. Toute personne ayant du bon sens, ou même n'en ayant pas, ne vous prêtera les sommes d'argent que vous espérez au vu de vos avoirs. Vous avez peut-être une gentille affaire qui fait de gentils profits mais cela n'ira pas plus loin. Vous n'êtes pas dans ce que l'on pourrait appeler la première classe. »

A ces mots, Nahum ne put s'empêcher de lui rétorquer : « C'est pourquoi je suis venu dans une banque de deuxième classe. »

Kagan en resta planté là, les yeux et la bouche grands ouverts, cherchant ses mots. Puis il dit tout à coup : « Excusez-moi, j'ai un autre rendez-vous. »

7.

Nahum monta dans le train les mains vides et mort de fatigue mais il se sentait curieusement triomphant. Durant la tirade de Kagan il avait eu l'impression de rapetisser tandis que sa colère grandissait et finalement quelque chose s'était déclenché et il lui avait répondu. C'était la première fois qu'il agissait ainsi. Jusqu'alors, il avait surtout eu affaire à des gens avenants qui ne le rabrouaient pas, ne lui posaient pas de questions embarrassantes, ne lui faisaient pas la morale, si bien qu'il pouvait se montrer avenant lui-même. Il s'était découvert un nouveau pouvoir qui le rassurait dans l'idée qu'il se développait et évoluait encore. Il avait pensé être à l'image de son père, qui détestait se mettre en colère et préférait renoncer à une transaction si elle devait le faire s'emporter. Maintenant, il lui semblait au contraire qu'il était prêt à s'emporter même si cela impliquait de renoncer à une transaction. Il s'endormit, tout euphorique.

Arrivé à Glasgow, il fila droit au bureau où, en dépit de l'heure matinale, il vit la lumière allumée et trouva Colquhoun au travail.

« Mon Dieu, dit Nahum, on dirait que tu es resté ici toute la nuit.

— J'ai l'impression d'y avoir passé la semaine entière. J'ai fait tout le travail de Goodkind.

— Qu'est-ce qui lui est arrivé ?

— J'aimerais pouvoir te le dire. Le jour où il est revenu, quand je suis entré dans son bureau, je l'ai vu avec un télégramme à la main ; des larmes coulaient sur son visage. Goodkind pleurant, tu peux imaginer cela ? Et ça coulait à flot. Je lui ai demandé si je pouvais faire quelque chose : il a secoué la tête, alors je l'ai laissé tranquille. Il s'est calmé, a essuyé son visage, s'est excusé et m'a dit qu'il devait partir pour quelques jours. Il est parti il y a bientôt une semaine maintenant.

— Il n'a pas dit où il allait ?

— Non.

— Que disait le télégramme ?

— J'ai essayé d'y jeter un œil mais je n'ai rien compris. Je pense que c'était du yiddish.

— Du yiddish ? Goodkind ne le parle pas.

— Alors c'était peut-être de l'allemand ; en tout cas, je n'ai rien compris.

— Je lui demanderai ce qui s'est passé quand il reviendra. Je pense que j'ai le droit de savoir, non ?

— Non, tu n'as pas le droit.

— Qu'est-ce que tu veux dire par là ? Ne sommes-nous pas ses meilleurs amis ?

— Oui. Mais les amis doivent savoir quand il ne faut pas s'immiscer dans les affaires des autres. »

Nahum passa la plus grande partie de la journée à lire son courrier et à dicter des réponses mais c'est en rentrant chez lui qu'il réalisa combien il était fatigué. Il avait l'impression de renouer avec la sobriété après une débauche prolongée. Son voyage — Volkovysk, Hambourg, Menton, Londres, les wagons de première classe, les grands hôtels, les somptueux repas, le dialogue avec Kagan — était devenu irréel comme s'il s'agissait d'une expérience vécue dans les brumes de l'alcool. En regardant autour de lui, il trouva ses pièces minuscules, son intérieur grisâtre, le paysage triste. Le Nahum d'hier semblait mort.

Il alluma le feu, posa la bouilloire dessus, défit ses valises et se prépara à manger ; mais il n'avait pas faim.

Il se leva pour regarder la petite pelouse déserte et les bâtiments qui l'entouraient. La nuit tombait et la pâle lueur verte des éclairages au gaz brillait à toutes les fenêtres. Il voyait les femmes devant les éviers de leur cuisine qui affrontaient la vaisselle de la journée ; ici et là on entendait des bruits de disputes et les cris des jeunes enfants. Il se prépara à aller se coucher. Il n'était pas tard mais il ne pouvait rien faire d'autre.

Il commença à se déshabiller mais, réflexion faite, il se rhabilla et alla se promener dans les rues bruyantes et peuplées. A cause de la petitesse de leur maison les gens passaient leurs quelques instants de liberté dans la rue lorsque la saison le permettait ; bien qu'il fasse déjà bien sombre, des gamins jouaient sur les trottoirs et la nuit résonnait de leurs cris. Il faisait étonnamment chaud pour cette époque de l'année.

Il descendit vers les Gorbals sans aucun but particulier. Au bout d'une heure et demie, il se retrouva à Pollockshields, un quartier aux grandes maisons où vivait l'aristocratie de Glasgow et où Miri et Yerucham (ou plutôt James) avaient récemment acheté une maison. Il regarda sa montre. Dix heures : il n'était pas trop tard pour rendre visite à une amie, pensa-t-il.

La fille de Miri, Sophie, petite demoiselle aux grands yeux, vint lui ouvrir la porte et dit d'un trait : « Papa n'est pas là. Maman est au lit. Maman est malade. Maman est malade depuis longtemps. »

Miri lisait, assise dans son lit, un cardigan sur les épaules ; son visage était boursouflé et couperosé.

« Je ne voulais pas que tu me voies ainsi mais il y a si longtemps que je n'ai vu personne. James est toujours parti. Je ne peux pas lui en vouloir vu mon état.

— Tu ne me parais pas si mal.

— Tu ne parais pas si bien, toi.

— J'ai eu des problèmes.

— Qui n'en a pas ? La domestique m'a lâchée ce matin. Regarde le désordre — non, ne le regarde pas — laisse-moi seule au fond de mon lit, avec mes trois garnements.

— Ta mère ne sait rien ?

— Non et ne le lui dis surtout pas. Je n'ai vraiment pas besoin d'elle. La dernière fois qu'une bonne est partie, elle est venue pour une semaine — elle aspira une bouffée d'air et leva les yeux au plafond — et ça a été la semaine la plus longue de ma vie ; elle ne savait pas que faire, la pauvre. Tu sais que mon père a vendu.

— Ah non, je ne le savais pas. A qui a-t-il vendu ?

— A James.

— Mais ils étaient associés.

— Ils l'étaient mais James a commencé à faire des affaires dans le porc, ce que mon père ne voulait pas ; c'est vraiment idiot, ce n'est pas comme s'il avait *mangé* l'affaire, encore que je n'aurais pas été surprise que James le fasse. Finalement, James a racheté sa part. C'est une des raisons pour lesquelles il s'absente. Tu te souviens des voyages que faisait mon père ? James fait comme lui maintenant mais il va plus loin : en Hollande, au Danemark, en Allemagne. Pendant ce temps-là, les enfants courent dans les rues. Ils devraient être au lit : écoute-les ! Si je me relevais, je les tuerais. La gouvernante est partie comme tout le monde part d'ici. Si j'avais mes jambes, j'en ferais autant.

— As-tu besoin de quelque chose ?

— Moi ? J'ai tout ce qu'il me faut. Regarde. » Elle montra sa toilette encombrée de bouteilles de parfum recouvertes de poussière. « Il y en a assez pour faire flotter un paquebot. Et les bijoux ! J'ai tout un tas de vieilleries démodées que je n'ose même pas montrer. A chaque fois qu'il revient, il ramène un petit quelque chose pour se faire pardonner. Et dire qu'il a été rabbin — non, un saint — n'est-ce pas le mot que vous utilisiez, un saint ? Saint Yerucham.

— Mon père l'appelait ainsi.

— Comme il a été un saint durant les vingt premières années de sa vie, je suppose qu'il veut se rattraper pour les quatre-vingts à venir. C'est un bon à rien. J'ai vraiment fait une fleur à ta sœur en l'épousant. Parfois quand je me réveille la nuit et qu'il ronfle à côté de moi, j'ai envie de lui couper la gorge. Mais je pense aux enfants. Je me dis toujours : pense aux enfants, pense aux enfants.

— J'ignorais que les choses allaient si mal.

— Comment le saurais-tu, il y a des mois que tu n'es pas venu me voir.

— J'étais en voyage.

— Tu commences à parler comme mon mari et je vois que tu n'as même pas envie de rester, tu t'ennuies.

— Je ne m'ennuie pas.

— On le dirait.

— Je suis simplement fatigué.

— Fatigué de moi.

— J'ai voyagé toute la journée. J'ai besoin d'une bonne nuit de sommeil.

— Oh, si seulement je pouvais dormir, si seulement je pouvais dormir, je pourrais tout oublier, tout le monde. Le docteur m'a prescrit des médicaments mais à trop faible dose. Ils ne me font pas d'effet et James les cache au cas où je voudrais en abuser. Généreuse attention. Je lui ai dit que j'étais décidée à rester en vie, ne serait-ce que pour le rendre malheureux. » Elle s'effondra en larmes et tira un mouchoir de sous son oreiller. « Je ne sais pas ce qui m'arrive. Je n'étais pas ainsi quand j'étais jeune. »

Nahum s'assit sur le lit et posa son bras sur ses épaules. « Bien sûr que tu n'étais pas ainsi, tu es souffrante, ça va s'arranger.

« — Mais comment, si personne ne peut me dire ce qui ne va pas ? Si seulement je pouvais dormir. »

Sophie ouvrit la porte et la referma aussitôt.

« Cette enfant m'espionne, dit Miri. Je la tuerais, je les tuerais tous. »

Miri finit par se calmer et elle s'endormit tout doucement. Alors que Nahum traversait le palier, une porte s'ouvrit et Sophie apparut.

« Tu ne viens pas m'embrasser pour me souhaiter bonne nuit ?

— Tu devrais être au lit.

— Je ne peux pas y aller avant que maman ne s'endorme. Je dois veiller à tout mais les garçons sont endormis.

— Ah ? Je les entendais sauter tout à l'heure.

— Ils se sont calmés. J'ai cogné leurs têtes l'une contre l'autre. »

Il l'embrassa sur le front.

« Bonne nuit.

— Bonne nuit. »

Il compatissait avec le malheur de Miri qu'il avait par ailleurs prévu : une femme ayant épousé Yerucham ne pouvait être heureuse. A ce moment, il se sentit triste. Il attribua cela au voyage bien qu'il ait beaucoup d'autres soucis.

En premier lieu, il y avait le problème de Volkovysk. Sa mère avait accepté qu'ils quittent la ville sans délai et son père pouvait difficilement lui faire changer d'idée mais il était parti précipitamment pour Hambourg sans régler aucun détail. Quand viendraient-ils ? Comment ? Où vivraient-ils ? Connaissant les goûts de sa mère, il était certain qu'elle voudrait une maison comme celle de Miri, avec un jardin, mais en plus petit. Cependant, ils n'avaient même pas discuté du prix qu'ils voulaient y mettre, ou du moins qu'ils pouvaient y mettre.

En plus, ses affaires le tracassaient. Il commençait à ressentir les conséquences de la faillite de la compagnie qui faisait Hambourg-Newcastle. Il aurait dû négocier un nouveau contrat à long terme et réflexion faite, il eut l'impression qu'il avait trop vite abandonné le plan Eizenberg. Il se faisait du souci pour Goodkind qu'il considérait comme son plus proche associé mais il se demandait à quel point leur relation pouvait être très forte s'il refusait d'être aidé dans le malheur. Personne ne savait où il était parti, quand il reviendrait et même s'il reviendrait jamais. Jusqu'à présent Nahum n'avait pas fait grand cas de son jugement dans les affaires mais il savait se faire entendre : c'était un bon négociateur et il s'y connaissait pour manœuvrer les gens, si bien qu'avec lui les réunions d'affaires prenaient vite un tour amical. Mais Nahum le considérait surtout comme une sorte de talisman qui lui avait apporté la bonne fortune dans les affaires. Goodkind n'était parti que depuis une semaine et les effets s'en faisaient déjà sentir.

Quand il arriva au bureau le lendemain matin, Goodkind était à sa place habituelle. Il l'aurait embrassé rien que parce qu'il avait failli ne pas le reconnaître. Il avait les yeux cernés, était pâle, maigre, et semblait flotter dans ses vêtements.

« Tu vas bien ? » demanda Nahum.

Goodkind tourna vers lui son visage blême et dit d'une voix terne : « Pourquoi ?

— Tu n'as pas l'air dans ton assiette.

— Ça va toujours mieux qu'avant.

— Tu as beaucoup maigri.

— Il le fallait.

— Mais tu n'as vraiment pas l'air dans ton assiette.

— J'ai été mieux. »

C'est tout ce que Nahum put en tirer. Pour Colquhoun, la réaction de Goodkind était normale. Nahum pensait le contraire et trouvait cela même un peu choquant. Il se sentait rejeté et estimait que cette attitude compromettait leur relation professionnelle.

Ils passèrent presque toute la matinée en réunion. Nahum ouvrit la séance en exposant les résultats de sa rencontre avec Wachsman. Quand il rapporta sa réplique à Kagan, Colquhoun en rit mais pas Goodkind.

« Tout cela nous a fait perdre beaucoup de temps, dit-il.

— Je ne dirais pas cela.

— Et que dirais-tu ?

— J'ai pris contact avec Wachsman qui pourrait bien nous être utile plus tard.

— Mais si Kagan est son agent londonien, comment peut-il nous être utile ? Si tu avais fait ce que je proposais nous aurions tout réglé avec Eizenberg.

— Eizenberg n'aurait pas pu nous aider dans la situation présente.

— Oui mais qu'est-ce qui te fait penser que cela va continuer ? »

Ils avaient déjà eu des différends mais Nahum percevait le ton inquisiteur de Goodkind, dont les questions étaient par ailleurs moins destinées à faire le point qu'à le remettre à sa place.

Nahum avait d'autres soucis. Il avait cherché une maison convenable pour ses parents mais comme il était peu au courant de ces choses, il avait fait appel à Miri. Ils dénichèrent finalement dans le West End de Glasgow un confortable pavillon avec un jardin situé derrière. La propriété était en bon état et le prix très raisonnable mais Miri estimait qu'elle se trouvait trop près du centre ville.

« Pourquoi ne pas acheter quelque chose près de chez nous à Pollockshields, on y vit comme dans un jardin.

— Il n'y a pas de synagogue à Pollockshields.

— Pas pour le moment mais ton père et James pourraient en fonder une. »

Nahum fut soufflé par cette suggestion. Avait-elle une mauvaise mémoire ou était-elle stupide ? L'un des avantages de cette maison du West End était précisément la distance qui la séparait de Pollockshields, ce qui supprimait toutes les possibilités de rencontre entre son père et Yerucham. Il était satisfait d'être tombé sur le bon endroit et il écrivit à Volkovysk une lettre détaillée pour être certain qu'il s'agissait de la maison souhaitée. Sa mère répondit favorablement. Son père fut sidéré.

« C'est ce que les gens paient à Glasgow pour avoir une maison ? Ici, en Russie, je pourrais acheter le palais d'Hiver à ce prix-là. Pour qui me prends-tu ? Pour Wachsman ? »

Nahum répondit que s'ils n'avaient pas assez d'argent ils pourraient toujours louer une maison mais qu'à long terme, il valait mieux acheter. Plusieurs semaines s'écoulèrent avant que ne parvienne une réponse et lorsque Miri lui demanda ce qui se passait, il lui dit que son père avait tiqué pour le prix.

« C'est une affaire.

— Même pour une affaire, il faut de l'argent. Mon père a toujours cru qu'il était au bord de la faillite.

— Tu ne pourrais pas lui acheter cette maison ?

— Non, pas pour le moment.

— Mais je croyais que tu étais riche.

— Qui te l'a dit ?

— Mon père.

— Ton père croit que tout le monde est riche.

— James pourrait peut-être t'aider.

— Certainement pas !

— Qu'est-ce que tu as contre lui ?

— Qu'est-ce que *moi* j'ai contre lui ? Ce n'était pas toi qui disais que tu aimerais lui trancher la gorge ?

— Je suis sa femme, j'en ai le droit et j'ai mes raisons mais en dehors de la maison c'est un homme serviable, attentionné et généreux.

— Je me passerai volontiers de sa générosité, merci. »

Quelques jours plus tard, Yerucham vint le voir. Nahum ne fut pas surpris de cette visite qu'il attendait en fait plus tôt.

Il présente bien, pensa Nahum, malgré ses grosses joues violacées et ses lèvres rouges et charnues comme celles d'une femme. Il se demanda pourquoi il ne le prenait pas par la peau du cou pour le jeter dans les escaliers mais il se montra poli malgré lui.

« Je sais pourquoi tu es là, lui dit-il, et ma réponse est : non, merci.

— Si telle est ta réponse, tu ne dois pas connaître les raisons de ma présence ici. Je viens te parler de ton père. Comme tous ceux qui le connaissent, je l'adore, il est le saint de sa génération. » Il citait une fameuse phrase biblique pour s'expliquer et Nahum eut l'impression que l'hébreu, la langue sacrée, paraissait une langue obscène dans sa bouche. « J'ai entendu dire qu'il était malade, qu'il avait eu des problèmes et qu'il voulait venir ici. Je veux lui acheter une maison. »

Nahum en fut soufflé. « *Tu* veux lui acheter une maison ?

— Une résidence confortable, près d'une *shul*[1] avec un jardin...

— Est-ce que tu comprends toujours le russe ?

— Bien sûr.

— *Gay kibeni matri.* » Ce qui signifie à peu près : « Va te faire voir chez ta putain de mère. »

— Je ne savais pas que tu parlais un tel langage, dit Yerucham qui se leva en ramassant son chapeau et ses gants. « Où l'as-tu appris ? Pas chez ton père, j'en suis sûr. »

Un employé entra alors qu'il sortait. Le père de Nahum était mort.

Il partit pour Londres par le train de nuit et arriva à Berlin trente-six heures plus tard. La progression fut plus lente après. Sur certaines parties du trajet, il plut à verse, sur d'autres il neigea abondamment. Il mit quatre jours pour atteindre Volkovysk. Lorsqu'il arriva, le *shiva,* la semaine de deuil, était terminé. Il n'en fut guère affecté car à Volkovysk la ville entière venait saluer la famille du mort et il n'aurait pas été certain de pouvoir affronter l'interminable procession des consolateurs.

« Il est mort comme il a toujours voulu mourir, dit sa mère, tué par

---

1. *Shul* : synagogue.

le travail. Un soir, en rentrant du travail, alors qu'il accrochait ses lourdes peaux de mouton, il a eu un léger sursaut et est tombé. Il était mort avant que nous ne réalisions ce qui se passait. Il n'a eu ni douleur, ni agonie. Quelle bénédiction ce serait pour moi si je pouvais mourir ainsi. »

Le lendemain matin, il trouva sa mère au travail.

« J'ai donné un coup de main depuis quelques mois, dit-elle. La saison bat son plein et la vie doit continuer. »

Le sang-froid de sa mère face à ce deuil ne l'étonnait guère car elle n'avait jamais été sentimentale.

Son père avait rédigé le testament juif traditionnel, en accord avec les recommandations bibliques. Il lui léguait la totalité de ses biens en le désignant comme seul exécuteur testamentaire.

Le montant de son héritage le surprit, surtout après les protestations de son père concernant le prix de la maison à Glasgow. Il supposait qu'étant donné sa façon fantaisiste de tenir ses comptes, il ne devait pas avoir une idée très précise du montant de sa fortune.

Nahum proposa de mettre en vente sans plus tarder l'affaire et la maison.

« Je ne peux pas t'empêcher de vendre l'affaire, dit sa mère, mais je peux t'empêcher de vendre la maison, et je le ferai. Je ne suis pas prête à partir cette semaine ni celle d'après. Je veux avoir le temps de faire le point.

— Combien de temps te faut-il ?

— Je ne sais pas mais il n'est *pas question* que je sois chassée.

— Tu sais que je ne peux pas rester indéfiniment ici.

— Qui te retient ?

— Mais que vas-tu faire ici toute seule ?

— J'ai des amis, je voyagerai, et puis il y a Katya.

— Katya pourra venir également.

— Oh, elle ? Lui en as-tu parlé ?

— Lors de mon dernier séjour, elle parlait de partir. Elle peut venir avec toi.

— Et Lazar aussi ?

— Lazar aussi.

— Il te faudra une grande maison.

— J'en trouverai une. »

Il fut contacté par des acheteurs potentiels avant même d'avoir mis l'affaire en vente mais bien peu pouvaient le payer comptant et comme ils étaient venus sans connaître la mise à prix, il envisagea de vendre l'affaire par petits lots.

« Ne le fais pas, conseilla Grossnass. Je te parle en ami de la famille. Tu obtiendras plus de liquide en vendant par petits lots mais il te faudra des siècles pour récupérer la totalité de l'argent. Et puis, une affaire c'est une chose vivante. Ton père en était fier et il avait raison. Si tu maintiens l'affaire en l'état, tu en garderas un souvenir vivant. Si tu la coupes en tranches, tu brises le renom de ton père, puisse-t-il reposer en paix. »

Nahum ne savait que penser de tels conseils, d'autant plus que Grossnass était au nombre des acheteurs possibles et que son offre était loin d'être la plus intéressante. Mais, comme il était prêt à payer pour le tout, la mère de Nahum le pressa d'accepter.

« Cela peut durer des mois. Tu as hâte de retourner à Glasgow, j'en ai assez de marchander ; finissons-en. »

Cependant, Nahum pensa qu'il aurait fait un cadeau à Grossnass en lui laissant l'affaire au prix qu'il proposait, aussi le marchandage se poursuivit encore quinze jours avant que la transaction finale ne soit mise au point.

Peu avant son départ, Nahum reçut la visite du bedeau de la synagogue, un grand homme maigre au regard triste et qui portait une barbe grise. Les poils en broussaille autour de ses lèvres n'arrivaient pas à cacher ses grandes dents et on avait l'impression qu'il souriait tout le temps, ce qui créait un singulier contraste avec le reste de son visage.

« Je sais que vous êtes un homme très occupé, dit-il, et je ne veux pas vous importuner mais votre père — un saint homme, puisse-t-il jouir des lumières étincelantes du paradis — m'a parlé avant de mourir, ou plus exactement, juste après sa première attaque, alors qu'il pensait mourir. Il m'a dit qu'il voulait être enterré en terre sacrée et je lui ai dit : « Reb Yechiel, l'endroit où vous serez inhumé deviendra sacré car les ossements juifs sanctifient le sol. » Il m'a dit non, il voulait parler de la Palestine... Son père, bénie soit sa mémoire, Reb Nahum Yosef, dont vous portez le nom, a été enterré au Mont des Oliviers et il voulait reposer près de lui, ou du moins sur la même montagne. Quand il s'est remis, nous n'en avons plus reparlé. Je pensais en dire deux mots à votre mère mais je croyais que cela ne l'intéresserait pas. Alors, j'ai mis sous sa tête un petit sac de terre que mon propre père avait ramené de la Terre Sainte. J'ai pensé que vous aimeriez le savoir. »

Nahum sortit son portefeuille mais Yankelson leva les mains en signe de refus.

« Non, non, je n'ai pas à être payé pour une *mitzva*[1] comme ça. Cela a été un privilège pour moi et de toute façon, votre mère m'a déjà payé.

— Ma mère n'est pas très généreuse.

— Généreuse, non, mais avec un homme aussi généreux que votre père, une épouse qui avait les pieds bien sur terre était fort utile. »

Nahum se demandait parfois si sa mère avait autant les pieds sur terre qu'on le prétendait. Il était à Volkovysk depuis un mois et il avait espéré que sa mère mette ses affaires en ordre avant son départ mais elle se montrait singulièrement réservée sur ce sujet. Elle lui avait promis de fixer la date probable de son arrivée à Glasgow puis elle lui avait dit qu'elle n'aimait pas faire de plans à long terme : « Qui sait si je serai vivante dans six mois ou un an ? »

Il parla à Grossnass avant son départ pour lui demander, en tant qu'ami de la famille, de veiller à ce que sa mère et sa tante règlent leurs affaires au plus vite. Grossnass l'assura qu'il veillerait personnellement à ce qu'elle reçoive un bon prix pour la maison, qu'il l'aiderait pour tous les papiers et les documents nécessaires et qu'il ferait bien attention à ce qu'elle ne reste pas plus longtemps qu'il le faudrait à Volkovysk.

« Ta mère et ta tante sont toujours très séduisantes, dit-il, et surtout ta mère. Elle n'est pas trop vieille pour recommencer une nouvelle vie. *Meshane hamokom meshane hamazel,* changer d'endroit, c'est changer de fortune. Je vous envie, je l'envie. Je partirais aussi, si je le pouvais. Ce pays est un tombeau. »

Katya l'accompagna à la gare et il lui dit : « J'espère te voir avec ma mère à Glasgow avant six mois. Si vous ne venez pas, je reviendrai vous chercher par la peau du cou.

— Nous serons là, promit-elle. J'enverrai même Lazar en éclaireur. Il veut apprendre l'anglais et il ne peut pas attendre. Il veut aller à l'université. Tu imagines, mon fils, étudiant à l'université !

— Tout est possible à Glasgow.

— Est-ce que tu auras une grande maison avec des domestiques ?

— Pourquoi des domestiques ?

— Tu ne peux avoir une grande maison sans domestiques.

---

1. *Mitzva :* une action.

— Tu seras là avec ma mère pour veiller à tout. Vous êtes deux femmes dans la force de l'âge, pourquoi aurais-je besoin de domestiques ?

— Parce que tu es riche. Ça ne sert à rien d'être riche si on n'a pas de domestiques.

— Je n'ai jamais été pauvre.

— Mais tu es maintenant *très riche*[1]. Je ne savais pas ton père aussi fortuné.

— Il faisait attention en dépensant son argent.

— Tu veux dire qu'il ne le dépensait pas. L'argent c'est fait pour être dépensé, non ? Nous vivions bien mieux du temps de ce pauvre Brasha, alors que nous ne possédions pas la moitié de sa fortune. Eva faisait aussi attention à ses kopecks et à cet égard ils faisaient bien la paire. Elle se plaignait de ce que les affaires marchaient mal et je compatissais à leur sort alors qu'ils étaient assis sur une mine d'or. Ils auraient pu voyager, aller dans une quelconque ville d'eau, ou sur la Riviera. Ma sœur aînée ne vivait pas très loin de la Riviera.

— Regarde ce qui lui est arrivé.

— Cela n'aurait pas pu arriver à Eva, du moins tant qu'elle était mariée à Yechiel. J'espère qu'elle va vivre un peu mieux maintenant et qu'elle va s'acheter des vêtements.

— Des vêtements ? Ma mère a toujours été la femme la mieux habillée de tout Volkovysk.

— C'est peu dire. Je pense que ta chère vieille mère va te réserver quelques surprises dans les années à venir. Le fait d'être mariée à un saint constituait un terrible handicap pour elle. C'était pire pour elle que d'être mariée à un rabbin. Avec un rabbin on peut toujours se dire que la bonté fait partie de ses attributions alors qu'avec Yechiel c'était une chose qui faisait partie intégrante de lui. Il n'est pas trop tard pour qu'elle puisse voler de ses propres ailes. Si cela arrive, il sera toujours temps pour toi de l'imiter.

— Qu'est-ce que tu veux dire ?

— Si tu ne vois pas ce que je veux dire, tu ne voleras jamais de tes propres ailes. Fais attention, mon cher garçon, tu es très innocent. Une petite friponne pourrait bien te mettre le grappin dessus pour ton

---

1. En français dans le texte.

argent. » Elle se haussa sur la pointe des pieds et l'embrassa sur la bouche.

« Si tu étais un peu plus âgé ou un peu plus jeune, je le ferais bien aussi, argent ou pas. »

8.

Les sentiments de Nahum à l'égard de sa nouvelle richesse étaient partagés. Il avait pris goût au processus de l'accumulation et il pensait, non sans plaisir et abstraction faite des quelques roubles donnés par son père, qu'il était un self-made man. Sans avoir produit aucun effort il avait maintenant cinq fois plus d'argent qu'il n'avait réussi à en amasser en six ans. Dans le passé, il avait eu plusieurs fois le pressentiment qu'il allait devenir riche mais cela ne s'était jamais réalisé jusqu'alors. Maintenant que son pressentiment s'était concrétisé, il n'en était pas vraiment désolé mais il n'était pas non plus très enchanté. Il se résignait à la pensée qu'il serait dorénavant un homme riche, très riche probablement. Avec sa mère et Katya sur les bras, il est vrai qu'il avait intérêt à l'être.

La nouvelle situation de Nahum lui offrait de nouvelles perspectives. Il avait l'intention de racheter la part de Goodkind. Le seul problème c'était que Goodkind-Raeburn sonnait mieux à l'oreille que Raeburn tout seul.

Dès qu'il fut prêt à partir de Volkovysk, il télégraphia à Wachsman pour le mettre au courant des événements et lui demander un rendez-vous. Lorsque le train arriva à la gare de Silesischer, à Berlin, une voiture l'attendait qui le conduisit à une indescriptible bâtisse située dans une rue étroite. L'immeuble et la rue ne correspondaient pas très bien à l'image de la maison de Wachsman mais une fois à l'intérieur il fut rassuré par le décor grandiose. Derrière un immense bureau situé dans une grande pièce, Wachsman l'attendait, les bras ouverts.

« Mon cher, cher garçon, dit-il en serrant la main de Nahum entre les siennes, je viens d'apprendre pour votre père. Un homme si jeune, quelle tragédie ! »

Nahum supposa, vu la chaleur de l'accueil, que Wachsman avait aussi entendu parler de l'héritage.

« Et votre chère et tendre mère, comment va-t-elle ? Une femme si merveilleuse. Une famille si merveilleuse. Quel malheur ! Cela pourrait arriver à n'importe lequel d'entre nous. On se bagarre, on progresse, on arrive au sommet mais où cela nous conduit-il ? Nous retournons d'où nous venons avant même d'avoir compris où nous étions. » Il soupira profondément. « Cela a été un terrible choc. J'étais en train de vous écrire une lettre de condoléances lorsque j'ai reçu votre télégramme. Je l'avais commencée, elle est là. Etrange coïncidence. Un homme comme votre père n'a rien à craindre de son Créateur, ce qui n'est pas le cas de pécheurs comme nous. J'espère seulement que le bien que j'ai fait à mes compagnons compensera mes péchés lorsque je comparaîtrai devant Dieu. »

Il continua sur cette lancée durant une heure et demie environ. Nahum le fit descendre de son nuage en lui posant une question on ne peut plus terre-à-terre.

« Que feriez-vous si vous deveniez riche du jour au lendemain ?

— Je consacrerais toutes mes journées à étudier. J'ai malheureusement fait fortune en suivant un chemin où il n'y avait guère de place pour les études. Et maintenant que je suis riche, il est trop tard. C'est la vie. »

Nahum se demanda si le vieillard n'était pas devenu gâteux car il était impossible de mener une conversation normale avec lui mais ce dernier, comme s'il avait senti poindre l'impatience de Nahum, s'éclaircit la voix et abandonna le ton du philosophe pour celui du banquier.

« J'irais d'abord à Londres. La province n'est pas un endroit très convenable pour un jeune homme très fortuné. Rothschild a débuté à Manchester mais il a dû venir à Londres pour arriver à quelque chose, et Glasgow n'est pas Manchester. Autre point important, il ne s'est pas marié avant d'aller à Londres. Un jeune homme comme vous a besoin d'une femme éduquée, cultivée, gracieuse, et vous ne la trouverez pas en province. D'ailleurs, je ne suis pas sûr que vous la trouviez à Londres. Vous devriez peut-être vous installer à Berlin.

— Je n'appellerai pas cela un conseil.

— Croyez-moi, c'en est un. Je ne traite que de grosses affaires. Si vous voulez parler argent, je vous dirigerai sur Kagan.

— Kagan ? Je ne veux plus lui parler.

— Pourquoi, qu'est-ce qui ne va pas avec lui ?

— Il se donne de grands airs...

— Oui, mais seulement en face de ceux qui n'ont pas d'argent. Maintenant que vous voilà riche, il vous traitera comme un roi. L'ennui avec Kagan c'est que bien qu'il ait du nez pour repérer les bonnes affaires, il n'en a pas pour repérer les gens. Dès que je vous ai vu, j'ai su que vous étiez un jeune homme plein d'avenir, que vous feriez fortune, ou que vous en épouseriez une ou que vous en hériteriez une ou encore que vous réaliseriez les trois à la fois : d'ailleurs, quand on en décroche une, les autres suivent. Il m'a reproché de lui avoir adressé de pauvres Russes qui se faisaient de grandes illusions. Je lui ai répondu que les illusions étaient déjà un début et qu'il regretterait un jour ses paroles. Vous me feriez une faveur personnelle en retournant le voir. Au fait, il a une jolie fille. Je pense qu'il attend que le prince de Galles quitte sa femme pour la lui proposer. Vous voyez, quand je...

— Monsieur Wachsman, permettez-moi de vous interrompre. La dernière fois que je vous ai parlé, j'avais évoqué la possibilité d'acheter un navire.

— Et je vous avais dit d'oublier cela.

— Ce n'est pas ce que m'a dit Kagan.

— Kagan ? Qu'est-ce qu'il y connaît aux navires ? Il ne sait même pas distinguer un cuirassé d'un dragueur. Voyez-vous jeune homme, vous pourriez être un as à Volkovysk mais lancez-vous dans la marine marchande et vous deviendrez un minable. Tout l'argent que vous possédez, et que votre père a gagné en une vie, peut disparaître en un jour.

— Comment savez-vous ce que je possède ?

— Peu de choses m'échappent. Avec votre argent, et même davantage, vous pourrez tout juste acheter un navire de haute mer. Mais supposons que vous vous retrouviez à Salonique pendant la guerre des Balkans, ou à Shangai alors qu'un soulèvement éclate ; que devient votre fortune ? Je vais vous le dire : elle sombre dans les flots. Je vous parle en ami ; allez voir Kagan et s'il vous invite chez lui, essayez de voir sa fille, c'est une véritable princesse. Je me demande comment de tels parents — sa femme est aussi laide que son père était riche — peuvent avoir une aussi jolie fille. Elle s'appelle Matilda. Transmettez-lui mes affectueuses pensées et dites-lui que mon offre de mariage tient toujours. »

Nahum, malgré son sentiment, alla rendre visite à Kagan. Il fut non seulement mieux reçu que la fois précédente mais en plus il fut invité à déjeuner dans la salle à manger réservée aux repas d'affaires.

Dans cette grande pièce lambrissée trônait une immense table cirée et, le long des murs, des portraits de corpulents personnages à l'air sérieux et renfrogné étaient accrochés. Le domestique de service, n'était sa serviette sur son bras, semblait tout droit sorti de l'un des cadres.

« Long télégramme de Wachsman, dit Kagan. Il a l'air de penser que je vous dois des excuses. Je pense plutôt que c'est vous qui m'en devez car, franchement, si vous reveniez me voir avec le même bilan comptable que vous m'avez fait apporter, je vous donnerais exactement le même conseil, exactement le même.

— Vous avez fait plus que cela, monsieur Kagan, vous m'avez fait la morale.

— Qu'y a-t-il de mal à faire profiter un jeune homme qui débute du bénéfice de sa propre expérience ? J'ai travaillé quarante ans dans la banque, monsieur Raeburn, quarante ans au cours desquels même un crétin, ce que je pense ne pas être, aurait appris quelque chose. Au fait, la nourriture est kasher. »

Ils mangèrent une insipide soupe froide dont les ingrédients semblaient ne pas avoir été cuits. Il observa attentivement son hôte en se demandant s'il n'était pas possible que ce fût un rince-doigts mais Kagan avala bruyamment ce breuvage, visiblement satisfait, et il l'imita. Le plat suivant fut du canard à l'orange. Nahum n'avait jamais mangé canard et orange à la fois : il trouva cela un peu trop gras et gluant. Ils terminèrent sur des fraises au brandy qu'il apprécia sans réserve. Un délicieux vin accompagnait la soupe et un autre encore meilleur, le canard. Avec les fraises au brandy, on servit du brandy. Le domestique remplissait les verres dès qu'ils étaient vides et à la fin du repas il lui fallait presque courir.

Kagan faisait les frais de presque toute la conversation. Au troisième plat, le vin commençant à produire son effet, Nahum n'avait plus qu'une vague idée de ce qu'il disait et de ce à quoi il acquiesçait.

Le lendemain matin, alors qu'il prenait son petit déjeuner à l'hôtel, il reçut la visite d'un employé de Kagan.

« Je vous ai préparé les projets que vous avez demandés, monsieur. Vous pourrez les étudier à loisir. J'ai également pris un rendez-vous avec messieurs Crude, Carter et Reynolds...

« — Crude, Carter...

— Les armateurs, monsieur.

— Ah oui, les armateurs. » Il fut pris d'une soudaine inquiétude. « Dites-moi, je... je n'ai pas acheté de navire ?

— Oh non, pas encore, monsieur.

— Vous voulez dire que je vais en acheter un ?

— Nous pensons que c'est un sujet sur lequel messieurs Crude, Carter et Reynolds seront d'un meilleur conseil pour vous. »

Il passa l'après-midi à étudier diverses possibilités d'achat de navire « qui sont tous dans vos prix, monsieur », et ce fut une singulière expérience. C'était comme s'il choisissait le tissu d'un costume et il en arrivait à se demander — les propositions qu'on lui faisait nécessitant plusieurs milliers de livres — s'il n'avait pas perdu la tête. Il se rassura en pensant qu'il n'était pas le seul à investir son argent dans l'affaire puisque Kagan était tout disposé à lui avancer une somme considérable mais ce dernier aurait quand même le navire en gage au cas où il ferait faillite.

La masse de documents qu'on lui avait remis remplirent sa serviette ; il lui faudrait bien une quinzaine de jours pour les étudier en détail. Il commença à travailler dans le train mais il ne pouvait se concentrer à la pensée de Goodkind, pensée qui tournait vraiment à l'obsession. Il se souvint d'un des proverbes préférés de son père : « Quand tu as quelque chose à faire, fais-le sinon la pensée t'en tourmentera autant que la réalisation. » Lorsqu'il arriva à Glasgow, au lieu d'aller chez lui il prit un taxi pour se rendre chez Tobias, son avocat. Ce dernier recevait des amis et il invita Nahum à se joindre à eux. Mais Nahum n'était guère d'humeur à supporter la compagnie et Tobias le reçut dans une pièce à l'étage.

« Que faut-il faire pour divorcer ? demanda Nahum.

— Pour commencer, vous devez d'abord vous marier, à moins que vous ne le soyez déjà ?

— Je parle de Goodkind. »

Les yeux de Tobias s'agrandirent comme des soucoupes. « Vous n'allez pas vous séparer de Goodkind ?

— C'était une association bancale...

— Je le sais, mais elle fonctionnait bien. Vos talents sont complémentaires. Vous avez une certaine maîtrise de l'anglais mais vous ne serez jamais à votre aise avec des Anglais ou des Ecossais.

— Il y a Colquhoun.

— Oui, mais il n'est pas aussi dynamique que Goodkind.

— *Dynamique ?* Avez-vous vu Goodkind ces derniers mois ? Ce n'est plus le même homme.

— Pourquoi, que lui est-il arrivé ?

— J'aimerais le savoir ; il est impossible de lui parler et c'est de là que viennent en partie nos problèmes. Il a fait une sorte de dépression nerveuse l'an dernier.

— Quelle en était la cause ?

— Je ne sais pas.

— Peut-être a-t-il eu des amours malheureuses.

— C'est ce que j'essaie d'éclaircir. Mais il n'y a pas que cela ; comme vous le savez, mon père m'a laissé un peu d'argent.

— J'ai entendu dire que c'était plus qu'un peu.

— Qui vous l'a dit ?

— Moss Moss.

— Ça ne m'étonne pas.

— Votre richesse n'est pas un handicap. Cela signifie que vous pouvez réorganiser votre compagnie et non pas que vous deviez dissoudre votre association.

— En temps normal, je ne l'aurais pas voulu, seulement...

— Seulement vous sentez que vous ne pouvez plus travailler avec Goodkind.

— Exactement.

— Laissez-moi m'en occuper.

— Vous occuper de quoi ?

— Des affaires de Goodkind. Ne faites rien pendant ce temps-là.

— Il me faudra travailler avec lui dans l'intervalle. Le temps vous importe peu, à vous les hommes de loi.

— Accordez-moi une quinzaine de jours.

— Quinze jours !

— Alors une semaine. »

Tobias était un homme de parole. Une semaine plus tard, il demanda une entrevue à Nahum et lui remit un document qui rapportait tous les détails de l'affaire.

« Je ne vois pas pourquoi vous n'auriez pas pu trouver vous-même. Vous saviez qu'il avait de la famille à Liverpool.

— Je le savais vaguement, sans plus de précision. »

Goodkind était marié et avait deux enfants à Liverpool. Il était séparé de sa femme depuis environ dix ans mais il était très attaché à ses enfants ainsi qu'à sa propre mère qui vivait aussi à Liverpool. Les enfants étaient souvent chez elle et il descendait les voir à l'occasion des week-ends. Son épouse, une personne de réputation douteuse semblait-il, avait vécu avec plusieurs hommes. Elle noua par la suite une relation plus stable avec un Américain et un jour, le couple et les enfants disparurent sans laisser de traces. Ceci c'était passé durant le séjour de Nahum à l'étranger. Sa mère était allée à la police tandis qu'un des rabbins du coin essayait vainement de retrouver la piste des enfants. Elle avait dans les soixante-dix ans et ses efforts ajoutés au chagrin se révélèrent fatals pour elle. Elle mourut avant que de pouvoir dire à Goodkind ce qui était arrivé. Il ne découvrit les faits que lorsqu'il vint pour l'enterrement.

Nahum pleurait bien avant que Tobias eût achevé son récit ; il ne reprit ses esprits qu'en arrivant au bureau. Il savait qu'il ne pourrait affronter Goodkind en de telles circonstances, aussi il lui envoya un petit mot pour lui proposer de dîner ensemble. Goodkind lui répondit : « Je n'ai pas faim. » Nahum attendit alors tout l'après-midi près de la fenêtre, jusqu'à ce qu'il aperçoive Goodkind : il dévala à toute vitesse les escaliers pour le rattraper.

« J'ai à te parler, lui dit-il, essoufflé.

— Tu me parles en ce moment », répondit Goodkind.

Nahum ne pouvait accepter cette réponse et se mit en colère.

« Pour l'amour du ciel, cria-t-il, pourquoi ne me laisses-tu pas te parler ? Pourquoi ne puis-je pas t'aider ? Pourquoi gardes-tu tout pour toi ? Qu'as-tu à cacher ? »

Goodkind se retourna vers lui, l'air inquiet et surpris ; il scruta son visage que la faible lueur d'un bec de gaz éclairait et éclata en sanglots tout comme Nahum. Un petit groupe se forma autour d'eux tandis qu'ils restaient à pleurer dans les bras l'un de l'autre.

Nahum avait eu l'intention de l'emmener dans un restaurant mais ils rentrèrent à la maison en taxi. Goodkind s'assit près de la table de cuisine et raconta son histoire tandis que Nahum préparait le souper.

« Tu n'as jamais rencontré ma femme, n'est-ce pas ?

— Comment l'aurais-je pu ?

— Une belle femme. Je me suis toujours demandé ce qu'elle me trouvait pour m'avoir épousé. Je lui ai peut-être plu parce que j'étais beau parleur. Mes parents n'ont jamais été très riches mais ils ont fait d'immenses sacrifices pour m'envoyer dans une bonne école. Je n'y ai pas spécialement reçu une bonne éducation, probablement parce que je n'y étais guère réceptif mais, comme le disait souvent mon père, ce qui compte dans la vie ce n'est pas la connaissance mais les connaissances que l'on se fait. C'est certainement pour cette raison qu'il m'a envoyé dans cette école ; cependant tous ses efforts pour m'y maintenir l'ont ruiné et il est mort presque sans le sou. En fait, mon éducation, ou du moins ce qui en tenait lieu, se révéla un handicap pour moi car elle me donna des goûts et des espérances qui ne correspondaient pas à mes capacités. J'étais incapable de garder un travail. J'ai alors rencontré Rachel. Elle venait de Pologne et était en route, disait-elle, pour l'Amérique. Je me demande comment ses parents ont pu la laisser partir toute seule : elle n'avait que dix-sept ans ; peut-être avait-elle fugué. J'ai essayé de l'aider à obtenir un billet pour son voyage mais en vain ; en fait de billet, c'est moi qu'elle a eu. Nous sommes restés ensemble pendant près de six ans. Nous vivions chez ma mère. Elle avait réussi à trouver un travail dans un atelier appartenant à un dénommé Kriger alors que moi, je n'arrivais pas à trouver d'emploi. Elle ramenait un certain nombre de choses à la maison et j'en vins à suspecter que sa relation avec Kriger était plus qu'une relation normale entre un employeur et une employée ; cependant, pour être franc, j'étais bien trop soulagé de voir les enfants décemment vêtus et nourris pour songer à me plaindre. Pendant ce temps, j'allais de plus en plus loin pour essayer de trouver un gagne-pain mais il était trop tard. Elle avait quitté la maison de ma mère pour aller vivre avec Kriger. Cela ne me déprima pas trop car j'avais prévu ce qui allait se passer et tant qu'elle ne m'empêchait pas de voir les enfants, j'étais heureux. Ils venaient chez ma mère presque tous les jours ; je les voyais pour tous les week-ends quasiment et je partais aussi en vacances avec eux. Ils avaient une belle maison, une gouvernante, toutes choses que je n'aurais pu leur apporter.

— Tu le pourrais maintenant.

— Oui, mais cela se passait il y a bientôt huit ans et j'ignorais combien de temps durerait ma bonne fortune. J'ai déjà eu de faux départs dans la vie. J'avais fait la connaissance de Kriger, un brave type d'un certain âge, beaucoup plus âgé que ma femme et un peu plus que moi. Il lui était dévoué, ainsi qu'aux enfants et il a certainement fait plus pour eux que moi. Je n'aurais d'ailleurs jamais imaginé de les reprendre. J'avais même noué une sorte de relation amicale avec Kriger. Il adressait toujours des fleurs et des corbeilles de fruits à ma mère car, même s'il parlait à peine l'anglais, c'était un véritable gentleman. Tout allait bien jusqu'en septembre dernier lorsque soudain tout mon univers et le sien ont été bouleversés. J'ignorais qu'elle trompait aussi Kriger. Elle est partie un jour avec les enfants et a disparu. Elle avait enfin pris le chemin de l'Amérique.

Ma mère n'en savait rien ; elle attendait les enfants pour le thé le lendemain après-midi et, comme ils ne venaient pas, elle est allée voir Kriger. Ils ont fait des recherches auprès de tous les transporteurs et de toutes les agences de voyages maritimes. Elle est morte trois ou quatre jours plus tard. J'ai appris tout cela quand je suis descendu pour l'enterrement.

— As-tu essayé de retrouver leur trace depuis ?

— Essayé ? J'ai dépensé presque tout ce que je possédais à consulter des avocats et des détectives.

— Et tu n'as pu retrouver leur trace ?

— Si, malheureusement. Ils n'étaient plus en Amérique mais en Hollande. J'ai immédiatement entamé une procédure pour obtenir la garde des enfants. Ma femme a répondu à cela qu'ils n'étaient pas de moi. J'ai pensé qu'il s'agissait d'une simple manœuvre et je suis allé voir Kriger pour lui en parler ; il m'a dit que c'était très probable bien que ce ne fussent pas les siens non plus. » A ces mots, il éclata de nouveau en sanglots.

Goodkind ne fut plus jamais le Goodkind qu'il avait connu mais ce dialogue avait assaini leur relation même si elle ne fut plus aussi joyeuse qu'autrefois. Il n'était plus impossible de travailler avec Goodkind, ce qui n'était pas plus mal car les quelques mois qui suivirent comptèrent parmi les plus remplis de l'existence de Nahum.

Il dut réorganiser sa compagnie, prendre des dispositions pour acheter, réparer, réarmer un navire au long cours, embaucher des agents aux différentes escales entre Riga et Leith et chercher une maison assez grande qui réponde aux besoins de sa mère, sa tante, son cousin et lui-même. Il confia cette dernière tâche à Colquhoun qui la confia à son tour à sa femme Jessie. Elle dénicha une solide maison de grès rouge à un étage avec un grand jardin, située à Carmichael Place, dans la nouvelle banlieue de Langside. Elle avait quatre chambres, une chambre de bonne et deux pièces de séjour. Jessie avait également choisi un style d'ameublement. « Il ne manque plus qu'une femme, dit-elle en montrant le décor.

— Tu commences à parler comme une juive », rétorqua Nahum.

Il quitta son petit deux pièces avec un léger sentiment de culpabilité, comme s'il abandonnait un humble compagnon de misère.

La réorganisation de la compagnie posa certains problèmes qui furent résolus par la dissolution de leur association et par la création d'une société. Goodkind reçut une bonne part des nouvelles actions en échange des anciens titres, tout comme Colquhoun, qui fut nommé directeur. Nahum, avec soixante-dix pour cent des parts, devint le président-directeur général.

Il laissa Tobias régler les détails et concentra son attention sur son navire, qu'il se proposait d'appeler *Tikvah,* mot qui signifie espoir en hébreu. Son cœur se serra quand il le vit la première fois : c'était une carcasse rouillée, à peine étanche et partiellement en état de marche. Son expert pensait que la structure était fondamentalement saine et qu'il pouvait encore naviguer quinze ou vingt ans. Il fut réparé et réarmé dans un chantier naval de Newcastle. Durant cette période, Nahum passa plus de temps à Newcastle qu'à Glasgow car, entre autres particularités, le navire devait abriter une synagogue et des cuisines kasher ; or, les techniciens n'ayant pas d'expérience en ce domaine, il dut rester pour les assister.

Il prit plaisir à observer la résurrection. Le navire n'était pas seulement rouillé dans sa structure mais envahi de rouille de tous les côtés : échelles, grues, chaînes, tôles, tas de filins emmêlés. Petit à petit, il renaissait de ses cendres, tel un phénix. La coque fut peinte en noir et l'on fit courir une bande bleu clair sous le bastingage. Le tablier du pont fut peint en blanc et les cheminées en orange avec une bande bleue. Nahum ressentait une exultation, semblable pensait-il, à celle des femmes sur le point d'accoucher ; ses douleurs à lui c'étaient les problèmes techniques qui se posaient à chaque instant et nécessitaient des réunions avec les architectes, les ingénieurs, les experts ; il y avait aussi des problèmes financiers car les factures dépassaient l'estimation des devis. Il devait donc se rendre à Londres pour expliquer la situation à Kagan qui semblait incapable de débourser un penny sans faire de longs discours. Parfois, lorsqu'il n'arrivait pas à trouver le sommeil il s'étonnait de sa propre effronterie bien qu'il en vînt à réaliser que plus Kagan lui prêtait d'argent, plus il lui était difficile de refuser d'autres prêts. Les sommes investies lui donnaient le vertige.

En son absence, Jessie continuait à meubler la maison et elle lui écrivait pour lui demander combien elle pouvait dépenser pour tel ou tel objet mais les sommes nécessaires étaient si dérisoires au regard de ses dettes qu'il lui répondait d'agir selon ses propres goûts. « Je ne veux pas que la maison soit remplie d'or, ajoutait-il, mais je veux que tout soit de bonne qualité et de bon goût. »

Il eut des problèmes avec certains de ses futurs agents et il dut faire plusieurs voyages en Europe de l'Est. Un jour, alors qu'il se trouvait à

Riga, il s'arrangea pour faire une visite éclair à Volkovysk. Il fut surpris de constater que sa mère et sa tante n'avaient pris aucune des dispositions convenues pour leur départ et que sa mère n'avait même pas vendu la maison. Il ne les avait pas pressées jusqu'alors car il ne voulait pas les avoir sur les bras à Glasgow : d'une part il était suffisamment occupé ailleurs, d'autre part la maison n'était pas encore prête à les recevoir. Mais leur nonchalance affectée l'irrita et, pour la première fois de sa vie, il éleva la voix devant sa mère.

« Alors, est-ce que vous venez à Glasgow, oui ou non ?

— Bien sûr que nous allons venir mais on ne rassemble pas les fruits d'une vie en une nuit.

— En une nuit ? Il y a plus d'un an que ça dure. Je vous ai réservé une cabine pour le voyage inaugural. Le bateau part dans six semaines et je veux que vous soyez à bord, maison vendue ou pas. »

Sa mère fut un peu déconcertée par le ton de sa voix. « S'il se comporte ainsi quand il n'a qu'un navire, comment va-t-il se comporter quand il aura une flotte ? » dit-elle à sa sœur.

Il était parfois tellement épuisé qu'il n'avait même pas la force de manger ou de se déshabiller et il s'endormait tel quel sur son lit. Son manque d'énergie le tracassait et il alla voir un spécialiste qui lui dit : « Ce n'est pas l'énergie qui vous manque, jeune homme, c'est le bon sens. Vous creusez bien vite votre tombe. »

Il lui était cependant impossible de se reposer car il se posait toujours de petits problèmes qu'il était le seul à pouvoir résoudre. Il soupa avec Colquhoun trois semaines avant le lancement du navire. Jessie fut effrayée en le voyant.

« Tu ne peux pas continuer ainsi, dit-elle.

— Je me reposerai quand le bateau sera parti.

— Tu te reposeras entre quatre planches si tu ne fais pas attention. »

Il devait partir à Dantzig cette nuit-là car il y avait des problèmes avec un de ses agents polonais mais elle ne voulut pas le laisser faire.

« Tu vas rester ici prendre une bonne nuit de repos, dit-elle.

— J'irai à ta place, ajouta Colquhoun, si je peux vous faire confiance à tous les deux.

— Je pourrais très bien me reposer dans le train de nuit, protesta Nahum.

— Pas question, tu vas rester ici. » Il avait attrapé un gros rhume, et il resta donc au lit. Jessie, pleine d'attentions à son égard, le soigna durant presque toute la semaine.

Le grand jour arriva enfin. Si Jessie avait pu agir selon son bon vouloir, le bateau serait parti sans lui car il était encore mal fichu. Cependant, quand il fut à Riga, la portée de l'événement le revigora.

Il avait fait réserver des chambres à l'hôtel Imperial afin de superviser les derniers préparatifs et il y avait un continuel ballet de messagers portant des papiers à lire, à signer et des notes à payer. Le rabbin du navire, qui s'était lui-même attribué le titre de Saint Capitaine, vint se plaindre de ce que certains hommes d'équipage avaient apporté à bord des flèches entières de lard.

« Je suppose que c'est pour leurs propres besoins, dit Nahum.

— Qu'est-ce qui me dit que ce lard n'ira pas aux cuisines ?

— C'est à vous de veiller à ce qu'il n'y arrive pas.

— Je n'ai que deux yeux.

— Si vous les gardez ouverts, ils suffiront. »

Le docteur du bord vint se plaindre de l'exiguïté de la salle d'opération.

« Trop exiguë ? Qu'est-ce que vous croyez que je dirige ? Un navire ou un hôpital ?

— Des femmes peuvent accoucher.

— Pas sur mon bateau. Je l'ai dit à mes agents : pas de passagères en fin de grossesse. Et pas de passagers malades non plus.

— Vous comptez organiser des visites médicales sur le quai d'embarquement ?

— Nos conditions sont imprimées en trois langues au dos des billets. Nous avons quatre escales entre ce port et Leith. Toute personne sérieusement malade sera débarquée. Vous n'êtes là que pour assurer les urgences et rassurer les gens.

— Si quelqu'un meurt, je n'en serai pas responsable.

— Les gens meurent aussi à terre et personne ne le reproche aux médecins. »

Le capitaine du navire vint se plaindre de ce que le chef mécanicien était ivre et incapable : il demandait son remplacement. Le mécanicien en second vint demander à être payé comme chef mécanicien.

Au milieu de toute cette agitation, Nahum avait presque oublié que sa famille, qu'il avait espéré retrouver à l'hôtel en cette veille de départ, n'était toujours pas arrivée. Le lendemain matin, il se trouvait déjà à bord quand il aperçut Katya et Lazar sur la passerelle d'embarquement, essoufflés et transpirant. Il ne vit pas sa mère.

Il descendit rejoindre Katya dès qu'elle fut à bord.

« Où est-elle ? » demanda-t-il.

Elle cligna des yeux. « Ça va ?

— Qu'est-il arrivé à ma mère ?

— Je ne suis pas l'ange gardien de ta mère, alors ne me crie pas dessus. Il n'y a pas que ce navire sur l'océan. Si tu ne peux pas me parler sans crier, je m'en vais.

— Je suis désolé.

— J'en dirais autant.

— Mais que lui est-il arrivé ?

— C'est une longue histoire et comme je n'ai pas dormi ces deux dernières nuits, je veux aller m'étendre.

— Mais elle va bien ?

— Elle va bien. »

Il en était muet de rage. Il était là, en redingote, en pantalon à rayures, un gros œillet à la boutonnière, lui, le propriétaire d'un navire au long cours qui, sans être une unité de la Cunard, pouvait transporter des centaines de passagers d'un continent à l'autre dans des conditions raisonnables de confort et de sécurité. Il avait sous ses ordres un capitaine, un *médecin,* un rabbin, des infirmières, des cuisiniers, des stewards et quantité de matelots. Sur le quai il y avait une fanfare et diverses personnalités, dont le consul britannique, venues assister au départ. Et sa propre mère n'était pas là ! Il avait pris toutes les dispositions nécessaires, avait réservé une suite pour elle dans son hôtel et une cabine d'honneur — *la* cabine d'honneur — sur le bateau. S'il avait pu s'isoler une minute, il aurait pleuré. Mais on le sollicitait de toutes parts. Des passagers qui avaient réservé des cabines se plaignaient de leur exiguïté, d'autres qui avaient réservé des couchettes voulaient voyager en cabine. Un vieux gentleman voulait savoir quelle sorte de rabbin était celui du bord car il se rasait sous le menton, un autre désirait savoir où le médecin avait obtenu ses diplômes, un troisième s'il y avait un dentiste à bord. Lorsque le navire leva enfin l'ancre et fit retentir ses sirènes, il se libéra et alla se réfugier sur la passerelle. C'en était fini de son grand jour.

Il avait réservé une place pour Katya à la table du capitaine mais elle ne descendit pas dîner ; quand il se rendit à leur cabine, il la trouva endormie ainsi que Lazar. Il bouillait de rage lorsqu'il la vit le lendemain matin.

« Tu as un navire très confortable, tu peux en être fier, lui dit-elle.

— Qu'est-il arrivé à ma mère ?

— Il ne lui est rien arrivé.

— Alors pourquoi n'est-elle pas ici ?

— A-t-elle jamais prétendu qu'elle resterait là-bas ?

— Non, jamais.

— C'est une fille bizarre, ma sœur. Je sais qu'elle est cachottière mais tu as bien le droit de savoir. Elle m'a fait jurer de garder le secret mais de toute façon tu finiras par l'apprendre un jour ou l'autre.

— De quoi parles-tu ?

— Elle va se marier.

— Ma mère ?

— Oui. Ne sois pas si naïf. Les gens se marient même à son âge, tu sais. Seulement, elle hésite encore et c'est probablement la raison pour laquelle elle m'a demandé de garder le secret.

— Qui est-ce ?

— Qui est-ce quoi ?

— L'homme qu'elle va épouser.

— Cela ne te va pas d'être aussi agité. Tu as les yeux exorbités. Ce n'est pas comme si elle était une jeune fille enceinte. Tu peux compter sur ta mère pour qu'elle fasse ce qu'il faut.

— Je me fiche de ce qu'elle fait mais ce que je veux savoir c'est avec qui elle va le faire, cria-t-il.

— Je ne réponds pas aux gens qui crient.

— Je suis désolé.

— Elle ne t'a jamais fait d'allusions ou donné des noms ?

— Non, jamais.

— Elle ne t'a parlé d'aucun ami de la famille ?

— Elle ne m'en a jamais parlé.

— N'a-t-elle jamais mentionné le nom de… Grossnass ?

— Grossnass ?

— Un gros bonhomme. Il est moche comme un pou mais il est très viril et bien bâti, avec des cuisses comme des troncs d'arbre. Sa richesse n'a d'égal que sa laideur.

— Ma mère n'a pas besoin de son argent.

— Elle a peut-être besoin de compagnie et c'est quelque chose qui compte. Il m'a fait des avances depuis quatre ans et je suppose que ta mère représentait un meilleur parti. »

Le voyage tourna au cauchemar. Il n'y avait plus qu'une seule classe : le navire avait été conçu comme un transport de troupes ; les couchettes s'entassaient les unes sur les autres et il y avait quelques cabines pour les plus riches. Celles-ci étaient toutes occupées, ce qui n'était pas le cas de toutes les couchettes. La synagogue et les cuisines kasher contribuaient quelque peu à augmenter le prix du billet mais il espérait que les futurs passagers considéreraient son navire comme une sorte de Jérusalem flottante. Il avait acheté plusieurs pages de publicité dans la presse juive et le voyage fut même annoncé dans les synagogues. Le rabbin du navire avait parcouru l'Europe de l'Est en tous sens, louant ce temple qu'était le *Tikvah* et insistant sur le fait qu'il serait désormais possible d'aller de Russie en Grande-Bretagne sans manquer un seul service de la synagogue et sans être exposé à de la nourriture non kasher. Il y aurait même, disait-il, un cercle d'études du Talmud à bord. Mais à Riga, on ne s'arracha pas les billets. Nahum espérait qu'ils pourraient recueillir des passagers qui auraient changé d'avis au dernier moment à Dantzig, Stettin et autres escales, mais ils furent peu nombreux. Dès qu'il mettait le pied sur le pont, il était assailli de réclamations : les couchettes étaient trop dures et trop étroites, le navire bougeait trop, la nourriture n'était pas assez kasher ou trop chère, l'équipage était antisémite. Nombre de passagers avaient apporté leur propre nourriture. Les coûteuses installations des cuisines furent peu utilisées, les salles de restaurant restèrent à moitié vides et le personnel de cuisine se croisa les bras. La synagogue était bien fréquentée mais on se plaignait de ce qu'elle fût trop petite, trop étroite et mal ventilée (Nahum ne pouvait s'imaginer une synagogue qui ne fût pas ainsi et il aurait volontiers supposé que les prières avaient contribué au délabrement de la ventilation). Tous les livres de prières qui avaient été mis à la disposition des assistants disparurent dès le premier jour. L'infirmerie était pleine à craquer, les passagers faisant la queue dès leur embarquement pour recevoir des soins. La mer était agitée. Des gens tombèrent de leur couchette et il y eut pas mal de fractures. Un petit personnage décharné, qui se disait homme de loi, faisait un commerce tapageur en disant aux gens comment, et pour quelle somme d'argent, ils pourraient attaquer la compagnie.

Lors de la seconde nuit, un marmiton polonais ivre s'était emparé d'un couperet à viande et hurlait comme un fou : « Mort aux juifs. » Avant qu'on ait pu le maîtriser, il sauta par-dessus bord. La troisième nuit, Nahum eut envie de faire la même chose.

Katya avait le pied marin et elle arrivait à se promener sur le pont alors que les passagers vomissaient en contrebas. Elle était très bien vue du capitaine et de l'équipage, sans parler du médecin de bord, un petit homme à grosse tête qui portait de grosses lunettes. Nahum se demandait si son voyage s'achèverait jamais. Goodkind et Colquhoun l'attendaient à Leith pour ce qui aurait dû être un triomphal retour mais en débarquant il se sentit tel Napoléon durant la retraite de Russie. Même les embrassades de Jessie Colquhoun ne l'apaisèrent pas.

Curieusement, c'était à sa mère qu'il en voulait, comme si son absence avait tout fait tomber à l'eau. Il ressassait continuellement la nouvelle que lui avait appris Katya. Il n'y avait aucune raison que sa mère ne se remarie pas. C'était une jolie femme qui entrait dans la cinquantaine et était bien conservée. Durant les dix dernières années de sa vie elle avait soigné un homme malade de corps et d'esprit et elle avait bien droit à une nouvelle existence. Mais lui fallait-il choisir Grossnass, ce tas de chair gélatineux ? Bien sûr, il était riche ; mais elle n'était pas pauvre. On disait qu'il était pieux (encore que Nahum trouvait difficile de concilier piété et obésité) et cela aurait dû déplaire à sa mère car elle s'était souvent plainte de la piété de Yechiel. La religiosité familiale émanait pour une grande part de son père, un bel homme distingué, à l'allure aristocratique et il n'arrivait pas à comprendre comment la veuve d'un tel homme pouvait envisager d'épouser Grossnass.

« Elle n'est pas *encore* mariée, elle y pense seulement », lui dit Katya. Une lettre de sa mère l'attendait chez lui : elle s'excusait de son absence pour le voyage, lui souhaitait bonne chance, lui demandait de veiller très attentivement sur Katya et Lazar et l'informait qu'elle était devenue Mme Grossnass.

9.

Nahum n'avait guère eu le temps de s'habituer à sa nouvelle maison ; il était si souvent absent que lorsqu'il y revenait, il avait l'impression de séjourner dans un hôtel. Katya avait imposé dès son arrivée la marque de sa personnalité sur la maison : elle avait disposé des petites boîtes par-ci, des figurines par-là, des vases, un samovar de bronze luisant, des tableaux, des photographies. Nahum ne faisait pas grand cas de ces photographies — presque toutes représentaient Lazar à différentes étapes de sa croissance et il le trouvait aussi peu séduisant enfant qu'adulte — mais il approuvait par ailleurs les changements.

Avec Katya, installée comme une châtelaine, et peut-être à cause de tout le bric-à-brac qu'elle avait déballé, la maison ne semblait plus aussi grande qu'il l'avait pensé. Katya débordait d'énergie ; elle se mettait un parfum très fort qui prévenait de son arrivée et laissait la trace de son passage. A l'opposé, son fils, maigre et morose, semblait une ombre. Il mangeait en silence, se déplaçait en silence et sa mère se plaignait de ce qu'il commençait à ressembler à un fantôme qui laissait si peu de traces dans son lit que l'on aurait dit qu'il n'y dormait pas. Nahum l'embaucha en qualité d'employé : il s'appliquait à travailler avec une intense lenteur. Tandis que le jour s'avançait, une sueur blanche luisait sur sa peau. Il passait tout son temps libre, y compris la pause du déjeuner, à apprendre l'anglais auquel il s'initia rapidement. Il savait déjà le russe, des rudiments d'allemand et il se rendait utile en traitant le courrier qui venait de l'étranger. « Dans quelques années, il pourra prendre la suite de l'affaire », disait sa mère.

Le père de Nahum avait coutume de dire que tous les juifs étaient des *shadchonim,* des marieurs, ce qu'il avait pu vérifier. Il avait l'impression que tous les juifs mariés ne supportaient pas de voir un jeune homme âgé de plus de vingt ans encore célibataire. Il plaisantait souvent sur ce sujet mais Katya n'était pas à Glasgow depuis un an qu'il se trouva engagé dans le même genre d'entreprise puisqu'il invita un soir Goodkind à dîner.

En réalité, il ne désirait pas arranger un mariage car il ignorait si Goodkind était divorcé mais il espérait que cette relation pourrait contribuer à lui remonter le moral.

Goodkind ne s'était jamais vraiment remis de sa tragédie familiale et parfois, quand Nahum l'observait, il le voyait perdu dans ses pensées. C'était toujours un administrateur efficace et un membre utile de leur équipe mais il avait moins d'idées et se montrait moins bon négociateur qu'autrefois. Là où il avait fait preuve de flair il ne faisait plus montre que d'application. Il travaillait tard le soir : certes, il y avait beaucoup de travail mais cela laissait supposer qu'il n'avait plus aucune vie en dehors du bureau.

La soirée ne fut pas une réussite car Katya trouvait de continuels prétextes pour aller à la cuisine et les hommes en vinrent à parler du *Tikvah* et de leurs projets, toutes choses dont Nahum préférait ne pas parler à table.

Goodkind parti, Katya l'accusa d'avoir essayé de lui refiler un clochard.

« Un clochard ? C'est un de mes meilleurs et de mes plus vieux amis.

— Dans ce cas, tu devrais lui dire de s'habiller correctement. On dirait qu'il dort avec ses habits, il se met de la cendre de cigare partout et il ne sait parler que de bateaux et d'assurances.

— Tu ne lui as guère donné l'occasion de parler d'autre chose, tu n'étais presque jamais là.

— Je n'aimais pas la façon dont ses petits yeux de cochon me regardaient. »

Nahum aurait préféré que sa tante soit mariée car sa présence le troublait, surtout en fin de soirée, quand Lazar était couché. Il ramenait souvent des dossiers à la maison et travaillait tard la nuit dans un coin du salon. Sa tante essayait de temps à autre d'engager une conversation et il lui faisait remarquer poliment mais fermement qu'il travaillait ; elle s'asseyait alors en silence pour écrire des lettres ou lire un livre. Cependant, comme elle ne pouvait pas rester une minute en place, elle le dérangeait continuellement. Vers dix heures, elle faisait un thé qu'elle apportait sur un plateau et engageait alors la conversation, qu'il le veuille ou non. Elle appelait cela « le temps de parole ».

« Tu ferais un épouvantable mari, tu apprécies bien trop de vivre dans ton propre monde. Je sais que tu travailles très dur mais tu ne sembles pas avoir grand-chose à dire non plus en dehors de tes occupations, à table par exemple. Peut-être crois-tu que je suis trop bête pour qu'on me parle ?

— Le Talmud dit que Dieu a écrit les Dix Paroles. Neuf ont été données aux femmes. Je m'en tiens à ma dixième.

— Quand tu commences à réciter le Talmud, tu parles comme ton père. Cela lui allait, mais pas à toi, ça te vieillit.

— Je ne suis plus tout jeune.

— Je sais, et dans quelques années ma jeunesse aura fichu le camp. Les juifs ne vieillissent pas très bien.

— C'est parce qu'ils sont généralement mariés à des juives.

— Mais qu'attends-tu, Nahum ? Tu es bel homme, tu viens d'une bonne famille, tu as réussi, tu es riche et je ne serais pas surprise que tu t'enrichisses encore davantage...

— Au train où vont les choses, j'ai toutes les chances de m'appauvrir.

— Vraiment ? Alors, qu'est-ce que tu attends ?

— N'avons-nous pas déjà connu cela ?

— Peut-être, mais tu es toujours célibataire.

— Pourquoi te fais-tu du souci pour moi ? Tu as aussi un fils à marier.

— Il a cinq ans de moins que toi et il n'a toujours rien trouvé. Quand il aura réussi dans la vie, il pourra songer à se marier. Mais toi, tu as déjà réussi. Les gens te montrent du doigt dans la rue en disant à voix basse : « C'est Raeburn, le caïd de la marine marchande. » Regarde — elle lui passa la main dans les cheveux — ils commencent à tomber. Ton père, qui avait de si beaux cheveux quand il s'est marié, était presque chauve à quarante ans et tu commences à grossir, ce que lui n'a jamais fait.

— C'est à cause de ta cuisine.

— Je devrais t'affamer. » Elle lui passa la main sur la nuque puis caressa sa joue. « Ne te sens-tu pas le *besoin* de te marier ? » Elle attira sa tête contre sa poitrine et demeura silencieuse un instant. « Il est injuste que les oncles puissent épouser leurs nièces et que les tantes ne puissent pas en faire autant avec leurs neveux. Les vieux rabbins savent arranger leurs affaires, n'est-ce pas ? » Elle prit sa main, l'embrassa et la posa sur sa joue puis, tandis que son souffle s'accélérait, elle délaça rapidement son corset et pressa sa main contre son sein nu. « Penses-tu que je suis une femme âgée ? Je ne me sens pas vieille, en ai-je l'air ? Je me demande parfois si tu n'es pas un vieil homme. Nous avons souvent été seuls, n'as-tu jamais eu envie de me toucher ?

— Si, tout le temps.

— Alors, pourquoi ne l'as-tu pas fait ?

— Tu es la sœur de ma mère.

— Qu'est-ce que cela a à voir, je ne suis pas ta mère. »

Il la regarda sans un mot, les yeux dans le vague, comme s'il rêvait toute cette scène ; mais sa main restait toujours sur son sein et il le caressait doucement.

« Tu ne penses pas que c'est vraiment mal ? Tu ne manges plus kasher. Tu manges des crevettes. Ce n'est pas pire que des crevettes.

— C'est beaucoup, beaucoup mieux », dit-il d'une voix étranglée.

Elle se leva d'un bond et, sans relacer son corset, le conduisit par la main dans sa chambre à elle.

Si un navire fut jamais mal nommé, ce fut bien le *Tikvah*. Il se révéla un gouffre financier et Nahum ne pouvait s'empêcher de repenser aux sages paroles de Wachsman : « Si vous commencez avec des navires, vous finirez au fond de la mer. » Le trafic était faible, les dépenses élevées et les complications interminables. La seule personne qui semblait bien s'en trouver était Tobias, son avocat. Wachsman avait adressé à Nahum ses vœux de réussite lorsqu'il avait appris la nouvelle de l'achat du navire mais il l'avait prévenu : « Souvenez-vous-en, lorsque vous transportez des juifs, vous ne transportez pas seulement des passagers mais aussi des plaignants en puissance. » Et en effet, il se passait rarement un jour sans qu'il ne reçoive des plaintes pour des bagages perdus, des os fracturés, des correspondances ratées ou parfois les trois en même temps. Au cours de la première année il avait subi de petites pertes comme prévu mais au cours de la seconde année il en avait eu davantage. La troisième année menaçait d'être pire encore et le spectre de la faillite se profila. Il rentrait à la maison le soir, fatigué, le dos voûté comme si le ciel lui était tombé sur la tête. Mais, après une nuit passée avec Katya, il oubliait tous ses soucis.

Shyke, qu'il avait considéré comme faisant autorité dans tous les domaines et qui prétendait avoir fait sa première expérience pour sa *bar mitzvah* (ce qui donnait tout son sens à la traditionnelle déclaration : « Aujourd'hui, je suis un homme »), avait dit qu'il n'existait sur terre aucune expérience comparable à celle-là. Nahum dut attendre d'avoir deux fois l'âge de la *bar mitzvah* — vingt-six ans — pour le découvrir et cela commença à affecter la qualité de son travail. Le matin, quand il parcourait ses dossiers, il lui arrivait de rêvasser en pensant à la nuit précédente et il revoyait presque Katya dans toute sa plénitude, couchée nue à côté de lui. Si quelqu'un entrait dans son bureau, il sursautait, l'air gêné, comme si on l'avait pris en flagrant délit. Il cessa de travailler tard la nuit et il faisait de fréquentes visites-éclairs à la maison pour l'heure du déjeuner. Katya lui préparait un léger repas qu'il négligeait au profit de ce qu'elle appelait l'*entrée*[1]. Lazar allait religieusement à la synagogue le samedi et tout aussi religieusement ils filaient au lit dès qu'il avait le dos tourné, et parfois même avant. Un jour, Lazar revint inopinément à la maison et il les trouva quasiment accouplés sur le carrelage de la cuisine ; une autre fois, ce fut dans le placard de la cuisine, une troisième fois sur la table de la salle à manger. On aurait dit que la simple pensée du plaisir sexuel les incitait à en faire toujours davantage alors qu'il n'y avait pas un coin de la maison, de la cave au grenier, qui n'avait vu briller, à un moment ou à un autre, le feu de leurs ébats.

Parfois, quand il reprenait son souffle, Nahum se relevait soudainement en se demandant s'il savait ce qu'il était en train de faire. La relation avec sa tante le plaçait en infraction au regard de la loi juive — « Tu ne découvriras pas la nudité de la sœur de ta mère car elle est l'alliée de ta mère » — mais cela ne l'inquiétait pas du tout car cette loi ne semblait fondée ni en raison ni en justice sauf que, étant donné le commun des tantes, il pensait que ce précepte devait être beaucoup plus observé que les autres. Ce qui l'inquiétait plutôt c'était que lui, un homme approchant la trentaine et dirigeant une assez importante entreprise employant des dizaines de personnes, se conduisait comme un écolier amoureux.

Colquhoun, qui devinait parfaitement ce qui se passait, le prenait parfois à part et lui signalait des papiers importants qui étaient en attente depuis des semaines n'avaient pas été signés ou mal signés ou encore qu'il avait signé des documents sans les examiner correcte-

---

1. En français dans le texte.

ment. Nahum s'enfermait alors dans son bureau à double tour et il n'en sortait même pas pour boire ou manger. Il lui arrivait aussi d'aller jusqu'à Leith pour y travailler une, deux ou trois semaines d'affilée. La première semaine, il ressentait cruellement l'absence de Katya ; la seconde était moins pénible. La troisième, il avait envie de rester là, ne serait-ce que pour éviter les larmes et les reproches dont l'intensité était proportionnelle à la durée de son absence. Un jour, alors qu'il devait aller à Hambourg, elle lui demanda de l'accompagner.

« A Hambourg ?

— Pourquoi pas ? Je ne suis allée nulle part depuis que je suis arrivée.

— J'y vais par le train, tu sais, pas en bateau — pense aux frais. De plus, que vont dire les gens ?

— Connais-tu quelqu'un à Hambourg que cela intéresse ? Non, tu as honte de moi.

— Honte de toi ? Et pourquoi ?

— Je l'ignore. Je m'habille aussi bien que n'importe qui à Glasgow — ce qui veut dire, le ciel m'en soit témoin, pas beaucoup — mais je n'ai même pas les moyens de mieux m'habiller. Je suis assez belle et tu as honte de moi. Tu transportes des villes entières autour de la moitié du monde et tu me chicanes pour le prix d'un billet de train. Je voyagerais même en troisième classe plutôt que de rester seule. J'aurais mieux fait de rester à Volkovysk. Tu es rarement à Glasgow, Lazar travaille jour et nuit. Et moi je reste seule.

— Je suis désolé, Katya, mais je fais un voyage d'affaires et je le considère sous cet angle.

— Alors tu ne veux pas de moi ?

— Non.

— Même pas en troisième classe ?

— Même pas en troisième classe.

— Combien de temps seras-tu absent ?

— Trois semaines.

— Alors ne compte pas me retrouver à ton retour. »

Il espérait un peu qu'elle tiendrait parole mais quand il revint elle l'accueillit à bras ouverts. Cependant, bien qu'il appréciât ses étreintes, il commençait à se sentir prisonnier.

Il s'était bien gardé de signaler qu'il devait avoir vingt-sept ans quelques semaines plus tard mais Katya se souvint de la date — elle avait, il s'en rappelait, assisté à sa circoncision — et elle voulut organiser une soirée pour lui, « une soirée très privée, avec rien que nous deux et une bouteille de champagne. Quoi qu'il arrive réserve-toi cette soirée », avait-elle ajouté. Le matin de son anniversaire, il reçut un télégramme de Kagan lui enjoignant de venir à Londres sans plus tarder. Il adressa un message à Kagan pour confirmer sa venue et décida de partir par le train de l'après-midi. Quand il arriva à Central Station il aperçut Katya près du portillon d'accès aux quais, une petite valise noire à la main.

« J'ai acheté mon ticket », dit-elle.

Ils voyagèrent sans se dire un mot car le compartiment était complet. De toute façon, Nahum n'avait pas grand-chose à dire et il travailla sur des documents qu'il avait apportés dans sa serviette.

« Tu es en colère contre moi, n'est-ce pas ? demanda-t-elle quand ils arrivèrent à Euston.

— Tu ne crois pas que j'ai mes raisons ?

— Non. Il est neuf heures du soir : tu vas aller voir Kagan à cette heure-ci ? Tu n'aurais pas pu prendre le train de nuit ?

— Je dors mal dans les trains et je veux être frais et dispos pour le rencontrer demain matin. C'est une entrevue extrêmement importante.

— Tu en as assez de moi, n'est-ce pas ?

— Oui, oui, j'en ai assez. » Il avait crié sans réfléchir et les voyageurs se retournèrent pour repérer la source de tout ce tapage.

« C'est tout ce que je voulais savoir », dit-elle. Puis elle prit sa valise à la main et partit à grandes enjambées le long du quai. Il courut après elle.

« Où vas-tu ? »

Elle le regarda dans les yeux. « Qu'est-ce que ça peut te faire ? »

Toute trace de générosité et de tendresse avait disparu de son visage. Elle avait les yeux cernés et de minuscules rides autour de la bouche. Elle avait vieilli, soudainement. Il ne lui manquait plus qu'un châle noir sur la tête pour ressembler à une babouchka russe.

« Tu ne reviendras pas ?

— A Glasgow ? Je préférerais me jeter sous le train. »

Il la prit par la main et la conduisit à l'hôtel de la gare où ils louèrent une chambre en se faisant passer pour mari et femme. C'était une chambre à lits jumeaux ; chacun occupa le sien mais aucun ne dormit. Elle pleura toute la nuit et ses gémissements le tinrent éveillé toute la nuit.

Il l'accompagna le lendemain matin au train de Glasgow. Elle marchait lentement, le dos voûté, telle une vieille femme. Il la quitta avec un certain soulagement pour se rendre chez Kagan.

Ce ne fut pas très agréable. La banque de Kagan avait consenti des prêts à Goodkind-Raeburn pour les aider à surmonter les difficultés des premières années. Ces prêts devaient être graduellement utilisés sur une période de six ans, or la somme avait été presque épuisée en trois ans.

« Ce n'est pas seulement le rythme des ponctions opérées qui nous inquiète, dit Kagan, mais la tendance. On pouvait espérer que vous auriez fait des retraits plus importants la première année et décroissants par la suite mais vous avez inversé le processus. Plus ça va et plus vos retraits sont élevés ; à ce rythme-là, vous n'aurez plus un sou à la fin de l'année, plus un sou.

— Le trafic a été faible.

— C'est vrai, mais pas plus que dans les premières années, ce qui m'amène au point le plus pénible. Nous avons l'impression que ce n'est plus la même main ferme qui dirige l'affaire. Nos suggestions sont ignorées, les questions urgentes, les lettres et les télégrammes restent sans réponses et quand il y en a une, elle n'a souvent aucun rapport avec la question posée. Il y a bien sûr une limite à ce que peut faire un homme en une journée et nous nous demandons si vous n'en avez pas trop fait d'un seul coup. » Il s'interrompit car Nahum rêvassait. « Je répète, monsieur Raeburn, puisque vous ne semblez pas être avec moi. Nous nous demandons si vous n'en n'avez pas trop fait d'un seul coup. Sincèrement, j'ai été horrifié par votre comptabilité, horrifié.

— Me demandez-vous de renoncer ?

— Il s'agit de votre compagnie monsieur Raeburn et nous n'avons pas ce pouvoir, même si nous y pensons. Mais nous sommes conscient de ce que vous avez investi la plus grande partie de votre fortune...

— Toute ma fortune.

— Pire, toute votre fortune dans une compagnie que vous n'auriez pas montée sans notre aide et nos encouragements, si bien que nous nous sentirions partiellement responsables d'un échec qui, je le crains, est plus que probable si le cours actuel se poursuit, plus que probable.

— Est-ce que les autres lignes font mieux ?

— Elles ont des réserves importantes et leurs affaires ont quelque peu repris. Venons-en au fait. Pouvez-vous limiter vos emprunts ?

— Pas cette année, sinon il faudrait retirer le navire du service.

— Et les réservations ?

— Maigres, mais elles l'ont toujours été. Voilà un des inconvénients de transporter des juifs — et il y en a d'autres. Ils ne prennent leurs dispositions qu'au dernier moment et parfois ils essaient de monter à bord au moment du départ comme s'ils prenaient un omnibus. Nous avons résolu la plupart des difficultés initiales et réduit les frais généraux.

— Vous ne pourriez pas vous passer des extras, comme la synagogue...

— Elle n'occupe qu'un petit coin et de toute façon il n'y a aucune raison de la fermer tant que le trafic reste faible. Nous sommes à la merci du marché. Nos prix sont compétitifs, notre service correct mais il y a peu de trafic...

— Il y a peu de trafic juif. Ailleurs il s'améliore. Je sais que vous êtes spécialisé dans cette sorte de trafic ; vous devriez vous diversifier et ce serait alors une occasion de vendre le bateau. Vous n'y perdriez pas, les prix ont augmenté.

— Savez-vous combien j'y ai investi ?

— Un homme sage doit savoir faire la part du feu.

— Mais si le marché s'améliore, est-ce que j'ai quelque chose à y perdre en gardant le navire ?

— Oui, s'il perd de l'argent, d'autant plus que l'on ne sait pas combien de temps va durer cette conjoncture favorable. C'est très hypothétique, très hypothétique.

— Je le garde, j'ai encore des crédits.

— C'est vrai, mais quand ils seront partis, ils seront partis.

— Vous essayez de me dire que je n'en aurai plus.

— Mon cher Raeburn, nous ne sommes pas ici pour dire quoi que ce soit à quiconque. Nous sommes ici pour conseiller. Mais je ne puis sur ma conscience faire quelque chose qui vous coulerait davantage...

— Un autre prêt pourrait...

— Il y a ce danger, n'est-ce pas ? »

Ils devaient se revoir après le déjeuner mais un employé de la banque l'appela à son hôtel pour lui dire que Kagan avait été convoqué à une réunion urgente et qu'il ne serait pas libre avant demain matin.

« Dites à monsieur Kagan que je ne suis pas libre demain. Peut-être sera-t-il assez bon pour m'écrire », dit Nahum.

Il retourna à Glasgow par le train de nuit. Alors qu'il allait prendre un taxi, le titre d'un journal du matin attira son attention et il se précipita vers le kiosque à journaux. Il y avait eu un pogrom à Kichinev, au sud-ouest de la Russie, d'une violence et à une échelle inconnues jusqu'alors. Des dizaines de juifs avaient été massacrés, des centaines mutilés. Des propriétés juives avaient été pillées et incendiées. Il y avait des milliers de sans abri.

10.

Kichinev se trouvait au sud-ouest de la Russie mais la nouvelle du massacre fit frémir la Colonie de Peuplement, et des communautés juives entières, situées à des centaines de kilomètres de la tragédie, se déracinèrent et piquèrent vers l'ouest en bateau, en train, à cheval et même à pied.

Nahum avait exactement prévu ce qui allait se passer dès qu'il eut pris connaissance de la nouvelle et, avant même de s'assurer qu'il possédait les fonds nécessaires, il affréta deux nouveaux navires de la taille du *Tikvah*. Kagan le crut devenu fou et refusa d'avancer un seul penny ; Nahum passa par-dessus lui pour contacter Wachsman qui se montra plus avenant. Il se rendit alors vers l'est pour voir comment ses agents affrontaient la situation. Il estima que l'escale de Riga ne convenait plus et en créa une autre à Dantzig. Il persuada un parent éloigné, un nommé Schwartzman, qui avait projeté d'émigrer en Amérique, de s'en occuper. Il abandonna aussi les escales entre la Baltique et le golfe de Forth et embaucha des extras sur les docks, qui travaillèrent jour et nuit afin que les navires puissent entrer en service sans délai.

« Kichinev a fait de moi un magnat, dira Nahum bien des années plus tard. Au lieu d'un navire qui se traînait à moitié vide, j'en avais trois, bourrés jusqu'à la gueule du canon. » Il amassa bientôt une fortune qui, comme il le disait lui-même, reposait sur le malheur des juifs. « Je me suis enrichi en ayant le cœur lourd. Cela aurait été beaucoup mieux si je m'étais fait de l'argent en transportant des chercheurs d'or au Cap. » Mais il se consolait en pensant qu'il avait contribué à alléger le fardeau de la souffrance juive et ce, sans faire payer trop cher.

Dès que la nouvelle du pogrom parvint en Occident, des comités d'urgence regroupant des notables juifs furent créés à Londres et dans d'autres villes pour aider les victimes. Nahum, un peu surpris, se retrouva membre du comité de Glasgow. Il estimait qu'il ne faisait pas partie des notables juifs car il n'avait pas été très actif au sein de la communauté juive depuis la mort de son père mais il avait fait une généreuse donation au fonds d'urgence, si bien qu'il était devenu notable presque malgré lui.

A une époque, il fréquentait régulièrement la synagogue, même si ses convictions religieuses n'étaient pas très fortes. La petite bâtisse avec ses vitres sales lui semblait étouffante mais il était moins affecté par cet aspect matériel que par l'atmosphère psychologique. C'était Volkovysk-sur-Clyde : on y trouvait les mêmes airs chantés par les mêmes voix lasses, les mêmes costumes presque, les mêmes commérages et les mêmes visages inquiets. Il lui semblait qu'ils venaient là moins pour célébrer leur foi que pour retrouver un monde qu'ils avaient quitté. Il ne comprenait pas vraiment leur nostalgie car s'il était issu d'une famille relativement aisée, il se faisait un plaisir de l'oublier ; eux étaient venus poussés par la pauvreté et ils ne s'en étaient apparemment pas sortis. A chaque fois qu'il venait à la synagogue, un homme se précipitait vers lui avec un livre de prières, un autre avec un châle de prière, un troisième le guidait — parfois même le poussait — *eiben on*[1] — à une place d'honneur ; à la fin de la cérémonie, tout le monde se pressait autour de lui pour lui serrer la main. Certes, il ne comptait pas l'humilité au rang de ses vertus mais il détestait être entouré de prévenances. Son père avait été adulé à Volkovysk mais il le méritait alors que lui n'avait que son argent, et encore pas tant que cela, pour se faire valoir. Peu à peu, il cessa de se rendre à la synagogue et perdit bientôt tout contact avec la vie de la communauté.

Puis il y eut Kichinev. Il se souvenait d'une remarque de Wachsman : « Nous essayons de progresser doucement quand personne ne nous regarde, silencieusement, centimètre par centimètre. Nous regardons à gauche, à droite, nous pensons nous être tirés d'affaire alors qu'en un clin d'œil nous nous retrouvons sur les traces de nos pères. »

Il fréquenta de nouveau les synagogues, non point parce qu'il avait

---

1. *Eiben on* : place d'honneur.

retrouvé sa foi mais parce qu'elles constituaient les principaux centres d'intérêt et les principaux lieux de réunions. Et comme celles-ci commençaient et s'achevaient souvent par des prières, il se sentait obligé d'y assister. D'autre part, la communauté nourrissait l'espoir de le voir à la synagogue au moins pour les fêtes. Finalement, sans même s'en rendre compte, il se mit à fréquenter régulièrement la synagogue. Les esprits cyniques, parmi lesquels Katya, voyaient un lien entre sa prétendue redécouverte de la foi et son enrichissement.

L'implication de Nahum dans la vie de la communauté ne lui apportait pas seulement un fardeau supplémentaire sous la forme de fréquentes réunions, houleuses parfois, mais aussi de nouvelles inquiétudes : en effet, au vu des événements en Russie, il se demandait si quelque chose de semblable pouvait se produire en Angleterre. En Russie, on pensait que tous les gentils étaient antisémites à moins qu'ils ne prouvent le contraire. En Grande-Bretagne, c'était exactement l'inverse. Les juifs étaient attirés par ce pays parce qu'ils pouvaient y vivre et y travailler librement, sans avoir à subir la haine et l'angoisse. A Volkovysk, avant d'aller se coucher, on faisait le tour de la maison pour être sûr que toutes les issues étaient bien fermées. A Glasgow, on fermait à clef la porte d'entrée et c'était tout. A l'étranger, lorsqu'on lui demandait comment les choses se passaient pour les juifs en Grande-Bretagne, il répondait sans hésiter qu'elles auraient pu difficilement mieux se passer car il ne lui venait à l'esprit aucun fait ou aucun incident qui révèle un antisémitisme. Mais tout sembla changer avec Kichinev. Les mêmes journaux qui avaient versé des larmes de crocodile sur le triste sort des juifs russes s'en prenaient maintenant à eux dès que cette « lie de l'étranger », selon leurs propres termes, arriva en Grande-Bretagne. Les journaux écossais furent moins hostiles mais il reçut des coupures de presse de Londres qui lui glacèrent le sang.

Un reporter d'un journal londonien vint le voir un jour pour s'informer du développement de sa compagnie. Nahum avait déjà été interviewé et ses propos avaient toujours été fidèlement restitués ; de plus la publicité était utile. Ce reporter lui sembla plus intelligent et mieux renseigné que les autres ; ses questions étaient plus incisives mais pas hostiles. Nahum vanta le développement de sa compagnie ; il était détendu, loquace, et d'une franchise sans bornes. Aussi, lorsque le reporter lui demanda si ses navires n'étaient pas parfois surchargés il répondit que tout naturellement il les remplissait dans les limites fixées par la loi mais que d'un autre côté il ne pouvait pas abandonner des gens qui craignaient pour leur vie. En conséquence, ils n'étaient pas toujours très confortablement installés.

L'interview fut publiée quelques jours plus tard et Nahum eut alors l'impression d'être la victime d'un pogrom personnel.

Le journaliste avait voyagé sur le *Tikvah* depuis Riga et le décrivait comme « un étroit et dangereux cachot flottant qui tenait à peine la mer et qui était plein à craquer d'une population puante ». Nahum apparaissait lui-même comme un réfugié sans le sou qui s'enrichissait sur le dos des pauvres juifs.

« C'est un tissu de mensonges, dit Colquhoun, mais ils ont commis une erreur. L'odeur, c'est une question d'appréciation personnelle, mais pas l'aptitude du navire à tenir la mer. Il a été inspecté le mois dernier et est passé en classe A1. Je vais voir Tobias immédiatement. »

Tobias avait déjà lu l'article.

« En temps normal, ce serait une affaire facile à plaider, seulement, nous ne sommes pas en temps normal, dit-il.

— Que voulez-vous dire ?

— L'affaire devrait être portée devant un jury et je doute fort que dans un cas comme celui-ci il rende un verdict favorable à un juif, un juif étranger surtout.

— Je vous demande pardon, je suis citoyen anglais depuis plusieurs années.

— Je m'excuse, vous êtes un ex-étranger qui gagne essentiellement sa vie en faisant venir d'autres étrangers. Vous n'obtiendriez pas de dommages et intérêts, ou alors ils seraient minimes, et vous n'obtiendriez certainement pas les dépens.

— On se croirait presque en Russie.

— Oui, c'est vrai. Il vous faut comprendre que ce pays traverse une mauvaise période. Il existe un fort sentiment anti-étranger — étranger c'est le mot poli pour dire juif — et tant qu'il dure, je vous conseille de ne pas porter plainte. Vous n'en tireriez aucun bénéfice, pas plus que les juifs, car cette affaire peut servir d'exutoire à la xénophobie. Je vous conseille de faire le mort jusqu'à ce que les choses se tassent. »

Nahum avait l'impression d'être dans la position d'un amant déçu. Dans son esprit, l'idée de la Grande-Bretagne allait de pair avec des mots utopiques comme ouverture, liberté, loyauté, honnêteté, justice. On avait souvent dit de son père que c'était un honnête homme et un commerçant accompli, comme si les deux conditions étaient incompatibles : il est vrai qu'en Russie c'était souvent le cas et son père avait dû recourir à d'habiles pratiques pour mener son affaire. En Grande-Bretagne, Nahum s'était aperçu que l'on pouvait survivre et même s'enrichir sans concilier les deux termes. On pouvait faire confiance aux gens jusqu'à ce qu'ils s'en montrent indignes alors qu'en Russie, on commençait par s'en méfier et on continuait généralement à s'en méfier.

Il avait dit tout cela une fois à Wachsman qui avait répondu : « C'est vrai, c'est vrai et c'est pourquoi il est d'autant plus pénible de se faire calomnier par un Anglais. »

Durant plusieurs semaines après la publication de l'article, Nahum redouta de se montrer en public, et surtout devant les juifs. Colquhoun lui dit qu'il était trop susceptible. « Les gens qui te connaissent ne croiront pas un mot de cet article. » Mais Nahum n'était pas de cet avis. Il savait par expérience que les gens peu fortunés se confortent dans l'idée que l'origine des grandes fortunes est toujours louche.

Un jour, alors qu'il déjeunait avec Colquhoun, il lui dit qu'il songeait à émigrer.

« Ah ! tu deviens comme les gens du cru, remarqua Colquhoun.

— Qu'est-ce que tu veux dire ?

— Tout Ecossais y pense tôt ou tard ; cela ne veut pas dire qu'ils le font réellement mais ils aiment à jouer avec cette idée.

— Moi je le ferai parce que les juifs n'ont aucune chance de s'intégrer ici.

— Tu es toujours en colère à propos de ce fichu article.

— Pas seulement celui-là, il y en a eu d'autres de ce genre et j'ai lu certains discours prononcés au Parlement.

— Oui, oui, et tu penses que le pays est mûr pour son premier pogrom.

— Tu ne crois pas que ça peut arriver ?

— Tu parles de Londres ?

— Est-ce que ce serait différent ici ?

— Naturellement que ce serait différent ici. L'Ecosse est un pays différent, mon vieux. Tous ces fichus étrangers font la même erreur. Il n'y a jamais vraiment eu d'antisémitisme ici parce qu'il n'y a jamais vraiment eu de juifs ; cela ne veut pas dire que ceux qui résident ici sont aimés. Ils ont du flair, sont rapides, vifs, âpres au gain, ambitieux, remuants comme le sont les Ecossais et s'ils venaient en trop grand nombre, la compétition serait trop vive. En Angleterre, ce n'est pas la même chose. Il y a tout un tas de fainéants, surtout dans le Sud : ils ne sont pas faits pour s'entendre avec les juifs, pas même avec les Irlandais. Les Anglais n'ont pas vraiment envie de s'enrichir mais ils n'aiment pas être surpassés par des plus pauvres qu'eux.

— Je pensais que c'était un pays où tout le monde avait sa chance.

— Bien sûr, c'est possible, à condition de ne pas s'imposer trop vite.

— Et tu crois que c'est le cas des juifs ?

— Ils mettent le grappin sur tout ce qui marche, ou sur tout ce qui ne marche pas.

— Voilà pourquoi je veux émigrer. Si des gens comme toi parlent ainsi, peux-tu imaginer ce que pensent les autres ?

— Mais qu'est-ce que tu espères qu'ils pensent ? Et qu'est-ce qui te fait croire qu'ils pensent différemment ailleurs ? Prends l'Allemagne... » Il s'arrêta. « Tu n'es pas en train de dire, n'est-ce pas, que je suis un ennemi des juifs ?

— Je ne dirais pas que tu es leur ami.

— Pour l'amour de Dieu, je ne suis l'ami de personne, je prends les gens comme ils sont. Je n'ai rien contre les juifs mais tu sais et je sais que l'on doit être sur ses gardes quand ils sont dans les parages, et quand ils se rassemblent parmi des gens qui n'aiment pas être sur leurs gardes, alors on peut s'attendre à des problèmes ; voilà pourquoi les immigrants causent un tel choc.

— Et voilà pourquoi je pense à émigrer.

— Tu l'oublieras. »

Et ce fut le cas, pendant un temps.

A la suite des événements de Kichinev qui entraînèrent une nouvelle affluence de juifs, des voix s'élevèrent au Parlement et dans la presse pour réclamer l'arrêt de l'immigration. Ceci eut pour premier effet d'accélérer l'affluence des immigrés et pour second effet d'accroître le nombre des voix hostiles. Kagan demanda instamment à Nahum de restreindre ses activités avant de tomber sous le coup de la loi, et en conséquence de ne pas renouveler ses charters maritimes.

Nahum avait déjà décidé de ne pas les renouveler car il était tout à fait évident que le projet de loi visant à fermer les portes de la Grande-Bretagne à l'immigration serait bientôt voté. Il en vint même à se demander s'il y aurait suffisamment de trafic pour conserver le *Tikvah* en service. Il fit alors d'importants efforts pour utiliser l'expérience de sa compagnie afin de devenir un transporteur plus polyvalent. Goodkind, et Nahum fut heureux de le constater, se montra particulièrement habile à nouer de nouveaux contacts ; l'échelle et la démarche de leur entreprise semblaient le revivifier. Lorsqu'ils convinrent d'agrandir leur représentation à Hambourg, Goodkind se porta volontaire pour en assumer la charge. Nahum lui rappela qu'il ne parlait pas l'allemand.

« J'en possède quelques rudiments et je peux en apprendre davantage. De toute façon, un Allemand un peu intelligent doit pouvoir parler l'anglais, du moins il le devrait. »

Nahum ignorait s'il pouvait se passer de lui, aussi il essaya de persuader Tobias d'abandonner son cabinet pour venir travailler avec eux.

« Vous n'auriez pas les moyens de me payer, mon garçon, répondit Tobias. Bien sûr, on aura toujours besoin d'avocats mais je ne suis pas certain de pouvoir en dire autant des bateaux. » Il donna cependant son accord pour servir de directeur à temps partiel et Goodkind put partir pour Hambourg.

L'arrivée de Tobias révolutionna la situation familiale de Nahum. Un soir, il l'amena dîner à la maison et Katya dit après son départ : « Ce n'est pas une beauté et on pourrait accrocher un chapeau à ses verrues mais il s'habille bien et a de bonnes manières. »

Tobias avait perdu sa femme un ou deux ans auparavant et il avait deux enfants à charge. Nahum ne l'avait jamais considéré comme un mari possible pour Katya et il ne l'avait certainement pas ramené à la maison avec une telle idée en tête. Katya, évidemment, pensa qu'il s'agissait d'une autre tentative de *shidduch* et tout bien considéré elle approuva. Tobias, de son côté, ne désapprouvait pas non plus. Elle lui demanda de revenir, et il revint. Six mois plus tard, ils étaient mari et femme.

Ce fut un petit mariage. Lazar, qui était maintenant étudiant en droit à l'université de Glasgow, portait une redingote et un chapeau haut de forme bien trop grand pour lui. Les deux enfants de Tobias, Arabella et Caroline, d'exquises petites filles respectivement âgées de dix et huit ans, étaient les demoiselles d'honneur. Colquhoun était accompagné de Jessie ; vinrent également, un peu à la surprise de Nahum, Miri et Yerucham. Miri avait souffert quelque temps plus tôt de troubles nerveux et elle avait alors pris du poids ; elle semblait tout à fait rétablie, elle avait rajeuni et maigri. Nahum ne pouvait la quitter des yeux et Katya le lui fit remarquer lors d'un furtif aparté : « Tu n'es pas très discret, mon cher. Elle a un mari, tu sais. Certes,

129

elle l'aime un jour pour ne plus l'aimer le lendemain mais, à ce qu'il semble, c'est un bon jour. »

Nahum ignorait ce qu'était la solitude avant de rentrer chez lui ce soir-là. Il pensait l'avoir connue dans les Gorbals mais il vivait alors dans un minuscule appartement. Il sentait maintenant la solitude lui peser et tandis qu'il passait d'une pièce à l'autre, il pensa qu'il aurait même été heureux de voir Lazar. Celui-ci était allé chez Tobias pour garder ses jeunes belles-sœurs tandis que sa mère était partie en lune de miel. La présence de Katya avait été importante à plus d'un titre. Il avait pensé qu'elle lui manquerait mais jamais il n'avait imaginé qu'elle laisserait un tel vide.

Colquhoun et Jessie l'avaient souvent incité à venir dans leur maison de campagne pour faire la connaissance d'une amie nommée Verity. Ils n'en avaient jamais dit plus et Nahum trouvait habituellement quelque prétexte pour ne pas y aller. Il supposait qu'elle ne devait pas être juive et, bien qu'il se soit éloigné de ses origines, il ne pouvait cependant pas envisager d'épouser une non-juive, ne serait-ce que par respect pour la mémoire de son père. D'un autre côté, il souhaitait voir de la compagnie et ne désirait pas rester seul ce week-end. Une gaie et tendre Ecossaise — il aurait voulu une Jessie célibataire — lui serait, imaginait-il, d'une agréable compagnie.

Tandis qu'il allait à la gare de Saint-Enoch pour le train à destination de Gourock, il se sentit tel **un** petit garçon sur le point de commettre son premier péché capital ; il marchait furtivement, comme s'il craignait d'être vu. Il se **demanda** pourquoi il tremblait à la pensée d'avoir une relation, innocente à coup sûr, avec une *shiksa*[1] alors qu'il avait déjà eu une relation beaucoup moins innocente avec sa propre tante. Deux raisons s'imposaient d'elles-mêmes. La première était que les fautes commises à l'intérieur de la famille ne dépassaient pas le cercle des intimes alors que celles qui se passaient à l'extérieur de ce milieu avaient toutes chances d'être découvertes. La seconde raison était que pour tout pratiquant ou ex-pratiquant juif, la *shiksa* incarnait le fruit défendu par excellence. Il était impatient de rencontrer Verity et les quarante minutes du trajet lui parurent interminables. Quand il arriva à Gourock et qu'on la lui présenta, il faillit s'en retourner. Verity était un bateau.

« Alors, dit Colquhoun, qu'en penses-tu ?

---

1. *Shiksa* : femme non juive.

— Que dois-je en penser ? » (Il pensait en réalité que si Colquhoun et son bateau avaient pu à ce moment disparaître sous les flots, ce n'aurait pas été une mauvaise chose.)

Colquhoun lui remit un gilet de sauvetage et hissa la voile. Une demi-heure plus tard ils atteignirent l'île de Great Cumbrae où se trouvait la maison de Colquhoun. Jessie les attendait sur le rivage. Elle prit Nahum par le bras.

« Tu parais bien abattu, dit-elle.

— Je n'ai pas le pied marin. »

Le lendemain matin, ils sortirent tous les trois en mer. Une légère brise soufflait et le navire fendait les eaux scintillantes. Nahum n'avait jamais rien vécu d'aussi enivrant. Il était loin de tout, de ses affaires, ses tracas, sa solitude, ses discussions avec lui-même ou avec les autres.

« Tu devrais te voir, dit Jessie, tu as le front lisse comme une voile gonflée par le vent.

— Je suis tombé amoureux de *Verity*.

— Pourquoi est-ce que tu ne t'achètes pas un bateau ? demanda Colquhoun. Un vrai bateau où l'on peut se pencher et toucher l'eau.

— Et où l'on peut aussi se faire casser la tête par la bôme, ajouta Jessie.

— Depuis combien de temps fais-tu cela ? demanda Nahum.

— Oh ! je suis né sur l'eau. Mon père était marin. Je voulais l'être aussi mais ma mère ne voulait pas en entendre parler. J'ai trouvé un emploi dans un bureau d'une compagnie maritime mais elle a fait faillite. Un jour ma mère est rentrée à la maison en disant : " Il y a deux juifs qui vont ouvrir un bureau et ils ont besoin d'un employé expérimenté, alors je leur ai dit que tu étais leur homme. Tu peux pas faire une mauvaise affaire avec les juifs ", avait-elle dit ; elle ne s'était pas trompée. »

Nahum était presque enivré par le ciel bleu, la brise fraîche et les eaux scintillantes.

« Dès que ça ira mieux, je m'achèterai un bateau, dit-il.

— Si tu attends, dit Colquhoun, tu ne l'achèteras jamais. Moi, mon bateau me remonte le moral. Tu devrais sortir en mer pour t'éclaircir les idées ; il n'existe aucun autre moyen. »

Un visiteur les attendait sur le rivage. C'était Cameron qui était venu avec son propre bateau. Il était de passage et voulait montrer son acquisition. C'était un jeune homme extrêmement séduisant — mince, bronzé, musclé, le menton fendu — mais ses yeux gris brillaient d'un léger éclat moqueur. Jessie lui proposa de rester déjeuner.

« Désolé, mon amour, je suis déjà attendu.

— Par quelqu'un qui a une jolie fille, j'espère.

— Laisse-le tranquille, dit Colquhoun.

— Je croyais que seuls les juifs se comportaient ainsi, fit remarquer Nahum.

— C'est un trait qu'elle t'a emprunté », répliqua Colquhoun.

Lorsque Cameron fut parti, Nahum dit : « Nous devons bien le payer pour qu'il puisse s'offrir un bateau.

— Oh! on peut tout se payer quand on est célibataire, rétorqua Jessie.

— Nous le payons bien mais il a des responsabilités et il s'en débrouille très bien. C'est un des gamins les plus capables que j'ai rencontrés, dit Colquhoun.

— C'est presque ton fils », ajouta Jessie.

Ils déjeunèrent de poisson fumé, de pain bis, de pommes de terre au four, de salade et de whisky.

« Je parie que c'est un peu différent de ton déjeuner habituel du sabbath, dit Jessie, mais tout est kasher.

— Et tout est délicieux, fit remarquer Nahum.

— Alors j'espère que tu as apprécié. Tu grignotes tes aliments comme si tu craignais que j'y aie mis du poison. Qu'est-ce qui te tracasse ?

— Rien, mais lorsque j'apprécie quelque chose, je préfère le savourer. »

Quelque chose l'inquiétait pourtant car il pensait être tombé amoureux de Jessie. Il se demanda si sa solitude n'en était pas la cause. De la même façon, il avait cru être à nouveau amoureux de Miri quand il l'avait aperçue au mariage et il était alors persuadé qu'aucune femme ne pourrait susciter en lui des sentiments identiques, même s'il savait qu'ils ne seraient pas payés de retour. Et voilà qu'à peine un mois plus tard, il éprouvait un semblable sentiment pour Jessie. Les yeux de Miri brillaient d'une légère lueur espiègle comme ceux de Jessie mais la ressemblance s'arrêtait là. Miri était à peu près bâtie comme Katya et tout aussi vive ; il ressentait en sa compagnie un bien-être comme jamais il n'en avait goûté. Mais elle était mariée. Ils se tenaient souvent par la main et s'embrassaient sur la joue pour se dire bonjour. Il se demandait quelle aurait été la réaction de Jessie s'il l'avait embrassée sur la bouche comme il avait eu si souvent envie de le faire. Il n'avait jamais essayé. Il y avait fruit défendu et fruit défendu ; sa tante incarnait l'extrême limite de la transgression. Il semblait que seules les femmes mariées pouvaient susciter ses sentiments affectueux et il en vint à se demander s'il se marierait jamais.

Deux mois plus tard, il fit une rencontre qui lui fit oublier tout cela.

11.

Nahum recevait de temps à autre des lettres de Wachsman l'informant des tendances du monde maritime mais Wachsman aimait à jouer le *shadchan* et dans chacune de ses lettres il demandait à Nahum s'il avait rencontré Matilda, la fille de Kagan.

« C'est une princesse, répétait-il, même sans son argent. Je sais que vous n'aimez pas beaucoup son père mais ce n'est pas lui que vous épouserez. Je veux que vous la rencontriez et vous me direz si je me trompe. »

Nahum n'était pas le moins du monde opposé à rencontrer la jeune femme mais il ne voyait pas comment le faire sans avoir reçu une invitation de Kagan. Wachsman lui répondit : « J'y veillerai. Wachsman peut tout arranger. »

Une semaine plus tard, il reçut une invitation pour un mariage : celui de Matilda.

La cérémonie eut lieu à Stanwell, qui était la maison de campagne de Kagan dans le Suffolk. Le mariage fut célébré par le Grand Rabbin. La crème de la société juive anglaise y assistait : les Rothschild, les Montefiore, les Goldsmid et les d'Avigor Goldsmid, les Montague et les Samuel, les Waley et les Waley-Cohen, sans parler des grands noms du continent comme Bleichroeder, Warburg, Bischoffsheim, Fuld et aussi, à en juger par leur accent, pas mal d'Américains.

Il devait y avoir environ cinq cents invités et Nahum, un verre à la main, se déplaçait dans la foule sans trouver âme à qui parler. Il fut abordé par un personnage aux cheveux blancs et à l'air rayonnant.

« Vous ne vous souvenez pas de moi, dites ?

— Je crains d'avoir une mauvaise mémoire des visages.

— Les gens qui se font de l'argent ont toujours mauvaise mémoire. Vous m'avez pourtant connu avant. Pollack, ça ne vous dit rien ?

— Si, si, bien sûr, répondit Nahum bien qu'il n'arrivât pas à se le remettre en mémoire.

— Vous avez aimé ma fille Elsa, vous vous en souvenez ?

— Oui, une fille adorable.

— Elle a épousé un Dacosta, qu'est-ce que vous en pensez ? Un Dacosta.

— *Mazeltov* j'en suis très heureux pour elle.

— Vous aimeriez la rencontrer ?

— Plus tard peut-être. Je cherche quelqu'un. »

Ce que Nahum cherchait en fait, c'était la sortie. Son train avait eu du retard et il avait manqué la cérémonie du mariage. Il avait compté sur la présence de Wachsman mais comme il ne le trouvait pas il ne souhaitait pas s'attarder, d'autant plus qu'il avait un train à prendre tôt le lendemain matin. Il cherchait Kagan et son épouse pour leur faire ses adieux lorsqu'il tomba sur les invités de la noce qui posaient pour la photographie. La mariée, une grande femme mince avec de grands yeux noirs et un joli petit minois était aussi belle que Wachsman l'avait dit. Mais son attention fut attirée par le marié, un jeune homme corpulent à la mâchoire puissante et dont le visage rayonnait. Il avait l'impression de l'avoir déjà vu quelque part. Son regard glissa vers une jeune femme qui semblait le fixer. Lorsque leurs regards se croisèrent, elle sourit. Il sourit à son tour et leva son verre ; elle le salua de la tête. Son visage ne lui disait rien mais il avait encore une vague impression de déjà vu. Kagan le foudroya du regard et il dut battre en retraite mais dès que la séance de photographie fut achevée, il se précipita vers la jeune femme.

« B'jour. J'suis Nahum.

— Na... quoi ?

— Nahum.

— Comment vous prononcez cela ?

— Na...

— Na.

— Homme.

— Nahum. Moi c'est Lotie, enfin Charlotte, bien que personne ne m'appelle ainsi. Je suis la sœur d'Edgar, le marié. » Elle avait un accent américain.

Elle ressemblait à la mariée : elle était assez grande, avait un long cou, de grands yeux bruns pétillants sous un large front, un nez retroussé, des pommettes saillantes, un petit menton et des dents un peu trop grandes pour sa bouche.

« Nous sommes-nous déjà rencontrés quelque part ? demanda Nahum.

— Non, malheureusement pas. Je m'en souviendrais.

— J'ai l'impression de vous avoir déjà vue ainsi que votre frère.

— C'est très possible, il est allé partout. D'où êtes-vous ?

— D'Ecosse.

— Vous n'avez pas un accent très écossais. » Tandis qu'ils discutaient, ils furent rejoints par une petite femme courtaude aux cheveux argentés et aux yeux bleus.

« Oh, mère, j'aimerais te présenter Nahum.

— Nahum Raeburn, ajouta-t-il.

— Raeburn ? J'ai déjà entendu ce nom-là. D'où venez-vous ? » demanda la mère.

— D'Ecosse.

— Vous n'avez pas un accent très écossais.

— Je ne suis pas né en Ecosse.

— C'est bien ce que je pensais. Viens, Lotie. »

Lotie lui obéit mais elle revint quelques minutes après.

« Je suis désolée pour ma mère. Elle n'aime pas me voir parler avec des gens qu'elle ne connaît pas.

— C'est très contraignant.

— Pas vraiment, elle pense déjà connaître tous les gens qui en valent la peine. Etes-vous parent de Matilda ?

— Je ne suis le parent de personne ici. Je ne sais même pas très bien pourquoi j'ai été invité.

— Oh, ma mère me regarde. Je ne pense pas que nous puissions continuer cette conversation.

— Où logez-vous ?

— Nous passons la nuit ici mais demain nous serons à Londres, au Cecil, sur le Strand.

— Je devrais partir tôt demain matin mais je pense que je pourrai retarder mon départ d'un jour. »

Elle parut soulagée.

« Pouvons-nous nous retrouver au Cecil ?

— A quelle heure ?

— Nous allons à l'opéra à sept heures. Pourriez-vous être à l'hôtel pour six heures ? Ne me demandez pas. J'attendrai en bas. »

Le lendemain, il fut au Cecil à six heures sonnantes. Il prit un journal et attendit. De temps à autre, il baissait son journal pour voir si Lotie arrivait, mais en vain. Au bout d'une heure et demie, il alla à la réception, donna son nom et demanda si on n'avait pas laissé un message pour lui. Il n'y en avait pas. Il demanda alors si la famille Althouse était bien descendue dans cet hôtel.

Oui, mais ils étaient partis en début d'après-midi.

Où étaient-ils allés ?

Il ne le savait pas.

Nahum devina que c'était là le fruit de quelque machination de la mère et il se demanda pourquoi elle l'avait pris en grippe dès le départ. Kagan devait savoir où ils se trouvaient mais il n'avait aucune envie de le lui demander.

Fatigué, découragé et irrité d'avoir perdu une journée Nahum retourna à son hôtel, le Great Eastern. En entrant, il aperçut Lotie près de la réception. Elle en fut interloquée.

« Comment avez-vous su que j'étais ici ?

— Comment ? Je ne sais pas, je loge ici.

— Quel miracle, dit-elle. C'est un coup du destin. Maman redoutait que nous nous rencontrions au Cecil et c'est pourquoi nous avons déménagé. Vous logez vraiment ici ? Je ne peux pas le croire.

— Qu'est-ce que votre mère a contre moi ?

— Je l'ignore. Vous êtes merveilleux. Je me demande ce que Kagan a pu lui dire. Elle doit penser que vous êtes un aventurier. Elle pense cela de tous les gens à qui je parle.

— Mais pourquoi des aventuriers ?

— Savez-vous qui je suis ?

— Vous êtes la sœur de machin.

— Mais savez-vous qui est mon père ?

— Si j'ai bien compris, c'est un très riche Américain.

— Connaissez-vous son nom ?

— Oui, Althouse.

— Alors, vous savez qui je suis.

— Bien sûr, votre nom figurait sur le carton d'invitation au mariage.

— Mais ce nom ne vous dit rien ?

— Non.

— Etes-vous déjà allé en Amérique ?

— Non.

— Ceci explique cela. Nous sommes les magasins Althouse.

— Comment allez-vous ? Je suis la compagnie maritime Raeburn.

— Trêve de plaisanterie, nous possédons un des plus grands magasins d'Amérique et de loin le plus grand de Philadelphie. Maman pense que je suis une naïve, que j'ai une cervelle de moineau et que je parle trop, ce que je suis en train de faire en ce moment. Nous venons à peine de nous rencontrer et je vous raconte toute ma vie. Ma mère craint qu'on ne m'épouse pour mon argent. Ah, et puis elle pense que je suis laide.

— Comment votre propre mère peut-elle penser cela ?

— Mes dents sont trop espacées et quand je ris on voit mes gencives, regardez. Maman me fixe des yeux ou me donne un coup de coude dès que je ris. Mais je l'aime quand même beaucoup. Ce n'est pas la fin du monde que de se faire épouser pour son argent, après tout, la richesse est quelque chose dont on hérite comme l'intelligence ou la beauté. Les gens disent que papa a épousé maman pour son argent. La famille de maman était riche et papa était beau mais il se laisse aller maintenant, le pauvre. Maman n'était pas très jolie mais elle avait un pedigree et elle est extrêmement intelligente — elle est faite pour les affaires. Papa ne peut se passer d'elle, encore qu'elle puisse être complètement stupide dans certains domaines, comme le sont d'ailleurs nombre de gens intelligents. Vous ne croyez pas que c'est rassurant ? Cela signifie que des gens parfaitement stupides peuvent être très intelligents. Elle a été très malade et c'est pourquoi je lui cède toujours. J'ai failli lui faire une scène lors de notre départ du Cecil, mais j'ai craint qu'elle ne pique une crise de nerfs. »

La nuit était douce et Nahum lui demanda si elle voulait sortir.

« Maintenant ? Ensemble ? Seuls ?

— Il y a des gens qui le font, vous savez.

— A Londres peut-être, mais pas à Philadelphie, du moins pas dans ma famille. Mais pourquoi pas ? Ça me plairait. Maman sera endormie à minuit. On se retrouve ici ?

— Pourquoi pas ? »

Elle le regarda un instant, d'un air tendre et souriant. Puis elle se détourna et monta les escaliers aussi vite que sa robe-fourreau le lui permettait. Elle redescendit une minute plus tard.

« Suis-je bête mais si ma question vous gêne... Vous n'êtes pas marié n'est-ce pas ?

— Non, et je ne l'ai jamais été.

— Ça se voit. »

Il lui prit la main. Elle la retira comme à regret et rougit jusqu'aux oreilles. Elle escalada les escaliers quatre à quatre. Il était sept heures.

Les cinq heures qui suivirent comptèrent parmi les plus longues de sa vie. Il rejoignit sa chambre pour étudier quelques documents mais il ne put se concentrer. Il commanda à manger mais ne put rien avaler. Durant près d'une heure, il regarda la nuit tomber sur la City. Lorsqu'elle apparut peu après minuit, il fondit sur elle et l'étreignit si fort qu'il faillit lui rompre les os.

« Bonté divine, dit-elle d'un ton enjoué, que vont dire les gens ? »

Il voulut l'emmener dîner mais elle lui dit qu'elle n'avait pas faim. « De toute façon, ajouta-t-elle, j'ai toujours considéré que l'on perd son temps à manger lorsque l'on est en bonne compagnie. Les gens ne sont pas à leur avantage quand ils mangent et c'est mon cas. » Ils prirent un taxi pour faire une balade. C'était une douce nuit, chaude pour la saison. Dans le ciel luisait une immense lune cuivrée que l'on aurait crue tout droit sortie d'un livre pour enfants.

« Je n'ose penser ce que dirait maman si elle me voyait en ce moment.

— Vous ne pouvez pas oublier votre mère une minute ?

— Je ferme les yeux et j'essaie, d'accord ? »

Et tandis qu'elle s'exécutait, il se pencha vers elle et lui embrassa le lobe de l'oreille.

« C'est bon, faites-le encore... »

Et il recommença, plusieurs fois. « Vous savez, dit-il, j'ai toujours l'impression de vous avoir déjà vue quelque part.

— Peut-être avez-vous rencontré ma belle-sœur. Les gens disent que je suis son double. J'espère que c'est le cas mais de toute façon, elle est beaucoup plus jolie que moi.

— Ce n'est pas vrai.

— Si, si, et elle est de plus beaucoup plus intelligente que moi. Elle parle couramment cinq langues et joue très bien du piano. Edgar a eu beaucoup de chance en l'épousant mais Matilda en a eu deux fois plus. C'est le plus merveilleux des hommes, il est aimable, généreux, intelligent. J'ignore comment je vais me débrouiller sans lui à Philadelphie ; nous étions très proches. » Elle était au bord des larmes. « Que va-t-il se passer après cela ?

— Que voulez-vous dire ?

— Nous partons pour l'Europe demain.

— Alors moi aussi. »

Son visage s'éclaira. « Vous ? Ne me dites pas que vous allez à Mulhouse.

— Pourquoi Mulhouse ? »

— C'est là où nous allons. J'y ai une tante. »

Soudain, il se rappela. « Mulhouse, c'est ça, Mulhouse, cria-t-il si fort qu'il la fit sursauter ainsi que le chauffeur du taxi. Je savais que je vous avais vue, vous et Edgar. Cela se passait dans un wagon-restaurant. Vous avez dû descendre à Mulhouse. C'était il y a neuf ou dix ans ?

— Neuf ans, mais je ne me souviens pas vous avoir vu.

— J'ai vu Edgar et j'ai vu votre dos. Je suis tombé amoureux de votre dos...

— Vous voulez dire que vous le préférez à l'autre côté ?

— Non, ce n'est pas ce que je veux dire. Je parle de ce voyage en train. J'étais en pleine conversation avec mon associé et en levant les yeux, j'ai aperçu la magnifique silhouette d'une femme qui traversait le wagon-restaurant. J'ai eu l'impression d'une vision car vous sembliez flotter dans l'espace.

— Vous étiez ivre.

— Oui.

— Ceci explique cela. Si seulement vous m'aviez rappelée ! Edgar et moi faisions notre premier grand tour d'Europe. Oh, si seulement vous m'aviez rappelée. Neuf ans se sont écoulés que nous aurions pu vivre ensemble. Quel âge avez-vous ? Je peux deviner ? Etes-vous susceptible sur ce genre de questions ? Je le suis. Je suis vieille vous savez, tous mes amis sont mariés. J'ai failli me marier il y a deux ans. Tout le monde pensait, et moi de même, qu'il était temps que je le fasse. C'est ainsi qu'il a rencontré Matilda.

— Qui ça ?

— Edgar. J'ai failli épouser Richard Kagan, le frère de Matilda. Vous aimeriez Richard. Non, peut-être pas après tout. Il est un peu hautain mais il a des manières distinguées. Il plaisait assez à ma mère mais je n'aimais pas la façon dont il s'adressait à moi : il me prenait pour son public. Il a habité chez nous à Philadelphie puis nous sommes venus à Stanwell. On avait établi des contrats notariés et nous avons été à deux doigts de nous marier.

— Pourquoi cela ne s'est-il pas fait ?

— Je me suis souvent posé la question. Il y avait tant de choses qui me plaisaient en lui et j'avais envie de l'épouser mais je n'ai pas pu. Naturellement, maman a pensé que j'étais devenue folle et elle a voulu que j'aille voir un docteur. Finalement, elle m'a rendue malade et j'ai dû aller en voir un mais je me suis vengée en la rendant deux fois plus malade. Elle a failli mourir. Pauvre maman, j'avais l'impression d'être pour elle une éternelle source de tracas. Je pense qu'elle me désavouerait si elle me voyait maintenant assise à côté de vous. » Elle l'embrassa sous l'oreille. « Quel âge avez-vous ?

— Vous me l'avez déjà demandé.

— Mais vous ne me l'avez pas dit.

— Trente et un ans.

— Trente et un ans !

— Je ne les fais pas ?

— Je m'étonne simplement qu'un aussi joli garçon ait pu rester célibataire si longtemps. » Elle se redressa et le dévisagea d'un air suppliant. « Vous n'êtes pas un coureur de dot, n'est-ce pas ? Ma question est stupide, vous ne me le diriez pas si vous en étiez un.

— Que je vous réponde oui ou non, qu'est-ce que cela prouverait ?

— Maman pensera que vous êtes un coureur de dot quoi que vous disiez. De toute façon, elle pense que presque tout le monde l'est.

— Elle pense aussi cela de Kagan ?

— C'est l'héritier d'une fortune.

— Alors on a le droit d'être un coureur de dot quand on est déjà riche ?

— Je me moque que vous le soyez ou non. Mais je ne sais même pas ce que vous faites dans la vie.

— Je ne vous l'ai pas dit ?

— Je ne crois pas.

— C'est parce que je suis riche et que je craignais que vous n'en vouliez à *mon* argent.

— Mais, sérieusement, que faites-vous ?

— Je suis armateur.

— C'est vrai ? C'est passionnant ! Mais vous ne ressemblez pas du tout à un armateur.

— A quoi doit ressembler un armateur ?

— Oh, je ne sais pas. J'imagine un vieux loup de mer buriné alors que vous ressemblez à un notaire ou à un banquier. Mais dites-moi, pourquoi n'êtes-vous pas marié ? Avez-vous déjà été marié... ou... ou quelque chose comme ça ?

— Quelque chose comme quoi ?

— Vous savez bien comment sont les hommes.

— Ah bon, je le sais ?

— Bien sûr que vous le savez, à votre âge.

— Je viens d'une ville de province russe et je vis dans une ville de province écossaise. On ne peut pas être plus innocent.

— Vous voulez dire que vous n'avez jamais...
— Je ne vois pas ce que vous voulez dire.
— Je serais étonnée que vous n'ayez jamais...
— Et si on changeait de sujet ?
— Alors ça veut dire que vous l'avez fait. » Elle se redressa et sortit un mouchoir de son sac.

« Lotie, ma chérie, regardez-moi. » Elle tourna lentement son visage vers lui et essuya une larme. « Nous venons de nous rencontrer, ne nous disputons pas pour des bagatelles. Ne soyons pas stupides.

— Je suis désolée », dit-elle en signe d'acquiescement.

Ils s'embrassèrent. Ses lèvres étaient humides, tendres et douces. Il ne put s'empêcher de comparer ses baisers à ceux de Katya qui s'approchait de lui en haletant, la bouche grande ouverte, comme si elle allait l'avaler.

« Je vais demander à maman de vous inviter à Philadelphie.
— N'est-ce pas un peu trop tôt ?
— Vous croyez ? J'ai l'impression de vous connaître depuis toujours. Nous partons demain matin et je veux vous revoir. Où le pourrais-je, ailleurs qu'à Philadelphie ? Oh, je serai si malheureuse demain, cela me rend triste rien que d'y penser, à moins que vous ne puissiez venir avec nous.

— Nous sommes déjà demain et j'ai une journée chargée qui m'attend.

— Je suis désolée, j'ai été trop présomptueuse. Vous n'avez peut-être même pas envie de venir ou de me revoir. Dites-le et je saute sous un omnibus. »

Il l'embrassa à nouveau. « Je viendrai à Philadelphie dans la matinée.

— Qu'est-ce que vous voulez dire par : dans la matinée ?
— Ce sont les paroles d'une chanson.
— Vous vous fichez de moi maintenant.
— Je viendrai, seulement votre mère m'inquiète.
— Je m'occuperai de maman », dit-elle d'une voix ferme qui le surprit.

12.

Depuis qu'il était devenu un transporteur important, Nahum avait envisagé d'étendre ses intérêts en Amérique. Actuellement, la majorité des passagers qu'il débarquait à Leith traversaient ensuite l'Ecosse pour se rendre vers l'un des ports de la Clyde, en direction de l'Amérique. La Goodkind-Raeburn n'était donc qu'une ligne qui alimentait le trafic atlantique. La compagnie touchait de confortables commissions mais l'ambition de Nahum était de posséder un navire qui relierait Glasgow à la côte est de l'Amérique.

Tobias et Colquhoun pensaient qu'un tel projet était bien au-delà de ses moyens.

« Même si tu arrives à trouver de l'argent, dit Colquhoun, qui te dit que ce trafic se maintiendra ? Combien y a-t-il de juifs en Russie ?

— Quatre millions.

— Et tu crois qu'ils voudront tous partir ?

— Les très riches et les très pauvres ne le feront pas mais de toute façon, qu'il y ait des pogroms ou non, dès qu'ils ont de la famille installée outre-mer, ils ne songent qu'à la rejoindre. Plus d'un million de juifs ont déjà émigré en Amérique. On peut estimer qu'un autre million suivra, ce qui nous donnera du travail pendant un bon bout de temps. » Colquhoun était sceptique et Kagan encore plus.

« Vous voulez vous attaquer à l'Amérique ? Dans quel but ? Il existe le même sentiment antijuif qu'en Grande-Bretagne, seulement, il se justifie moins. La Grande-Bretagne est une petite île surpeuplée, l'Amérique est un grand continent dont les vastes espaces ne demandent qu'à être peuplés. Mais là-bas aussi ils craignent d'être envahis par les juifs. L'immigration va être interrompue ici et, le temps que vous mettiez votre combine sur pied, elle le sera également

143

en Amérique. Et puis, avez-vous une idée de la compétition qui se livre sur l'Atlantique ?

— Le trafic est important mais l'océan est vaste et le littoral est long.

— Tout le monde veut aller à New York, tout le monde, et c'est ça le problème. Ils veulent tous aller là où sont déjà les autres.

— Je m'arrangerai pour les en détourner.

— Cela ne durera pas. Vous ne vendrez pas un seul billet si vous ne faites pas miroiter la promesse de New York. Des villes comme Glasgow ou Leith ne les intéressent pas, ils n'en ont jamais entendu parler. De toute façon, toutes les portes vont se fermer et si j'étais à votre place, je renoncerais au trafic des immigrants, des juifs surtout.

— C'est une raison supplémentaire pour s'efforcer de les faire sortir de Russie maintenant. »

Malgré le pessimisme affiché par Wachsman et Kagan, Nahum était fier d'être devenu un armateur connu et d'avoir réussi à bâtir sa fortune en dehors du circuit traditionnel des affaires. Mais, comme il ne tarda pas à le découvrir, il y avait armateur et armateur dans la mesure où leur position dépendait autant de la longueur des voyages que du nombre et de la taille des navires. Il entendait parler d'océans lointains alors que lui, avec sa ligne Riga-Leith, ne faisait que du transport côtier. Il pensait si intensément à l'Atlantique qu'il se réveillait parfois le matin la tête pleine du bruit des vagues.

Il mit cependant ce projet en sommeil non seulement parce que ses revenus risquaient d'en pâtir mais aussi à cause du personnel. Il avait pensé jusqu'alors que l'argent liquide et le crédit étaient les seules limites de son expansion mais durant ces deux dernières années il avait découvert combien il était plus difficile d'avoir des gens compétents du genre de Goodkind et Colquhoun. Il estimait avoir trouvé en Schwartzman, un cousin issu de germain qui représentait ses intérêts à Dantzig, un homme valable et il pensait le faire venir à Londres, seulement il n'arrivait pas à lui trouver de remplaçant. Il y avait aussi le jeune Cameron qui, bien qu'âgé de vingt-deux ans, semblait très capable, mais on avait besoin de lui au bureau de Leith dont il avait la charge. Lazar avait terminé ses études de droit mais au lieu de mettre ses compétences à leur service, il préféra suivre la trace de son beau-père malgré les généreuses propositions financières de Nahum. En fin de compte, Nahum raya de ses tablettes son projet sur l'Atlantique.

Il avait promis à Lotie d'aller la voir en Amérique « le plus vite possible ». Trois ou quatre mois s'écoulèrent avant que ce ne fût possible ; entre-temps, il avait reçu des lettres de récriminations de Lotie, qui laissait entendre qu'il l'avait oubliée et qu'il ne voulait pas vraiment la revoir ; sinon, ne serait-il pas déjà en Amérique ?

Il lui promit de venir avant la fin de l'année mais il ne pouvait lui indiquer une date précise, au cas où quelque chose le retiendrait.

Lorsque son navire accosta, elle l'attendait sur le quai. Elle se jeta dans ses bras avec une telle force qu'elle l'étouffa à moitié et elle fondit alors en larmes.

« Je pensais ne jamais te revoir, dit-elle en sanglotant.

— Mais j'avais dit que je viendrais.

— Je sais, mais tu paraissais si peu pressé et tes lettres étaient si impersonnelles qu'on aurait dit une correspondance d'affaires. Mais le principal, c'est que tu sois là. »

Il avait retenu sur ses conseils une chambre au Murray Hill Hotel, qui se trouvait à deux pas de chez une tante qu'elle allait voir souvent, « une femme intelligente et adorable qui est aussi saine d'esprit que maman est folle. Elle crois que je suis avec ma tante en ce moment. »

Elle ne pouvait pas rester longtemps car elle devait retourner à Philadelphie ce soir mais elle espérait le revoir le lendemain.

« Non, dit-il d'une voix ferme, pas demain. J'ai arrangé quelques rendez-vous d'affaires auxquels je dois assister.

— Combien de temps cela va-t-il te prendre ?

— Une semaine.

— *Une semaine !*

— Nous avons attendu tout ce temps, nous pouvons bien encore attendre une semaine de plus.

— Mais pour moi, cette semaine va être une éternité.

— Ça passera vite, je te le promets. »

Ils s'embrassèrent et l'espace d'un instant il fut sur le point d'envoyer au diable ses rendez-vous pour partir avec elle à Philadelphie sur-le-champ.

Le lendemain, un reporter d'un journal yiddish le contacta à son hôtel pour lui demander une interview. Nahum descendit le voir et le regarda, l'air surpris.

« Comment saviez-vous que j'étais ici ?

— Je ne le savais pas mais c'est un hôtel où descendent tous les gens importants. Je vous ai reconnu d'après les journaux. » Il sortit une coupure de presse tirée d'un journal anglais — *la* coupure — dans laquelle son bateau était décrit comme une prison flottante. Le journaliste lui demanda si ces allégations étaient exactes.

« Pensez-vous qu'elles soient vraies ? demanda Nahum.

— Je l'ignore. C'est dur de gagner sa vie par les temps qui courent. Mon patron m'exploite, j'exploite mes locataires, tout le monde exploite tout le monde. Pourquoi n'exploiteriez-vous pas vos passagers ? Les journaux anglais sont très prisés ici.

— Alors vous pensez que c'est vrai ?

— Ce que je dis c'est que, même si c'est vrai, il n'y a pas à en avoir honte... un homme doit gagner sa vie.

— Ecoutez, j'ai traversé l'Atlantique sur un navire de la Cunard. Je suis descendu constater les conditions d'hébergement des passagers de troisième classe et, croyez-moi, mes passagers sont mieux lotis. Ils sont moins à l'étroit, ils ont une synagogue, de la nourriture kasher, une infirmerie. Ils se sentent chez eux dès qu'ils sont à bord et l'équipage ne les traite pas comme s'il leur faisait une faveur en les laissant monter à bord. Je ne suis pas le seul transporteur sur cette ligne et je n'aurais pas vendu un seul billet si les choses se passaient aussi mal qu'on l'a prétendu.

— Mais tout le monde sait qu'il y a cinq ans vous êtes arrivé de Volkovysk sans un sou en poche et que maintenant vous êtes un armateur millionnaire.

— Je ne suis pas venu sans un sou en poche, je suis en Angleterre depuis quinze ans et non depuis cinq ans et enfin je ne suis pas millionnaire.

— Mais vous avez fait don de fortunes.

— Tout cela est relatif.

— Etes-vous marié ?

— Non.

— Pas marié ?

— Pas marié.

— Vous devez approcher la trentaine.

— J'ai plus de trente ans.

— Et vous n'êtes pas marié ?

— Vous me l'avez déjà demandé.

— C'est parce que je suis surpris. Il n'y a pas un homme fortuné qui soit encore célibataire à trente ans, du moins pas à New York. Beaucoup voudraient l'être ou prétendent l'être mais sincèrement, vous êtes le premier célibataire riche que je vois. Vous ne le resterez pas longtemps à New York. »

Deux jours plus tard, un long article lui était consacré dans un des journaux yiddish de la ville mais il était si flatteur et obséquieux qu'il n'était pas certain de ne pas lui préférer le texte diffamatoire du journal anglais. Le lendemain matin, le chef de publicité du journal vint lui demander s'il désirait passer une annonce publicitaire.

Kagan l'avait prévenu des dangers d'une aventure sur l'Atlantique mais il lui avait quand même donné des lettres d'introduction auprès de divers associés à New York. Nahum fut invité un soir chez Kurtzhammer, un petit homme chauve au cou massif et qui portait une grande moustache. Il vivait dans un élégant et spacieux appartement situé au sud de Central Park avec une grande femme silencieuse et deux filles maussades.

« Alors, il paraît que vous êtes un jeune homme impulsif, commença Kurtzhammer.

— Impulsif ?

— Kagan vous décrit ainsi : " un jeune homme capable mais impulsif ". Il ne veut pas que vous vous lanciez dans une autre affaire de bateaux.

— Il ne veut pas que je me lance dans quoi que ce soit. Je suppose qu'il se réserve ainsi la possibilité de me dire : « Je vous l'avais bien dit », si les choses tournent mal.

— Mais tout s'est bien passé... oui ?

— Jusqu'à présent.

— Et vous voulez vous lancer sur l'Atlantique ?

— Si possible.

— Voilà ce qu'il voulait dire par impulsif. Vous savez, New York n'est pas Leith. Tout le monde veut un mouillage à New York et les problèmes...

— Je pensais plutôt à Halifax en Nouvelle-Ecosse. Cela raccourcirait le voyage d'un jour, ce qui est énorme pour des voyageurs juifs qui n'ont pas souvent le pied marin. D'autre part, le trafic des passagers juifs est irrégulier et il diminuera probablement d'ici un an ou deux mais il y a un trafic constant et soutenu entre Glasgow et Halifax. Mon idée est d'exploiter l'Atlantique en continuation des lignes de la mer du Nord. Je débarquerai les passagers à Leith, les mettrai dans des trains spéciaux pour Glasgow ou Greenock d'où ils partiront pour Halifax.

— Etes-vous déjà allé à Halifax ? C'est la Sibérie là-bas.

— Ils ont l'habitude du froid. La plupart des lettres qui viennent

147

d'Amérique parlent de la chaleur excessive. Il y a un avenir pour les juifs au Canada. Les portes se ferment en Grande-Bretagne...

— Et elles vont bientôt se fermer en Amérique.

— Mais les portes du Canada sont encore ouvertes.

— Elles ne le resteront pas à partir du moment où vous ferez venir des juifs par pleins bateaux.

— C'est curieux comme les banquiers sont décourageants.

— Ça fait partie de leur travail.

— Mais pas de celui d'un chef d'entreprise. »

Kurtzhammer se tourna vers lui et posa une main velue sur son genou.

« C'est exactement ce que je voulais vous entendre dire, jeune homme. Avant que vous n'ayiez quitté New York, je vous trouverai tout ce que vous voulez. Maintenant, assez parlé d'affaires, passons aux distractions. Avez-vous entendu ma femme et mes filles jouer du piano ? Elles sont extraordinaires. »

Il était minuit passé lorsque Nahum rentra à son hôtel. Il était en train de prendre sa clef quand un employé, l'air gêné, lui chuchota qu'une « dame » l'attendait. « Elle est restée ici toute la soirée », ajouta-t-il.

Nahum regarda dans le hall et vit une grande femme aux traits durs s'avancer vers lui.

« Tu as grossi, dit-elle en yiddish, et tu as l'air en pleine forme. Tu n'as pas changé. Je suppose que tu ne me reconnais pas. »

Il chercha sur son visage un trait familier.

« Je suis désolé..., commença-t-il.

— Je suis Esther, dit-elle, ta sœur », et elle éclata en sanglots.

Il la fit monter immédiatement dans sa chambre et commanda un repas qu'elle avala voracement tandis qu'il la regardait, incrédule. Elle était manifestement sa sœur. Il se souvenait de ses yeux gris-bleu en amande, de ses taches de rousseur et de son léger embonpoint mais devant lui se tenait une grande femme maigre entre deux âges. Toute trace de chaleur et de tendresse avait disparu de son visage.

« J'ai aperçu par hasard le journal où il y avait un article sur toi, dit-elle entre deux bouchées. Je n'arrivais pas à croire que c'était toi. Autrefois, tu étais lourdaud, timide, maladroit et lent. Je me demande comment père a pu te laisser partir tout seul ; j'étais sûre que tu reviendrais avant la fin de l'année, dépouillé des quelques roubles qu'il t'avait donnés et te voilà maintenant, armateur et millionnaire.

148

— J'ai eu de la chance.

— Plus que moi, mais la chance ne sourit probablement qu'à ceux qui la méritent. Je n'ai pas à me plaindre. J'ai eu tout ce que je méritais. Père est mort, n'est-ce pas ? Je ne pourrais même pas te dire la date de sa mort. C'était un vendredi soir. Je me trouvais à l'hôpital où je rendais visite à Simyon, mon premier mari, et alors que nous discutions gaiement je me suis sentie soudain très triste. Tu dois penser que je l'ai tué ?

— Ce n'est pas le moment d'en discuter.

— Je pense que j'ai contribué à sa mort mais j'ai été bien punie. Le pauvre Simyon, qui était aussi innocent qu'un enfant — et c'était un enfant — a fait une soudaine rechute et est mort. » Elle éclata de nouveau en sanglots. « Pourquoi Simyon et pas moi ? J'ignore s'il existe un Dieu, mais s'il existe, il a une façon bien singulière de régler ses affaires.

— Où cela s'est-il passé ?

— A Odessa. J'étais seule et enceinte.

— L'enfant va bien ?

— C'est une petite fille. Tu la verras.

— Pourquoi n'as-tu pas écrit ?

— Qu'est-ce que j'aurais pu écrire, et qui m'aurait répondu ?

— Moi.

— Je me souvenais de toi comme d'un jeune *Yeshiva bochur*[1] pas très malin. Je pensais que tu ne comprendrais pas. J'ai peine à croire que tu sois Nahum.

— Comment t'es-tu débrouillée ?

— Je me suis fait des amis. Les femmes qui ont de jeunes enfants arrivent toujours à s'en faire. Mes problèmes ont commencé au tout début de mon second mariage : au lieu d'avoir deux bouches à nourrir, j'en ai eu trois. Je me demande parfois si je n'ai pas épousé Arnstein pour me punir de toutes les souffrances que j'ai infligées aux autres et je me demande aussi s'il n'était pas fait pour endurer toutes les souffrances que je lui ai infligées.

— Que fait-il ?

— Rien, bien qu'il essaie de faire toutes sortes de choses. Il se prend pour un penseur, pour un homme *intelligent*. C'est un ex-*Yeshiva bochur* comme toi, ce qui est d'ailleurs le cas de presque tous

---

1. *Yeshiva bochur* : étudiant à Yeshiva, l'école talmudique.

les gens que j'ai rencontrés. Finalement, je l'ai peut-être épousé parce qu'il était une exception. Arnstein lit beaucoup et il écrit pour deux ou trois journaux yiddish : aucun ne le paie, ils attendent qu'il *les* paie pour sa prose. Il a fait un peu de porte-à-porte. Il partait avec des livres sous le bras et dans un sac sur son dos mais il revenait souvent les mains vides. Les gosses et les chiens lui couraient après, les paysans lâchaient leurs taureaux sur lui, du moins c'est ce qu'il prétendait car je ne suis pas certaine qu'il sache faire la différence entre une vache et un taureau. Il a ensuite trouvé du travail dans une usine mais il n'y est resté qu'un jour. Il a dit que c'était trop difficile pour lui et qu'il lui fallait de l'air pour respirer.

— Alors comment vivez-vous ?

— Je travaille, il garde les enfants, donne des leçons dans des *cheder*[1] par-ci par-là ou prépare de temps à autre un garçon pour sa *bar mitzvah,* lui un athée juré qui prétend ne rien enseigner qui heurte ses convictions ou du moins ses manques de convictions. Il dit qu'enseigner dans une *cheder* c'est une façon d'abolir la religion et que c'est un vaccin qui immunise les enfants contre l'emprise du réel.

— Et toi que fais-tu ?

— Un peu de tout. Je travaille dans une usine et avant j'ai été femme de ménage, je frottais les parquets... eh oui, ta mignonne petite Esty avec son mouchoir à dentelles, ses livres à reliure de cuir et à qui on ne permettait même pas de faire son propre lit ! » Elle montra ses mains : « Regarde ! » Ses mains fines et soyeuses étaient devenues épaisses, calleuses et avaient pris une couleur brun foncé.

« J'ai aussi travaillé dans une teinturerie et quelques-unes des couleurs que je manipulais semblent s'être fixées. Mais cela aurait pu être pire. Un jour, un jeune homme qui parlait bien — encore un ex-*Yeshiva bochur* — m'a proposé de faire le trottoir.

— De faire le trottoir !

— Ne sois pas si naïf. Je n'aurais pas été la première ni la dernière juive à finir ainsi. Viens dans notre quartier : tu devras les repousser à coup de parapluie. »

Il se rendit chez elle le lendemain soir et ses dires se révélèrent exacts. Il fut intrigué par le spectacle des prostituées juives. En lisant le Talmud et en observant le comportement de ses contemporains, il avait découvert que les juifs n'étaient pas tous des modèles de vertu,

---

1. *Cheder :* école ou cours du niveau élémentaire.

mais on lui avait toujours inculqué l'idée que les juives étaient chastes et pures. La conduite de sa sœur l'avait amené à soupçonner que cette pureté était peut-être exagérée mais il ne s'attendait pas à voir toutes ces prostituées alignées le long des rues comme une garde d'honneur et qui parlaient en yiddish d'une voix rude et forte. Alors qu'il cherchait l'appartement de sa sœur, il fut abordé par une vieille mégère qui l'invita à monter *lekoved Shabbos,* en l'honneur du Sabbath.

C'était le vendredi soir. Nahum était venu en taxi et serrait contre lui un grand sac en papier contenant une bouteille de vin et une bouteille de vodka. Il se trompa de porte et il lui fallut un certain temps pour trouver la bonne. Sa sœur vivait au quatrième étage d'un immeuble en plutôt mauvais état. Il dut retenir sa respiration pour ne pas subir les effluves d'urines, de crottes de chat, de vieux chou, de poisson frit et l'odeur de décomposition qui régnait. Esther et son mari l'attendaient sur le palier sombre et le conduisirent dans une pièce seulement éclairée par une lampe à gaz dont la lueur verdâtre donnait à tous les visages un teint cadavérique. Une petite fille, qui paraissait avoir moins de cinq ans, dormait sur une couche située dans un coin de la pièce ; elle n'avait pour toute couverture que des chiffons. Le mari, vêtu d'un costume blanc mais sale, était frêle, un peu comme Wachsman. Il portait une barbe taillée en pointe, des lunettes attachées à un long ruban noir et avait d'épais cheveux bruns.

Il resta un instant les mains derrière le dos et regarda Nahum par-dessus ses lunettes.

« Alors, voilà le fameux frère, hein ?

— Il n'est pas fameux, dit Esther, il est seulement riche.

— Dans ce pays, la richesse est la seule gloire qui importe. »

Nahum fut étonné de ne voir aucun signe des préparatifs du Sabbath : il n'y avait ni bougeoirs, ni bougies, ni nappe blanche, ni pain blanc, rien en fait qui suggérât que cette nuit-là était différente des autres.

La pièce où il était entré servait de chambre à coucher, de salle à manger, de cuisine et, à en juger par le nombre de livres empilés dans les coins ou sous les lits, de bureau. On avait disposé une nappe sale sur une petite table aussi branlante que les deux chaises. Nahum s'assit à un bout de la table et Arnstein à l'opposé. Esther, appuyée sur deux oreillers, était assise sur le lit. L'unique source d'aération était une fenêtre couverte de buée qui donnait sur un boyau et qui restait toujours fermée « à cause des odeurs » précisa Esther. De toute façon, on ne pouvait pas l'ouvrir. L'humidité suintait sur les murs ; des gouttelettes tombaient du plafond sur la table et la constellaient de taches noires.

« Ça change un peu de Volkovysk, n'est-ce pas ? dit Esther.

— Un peu.

— Père était à un bout de la table, mère à l'autre bout : on aurait dit un couple royal.

— Oui, et puis il y avait la nappe damassée, les chandeliers d'argent, les bougies.

— Et le *Zemiroth*[1].

— Que tu chantais toujours faux. Père déboutonnait son gilet et s'esquivait pour aller dormir avant la fin du repas. »

Elle était au bord des larmes.

Ils mangèrent du pain noir, des harengs, des oignons et des pommes de terre. Nahum apprécia le repas, et surtout les harengs, une denrée que Katya refusait d'avoir à la maison sous prétexte que cela « sentait la pauvreté ». Le décor avait tendance à lui couper l'appétit mais il se souvint qu'il avait apporté deux bouteilles.

Arnstein considéra d'un œil favorable la vodka mais pas le vin kasher.

« Vous espérez me faire dire le *kiddush*[2] ? demanda-t-il.

— C'est jour de Sabbath, répondit Nahum.

— Nous avons laissé le Sabbath derrière nous en Russie, avec les pogroms. Nous ne parlons pas de la religion dans cette maison et il en est de même avec nos voisins et la plupart de nos connaissances. A New York, la religion appartient au passé... Dieu merci. »

La vodka allait très bien avec les harengs et les oignons. Ils en avalèrent de larges rasades et Nahum découvrit bientôt que la sensation de douceur qu'il associait au Sabbath pouvait aussi bien être suscitée par une bouteille d'alcool et sans l'aide de la religion. Il est vrai que le juif dévot pouvait aussi profiter du Sabbath et de la vodka, ce dont il ne se privait pas.

« Etes-vous toujours croyant ? demanda Arnstein. Je suppose que vous l'êtes. La religion va de pair avec l'argent et réciproquement.

— Vous croyez ? La plupart des gens, quand ils ont gagné une livre ou deux, estiment qu'ils peuvent se passer de religion. La

---

1. *Zemiroth* : chant entonné le vendredi soir autour de la table du Sabbath.
2. *Kiddush* : bénédiction par laquelle on loue Dieu d'avoir donné le Sabbath.

majorité des croyants que je connais sont pauvres et la plupart des gens pauvres que je connais sont croyants.

— C'est la religion qui les maintient dans la pauvreté, dit Arnstein.

— Si je puis me permettre, vous ne paraissez pas particulièrement riche.

— Je suis fait d'une autre étoffe. Je suis un intellectuel et nous les intellectuels ne nous soucions pas des biens matériels. Tant que j'ai mes livres et que je peux allumer le feu sous la bouilloire, je suis content.

— Tu ne peux même pas te permettre ça, lança sa femme.

— La migration en Amérique a produit un effet important, continua-t-il. Au pays, les gens pouvaient toujours rêver. Ils pensaient tous que l'Amérique résoudrait leurs problèmes, que leurs filles seraient vêtues de soie et leurs femmes de velours, qu'ils vivraient dans des maisons en pierre, qu'ils mangeraient comme des ogres, qu'ils pourraient aller, venir et dormir en paix. Ils n'ont rien rencontré de semblable. Ils ont ici les mêmes *tzores* que là-bas, antisémitisme compris, sauf que dans ce pays les pogromistes peuvent tout aussi bien se faire casser la tête que les juifs. Naturellement, on n'envoie personne en Sibérie pour ses opinions politiques mais combien de gens du pays avaient des opinions politiques ? Maintenant qu'ils sont ici et qu'ils découvrent que l'Amérique n'est pas un paradis ils commencent à réaliser que ce n'est pas seulement la Russie qui est un cachot sombre mais le monde entier. Ils se tournent alors vers le socialisme.

— Il n'y avait pas de socialistes juifs en Russie ?

— Bien sûr que si, mais ils n'étaient qu'une poignée. Ici, en Amérique, nous avons avec nous, ou nous allons avoir, les masses. Jésus savait de quoi il parlait quand il disait que les pauvres hériteraient de la terre ; la seule différence, c'est qu'ils ne vont pas attendre pour hériter. Et cela ne commencera pas en Russie, où ils peuvent toujours rêver de l'Amérique, mais ici, dans ce pays où le rêve doit s'arrêter. » Il s'interrompit pour remplir son verre. « Frère Nahum, oubliez vos bateaux, vos trains, vos passagers et vos billets. Cela ne mène à rien. » Il leva son verre : « A la révolution.

— Et dire que je dois supporter cela tous les soirs, dit Esther. Je vais me chercher un travail de nuit.

— Tu n'étais pas socialiste toi aussi ? demanda Nahum.

— Bien sûr que je l'ai été, mais du jour où j'ai connu la pauvreté, je suis devenue une capitaliste *manquée*[1]. A l'écouter, il y a de quoi être vacciné contre le socialisme. »

Elle descendit les escaliers avec lui et l'accompagna jusque dans la rue.

« Tu sembles bien gaie malgré tout », dit Nahum.

Elle rit. « Tu nous as vus dans une de nos semaines les plus prospères. J'ai trouvé un travail et il a gagné quelques cents en donnant des leçons mais, certains jours, il n'y a pas un morceau de pain dans cette maison. Nul ne sait ce qu'est la pauvreté tant qu'il ne s'est pas retrouvé un jour dans l'impossibilité de nourrir son enfant.

— Pourquoi ne viendriez-vous pas à Glasgow ?

— Je ne sais pas si j'aimerais encore partir à mon âge et j'ignore quelle serait la réaction d'Arnstein. C'est une sorte de personnage ici. Il n'est peut-être pas capable de gagner sa vie mais il est au mieux avec les nombreuses personnes qui sont dans sa situation. Que ferait-il à Glasgow ?

— Je lui trouverais un travail.

— De quel genre ? Il est apathique et s'il a peu envie de travailler c'est aussi parce qu'il en est incapable. Tout ce qu'il touche dépérit. Il n'y a aucune évolution possible de ce côté-là et d'ailleurs il fait tout ce qu'il faut pour préserver cet aspect de sa personne.

— Oublie ma proposition ; mais pourquoi l'as-tu épousé ?

— Il était mon billet pour l'Amérique. J'étais une femme seule avec un enfant et je n'aurais pas pu monter à bord d'un navire. Arnstein fréquentait quotidiennement un café où je travaillais comme serveuse. Il était assez bien habillé et avait l'air de manger à sa faim. J'ai cru qu'il disposait d'une fortune personnelle puisqu'il avait l'air de ne rien faire dans la vie. Il estimait qu'il me sauvait d'une " vie dégradante " pour reprendre ses propres termes. Quand il m'a demandé de l'épouser, je lui ai dit que j'avais un enfant, ce à quoi il a répondu : " Tant mieux, j'aime les enfants ", ce qui est vrai. Il est très gentil avec ma petite fille et il ferait tout ce qu'il peut pour elle, sauf de trouver un travail. J'ai envisagé de le quitter des centaines de fois, ne serait-ce que pour l'intérêt de l'enfant, mais je n'ai pas pu. »

Nahum la revit le lendemain soir puis le dimanche matin. Le temps était humide et lourd.

La nuit dissimulait ou adoucissait les traits les plus durs du New

---

1. En français dans le texte.

York des immigrants. Les gens parlaient de la Russie comme d'une prison mais on voyait toujours le ciel alors qu'à New York, son espace même semblait limité. En Russie, il y avait des champs, des prés, de l'herbe, des fleurs, des rivières où l'on pouvait nager et pêcher. Dans la ville, tout n'était qu'asphalte et pierre et les rivières ressemblaient à une sorte de coulée solide. Il se demanda comment Esther pouvait vivre dans un tel environnement. Puisqu'elle ne voulait pas venir à Glasgow, il lui trouva un grand quatre pièces situé dans un meilleur quartier et où, comme il l'avait précisé, « les fenêtres pouvaient laisser passer l'air et la lumière ». Il régla d'avance un an de loyer et paya le mobilier mais lorsque peu avant son départ il leur rendit visite, il s'aperçut qu'ils ne vivaient toujours que dans une seule pièce. Ils avaient sous-loué les trois autres à trois familles. Arnstein s'était fait tailler la barbe et portait un costume neuf.

Kurtzhammer servit de guide à Nahum durant son séjour new-yorkais. En outre, il lui avait dressé une longue liste de gens utiles à voir — banquiers, avocats, courtiers maritimes — mais Nahum lui avait demandé de repousser certains rendez-vous, le temps qu'il règle les affaires de sa sœur. Lorsqu'elle fut installée, il s'occupa des siennes.

« Vous faites un bon frère mais un piètre homme d'affaires, lui fit remarquer Kurtzhammer. Si votre famille est importante à ce point, vous devriez réfléchir avant de vous lancer sur l'Atlantique. C'est un travail qui aura besoin de toute votre attention. »

Nahum découvrit qu'il était bien plus facile de mobiliser des capitaux à New York qu'à Londres ; et même lorsque les banquiers hésitaient, ils ne se sentaient pas obligés de faire de longs discours. Il apprécia aussi la vivacité et le dynamisme des gens. Il envisagea la possibilité de laisser l'affaire de Glasgow entre les mains de Tobias et Colquhoun pour en monter une nouvelle à New York. Le problème principal tournerait autour de la constitution d'une nouvelle équipe et il serait alors peut-être plus avantageux d'acheter une affaire existant déjà. En s'autorisant à faire de tels projets, Nahum se demandait s'il ne comptait pas déjà sur la fortune de Lotie, bien qu'étant donné l'attitude de la mère à son égard il était probable que Lotie serait déshéritée s'ils se mariaient. Il finit par attribuer ses rêves à l'influence enivrante de la ville. Il existait plusieurs New York. Sa sœur lui en avait montré un visage, Kurtzhammer lui en présenta un autre.

La veille de son départ pour Philadelphie, Kurtzhammer lui fit rencontrer le patron d'une petite compagnie maritime dont les intérêts, selon lui, étaient presque complémentaires des siens puisqu'il voulait prolonger ses lignes vers l'est.

« Ce serait le mariage idéal, dit Kurtzhammer en se frottant les mains. Vous auriez la belle vie après cela. »

Nahum ne fut pas aussi enthousiaste mais il admit que cette idée offrait d'intéressantes perspectives. Seulement, il n'avait aucune envie de conclure plusieurs mariages à la fois et il dit à Kurtzhammer qu'il en discuterait avec ses associés de Londres.

« L'occasion est trop bonne pour la manquer, protesta Kurtzhammer. Télégraphiez à vos collègues de venir ici.

— Non. Je veux y réfléchir en Grande-Bretagne », dit Nahum d'une voix ferme.

Il partit pour Philadelphie le lendemain après-midi. Lotie l'attendait à la gare, la mine défaite, le visage pâle, les yeux rouges. Elle serrait tout contre elle une petite valise qu'elle laissa tomber lorsqu'elle l'aperçut. Elle l'enlaça et fondit en larmes.

« Lotie chérie, qu'est-il arrivé ?

— Le train de New York part dans une minute, attrapons-le, vite. »

Il la prit fermement par la main, la conduisit à la salle d'attente où il essuya ses yeux, son nez et posa son bras sur ses épaules.

« Maintenant, dis-moi ce qui est arrivé.

— J'ai dit à ma mère que je voulais que tu viennes à la maison. Elle s'est tue pendant une minute puis elle a répondu : " Mais tu lui as à peine parlé. " J'ai ajouté que nous avions passé des heures ensemble et que je savais sur toi tout ce qui importait. Elle n'a pas voulu dire un mot de plus avant que mon père ne rentre à la maison. Il m'a demandé : " Qui est-il ? Que fait-il ? Qui sont ses amis ? " J'ai mentionné Kagan, ce qui t'a tout de suite rehaussé à ses yeux mais pas à ceux de ma mère. En effet, Kagan lui a dit que tu ne possédais qu'une petite compagnie, que tu tentais ta chance mais que tu étais trop ambitieux. Voilà le mot qui a effrayé ma mère : ambitieux. Elle pense que tous les ambitieux sont des aventuriers.

— Elle préférerait sans doute que je sois un raté sans ambition.

— Je me moque de ce qu'elle préférerait. Je veux que tu restes ce que tu es.

— Mais tu t'entends bien avec tes parents, n'est-ce pas ?

— Je m'entendais bien avec eux.

— Mais tu ne veux pas leur faire de peine ?

— Je ne sais pas ; ils ne se soucient guère de m'en faire.

— Ne serait-il pas préférable que tu retournes leur parler ?

— Je leur ai parlé, j'ai crié, j'ai hurlé, rien n'y a fait.

— Ça ne sert à rien de hurler. Mais ils ont raison : ma compagnie est petite, je suis ambitieux, trop ambitieux au regard de mes moyens et nous n'avons été ensemble qu'une journée... et encore !

— Tu prends leur défense maintenant ?

— Bien sûr que non, mais je n'aimerais pas me retrouver coincé entre toi et tes parents.

— Je ne veux plus les voir.

— Tu es fatiguée, tu te sentiras mieux après une nuit de sommeil. »

Les yeux embués de Lotie exprimèrent à la fois sa tristesse et sa colère. « Nahum, je vais prendre ce train pour New York. Si tu ne viens pas avec moi, je pars seule. »

Elle dormit sur son épaule tout le long du trajet, le visage niché contre son cou. Le compartiment était plein mais il ne se sentait pas du tout gêné car il avait l'impression de consoler une enfant.

Arrivés à l'hôtel, elle insista pour partager sa chambre. Quand il lui laissa entendre qu'elle pourrait le regretter le lendemain matin, elle faillit piquer une crise de rage. Ils adoptèrent un compromis en prenant une suite de chambres voisines. Après s'être fait plein de baisers et souhaité quantité de bonne nuit (il en vint à se demander si elle n'allait pas lui demander de raconter des histoires), il la coucha et elle s'endormit.

Tôt le lendemain matin il sentit que quelqu'un lui mordillait l'oreille et qu'un corps doux et chaud se pressait contre lui. C'était Lotie ; il se retourna et roula sur elle.

« Non, pas maintenant chéri, implora-t-elle, s'il te plaît, pas maintenant, je veux garder cela pour notre nuit de noces.

— Les femmes qui veulent rester vierges ne doivent pas monter dans le lit d'un monsieur qu'elles ne connaissent pas. »

En bas des escaliers, alors qu'ils descendaient bras dessus, bras dessous, un grand homme chauve et de forte corpulence les attendait. Lotie essaya d'éloigner Nahum mais comme ils s'asseyaient pour déjeuner, l'homme vint les rejoindre.

« Lotie, ma chère, pourrais-tu me présenter ton ami ? »

Elle resta silencieuse.

« Je m'appelle Althouse, dit-il. Je suppose que vous êtes monsieur Raeburn. »

Lotie ne put continuer à détourner la tête. Il savait visiblement s'y prendre avec elle.

« Il est regrettable que nous devions nous rencontrer ainsi en territoire étranger. N'aimerais-tu pas que monsieur Raeburn vienne passer quelques jours à la maison ? demanda son père.

— Que va dire ma mère ?

— Comment, tu ne le sais pas ? Elle est partie.

— Partie ?

— Tante Frederika est tombée malade et elle est partie la soigner.

— Tante Frederika est toujours malade.

— Cette fois, elle est très malade, la pauvre, et nous nous attendons au pire. »

Nahum voyagea dans le train, assis entre Lotie et son père. Il avait l'impression d'être un prisonnier évadé que l'on ramène sous escorte.

Quand il arriva à leur maison, il comprit pourquoi les parents de Lotie l'avaient pris pour un aventurier. L'ensemble ressemblait à un petit Windsor et il s'attendait presque à voir une douve, un pont-levis et des sentinelles en tuniques écarlates portant des bonnets à poil. Il y avait une armée de domestiques, tous en livrée, noire ou blanche, et il ne pouvait se retourner sans en apercevoir un ou deux en faction. Par la fenêtre de sa chambre, il apercevait des hectares de parc qui s'étendaient aussi loin que le regard pouvait porter. On l'avait pris pour un homme riche — et il commençait lui-même à y croire — mais ce spectacle lui donnait un vague aperçu de ce qu'était une vraie richesse. Que penseraient Lotie et ses parents en voyant sa petite maison de grès rouge à Glasgow et son petit jardin ? Il se sentit diminué.

Lotie dut percevoir son malaise car elle vint vers lui et prit sa main.

« C'est grand, n'est-ce pas ? Trop grand. Personne ne se plaît ici mais tu aimeras les jardins. » Ceux-ci l'impressionnèrent même davantage que la maison car il s'y trouvait des jets d'eau, des cascades, un lac et des parterres de fleurs disposés en terrasse.

« As-tu un jardin ? demanda-t-elle.

— Oui, mais il est un petit peu moins bien tenu que celui-ci.

— Tu te moques de moi, n'est-ce pas ?

— J'ignorais que des gens pouvaient vivre ainsi.

— Kagan vit aussi comme nous. Son parc est moins décoré que le nôtre mais il est bien plus grand. Sa maison est une authentique Stuart alors que la nôtre n'est qu'une copie de Plantagenêt. Ce sont les goûts de ma mère. Sa famille a été expulsée d'un peu partout. Ils avaient d'immenses domaines en Bohême et en Bavière mais on les en a dépossédés. Je suppose que c'est sa façon à elle de reprendre racine sur terre.

— Elle doit avoir de grandes racines.

— Oh, arrête de te moquer de moi. Tu dois penser que nous sommes des Américains parvenus.

— Est-ce que tu te verrais vivre à Glasgow ?

— Je pourrais vivre n'importe où avec toi.

— Même dans une petite maison ?

— C'est mieux qu'une grande maison.

— Même dans une *très* petite maison ?

— Je pourrais vivre dans une tente, à condition qu'il y ait un jardin. Il me faut absolument un jardin.

— J'en ai un, mais je dois te dire qu'il n'a ni jets d'eau ni lac.

— Dommage pour le lac. J'aime les oiseaux aquatiques et j'aime regarder la pluie quand elle fait de petits cratères à la surface de l'eau. Mais il y a des lacs en Ecosse, n'est-ce pas ?

— Oui, mais je n'en ai aucun dans mon jardin.

— J'en ferai faire un. Le nôtre est artificiel, tu sais. Oh, et puis je sais cuisiner, j'ai appris dans une institution pour jeunes filles en Angleterre. Aimes-tu la cuisine française ?

— Parce qu'ils apprennent ça aux jeunes Américaines dans les institutions anglaises ?

— Oui, et la cuisine italienne aussi mais je préfère la française.

— Moi, je préfère la cuisine juive.

— Ma mère en mourrait si elle t'entendait.

— Dommage qu'elle ne puisse pas m'entendre. »

Ils éclatèrent de rire tous les deux.

« Pourquoi est-elle antisémite ?

— Elle ne l'est pas mais elle hait tout ce qui est juif, la religion exceptée. Elle est très religieuse ou plutôt elle pense que la religion est une bonne chose. Elle a fait don de fortunes à des institutions religieuses.

— Mais elle n'aime pas les juifs ?

— Pas ceux qui aiment la cuisine juive ; mais je t'en ferai si tu le veux et j'en mangerai. Je sais diriger une maison, bien que ma mère pense que je gâte trop les domestiques : elle dit que c'est un comportement de parvenu. Tu ne peux pas savoir comme j'ai hâte d'être dans ta maison, de faire la cuisine, le ménage, le petit déjeuner...

— Et d'allumer le feu ?

— Allumer le feu ?

— Vous devez faire comme en Russie ici, vous laissez le feu allumé tout le temps. En Ecosse, on laisse le feu s'éteindre tous les soirs et on le rallume tous les matins. J'en ai fait tout un art et en général l'opération ne me prend pas plus d'une heure ou deux mais quand ça ne marche pas au bout d'une matinée, j'ai envie de mettre le feu à toute la baraque. »

Elle l'écoutait, fascinée et surprise, ses mains jointes sous le menton, comme s'il décrivait un pays inconnu.

« J'aime me lever tôt, seulement, tous les gens que j'ai connus jusqu'à présent dormaient tard ; je n'avais donc personne à qui parler jusqu'à l'heure du déjeuner et il n'y a pas grand-chose à faire le matin, à part rester au lit. J'aurais peut-être mieux réussi dans la vie si mes journées n'avaient pas été des demi-journées. »

A la minute même où il avait posé le pied dans cette maison, Nahum devina que Althouse n'attendait qu'une occasion pour lui parler seul à seul. Il semblait se tapir dans les coins sombres — et il y en avait quantité dans cette maison — pour se jeter sur Nahum, mais à chaque fois le pas alerte ou la voix chantante de sa fille l'obligeait à battre en retraite. Le lendemain matin, ils se retrouvèrent seuls pour le petit déjeuner car Lotie, qu'elle aimât ou non se lever tôt, dormait toujours.

« Je dois partir bientôt, aussi j'aimerais que nous parlions sérieusement. L'absence de ma femme, comme vous l'avez probablement deviné, n'a rien à voir avec la maladie de sa sœur. Elle pensait que votre présence sous notre toit compromettait d'une certaine façon notre fille mais il me semble que notre fille est déjà compromise et que nous sommes placés devant un *fait accompli*[1]. Ma femme, si je puis me permettre d'être aussi direct, pense que vous êtes un aventurier et quand elle a une idée en tête, rien ne peut l'en faire sortir. Kagan lui a dit que vous preniez des risques. Il n'y a rien de mal à cela, au contraire, et de ce côté-là, je vous soutiendrai. J'ignore quels obstacles peut vous imposer sa mère — se couper la gorge par exemple — mais à supposer que vous décidiez de vous marier, ce que j'espère, projetez-vous d'aller vivre en Ecosse ?

— Nous n'en n'avons pas encore discuté mais comme vous le savez mon affaire se trouve en Ecosse.

---

1. En français dans le texte.

— Un beau pays.

— Un très beau pays.

— J'espérais plutôt que vous auriez envie de figurer sur l'organigramme.

— L'organigramme?

— Mon organigramme. Vous savez, mon fils Edgar préfère être agriculteur et je comptais donc sur mon beau-fils. C'est une affaire importante et j'ai du bon personnel mais je suis toujours à l'affût de jeunes gens compétents.

— Je ne suis plus si jeune et ne suis pas certain d'être suffisamment compétent. J'ai monté une affaire à Glasgow et je ne voudrais pas l'abandonner.

— Je devrais peut-être vous exposer ma situation. Je vis dans une certaine aisance mais tout mon argent est immobilisé dans la compagnie ou dans des placements et je ne puis en prélever une part sans risquer de faire s'effondrer tout l'édifice. Si vous étiez membre de la compagnie, les choses se passeraient autrement.

— Excusez-moi de vous interrompre. Pourquoi me dites-vous tout cela?

— Parce que Charlotte, bien qu'elle soit une adorable et charmante enfant, est tout à fait incapable de tenir une maison sans une armée de serviteurs.

— Elle a l'air d'avoir hâte de tenir ma petite maison. »

Il sourit. « Monsieur Raeburn...

— Je m'appelle Nahum.

— Nahum, apparemment vous ne connaissez pas ma fille. C'est une enfant qui croit qu'elle va jouer avec une maison de poupée grandeur nature. Elle a besoin d'un lieu assez grand, d'un certain train de vie et de domestiques. Tout cela ne devrait pas coûter trop cher en Ecosse et naturellement je subviendrai à ses besoins. Mais là n'est pas le problème. Ce qui m'inquiète, c'est votre affaire. Si j'ai bien compris, vous voulez acheter un paquebot transatlantique.

— Un trans...! Je n'en veux qu'une partie, une petite partie, ou alors une participation dans une compagnie qui travaille sur l'Atlantique.

— Mais il vous faudra des dizaines de milliers ou peut-être même des millions de dollars.

— En effet.

— Je ne pourrais vous être d'aucune aide en ce domaine. »

Nahum mit un certain temps avant de retrouver sa voix. « Je m'excuse mais ai-je jamais laissé entendre que je sollicitais votre aide ?

— Vous ne me comprenez pas. Ce n'est pas ce que vous attendez de moi qui importe. Que diraient les gens s'ils savaient que Althouse, le père d'une fille unique, a un beau-fils qui dirige une entreprise de quatre sous dans un coin perdu ?

— Monsieur Althouse, j'ai l'impression que vous êtes trop riche pour devoir vous occuper de telles choses.

— Plus on est riche, plus on a de soucis. Notre société est cotée en bourse. Vous ne pouvez pas imaginer à quel point le marché est sensible et réagit à tous les commérages. Il y a deux ans, quand j'ai voulu mettre cette maison en vente, le cours des actions a commencé à faiblir et il semble que je sois condamné à vivre dans cette maison pour le reste de mes jours. Votre vie ne vous appartient plus à partir du moment où vous devenez un personnage public. »

Ils furent rejoints à ce moment par Lotie qui embrassa son père sur le front et Nahum sur les lèvres.

« Qu'est-ce qu'il était en train de te dire ? Que je ne sais même pas faire cuire un œuf ? Si je veux me marier, c'est également pour leur montrer que je ne suis pas aussi incapable qu'ils le pensent. Et j'ai réfléchi. Je veux qu'il y ait une réception de fiançailles pour que je puisse présenter Nahum à mes amis.

— Mais ma chérie, je n'ai même pas demandé ta main.

— Tu n'as pas demandé ma main ?

— Non.

— Alors n'est-il pas temps de le faire ? Tu ne crois pas, papa ?

— Je n'ai pas à me mêler de tes affaires, ma chérie, mais j'ai le sentiment que l'on ne doit pas faire une demande en mariage l'estomac vide. Tu ne peux donc pas laisser Nahum finir son petit déjeuner ? »

Elle parla à nouveau de sa réception durant le déjeuner.

« Il y a des années que nous n'avons pas organisé quelque chose de ce genre dans cette maison ; nous pourrions alors annoncer nos fiançailles. J'ai hâte de voir leurs têtes, ils croient tous que je suis en train de devenir vieille fille.

— Tu ne penses pas que nous devrions attendre le retour de ta mère avant de décider quoi que ce soit ? demanda son père.

— Mais est-ce que ma mère reviendra un jour ? »

A ce moment, on entendit une voix indignée crier à pleins

poumons : « Ta mère est de retour », et ils se retournèrent tous. Elle tremblait de colère. « Alors, on a tout arrangé ?

— Oh, s'il te plaît maman ne fais pas de scène, ça me rend malade.

— Et moi, ça ne me rend pas malade ? Si tu épouses ce jeune homme, je quitte la maison. »

Son mari passa un bras autour d'elle. « Ma chérie, ce n'est ni le moment ni l'endroit pour discuter de telles choses. »

Elle se libéra de son emprise. « Quand sera-t-il temps ? Quand tout sera fini ? »

Lotie sortit précipitamment de la pièce. « Ça ne sert à rien, criat-elle, ça ne sert à rien, elle ne comprendra jamais. Je ne veux plus la voir. Ça ne me ferait rien si elle mourait. Tu épouserais une orpheline. »

Nahum essaya de la calmer. « Quand nous serons mariés et qu'elle aura des petits-enfants, elle changera.

— Des petits-enfants ? Je ne la laisserai pas les approcher. »

C'était une situation pénible et embarrassante pour Nahum. Il détestait les scènes, les cris et les récriminations.

« J'aime ma mère mais tu ne peux pas savoir comme je la hais quand elle me met dans cet état. Une fois j'ai failli coucher avec un serviteur noir après l'une de ces scènes mais j'ai craint que père ne le fasse lyncher. Je la hais. »

Le père vint les rejoindre quelques minutes plus tard.

« Je suis désolé, dit-il. Ma femme n'est pas une personne facile à vivre. Elle s'est rendue malade mais j'ai appelé le médecin qui l'a calmée. »

« Avec quoi, une hache ? » avait envie de lui demander Nahum.

Il était parti de Glasgow depuis deux semaines et il avait pris des dispositions pour y retourner lors de la troisième semaine mais il télégraphia à Colquhoun qu'il lui fallait repousser son départ.

Avec Althouse, ils avaient réussi à convaincre Lotie, dont la mère était très malade, d'abandonner l'idée de fiançailles et de réception pour mieux se consacrer à la préparation du mariage dont la date fut fixée pour le mois de juin suivant. Nahum et Lotie se rendirent entre-temps plusieurs fois chez des notaires pour régler les affaires de Lotie.

« Mes grands-parents, mes oncles, mes tantes m'ont laissé de l'argent mais je n'en ai jamais vu la couleur, se plaignit-elle. Tout a été immobilisé et, pour autant que j'ai pu m'en rendre compte, la plus grande partie est allée aux notaires. »

Ils restèrent à New York le temps de remplir ces formalités. Lotie demanda à rencontrer Esther et sa famille. Nahum appréhendait cette rencontre et les événements confirmèrent pleinement ses craintes.

Quand Esther arriva, Lotie se précipita pour l'embrasser mais devant sa froideur, elle se retrancha aussitôt derrière un silence affecté. Arnstein essaya d'engager la conversation.

« J'ai entendu dire que vous étiez de Philadelphie.

— Oui.

— Belle ville.

— Certains quartiers le sont.

— Vos parents sont dans les affaires ?

— Oui.

— Comment vous dites que c'est votre nom ?

— Althouse.

— Althouse ? Les...

— Les... »

Il en fut tout intimidé et resta silencieux durant tout l'après-midi, lançant des regards en direction de Nahum qui semblaient dire : « Il y en a qui retombent toujours sur leurs pieds. »

Pendant ce temps, la fille d'Esther, une vive et turbulente enfant rousse aux yeux verts, se chargea de mettre la panique dans l'hôtel. La conversation à peine entamée, elle fut aussitôt interrompue par des bruits de verre brisé ou de plantes vertes s'écrasant au sol. En fin de compte, Lotie prétexta un mal de tête pour rejoindre sa chambre.

« Pas mal, pour un garçon de Volkovysk, dit Arnstein. Qui a dit que l'Amérique n'était plus une terre de promesses ? Vous allez vous installer à Philadelphie ?

— Pourquoi le devrais-je ?

— Parce que son père possède quasiment Philadelphie. Il est aussi riche que Rothschild. Vous voulez un transatlantique ? Il pourrait vous acheter une flotte entière en petite monnaie. Vous devriez voir son magasin, c'est une ville. Tout ce que vous pouvez imaginer, tout ce dont vous pouvez avoir envie se trouve rassemblé sous un seul toit. Tout ce dont vous avez besoin, c'est d'argent. En fait...

— Veux-tu te taire une minute ? lança sa femme. Ils ne sont pas encore mariés.

— Je n'ai pas dit un mot de tout l'après-midi.

— Alors, continue. » Elle se tourna vers Nahum : « Elle est très jolie mais très fragile. Es-tu certain qu'elle soit en bonne santé ?

— Parce qu'avec tout cet argent elle devrait être en bonne santé par-dessus le marché ?

— Tu vas te taire ?

— Je n'ai rien dit.

— Elle a des problèmes mais ils n'ont rien à voir avec sa santé, dit Nahum.

— Elle est plutôt timide.

— D'habitude elle ne l'est pas, mais il y a des gens qui l'intimident. Vous étiez assez froids.

— Froids ?

— Oui.

— Moi ?

— Oui.

— Qu'attendais-tu de moi, que je la prenne dans mes bras ? Je ne savais pas trop ce qu'il y avait entre vous.

— Je t'ai dit que c'était une amie que je souhaitais particulièrement que tu rencontres.

— Il y a amies et amies mais, si tu veux tout savoir, elle ne m'a pas tellement plu. Elle fait des manières et elle a l'air d'une enfant gâtée.

— Quelle juive ne l'est pas ? demanda Arnstein. Pourquoi crois-tu que tant de juifs épousent des *shiksas ?*

— Si c'est de l'argent que tu veux, elle peut incarner le choix idéal mais tu connais le vieux proverbe yiddish : la femme qui a de l'argent coûte de l'argent.

— Quoi qu'elle te coûte, dit Arnstein, elle t'en apportera plus que tu ne seras jamais capable d'en dépenser.

— Tu ne peux pas te taire ?

— Voilà pourquoi tant d'hommes épousent des *shiksas*. Avec une femme juive, on ne peut pas placer un mot.

— L'argent ne t'est pas important à ce point, n'est-ce pas ? Il ne l'était pas pour ton père. Il se peut que cela ne te fasse rien d'en gagner ou d'en avoir mais as-tu vraiment envie de te marier avec une fortune ? C'est de l'argent cher payé. Mais si tu veux te marier avec elle, ne me demande pas mon avis ; après tout, je n'ai pas demandé le tien. Je viendrai au mariage, j'apporterai un cadeau et je m'achèterai même une robe neuve. »

Puis elle récupéra sa fille, qui à ce moment arrachait les franges d'un tapis, et s'en alla.

En la regardant partir, Nahum se sentit soulagé de n'avoir que sa sœur à New York et pas sa mère. Le lendemain matin, alors qu'il bouclait ses valises, il reçut une lettre de sa mère lui annonçant qu'elle était de nouveau veuve, qu'elle se retrouvait seule à Volkovysk et qu'elle était en train de prendre des dispositions pour venir à Glasgow.

13.

Nahum se demandait parfois pourquoi il pensait si peu à sa mère. Son mariage avec Grossnass les avait quelque peu séparés. Elle ne lui avait pas demandé son avis pour ce mariage (et pour Nahum elle aurait dû le faire). Certes, si on lui avait demandé son sentiment, il ne s'y serait pas opposé mais l'idée d'avoir Grossnass pour beau-père ne l'enthousiasmait guère. Après leur mariage, il donna de moins en moins signe de vie. Il adressa à sa mère un petit mot pour la Pâque et le Nouvel An et elle répondit tout aussi succintement.

Après qu'il eut rencontré Esther, il lui envoya un télégramme pour lui dire que tout allait bien pour elle ; puis, il écrivit une lettre où il évoquait les circonstances de leur rencontre et les aventures de sa sœur sans toutefois rapporter les éléments les plus sordides. Il lui parla aussi du physique et de la vivacité (en passant sous silence ses instincts destructeurs) de son unique petite-fille. Au fil de la plume, il en vint à décrire sa situation en des termes plus détaillés que de coutume et notamment les problèmes qui l'avaient amené en Amérique, problèmes qu'il était quasiment certain de résoudre.

Il se demanda par contre s'il devait parler à sa mère de sa future belle-fille mais il était trop difficile de mettre cela par écrit. Le sujet était peut-être trop intime et il décida de lui écrire après son retour à Glasgow lorsque les dispositions du mariage auraient été réglées. Il espérait qu'elle pourrait y assister ; il lui paierait le voyage s'il le fallait.

Sa lettre inattendue et la nouvelle surprenante qu'elle contenait le découragèrent car cela signifiait qu'il devrait commencer sa nouvelle vie de couple avec sa mère comme invitée permanente.

Il en parla à Lotie qui répondit : « Mais bien sûr que ta mère peut loger chez nous, où irait-elle autrement ? J'espère seulement qu'elle n'est pas comme ma mère ou ta sœur. En tout cas, cela veut dire que nous aurons besoin d'une maison plus grande que nous ne le pensions.

— Ma mère n'aura besoin que d'une pièce.

— Et d'une salle de bains, donc d'une domestique supplémentaire. »

Nahum retourna à Glasgow sans se faire annoncer. Au moment précis où il mit le pied dans sa maison, il fut saisi d'un étrange sentiment de soulagement. Il était tel le voyageur qui revient au pays après avoir fait un tour sur une planète exotique. Il s'installa dans un fauteuil et regarda par la fenêtre le terre-plein situé de l'autre côté de la rue. On entendait des enfants jouer mais le bruit déclinait tandis que le soleil se couchait et la clarté du jour s'estompait. C'était un univers paisible. Au loin, il entendait le fracas des tramways. Ces paysages, ces bruits, ces gens, tous familiers, constituaient un monde sain, ordonné, prosaïque. New York, Philadelphie, le château des Althouse, Lotie semblaient n'avoir été qu'un rêve. Il était très heureux dans le monde qu'il s'était créé à Glasgow (bien qu'il eût pensé le contraire en Amérique) et sa rencontre avec Lotie menaçait cette quiétude. A Glasgow, il n'était plus le même homme qu'à Philadelphie. Althouse avait compris son désir de rester à Glasgow et il l'avait réconcilié avec cette idée ; cependant Nahum se sentait menacé non seulement par sa richesse mais aussi par son importance. Avec un tel beau-père, il se demandait combien de temps il pourrait rester maître de sa destinée. Il était impatient de retrouver son bureau et la routine du matin : les réunions avec Colquhoun, la pause café sous les sombres lambris du salon de thé Cranston, le jargon du métier, la tournée d'inspection sur les quais, les entretiens avec les affréteurs et les agents. Il aimait surtout démontrer que l'on pouvait faire des choses réputées irréalisables. Il pensait par exemple que les navires passaient trop de temps à quai. Quand on lui dit qu'il ne pouvait en être autrement, il se rendit dans différents ports, investit de l'argent là où c'était nécessaire, changea quelques employés et prouva qu'il avait raison. Il pensait toujours qu'une installation à New York n'était pas improbable, mais était-ce ce qu'il désirait vraiment ?

En son absence, Mme O'Leary avait nettoyé la maison et l'avait réapprovisionné en produits de première nécessité. Il était en train de se préparer un petit repas lorsqu'on frappa à la porte. Tobias et Katya, tous deux vêtus de noir, firent leur entrée.

« J'ai vu la lumière allumée et je me suis demandé si vous n'étiez pas de retour. Quand êtes-vous arrivé ? demanda Tobias.

— Tôt ce matin.

— Alors, tu ne viens pas embrasser ta tante ? » dit Katya.

Il l'embrassa sur la joue mais elle le saisit à bras-le-corps pour l'embrasser sur la bouche.

« Tu ne sens plus la même odeur, et tu as l'air d'avoir changé, fit-elle remarquer.

— Qu'est-ce que tu voudrais qu'il sente, la vanille ?

— Je suppose que tu n'es pas au courant », ajouta Katya.

Le cœur de Nahum se serra. « Au courant de quoi ?

— Pourquoi crois-tu que nous sommes habillés ainsi ? Nous revenons d'un *shiva*[1], une pénible affaire.

— Qui est mort ?

— Quelqu'un de Volkovysk ; l'époux de Miri.

— Yerucham est mort ?

— Et comment !

— Il a péri dans un incendie il y a deux semaines.

— Et le *shiva* n'a lieu que maintenant ?

— Ce n'était pas un décès très ordinaire.

— Ne lui dis pas, ça me rend malade rien que d'y penser, dit Katya.

— Il était monté avec deux grosses prostituées et comme tu le sais, du moins si tu l'avais vu récemment, Yerucham n'était pas un squelette non plus. Les pompiers ont retrouvé une masse carbonisée. Leur graisse avait fondu et ils ont pu à peine distinguer le corps de Yerucham de celui des prostituées.

— Une fin méritée, s'il en fut, ajouta Katya.

— Je ne le crois pas.

— Toute la ville en parle.

— Comment Miri l'a-t-elle pris ?

— Avec sang-froid, dit Katya. Elle aurait certes préféré qu'il périsse d'une façon moins dramatique mais tu peux être sûr qu'elle se réjouit de sa disparition. On a cru un moment que l'incendie était d'origine criminelle et c'est pourquoi l'enterrement et le *shiva* ont été

---

1. *Shiva* : période du deuil qui dure sept jours.

repoussés. Je ne serais pas étonné qu'elle en soit responsable et je ne l'en blâmerais pas si c'était vrai. Il était assuré pour une fortune. Elle a demandé de tes nouvelles et quand je lui ai dit que tu étais parti en Amérique, elle m'a affirmé : « Je parie qu'il reviendra avec une femme. » Tu as *vraiment* changé, tu sais.

— Il n'aurait pas changé s'il n'avait eu dès son retour d'Amérique une tante bavarde qui vienne lui casser les oreilles avec des bêtises, dit Tobias. Allez, viens. »

Dès qu'ils furent partis, il enfila son manteau et se précipita chez Miri. Elle se préparait un verre dans la cuisine, vêtue d'un peignoir. Son visage s'éclaira lorsqu'elle le vit.

« Je croyais que tu étais en Amérique.

— Je viens de rentrer et j'ai appris la nouvelle.

— Par qui ?

— Katya.

— Ne crois pas un mot de ce qu'elle t'a dit.

— Mais Yerucham est mort.

— Oui, c'est vrai, mort et enterré, mais il faut en prendre et en laisser dans ce qu'on raconte. Parle-moi de toi. As-tu trouvé ce que tu cherchais ?

— Qu'est-ce que j'étais supposé chercher ?

— Que recherche généralement un beau célibataire à la tête d'une entreprise prospère quand il va en Amérique ? As-tu déniché une héritière ?

— Ça se pourrait bien.

— Ce qui veut dire oui. Je suppose que le mariage aura lieu en Amérique ; j'y assisterai à condition d'avoir été prévenue. Est-ce que je peux t'embrasser pour te souhaiter *mazeltov* ?

— C'est peut-être prématuré.

— Je t'embrasse tout de même. » Comme elle s'exécutait, sa fille Sophie entra et se retira précipitamment.

« Tu sais, j'ai toujours l'impression que cette enfant m'espionne. Elle se déplace dans la maison comme une ombre.

— Comment les enfants ont-ils pris la nouvelle ?

— C'est difficile à dire avec elle. Elle n'a pas dit un mot mais elle est toujours comme ça. Elle n'a pas versé une larme. Alex a été plus secoué mais Hector est devenu le héros de son école. Partout où il va, les gosses lui demandent des détails et je suppose que certaines des histoires que t'a racontées Katya ont été inventées par lui. Mon père l'a évidemment très mal pris. Cela s'est passé à Edimbourg et il a fallu que quelqu'un de la famille aille identifier les restes. J'étais prête à y aller mais mon père ne l'a pas voulu ; c'est lui qui y est allé. Il a déjà vu bien des choses dans sa vie cependant je ne crois pas qu'il s'attendait à voir ce qu'il a vu. Je n'aurais pas dû le laisser aller seul, c'est un vieillard. Quand il est revenu, il a failli s'évanouir. Il était trop malade pour assister à l'enterrement et depuis il n'a pas quitté le lit. Il adorait Yerucham. » Elle regarda Nahum tendrement. « Tu dois être épuisé.

— Un peu moins que je ne l'étais tôt ce matin.

— Tu as maigri. Tu devrais continuer, cela te va bien d'être mince.

— J'ai eu le mal de mer durant presque tout le voyage et je n'ai rien mangé.

— Tu devrais traverser l'Atlantique plus souvent. A quoi ressemble-t-elle ? Est-elle très jolie ?

— Très jolie. Mais n'en parle à personne, ma mère ne doit pas le savoir.

— Je ne dirai pas un mot. Je suis très contente pour toi. »

Il retourna à son imposante pile de dossiers où figuraient notamment les projets d'association établis par Kurtzhammer. Il les avait examinés en détail durant la traversée. Ils semblaient tout aussi intéressants que Kurtzhammer l'avait laissé entendre mais il les examina avec un enthousiasme qu'à New York ; il attribua ce changement à sa rencontre avec Althouse. Si le projet se réalisait, il devrait certainement partir en Amérique et il craignait alors de passer complètement sous la coupe d'Althouse. Il referma le dossier, le rangea dans un tiroir du bas et songea à ses problèmes familiaux.

Sa mère allait bientôt arriver. Le déluge des lettres et des télégrammes presque quotidiens adressés par Lotie l'avait surpris. Les lettres étaient longues et affectueuses, les télégrammes brefs et réprobateurs. Elle lui demandait pourquoi il n'écrivait pas et comme il lui répondait qu'il avait aussi du travail et qu'il cherchait activement une maison convenable, il recevait en retour de longues lettres vindicatives qui se terminaient d'habitude ainsi : « Mais naturellement, si ton travail est plus important pour toi que mon bonheur, alors ce n'est plus la peine que tu écrives. Je laisserai ton silence parler pour toi. » Il avait parfois envie de le faire.

La maison posait un problème. Il devait trouver quelque chose d'assez grand pour loger Lotie, lui-même *et* sa mère. Par ailleurs il avait dit à Lotie qu'il ne désirait aucunement vivre dans un château à la Althouse. Lotie lui avait affirmé qu'elle ne le souhaitait pas non plus, ce qui résolvait une partie de la question. Et puis, une fois résolues ses difficultés de gestion et mis à part son projet d'association, il pourrait toujours avoir envie de partir pour l'Amérique. Il avait beau refouler l'idée de cette perspective, il se sentait irrésistiblement attiré vers l'Ouest (peut-être parce qu'il ne pouvait imaginer Lotie vivant à Glasgow). Dans ces conditions, il pensa que le mieux serait de louer une maison et il confia l'affaire à la compétente Jessie Colquhoun. C'est à ce moment qu'il fit part de ses intentions immédiates à Colquhoun.

« J'en suis ravi, mais pourquoi as-tu agi comme s'il s'agissait d'un vilain petit secret ? demanda Colquhoun.

— Parce que ma mère ne le sait pas et je ne veux pas qu'elle l'apprenne par personne interposée. » Nahum se demandait en fait si l'une des raisons de sa discrétion n'était pas qu'il nourrissait l'espoir secret que la chose ne se réaliserait jamais. Il ne comprenait pas son manque d'enthousiasme. N'allait-il pas épouser la fille de ses rêves, une belle jeune femme issue d'une bonne famille, gracieuse, épanouie, riche ? Il aurait dû être au septième ciel alors qu'il avait l'impression de devoir affronter le Jugement Dernier. Redoutait-il le mariage en lui-même ou s'inquiétait-il des changements pécuniers qui découleraient de cette union ? Ou alors, n'était-ce pas plutôt l'arrivée de sa mère qui le tracassait ?

Celle-ci avait initialement prévu de venir sur le *Tikvah* et il lui avait fait réserver la meilleure cabine ; mais le temps était à la tempête et elle décida de venir en train. Il alla la chercher à Victoria Station. Ses cheveux avaient viré au gris argenté, ce qui lui donnait un air distingué. Son menton et son cou s'étaient un peu empâtés mais pour le reste elle n'avait guère changé depuis qu'il l'avait vue la dernière fois.

Elle se recula pour mieux le regarder. « Tu as perdu des cheveux, dit-elle, mais la moustache te va bien. »

Ils prirent le petit déjeuner à la gare puis empruntèrent les services d'un fiacre pour se rendre à Euston Station où ils devaient prendre le train du matin à destination de Glasgow. Il ne lui avait toujours rien dit au sujet de Lotie. Son secret lui pesait et il se sentait barbouillé. Il pensa le lui dire dans le train mais ils parlèrent surtout d'Esther. Elle s'endormit par la suite et lorsqu'ils arrivèrent à Glasgow, il n'avait toujours pas dévoilé son secret. Il se demanda s'il le lui dirait jamais.

Ils furent accueillis à Central Station par Tobias, ses deux filles,

Katya et Lazar. A la maison, ils prirent un repas composé de brochet farci, d'une soupe de canard, de beignets, de langue fumée, de canard rôti accompagné de pommes de terre et de légumes, d'une compote de fruits.

« Ce n'était pas un repas, dit l'invitée d'honneur, c'était un banquet de noce. Tu n'as pas oublié tes talents culinaires, Katya.

— J'aurais aussi bien fait de les oublier, pour ce qu'ils me servent. Mon mari essaie de maigrir, du moins j'essaie de le faire maigrir et puis, cela ne me ferait pas de mal à moi non plus de perdre une livre ou deux. Lazar est trop occupé pour manger et les filles ne font que grignoter. Tu te souviens des repas de notre mère ? ça ne lui faisait pas peur d'avoir vingt personnes à table.

— Notre mère avait des domestiques.

— Et nous étions si pauvres.

— Nous n'étions pas si pauvres que cela pour pouvoir inviter vingt personnes.

— Nous étions pauvres en comparaison de Yechiel ou de Grossnass et très pauvres comparés à ton fils. Il est très riche tu sais, mais il n'a qu'une femme de ménage et pas un seul domestique.

— Pourquoi aurais-je besoin de domestiques ?

— Avoir des domestiques n'est pas une question de besoin mais de standing. » Nahum changea de sujet et demanda à sa mère des nouvelles de Volkovysk.

« Maintenant que j'en suis partie, dit-elle, je me demande comment j'ai pu y rester si longtemps. J'ai l'impression de me réveiller d'un très long sommeil.

— Qui reste-t-il ?

— Ceux qui sont trop pauvres pour partir et ceux qui sont trop riches pour vouloir partir.

— N'en a-t-il pas toujours été ainsi ?

— Non. Autrefois, quand j'étais un peu plus jeune, on allait se coucher en espérant que les choses iraient mieux le lendemain matin. Il y avait un sentiment de continuité. On voyait toujours les mêmes gens, les mêmes visages. Maintenant le vide se fait. Tu ne peux imaginer le sentiment de désolation qui te saisit lorsque tu vois des gens que tu connaissais depuis des années partir en masse dans toutes les directions, en Argentine, en Afrique du Sud, en Amérique, en Angleterre. Il n'y a pas eu de pogrom à Volkovysk mais ce n'était pas la peine. Les juifs partent quand ils en voient d'autres partir.

— Mais tu ne serais pas partie si Grossnass était toujours vivant.

— Nous nous préparions à le faire mais ce n'était pas facile. Channan avait beaucoup d'affaires à régler et puis il y avait ses filles à marier.

— Ne sont-elles pas mariées ?

— Si, et bien mariées, Dieu merci, mais leurs maris, étaient sans le sou. Nous avons dû les lancer dans les affaires alors que celles de Grossnass périclitaient. Ça a été une période difficile. Les gens n'achetaient plus qu'au jour le jour, personne ne voulait faire de stocks. Tu ne me croiras peut-être pas mais Channan est mort presque sans le sou. » Au vu de la tête des convives, il était évident que personne ne la croyait. Elle n'avait rien d'une pauvre veuve.

Katya servait le thé lorsque Nahum mentionna, presque en passant, qu'il était sur le point de se marier. Le verre qu'elle tenait tomba pour se briser avec fracas et tout le monde cria *Mazeltov*.

« J'attends cela depuis douze ans. Pourquoi ne l'as-tu pas dit plus tôt ? D'où est-elle ? demanda sa mère.

— D'Amérique, certainement, affirma Katya. Je parie qu'elle est riche. Que fait son père ?

— C'est un commerçant.

— Quelle sorte de boutique tient-il ? Que vend-il ? interrogea sa mère.

— De tout.

— D'où viennent ses parents ?

— Son père est de Vienne, sa mère est américaine.

— Américaine américaine ?

— Oui.

— Oh la la. Est-elle juive ?

— Presque.

— Faut-il vraiment que je te tire les vers du nez pour savoir quelque chose de toi ? cria-t-elle, exaspérée. Assieds-toi, dis-nous qui sont ces gens, comment tu l'as rencontrée et où tu comptes vivre.

— Il va devenir millionnaire et il ne voudra plus entendre parler de nous », dit Katya d'une voix maussade. Mais son visage s'éclaira soudain. « Au fait, il a une sœur ? Lazar pourrait se contenter d'une femme riche. »

Jessie finit par trouver une maison de grès rouge indépendante avec un grand jardin, des serres et une belle vue sur la Cart et les collines environnantes. Certes, avec ses trois salons, sa salle de billard, son jardin d'hiver et ses chambres de bonnes elle ne correspondait pas tout à fait à ce qu'il avait imaginé, mais il ne voyait pas Lotie habiter dans une plus petite demeure. Il versa des arrhes et télégraphia à Lotie de venir la visiter afin qu'il puisse signer le contrat de location. Il pensait qu'elle ne viendrait pas avant trois ou quatre mois et partit en Pologne pour régler de sérieux problèmes causés par Schwartzman à Dantzig.

Un jour, alors que Katya prenait le thé avec sa sœur, on frappa à la porte. Elle ouvrit et se trouva nez à nez avec une grande jeune femme élégamment vêtue qui lui souriait en manière d'excuse.

« Je suis désolée de vous déranger, je suis la fiancée de Nahum. Vous devez être sa mère, vous lui ressemblez. » Katya était bien trop interloquée pour lui répondre et elle lui fit signe d'entrer.

« Je sais que ma visite est inopinée. J'étais à Paris pour voir mon couturier mais mon père m'a télégraphié pour me dire que vous aviez trouvé une maison, alors je n'ai pu attendre. Je dois la voir tout de suite. J'aurais dû prévenir mais je voulais faire une surprise à Nahum. Je suppose qu'il est toujours à son bureau.

— Il est parti à l'étranger », dit Katya. Le visage de Lotie se décomposa mais s'éclaira lorsqu'elle fut présentée à sa mère. Après un moment d'hésitation partagée, elles tombèrent dans les bras l'une de l'autre.

« Toutes les femmes de la famille de Nahum sont belles, y compris sa sœur et sa petite nièce », dit Lotie.

La maison n'était pas très éloignée. Elles s'y rendirent à pied et en firent le tour. Lotie la trouva « belle » et ajouta : « Exactement, mais exactement ce que je voulais. C'est une maison de rêve. » Elle visita chaque pièce, tout excitée, prenant des notes, des mesures et discutant avec elles de ses projets. Elle voulait un lit à baldaquin dans sa chambre : « Un vrai. Il n'y a pas besoin que la reine Elizabeth y ait dormi mais ce devra être du véritable Tudor. » Elle trouva le jardin un peu petit, cependant, ajouta-t-elle, « peut-être pourrions-nous acheter la maison voisine et la faire abattre. Ne leur dites pas, sinon ils feront monter le prix. »

Elles espéraient la persuader de rester quelques jours jusqu'au retour de Nahum mais il lui fallait retourner à Paris, sinon, dit-elle, son trousseau ne serait pas prêt pour le mariage. Elle partit par le train du matin. « Je reviendrai dans une semaine environ ; entre-temps, il peut me joindre au Crillon », leur déclara-t-elle avant son départ.

Elle envoya un télégramme à Nahum, qui le reçut alors qu'il était sur le point de prendre le bateau. Il décida alors de changer de moyen de transport et prit le train. Lorsqu'il arriva au Crillon, elle était déjà partie.

« Elle a dû s'en aller précipitamment, expliqua un employé. Sa mère est gravement malade. »

Quand il arriva à Glasgow deux jours plus tard, il apprit que sa mère était morte. Il resta une nuit à la maison pour se reposer et prit le premier bateau en partance pour New York. Lorsqu'il arriva à Philadelphie, Lotie était au lit, malade. Elle avait les paupières gonflées, était blafarde et semblait prostrée.

« Je ne voulais pas que tu viennes, dit-elle en pleurant. Je ne voulais pas que tu me voies dans cet état. Pourquoi es-tu venu ?

— Parce que je sais les sentiments que tu portais à ta mère.

— Je l'ai tuée. C'est comme si je l'avais fait de ma propre main. Nous ne pouvons plus nous marier et nous n'aurions jamais dû en faire le projet. Pauvre maman. »

Nahum ne vit aucun intérêt à discuter avec elle tant qu'elle serait dans cet état. Il s'assit sur le lit et lui prit la main.

« J'étais la seule qui comptait à ses yeux. Mon père ne faisait plus attention à elle et Edgar lui parlait à peine. Elle n'avait que moi et je l'ai abandonnée. Elle était dans le coma lorsque je suis partie pour Paris. Edgar disait qu'elle faisait semblant d'être malade. Je l'ai tuée. »

« Il lui faudra du temps, dit le docteur à Nahum. Accordez-lui une autre semaine. » Mais une semaine s'écoula, puis deux et son état ne se modifia guère. Nahum lui portait le petit déjeuner sur un plateau et parfois elle descendait déjeuner en s'appuyant lourdement sur son bras. Il lui avait plusieurs fois signalé que des difficultés avaient surgi à Glasgow mais jamais il ne lui vint à l'esprit que Nahum pourrait écourter son séjour pour retourner travailler. Elle supposait probablement qu'il resterait définitivement.

Schwartzman avait détourné d'importantes sommes d'argent et pour Nahum la chose n'avait pu se produire sans l'incompétence notoire ou la complicité d'un membre du bureau de Glasgow. Il avait fort envie de connaître le fin mot de l'histoire. En plus de cela son inactivité le déprimait. Il dormait seul, se levait tôt, buvait son café, prenait un bain et faisait une longue promenade autour du domaine avant de rejoindre Lotie pour le petit déjeuner mais sa compagnie, sa conversation, ses larmes ne le réconfortaient guère. C'était peut-être la preuve qu'il ne l'aimait pas réellement, bien qu'elle ne fût plus la

Lotie dont il était tombé amoureux. La mère de Nahum avait pourtant succombé à son charme. « Elle est si gaie, si vivante, si belle, gracieuse, si divine, lui avait-elle confié. Tu m'avais dit qu'elle était riche mais tu ne m'avais pas dit que tu avais trouvé une reine. Elle rayonne de beauté. La maison s'illumine dès qu'elle entre. » Elle ne rayonnait plus maintenant. Elle était pâle, inerte, submergée par le remords et l'auto-compassion. Malgré les espoirs du docteur, son état semblait empirer.

Althouse lui dit : « C'est déjà arrivé, ça arrivera encore, ne vous en faites pas », ce qui lui apporta un maigre réconfort. Il disparut soudainement pour de prétendues affaires urgentes et laissa Nahum seul dans cette grande maison. Il commença par détester les domestiques qui le regardaient d'un air amusé ; ils étaient insolents et souvent ivres.

L'après-midi ou en fin de soirée, des parents, des amis venaient parfois rendre visite à Lotie mais elle ne le présentait jamais. Ils pensaient que ce devait être un quelconque domestique et il commença à se sentir dans la peau du personnage, surtout après que Lotie eût fait installer une sonnerie reliant sa chambre à la sienne.

Un jour, Esther vint leur rendre visite. Il était si heureux de voir ce qu'il appelait un « visage normal » qu'il faillit en pleurer. Elle ne resta pas longtemps. « Cette fille est folle et si tu restes ici plus longtemps, tu vas le devenir toi-même », lui dit-elle.

Le lendemain, il faisait une chaleur torride. Il descendit vers le lac situé un peu à l'écart du domaine, se déshabilla et entra dans l'eau. S'il n'avait aperçu le toit crénelé de la maison, il aurait pu se croire dans leur *dacha* de Volkovysk car il ne s'était pas baigné nu depuis. Il y avait même un rideau de bouleaux qui descendait presque jusqu'au bord de l'eau. Il nagea sur le ventre, sur le dos, plongea, s'ébroua ; pour la première fois depuis son arrivée, il se sentait libre de tout souci et détendu. Alors qu'il refaisait surface, il vit qu'il n'était plus tout seul. Lotie, vêtue de sa chemise de nuit, était aussi dans l'eau, les cheveux défaits telle une Ophélie noyée.

« Pourquoi ne m'as-tu pas dit que tu allais nager ? lui demanda-t-elle.

— Je n'avais pas projeté de le faire mais comme il faisait chaud, je suis venu.

— Et tu m'as laissée toute seule ?

— Tu ne descends jamais le matin.

— Si j'avais su qu'il faisait chaud, je serais descendue.

— Si tu m'avais laissé ouvrir les rideaux, tu aurais vu le temps qu'il faisait. Tu te caches dans le noir.

— Tu es fâché.

— Non.

— Tu as l'air de l'être.

— Lotie chérie, je pense que tu devrais quitter Philadelphie et cet endroit, sinon tu ne guériras pas. Cette maison est un tombeau.

— J'y suis née. Ma maman l'a fait construire et a participé à l'élaboration des plans. Oncle Willie en a été l'architecte. Comment peux-tu appeler ça un tombeau ?

— La maison est déjà assez sombre et tu ne laisses jamais entrer la lumière.

— Elle me fait mal aux yeux.

— Partons pour quelques jours et **nous** verrons bien l'effet que cela te fera.

— Je ne peux pas voyager. Je suis trop mal. Je suis faible. Je pense que tu devrais te rhabiller. Je ne veux pas que les domestiques te voient dans cette tenue. »

Cette nuit-là, il reçut un télégramme ainsi libellé : ENQUÊTE POLICE URGENT REVENIR.

Il montra le télégramme à Lotie et lui annonça qu'il devait partir à Glasgow sans plus tarder. Il s'attendait à subir une scène — avec larmes, récriminations et peut-être même un évanouissement — mais elle lui dit d'une voix calme qui le surprit : « Si tu ne supportes pas ma compagnie, vas-y, je t'en prie.

— Tu sais que je ne peux pas faire autrement.

— Je sais seulement que lorsque maman était malade, mon père ne la quittait jamais.

— Tu as vu le télégramme.

— J'en ai assez de tes télégrammes. »

Nahum sentit qu'il n'y avait rien d'autre à dire et monta faire ses valises.

14.

Nahum retourna à ses soucis familiaux et professionnels. L'origine de ces derniers provenait d'un système de réduction qu'il avait lui-même institué pour les réservations de groupes à partir de douze personnes. Schwartzman, son agent de Dantzig, un alerte petit homme chauve aux oreilles pointues, avait fait des regroupements fictifs de personnes qui voyageaient séparément, et il empochait la différence. Cependant, comme il estimait que cette combine ne l'enrichissait pas assez rapidement, il s'était mis d'accord avec le commissaire de bord du *Tikvah* pour admettre des passagers en surnombre grâce à une double billetterie. Les autorités eurent vent de ces pratiques et une enquête de police fut ouverte. Nahum prouva qu'il avait été victime de ces agissements, ce à quoi le juge lui rétorqua : « Une compagnie bien gérée ne tolère pas de tels agissements », et il lui infligea une amende de dix mille livres pour présentation de faux manifeste.

Ce qui déprima le plus Nahum c'était que le jeune Cameron, le protégé de Colquhoun qui dirigeait le bureau de Leith, avait laissé passer les papiers du commissaire de bord sans les vérifier et bien qu'il n'existât aucune preuve de sa complicité, un léger doute subsistait quant à celle-ci.

« Je sais qu'il est compétent, vif et intelligent, dit Nahum, mais je l'ai toujours trouvé un peu trop vif. De plus, j'ai souvent eu l'impression qu'il se moquait de moi. Je m'aperçois maintenant qu'il y avait matière à plaisanterie. »

Cette affaire affecta profondément Colquhoun. « Nous lui avons probablement confié de trop nombreuses responsabilités et il a été exposé a de trop nombreuses tentations. Il est encore très jeune, tu sais. Nous devrions peut-être lui donner une seconde chance.

— Je le ferais aussi, dit Tobias. Quand on a pris quelqu'un la main dans le sac, on a un esclave pour la vie. C'est un gamin compétent, il pourrait nous être utile.

— Si telle est votre philosophie, dit Nahum, je me demande comment vous faites votre métier.

— C'est le genre de choses qui arrivent quand on se développe trop vite, fit remarquer Kagan. Il est heureux que vous n'ayez pu mettre sur pied votre liaison transatlantique, sinon vous auriez coulé. J'ignore quels sont vos projets d'extension mais cela devrait vous servir de leçon pour l'avenir. »

Toute l'affaire, les frais de justice inclus, lui coûta quelque vingt mille livres. Curieusement, il en rejeta la faute sur Lotie. Schwartzman avait déjà commis des irrégularités quelques années auparavant et Nahum se targuait d'avoir su très vite les déceler. Il était convaincu que s'il n'avait pas fait la connaissance de Lotie, il aurait pu enrayer le mal avant que la police ne s'en mêle. Mais cela aurait pu être pire. Il aurait pu se retrouver avec une faillite *et* Lotie sur les bras.

En attendant, il avait sa mère sur les bras. Quand il lui annonça à son retour de New York qu'il avait rompu avec Lotie, elle simula une syncope mais elle retrouva, bien trop vite au gré de Nahum, ses esprits. Il ne l'avait jamais vue aussi chagrinée.

« Peu importe qu'elle soit riche. On se sent mieux rien qu'en la regardant, elle est extraordinaire. La mort d'une mère, malgré ce que tu dois en penser, est une chose terrible et le chagrin doit lui faire perdre la tête ; ce n'est pas une raison pour que tu perdes *la tienne*. Attends quelques semaines et retourne la voir. Elle t'attendra. Je sais comment fonctionne la tête des femmes.

— Mais tu ne sais pas comment fonctionne la mienne », dit-il. Il n'était pas certain de le savoir lui-même cependant il savait combien il avait été soulagé de quitter Lotie. Sa mère avait peut-être raison : Lotie était probablement extraordinaire mais il préférait vivre une vie ordinaire. Il retrouva la peau de l'ancien personnage qu'il avait été avant sa rencontre avec Lotie. Sa mère, déçue et affligée, commença à bouder. Elle boudait bien, et une fois lancée, elle pouvait continuer durant des mois et si nécessaire des années. Sa sœur, qui venait souvent à la maison, l'imitait.

« Un peu de standing n'aurait pas fait de mal à la famille, dit-elle. Tu nous as tous laissés tomber. »

180

Lorsque sa sœur écrivit pour dire combien elle était heureuse que sa relation fût cassée, sa mère répliqua : « Qui se croit-elle pour donner des conseils ? Veux-tu faire de ta vie ce qu'elle a fait de la sienne ? »

Sa rupture avec Lotie mit également un terme à ses projets sur l'Atlantique, ce qui le persuada que ces deux aspects avaient été liés dans son esprit. Il s'était cru amoureux de Lotie mais de toute apparence l'argent avait influencé ses sentiments. Sa mère n'avait pas tout à fait tort. Il ignorait sa fortune quand il l'avait rencontrée pour la première fois mais il était bien évident que quiconque, et surtout en Amérique, apparaissait dans une réunion familiale chez Kagan devait être riche.

Un jour de *Sabbath,* Nahum se trouvait à la synagogue lorsque son attention fut attirée par une agitation qui se produisait au premier rang. Quelqu'un était tombé ou s'était évanoui ; des fidèles se précipitèrent pour lui porter secours tandis que l'on criait : « Ecartez-vous, laissez-le respirer. » Une ambulance arriva enfin et Nahum fut abasourdi de voir que le brancard évacuait Moss Moss. Il mourut dans la nuit.

Nahum fut profondément affecté par le décès de Moss Moss car le vieil homme lui rappelait ses humbles débuts à Glasgow. Il se souvenait de sa maison, de l'odeur envahissante des poulets, de sa femme surmenée et harassée qui distribuait à tous des imprécations et du thé. Avec la mort de Moss Moss quelque chose de son passé s'en était allé. Il sentit qu'il avait perdu son statut d'étranger, d'exilé et plus encore, celui du jeune homme plein de promesses (ce que les gens disaient souvent de lui). L'affaire Schwartzman lui avait servi de leçon et il n'avait plus d'autres projets d'expansion. Il pensa qu'il ne progresserait probablement pas davantage dans le monde des affaires. Il se sentait bizarrement entre deux âges et il se demandait parfois, tout comme sa mère, s'il se marierait jamais.

Miri prit la mort de son père avec sang-froid.

« Nous savions qu'il n'en avait plus pour longtemps, dit-elle à Nahum. Il n'aurait pas dû se lever mais nous ne pouvions l'empêcher d'aller à la synagogue. Je pense qu'il espérait mourir sur un sol sacré ; il a eu ce qu'il voulait. »

Quand elle vit Nahum sur le seuil de la porte, elle lui dit : « La dernière fois que je t'ai vu, c'était pour la mort de Yerucham. Tu sais, tu n'as pas besoin, comme pour les naissances de mes enfants, d'attendre qu'un membre de la famille disparaisse pour venir me voir. »

Après cela, il vint lui rendre visite assez souvent. Il se lia avec ses enfants qu'il emmenait en promenade à Edimbourg ou ailleurs durant les vacances scolaires ; ils firent même une petite croisière sur l'un de ses bateaux.

« Rendre visite à une veuve, c'est un fait, le prévint sa mère, cependant si tu commences à s'occuper de ses enfants, elle peut s'imaginer des choses. »

Nahum était conscient de ce danger mais cela ne le dérangeait guère. Elle avait trente ans et malgré ses ennuis avec son mari et ses problèmes de santé, elle était toujours vive et coquette. Issue du même milieu social que lui, elle était devenue une femme sensible à la mode et au bon goût, toutes choses que Nahum attribuait moins à l'influence de Yerucham qu'à celle de ses riches amis. Tous les deux avaient fait leur chemin dans la vie. Ils avaient vécu des expériences semblables, avaient eu de nombreuses connaissances communes dont ils pouvaient parler et leur relation ne le plongeait pas dans l'inconnu. S'ils se mariaient, il continuerait d'apprécier ce monde. Il aimait les trois enfants, une fille et deux garçons respectivement âgés de treize, douze et onze ans. Il fut peiné d'apprendre qu'elle envisageait d'envoyer les garçons en pension car il s'était pris d'affection pour le cadet, Hector, un blondinet au visage d'ange qui ne pouvait s'empêcher de faire des bêtises.

« Je veux qu'ils soient tout ce que leur père n'était pas, dit-elle.

— C'est beaucoup demander à un enfant, rétorqua Nahum. Et Sophie, tu n'as pas envie d'en faire une dame ?

— J'ai besoin d'elle ici, mais je l'enverrai dans une institution pour jeunes filles quand elle aura dix-sept ans. Je n'ai jamais pardonné à mon père de m'avoir mariée à seize ans. On aurait dit que j'étais un fardeau pour la famille.

— Pour autant que je m'en souvienne, tu n'as pas protesté. Je ne t'imagine pas faisant quelque chose contre ton gré, même quand tu avais seize ans.

— Bien sûr que je n'ai pas protesté. Yerucham était bel homme et je voulais l'avoir dans mon lit. A l'époque, la seule façon d'y arriver, c'était de l'épouser. »

Nahum fut un peu choqué par sa remarque mais cela l'encouragea à lui demander : « Et moi, tu n'as jamais eu envie de me mettre dans ton lit ?

— Si, du jour où je t'ai vu mais comme, au bout d'un an passé sous notre toit, tu ne m'avais toujours pas touchée, j'ai commencé à me demander si tu étais au courant de ces choses. Tous les autres l'étaient, les plumeurs, les emballeurs, le garçon livreur, le commis et même le *Shochet*, le Révérend Hockmay. Tu te souviens de lui ? C'était un grand homme avec des bras longs comme ceux d'un gorille. Il passait son bras autour de moi d'une façon très amicale et il s'arrangeait pour m'attraper les deux seins d'une seule main. Qu'est-il devenu ? Je me dis parfois qu'il a dû finir catcheur.

— Et Yerucham, est-ce qu'il te faisait la même chose ?

— Non, lui il se frottait plutôt. Nous pouvions nous trouver dans une pièce vide à trois mètres l'un de l'autre, il se débrouillait toujours pour se frotter contre moi en entrant et en sortant. C'est incroyable le nombre de fois où il entrait et sortait mais au bout d'une semaine ou deux, il est passé à l'attaque. Tu ne m'as jamais entendu l'appeler " Pouces ".

— Pouces ?

— Je l'avais surnommé comme ça. Un jour, il s'est approché de moi et a appuyé sur mes tétons comme s'il appelait un ascenseur. A chaque fois qu'il le faisait, je sortais ma langue et c'est bientôt devenu un jeu intime entre nous. Ma mère nous a surpris un jour mais comme elle n'y voyait pas très bien elle n'a probablement pas su ce que nous faisions. Nous avons alors changé de jeu et il m'a demandé d'appuyer sur son bouton.

— Lequel ?

— Je te laisse imaginer... et je ne te dirai pas ce qu'il a sorti.

— Comment, il a osé !

— Il a osé et m'a même demandé de le tenir.

— Quel cochon ! Et je suppose que vous retourniez vous occuper des poulets sans vous laver les mains. Mon Dieu, heureusement que j'ai cessé d'en manger. Mais si vous êtes allés aussi loin, pourquoi devais-tu l'épouser pour le mettre dans ton lit ?

— Qu'entends-tu par " aussi loin ? " Elle semblait presque choquée. « Jusqu'où penses-tu que nous sommes allés ? Il l'a sorti, il ne l'a pas fait entrer. Je ne l'aurais pas laissé faire et il n'aurait pas osé. »

Nahum ne la croyait pas trop sur ce point cependant il se pencha vers elle et appuya sur ses tétons, non pas avec ses pouces mais avec ses index.

« Pourquoi ne l'as-tu pas fait il y a quinze ans ? demanda-t-elle.

— Il n'est jamais trop tard pour pêcher.

— Pas maintenant, les enfants sont encore là. On ne pourrait pas aller chez toi ?

— Non, ma mère s'y trouve mais elle va dîner chez sa sœur demain soir.

— Demain c'est demain. Tu as commencé quelque chose, tu dois le finir. » Elle le prit par la main. « La bonne est sortie, prenons sa chambre, il y a un verrou sur la porte. » Ils se précipitèrent à l'étage en marchant sur la pointe des pieds et s'enfermèrent dans la pièce. Miri se jeta sur le lit, enleva ses pantoufles et remonta sa jupe.

« Ne commence pas avec tes pouces ou tes index et ne te déshabille pas. Je meurs de désir. Prends-moi tout de suite et vite. »

Nahum allait s'exécuter quand ils entendirent tourner la poignée de la porte et une voix irlandaise qui disait : « Il y a quelqu'un ? » Miri laissa échapper un cri dont il n'aurait cru aucune femme capable, le saisit par les revers de sa veste et roula sur lui.

« Je suis désolé, dit-il, je ne peux pas le faire comme ça.

— Yerucham le pouvait et il le faisait. Il préférait la chambre de la bonne à la nôtre. Il m'a même fait porter un tablier de dentelles. »

Ils durent finalement aller à l'hôtel. Comme ils sortaient, bras dessus bras dessous, Miri lui dit : « Tu sais à quoi je pensais quand nous faisions l'amour ?

— Que je n'étais pas aussi doué que Yerucham ?

— Au contraire, tu es meilleur mais je suppose que tu ne devais pas l'avoir fait depuis longtemps. J'ai eu l'impression que tu explosais en moi. Ce n'est pas malsain de se retenir si longtemps ?

— Qui te dit que je me suis retenu si longtemps ?

— Allons, tu ne vas pas me dire que tu avais une maîtresse. Toi, ta mère et elle, un *ménage à trois*[1].

— Je n'ai pas eu de maîtresse mais je n'ai pas été un saint non plus », et pour le prouver il lui pinça un téton.

« Fais attention, je ne peux plus m'arrêter quand je commence.

— Tu le pouvais quand tu avais quinze ans, à croire ce que tu m'as dit.

— Oui, mais j'ai trente ans maintenant. Retournons à l'hôtel.

— Tu le veux vraiment ?

— Devrons-nous encore payer ?

— Bien sûr.

---

1. En français dans le texte.

« — Alors ça peut attendre. Et dire que j'ai une maison de dix pièces, toi une maison de huit pièces et qu'il nous faut aller à l'hôtel pour avoir une minute d'intimité. Quel gaspillage !

— Que crois-tu que va dire ta bonne ?

— Elle le dira à Sophie, elles s'entendent comme larrons en foire. Tu dois faire de moi une honnête femme maintenant. »

Ils se marièrent trois mois plus tard.

15.

Il existe une photo de groupe qui a été prise dans le jardin de Miri. La svelte silhouette de Miri, ses yeux en amande, ses cheveux noir de jais la faisaient ressembler à une figurine de porcelaine. A côté d'elle, Nahum, avec sa moustache brune, ses cheveux éclaircis et ses grands yeux sombres paraissait beau et distingué mais il se tenait légèrement voûté, comme s'il avait déjà ses meilleures années derrière lui. Il était flanqué de sa mère qui portait un grand chapeau et fixait l'appareil photo, l'air mécontent, comme si elle désapprouvait tout cela, ce qui était certainement le cas. A l'opposé, Katya était tout sourire tandis qu'au bout du rang, raide comme la justice, les bras plaqués le long du corps comme s'il était de revue, se tenait un squelettique Lazar qui portait de grosses lunettes et un costume bien coupé. Il venait juste de se fiancer, ce qui explique probablement la mine réjouie de sa mère. Sa fiancée, une fille dodue aux dents disjointes, se serrait contre son bras. Une femme aux cheveux blancs, le visage hagard, se tenait près de Miri. C'était sa mère. Près d'elle se trouvait Sophie qui avait de grands cernes autour de ses yeux noirs et semblait abattue. Tobias, qui fermait le rang, se tenait un peu à l'écart, la mine sévère et défaite. Devant eux, les jambes croisées, étaient assis quatre enfants : Alexandre, Hector et les deux enfants du premier mariage de Tobias, Arabella et Caroline. Le brun Alexandre qui portait des lunettes et le blond Hector qui fermait un œil à cause du soleil paraissaient s'ennuyer ferme. Arabella avec son petit visage, ses grands yeux et ses boucles, fronçait les sourcils. Caroline, qui ressemblait en plus petit à la mariée, souriait.

Nahum aimait à citer un sage russe qui disait que personne n'avait droit à plus de deux ou trois ans de bonheur dans une vie. Il aurait pu en revendiquer sept ou huit, du jour de son mariage jusqu'à la déclaration de la guerre de 1914. Certes, leur union n'allait pas sans orages mais la famille grandissait, les affaires marchaient et le monde semblait heureux.

Nahum découvrit après son mariage que son travail n'exigeait pas autant d'attention qu'il l'avait pensé jusqu'alors. Il rentrait dorénavant à la maison pour sept heures, travaillait rarement pendant les week-ends et ne s'absentait jamais plus de trois ou quatre semaines par an pour ses affaires.

Aux trois enfants de Miri vinrent s'ajouter trois autres qui naquirent à intervalles rapprochés : Yechiel Yaacov (il portait le prénom de son père mais on l'appelait Jacob), Victoria et Benny. La famille s'agrandissant, ils quittèrent la maison de Miri pour s'installer dans une riche demeure avec un grand jardin, située près de Queen's Park.

Au départ, la relation de Nahum avec les enfants du premier mariage ne fut pas très facile. Il lui était particulièrement malaisé de s'amuser avec Sophie, ou de gagner son affection qu'elle refusait sans raison apparente (à moins que la bonne ne lui ait dit quelque chose). Elle était par ailleurs toujours obéissante, polie, mais distante. Les garçons posaient moins de problèmes. Alex, un gamin studieux, était d'une insatiable curiosité et le submergeait constamment de questions sur ses bateaux et leurs escales ; il faisait montre d'une certaine impatience lorsque Nahum ne pouvait lui répondre.

« Comment est-il possible de diriger une compagnie maritime quand on en sait si peu sur les bateaux ? lui demanda-t-il un jour.

— On peut diriger n'importe quoi tant qu'on a les moyens d'employer un personnel compétent », répondit Nahum.

Quant à Hector, il craignait toujours qu'il fasse des bêtises car une éternelle lueur d'espièglerie brillait dans ses pâles yeux bleus. Miri lui certifia qu'il était né avec ce regard, « ce qui ne veut pas dire qu'il ne songe pas à faire de mauvais coups », ajouta-t-elle.

Miri avait l'intention d'envoyer ses garçons à Fettes, le célèbre collège privé d'Edimbourg. Cette idée n'enchantait guère Nahum.

« Pourquoi pas ? demanda Miri.

— Ils ne vont pas te manquer ?

— Non, et de toute façon ils seront assez souvent à la maison.

— Et leur éducation juive ?

— Tu veux qu'ils deviennent rabbins ?

— Non, mais je veux qu'ils soient juifs. Alex aura l'âge de sa *bar mitzvah* dans quelques mois.

— On peut s'arranger avec le rabbin local.

— Non, ce n'est pas suffisant. S'ils fréquentaient un lycée du coin, ils rentreraient dans un foyer juif quelconque. Là-bas, ils seront loin de tout, ils n'auront ni *Sabbath,* ni *Yom Tov.*

— Ecoute Nahum, Yerucham et moi en avions ainsi décidé après leur naissance et quoi que tu en penses, Yerucham était quand même leur père. Peu importe que ce soit Fettes ou non mais de toute façon ils iront dans un collège privé. Il a même laissé de l'argent pour le payer.

— L'argent n'est pas un problème...

— Je sais, mais ils iront dans un collège privé. »

Ce fut Tobias qui suggéra Clifton, un fameux collège situé près de Bristol, qui avait, et qui a toujours, une maison juive. Nahum et Miri visitèrent l'école et furent impressionnés par l'atmosphère qui y régnait, les bâtiments, le parc, le personnel et surtout le Révérend Polack, le chef de la maison juive. Ils inscrivirent les garçons sur-le-champ mais décidèrent de garder Alex jusqu'à sa *bar mitzvah.*

Pour le préparer à la cérémonie, ils avaient contacté un rabbin qui se révéla, par un coup du sort, celui qui avait obtenu le poste auquel Yerucham avait postulé. Alex se plaignit qu'il était stupide, pédant et ignorant ; aussi Nahum décida-t-il de prendre lui-même en main son éducation religieuse.

Nahum avait quitté la *Yeshiva* depuis seize ans et n'avait jamais essayé de préserver ses connaissances. Il fut surpris de voir que la mémoire lui revint quand il ouvrit un livre qu'il connaissait. Le plaisir qu'il en retira l'étonna encore davantage. Un instant, il avait cru qu'il ne s'agissait pas des Saintes Ecritures données à Moïse par Dieu sur le Sinaï, cependant au moment où il commença à se balancer en entonnant les chants anciens, il sentit ses cheveux se dresser sur sa nuque et eut l'impression de vivre une expérience mystique. Quand Alex dit qu'il n'y voyait aucun intérêt et qu'il n'y croyait pas, Nahum lui répondit qu'il n'était pas sûr d'y croire lui-même mais que cela suscitait en lui un sentiment difficile à décrire.

« Ça fait remonter des souvenirs ? suggéra Alex.

— Non, plus que ça, je ressens un curieux sentiment de réconfort.

— Tu sens Dieu posant son regard souriant sur toi.

— Oui, si l'on veut.

— Ce n'est pas mon cas. Je ne peux pas imaginer ce Dieu souriant dont tu parles. »

Nahum avait toujours été généreux même lorsqu'il n'était qu'un petit homme d'affaires. Plus il s'enrichissait, plus il se répandait en largesses, ce qui n'allait pas sans susciter quelques querelles familiales.

« Ce n'est pas l'argent qui m'importe, affirma Miri. Je me moque que tu donnes cinq ou dix livres à tous les *schnorrers* qui viennent à la porte, je me ficherais même que tu leur donnes la maison mais je ne veux pas être perpétuellement assiégée. On ne peut pas s'asseoir pour manger sans avoir un vieux con larmoyant qui vienne pleurnicher à la porte pour avoir un petit quelque chose, pas si petit que ça d'ailleurs, afin de permettre à sa fille de se marier. S'il doit mendier à toutes les portes pour la marier, il ferait mieux de la mettre sur le trottoir.

— Ces vieux cons larmoyants comme tu dis ont fait ma fortune. Qui crois-tu qui voyage sur mes bateaux ? Des barons allemands ? Des milords anglais ? Des millionnaires américains ?

— Tu peux marier les filles, enterrer les pères, nourrir les veuves mais moi je ne veux pas les voir ici. »

Pour éviter d'autres querelles, Nahum embaucha un jeune homme nouvellement immigré à titre de distributeur d'aumônes et il s'arrangea pour recevoir les demandeurs à son bureau à heure fixe.

Tant qu'il resta célibataire, Nahum ne comptait pas pour un personnage à part entière aux yeux de la communauté. Après son mariage, il fut considéré comme l'un des notables de la colonie juive de Glasgow. Aussi, lorsque Alex fit sa *bar mitzvah,* il se sentit obligé de louer une grande salle et d'inviter la moitié de la ville à la cérémonie. Alex reçut pour cadeaux une bibliothèque entière de bibles, de livres de prières, de livres de chants, de légendes rabbiniques, de commentaires bibliques, d'extraits du Talmud et autres écritures saintes ou presque saintes. Alex ne les ouvrit jamais. Quatre rabbins avaient été invités à venir parler, quatre autres prirent Nahum en aparté pour lui demander l'autorisation de dire quelques mots ; un cinquième, qui n'avait pas été invité à prendre la parole, s'adressa à la grande assemblée pendant plus d'une heure, ce qui eut pour effet d'éclaircir les rangs de l'assistance. Alex, qui avait préparé un texte, ne voulut pas ajouter au calvaire des invités et resta silencieux. Il affirma bien après que son *bar mitzvah* lui avait fait oublier les quelques bribes de religion qu'il avait assimilées.

Nahum s'abstint de siéger au conseil d'administration de la

synagogue mais il se rendit utile dans deux comités de charité et devint membre actif du mouvement Sioniste.

En 1909, il fit partie de la délégation écossaise pour le neuvième congrès Sioniste qui se tint à Hambourg. Il se rendait souvent dans cette ville pour ses affaires et le choix du lieu l'arrangea, cependant le congrès le déçut. La plupart des interventions visaient à attaquer le président du mouvement Sioniste, David Wolffsohn, un riche marchand de bois qu'il admirait et connaissait bien puisqu'il avait traité des affaires avec lui. Il ne voyait pas comment un mouvement dévoré par des luttes intestines pouvait mener à bien des tâches utiles. Il fut particulièrement chagriné de voir son idole, Weizmann, parmi les détracteurs ; après l'avoir entendu attaquer Wolffsohn sous le prétexte qu'il dirigeait le mouvement « comme une entreprise commerciale », il se leva pour parler.

« Je devrais peut-être m'excuser de prendre la parole car, comme notre estimé président, je suis moi aussi un homme d'affaires qui n'a sans doute pas aussi bien réussi que lui, mais je remédierai à cela d'ici la fin de l'année ou alors dans les trois ou quatre ans à venir. Je gagne plus que je ne dépense et si l'une des branches de mes activités fait des pertes, je m'en débarrasse et me tourne vers autre chose. Est-ce mal ? Je sais que l'on ne peut diriger un mouvement politique sur les mêmes bases mais cela veut-il dire que l'on ne doive pas tenir compte de l'expérience ? Notre président, semble-t-il, aurait commis l'erreur de se comporter en homme d'affaires et d'expérience. Si cela est un péché, je souhaite que les autres en soient reconnus coupables car je n'ai entendu ici que des rêves fous et des projets insensés. »

Il regagna sa place sous un tonnerre d'applaudissements. Il n'avait rien dit d'original mais, contrairement à la plupart des orateurs, il s'était exprimé brièvement et dans un anglais correct. Le son de sa propre voix et les applaudissements lui étaient si peu familiers à l'oreille qu'il en fut presque enivré. Il fut flatté de l'attention que lui accordèrent Wolffsohn, Ussishkin, Sokolov, Weizmann et autres personnages importants du mouvement Sioniste ; malgré la déception que lui apporta le congrès, il se sentit grandi par l'expérience. A son retour de Hambourg, il fit un discours d'environ une heure — en yiddish et en anglais — pour résumer le congrès. Plus tard cette année-là, il acheta plusieurs hectares d'orangers situés sur la côte des Philistins, près d'Ascalon, en Palestine.

Ses affaires continuèrent à prospérer. Le trafic des passagers diminua mais il l'avait prévu. Il avait acheté deux cargos qu'il utilisa comme vapeurs et grâce à eux, il se constitua une importante clientèle dans le commerce du bois sur la Baltique. En 1909, il possédait trois navires totalisant plus de dix-huit mille tonneaux.

La compagnie aurait pu se développer plus vite s'il n'y avait eu le frein des banquiers. Nahum n'était plus aussi dépendant de Kagan ; les banques écossaises de Glasgow ou Edimbourg lui consentaient des facilités mais elles exigeaient toujours, du fait de leur petite taille, des cautions et des préavis.

« Elles sont aussi embêtantes que Kagan », dit-il un jour et sur ce, Colquhoun suggéra de se passer des banques.

— S'en passer ?

— Oui, en nous faisant coter en bourse. Il existe peu de compagnies possédant un petit capital comme le nôtre qui marchent aussi bien. Au lieu d'aller chez les banquiers la casquette à la main, pourquoi ne pourrions-nous pas émettre des actions ?

— Je n'y avais jamais pensé. Tu commences à être gagné à l'esprit juif.

— Pas du tout, c'est toi qui as un esprit écossais. »

Lorsque Nahum fit part de cette idée à Kagan, ce dernier affirma qu'il avait déjà envisagé une telle possibilité.

« Mais naturellement, ajouta-t-il, cette opération serait actuellement prématurée.

— J'ai besoin d'argent tout de suite.

— N'en sommes-nous pas tous là ? A supposer que vous recueilliez un million, cela ne signifie pas que vous aurez un million de disponibilités. Il vous faudra au moins en réserver la moitié pour garder le contrôle de la compagnie.

— Ce n'est pas nécessaire si le reste est dispersé, dit Colquhoun.

— Vous joueriez avec le feu en agissant ainsi. Les petits porteurs peuvent se regrouper et ils le font souvent. Vous êtes trop vulnérable en ce moment. Votre bilan n'a pas l'air très bon.

— Il n'a jamais eu l'air aussi bon, dit Nahum.

— Les revenus sont corrects mais tous vos avoirs sont bloqués et vous ne disposez d'aucune réserve en cas d'imprévu. Nous vivons dans un monde agité où les petits conflits auxquels on assiste ici et là pourraient bien dégénérer. Et puis, il y a la petite mésaventure.

— La mésaventure ?

— *La* mésaventure. L'affaire Schwartzman.

— Cela s'est passé il y a des années et on ne nous a jamais accusés d'avoir été malhonnêtes.

— Il est plus facile d'oublier la malhonnêteté que la négligence. Si vous attendiez encore un an ou deux, on vous oublierait davantage et vous pourriez accroître vos réserves. Vous obtiendriez alors un meilleur prix, un bien meilleur prix. En ce moment, vous donneriez l'impression d'avoir besoin d'argent et vous ne devez jamais laisser planer ce doute sur le marché financier.

— En somme, vous essayez de me dire que je ne devrais me présenter sur le marché que lorsque je pourrai m'en passer.

— Cela revient presque à ça.

— Moi je préférerais agir maintenant. »

Tobias était d'accord avec Kagan, comme d'habitude.

Finalement, après maintes discussions, le point de vue de Kagan, qui proposait de réaliser sous forme d'actions les avoirs de la compagnie, l'emporta malgré le désaccord de Colquhoun (les événements lui donnèrent raison par la suite). Les actions se vendirent à un bon prix.

Pour célébrer ce résultat, ils organisèrent une petite fête où le whisky coula à flots et où Colquhoun taquina Tobias qui se fâcha.

Il vint voir Nahum le lendemain matin pour lui annoncer qu'il démissionnait de son poste directorial.

« Vous allez faire quoi ?

— Vous m'avez entendu, je démissionne.

— Uniquement parce que vous avez eu des mots avec Colquhoun ?

— J'ai eu plus que des mots. Je ne peux pas supporter cet imbécile d'ivrogne.

— Il avait bien le droit de boire un verre. C'est lui qui a conçu cette idée de A jusqu'à Z.

— Savez-vous qu'il est antisémite ?

— Allons, Tobias, il y a une limite à la bêtise que je supporte, même venant de vous.

— Il n'a pas cessé de faire des petites réflexions sur les juifs, vous ne l'avez même pas remarqué.

— Il s'est moqué des avocats...

— Des avocats et des juifs.

— La plupart des avocats à qui nous avons affaire sont juifs. Je fais entièrement confiance à cet homme. Sans lui, je ne serais arrivé à rien.

— *A rien ?* Vous êtes au nombre de ces juifs qui se flattent de ce que les *goyim* leur adressent la parole. Vous l'avez sorti du ruisseau. Je me souviens de lui quand je suis entré dans la compagnie. Il portait un vieux costume et on aurait dit qu'il n'avait pas mangé depuis une semaine. C'était un zéro. Maintenant, il a une maison à Kelvineside, une résidence secondaire, un yacht, et il parle même de s'acheter une voiture.

— Qu'est-ce que j'étais quand j'ai débuté ? Et Goodkind ? Il a mérité tout ce qu'il a obtenu, et il mériterait encore davantage.

— Je suis plus âgé que vous, Nahum, j'ai plus d'expérience et je connais mieux les gens que vous. Souvenez-vous de ce que je vous dis : un jour vous regretterez d'avoir posé les yeux sur cet ivrogne. »

Nahum espéra que son ardent plaidoyer pour Colquhoun inciterait vraiment Tobias à mettre sa menace à exécution. Il regrettait de l'avoir pris dans la compagnie car, en dehors des problèmes de personnes, il était presque toujours d'un avis négatif. Il lui était utile lorsqu'il ne désirait pas modifier le cours des choses mais dès qu'ils voulaient se lancer dans une opération légèrement hasardeuse, il évoquait une centaine de raisons pour ne pas la réaliser. Dans les premiers temps, Nahum l'avait cru vif et plein d'entrain mais ce n'était plus le cas : la mort de sa mère en était probablement la cause et également son mariage avec Katya. Il approchait de la soixantaine et bien que l'on ait appris à Nahum que les années étaient sources de sagesse, il avait découvert de trop nombreuses exceptions pour y croire. A ses yeux, Tobias était inefficace et s'il n'avait été son oncle, il l'aurait fait remplacer.

A quelque temps de là, Nahum apprit que Lazar avait quitté le cabinet de Tobias en emmenant avec lui la majorité de ses clients. La nouvelle ne surprit pas Nahum. Elle faillit cependant être fatale à Tobias et même Colquhoun éprouva alors pour lui une certaine commisération.

Lazar s'était marié l'année précédente et Katya attribua la responsabilité de l'incident à sa belle-fille qui, disait-elle, « était une intrigante et une ambitieuse qui menait le pauvre garçon par le bout du nez ».

Quelques mois après que la « Goodkind-Raeburn » fut cotée en bourse, Nahum reçut une lettre qu'il hésita à ouvrir car il avait reconnu l'écriture. C'était une lettre de Lotie.

« Mon très cher Nahum,

Félicitations pour ton passage en bourse. Kagan m'a dit que tu as le don de Midas et m'a conseillé d'acheter tes actions, ce que j'ai fait.

J'en ai acquis des milliers, si bien que je dois presque posséder ta compagnie. Quelle impression cela t'a fait de gagner ton premier million ? Je parie que tu viendras un jour à New York sur ton propre paquebot.

Je suppose que tu sais que Richard Kagan et moi allons nous marier. »

Nahum avait déjà rencontré Richard, un très grand personnage aux épais sourcils noirs, très solennel, très silencieux, et qui travaillait dans la banque de son père. Nahum ne se souvenait pas avoir échangé un seul mot avec lui.

Ils se marièrent quelques mois plus tard. La nouvelle le soulagea car Nahum et Lotie ne s'étaient pas séparés officiellement. Il était parti sans un mot et les choses en étaient restées là. Le ton enjoué de sa lettre l'avait rassuré mais il ne le fut pas tout à fait tant qu'elle n'était pas mariée.

Elle lui adressa ainsi qu'à sa mère une invitation pour la cérémonie ; à sa grande surprise, sa mère accepta, ce qui l'inquiéta beaucoup.

« Je ne savais pas que tu étais si proche d'elle, dit-il, tu ne l'as rencontrée qu'une seule fois.

— Cette fois-là a suffi. Je ne me suis jamais sentie aussi proche de quelqu'un. Et puis, je veux voir Esther avant de mourir. »

Elle s'absenta un mois et revint en affirmant qu'elle avait vécu les plus beaux jours de sa vie ; elle paraissait pourtant singulièrement déprimée et quand elle se retrouva seule avec Nahum, elle éclata en sanglots.

« On aurait dit un mariage royal, sanglota-t-elle. Lotie ressemblait à une reine.

— Mais qu'y a-t-il de triste ?

— Quand je l'ai vue s'avancer à la synagogue au milieu du parterre d'invités — le gratin de la société américaine, le gratin — je n'ai pu m'empêcher de penser que si tu n'avais pas été aussi bête, tu aurais pu être l'homme qui était à son bras et elle aurait pu être ma belle-fille. Au lieu de ça, tu as épousé la fille d'un marchand de volailles qui n'était plus toute jeune et avait trois enfants. »

Sa voix se brisa dans un sanglot mais elle se reprit. « Et ta sœur est aussi mal lotie. Il ne lui a pas suffi d'épouser Simyon, elle a fait pire en épousant ce bon à rien. Elle tient un hôtel et ça marche bien mais il dépense l'argent qu'elle gagne. Je me demande ce que j'ai fait au bon Dieu pour avoir des enfants comme ça. »

Lotie écrivit quelques semaines plus tard pour leur annoncer qu'ils allaient venir en Ecosse et qu'ils espéraient les voir. Un soir, alors qu'ils allaient passer à table, Lotie arriva, seule (Richard, qui avait un gros rhume, était resté à l'hôtel). Nahum lui serra la main en se tenant à distance comme s'il craignait de trop la laisser s'approcher. Par contre, elle sauta au cou de sa mère. Miri considéra la scène un sourire au coin des lèvres mais il n'y avait aucune trace de gaieté dans son regard. Ils lui demandèrent de rester dîner. Elle répondit qu'il lui fallait retourner auprès de Richard.

Quand ils s'assirent enfin pour dîner, Miri toucha à peine sa nourriture. Nahum savait que cela signifiait qu'il passerait une mauvaise nuit. Lorsqu'ils furent couchés et que la lumière fut éteinte, elle dit : « Elle est très belle, n'est-ce pas ?

— Qui ?

— Tu sais très bien de qui je parle. Je ne comprends pas pourquoi tu ne l'as pas épousée.

— Il est un peu tard pour me le demander après quatre ans de mariage et trois enfants.

— Mais pourquoi pas ?

— Pourquoi pas quoi ?

— Pourquoi ne l'as-tu pas épousée ?

— Ça ne marchait pas, nous n'étions pas heureux ensemble.

— Vous paraissiez assez heureux ensemble au début de la soirée.

— Je ne suis pas marié avec elle en ce moment, que je sache.

— Tu ne voulais pas l'épouser en ce temps-là ?

— Ecoute, son mariage est heureux et c'est tout.

— C'est tout ? Tu aurais dû voir la façon dont elle te regardait. Elle reviendra. » Et sur ce, elle se retourna sur le côté et commença à pleurer silencieusement dans le noir.

Les trois enfants du premier mariage de Miri étaient tellement différents d'allure, de caractère et de tempérament qu'il était difficile de croire qu'ils avaient les mêmes parents.

Sophie était bien en chair ; elle avait de longs cheveux noir de jais et de grands yeux débordant d'une bonté presque béate qui la faisait ressembler à une madone bien nourrie. Cependant, il émanait d'elle une expression de ressentiment latent qui intriguait souvent Nahum. Elle était brillante intellectuellement, une qualité que Nahum et Miri estimaient plus ou moins bienvenue chez une fille. Elle débordait d'énergie mais comme le disait Hector : « Personne n'est parfait et le problème avec Sophie c'est qu'on ne peut pas la faire sortir de la synagogue ou lui faire lever le nez de ses livres de prières. Ce n'est pas tant qu'elle adore Dieu mais à force de L'assiéger elle a dû Le faire reculer dans le coin le plus perdu de Son Ciel. » Elle apprit seule l'hébreu et commença même à étudier le Talmud, livre traditionnellement réservé aux hommes. Si Nahum l'observait avec curiosité, Miri l'observait avec inquiétude car, à ses yeux, une femme qui étudiait le Talmud était aussi insolite qu'une femme à barbe. « Elle ne se mariera jamais si elle continue comme ça. » De fait, elle devait se frayer un chemin le dimanche matin après l'office à travers une foule d'admirateurs célibataires qui représentaient tous de bons partis. « Ils en veulent tous à mon argent, ou plutôt au tien, disait-elle à Nahum. Si mes prières sont entendues, nous pouvons être pauvres demain.

— Fais attention avec tes prières, la prévint sa mère. On ne sait jamais avec Dieu, il pourrait t'entendre.

— Qu'est-ce qui te fait penser qu'ils en ont après ton argent ? demanda Nahum.

— Ils en ont après quoi, alors, mes charmes ?

— Pourquoi pas ?

— Il n'y a rien de mal à vouloir de l'argent tant que tu as quelque chose à offrir toi-même, dit Miri. Prends le jeune Samuelson, un beau garçon, étudiant en médecine. Il sera médecin l'an prochain.

— Et dans deux ans, il pensera que père lui offrira son cabinet. Tous les autres pensent à la même chose, qu'il s'agisse du jeune Michaelson, du jeune Steinman ou du jeune Shulman...

— C'est un garçon modèle, issu d'une bonne famille...

— Mais qui n'est rien pour le moment, et qui pense que père le prendra dans son affaire. Ce sont tous les mêmes. Ils voient le portefeuille quand ils me regardent.

— Tu n'es pas juste avec toi-même, dit Nahum. Tu es intelligente, bien éduquée, tu viens d'une bonne...

— Bonne famille, dit-elle à l'unisson. Je n'entends parler que de bonnes familles. Qu'a-t-elle de si bien notre famille ? Qu'était mon grand-père sinon un négociant en volailles ruiné ? Et qu'était mon père ? Je ne devrais peut-être pas le demander ? Pour vous, une bonne famille, ce sont des gens capables de se faire un peu d'argent sans atterrir en prison. »

La phase religieuse de Sophie, qui avait débuté quand elle avait environ seize ans, ne se poursuivit pas au-delà de son dix-huitième anniversaire. Quand elle s'inscrivit à l'université de Glasgow, elle cessa de se rendre à la synagogue, arrêta de dire ses prières, abandonna les études juives et c'est tout juste s'ils arrivaient dorénavant à la persuader de changer ses vêtements de semaine pour venir dîner le vendredi soir.

Nahum pensa que cela était dû à l'influence de l'université mais Alex, son plus jeune frère, expliqua que le processus remontait à plus loin. Quand elle s'était aperçue qu'elle ne pouvait comprendre le Talmud toute seule, elle avait sollicité l'aide d'un jeune rabbin qui loua ses efforts ; malheureusement, il n'avait pas le temps de l'aider et il la confia à un rabbin plus âgé. Ce dernier, qui parlait à peine l'anglais, pensa d'abord qu'elle avait des problèmes spirituels mais lorsqu'elle expliqua en hébreu qu'elle voulait réellement étudier le Talmud, il se leva, la conduisit à la porte en la tenant par le coude et lui dit : « Rentrez chez vous mon enfant, mariez-vous, faites des enfants et laissez le Talmud à vos frères. »

Alex, grand, mince, l'air sérieux, était brillant et bûcheur ; tous les ans il ramenait à la maison des prix scolaires qui attestaient de ses qualités. « On nous en veut de ne pas être des Alex », disait Hector.

Miri était très fière de lui mais elle aurait souhaité qu'il soigne davantage sa mise et qu'il se montre un peu plus dynamique. « Il est si négligé et si maigre », disait-elle. Nahum trouvait cependant qu'il avait toutes les qualités d'un enfant. Il avait lui-même quitté l'école à treize ans et il appelait Alex « mon université » car il s'instruisait en parlant avec lui. Alex donnait une impression de fragilité extrême ; un coup de vent, semble-t-il, aurait pu l'emporter. Il portait de grosses lunettes qui lui donnaient un air de chouette mais il était bâti comme une cigogne. Il n'avait pas d'amis et se faisait souvent taper dessus dans la cour de l'école ou dans la rue (une fois, Sophie vint à son secours ; elle tomba sur ses agresseurs avec une telle fureur que bien des années après ils s'enfuyaient encore en la voyant).

Nahum regretta de n'avoir pu persuader Miri de garder les garçons car Alex lui manquait et il craignait qu'il ne soit brimé (ce qui fut le cas jusqu'à l'arrivée d'Hector). Il était souvent à la maison en vacances et Nahum l'amenait au bureau ou à Leith pour voir les bateaux arriver au port. Un matin, ils regardèrent les passagers débarquer du *Tikvah*.

« Ils ont l'air pâles et voûtés, on dirait qu'ils n'ont jamais vu la lumière du jour, dit Alex.

— C'était moi, il y a vingt ans, ajouta Nahum.

— Tu es arrivé comme ça, avec quelques paquets sous le bras ?

— Oui, presque.

— Et tu as monté toute ton entreprise en partant de zéro ?

— Mon père m'a légué un peu d'argent quand il est mort mais j'avais déjà une petite entreprise. Son legs a permis d'accélérer les choses. Tu connais Ballin ?

— Ballin ?

— Albert Ballin.

— Ce n'est pas lui qui dirige la ligne Hambourg-Amérique ?

— Son père était un juif danois qui s'est installé à Hambourg. Il a monté une petite compagnie qui n'était d'ailleurs pas si petite que ça puisqu'elle était plus grande que la mienne. Il s'occupait surtout du transport des immigrants ; son fils a agrandi la compagnie et finalement racheté la Hambourg-Amérique.

— Tu espères faire la même chose ?

— Non, pas moi. Je serais heureux de tenir le rôle du père de Ballin : si tu rejoignais la compagnie, tu pourrais devenir comme le fils Ballin. »

A dix-huit ans, Alex décrocha une bourse pour étudier les langues orientales au collège de Magdalen, à Oxford. Il demanda à ses parents de venir le voir, ce qu'ils firent un week-end de décembre par un après-midi froid où le soleil, tache rougeoyante, perçait à peine le rideau de brume. Ils prirent le thé devant un bon feu dans la chambre d'Alex qui donnait sur le parc. Ils allèrent s'y promener ; Alex, dont le débit de voix était rapide et heurté, leur montra du doigt les chambres que des hommes célèbres avaient occupées. Soudain, il se tut. La lumière du jour faiblissait. Des cloches sonnaient au loin et de la chapelle montait le chant d'une chorale. Noël était dans trois semaines et ils répétaient des cantiques. Les voix, portées par l'air froid de la nuit, semblaient désincarnées. Nahum n'avait jamais rien entendu d'aussi beau, et à ce moment il se sentit en pleine communion avec l'âme profonde de l'Angleterre.

Hector, le troisième enfant de Miri, était une énigme. Il avait les yeux bleus, les cheveux blonds cendrés, les traits fins, un très beau profil et était grand. Il ne ressemblait à personne de la famille et on disait en plaisantant que ce devait être un cadeau des fées [1] ce à quoi sa mère répondait : « j'ai eu le pire du lot ». Un autre jour, elle dit : « L'ennui avec Hector c'est qu'il pense que sa beauté lui ouvre toutes

---

1. Allusion aux légendes dans lesquelles les fées volent les enfants pour les remplacer par d'autres.

les portes. » Et Nahum d'ajouter : « Ce qui m'inquiète, c'est qu'il a peut-être raison. »

Hector remporta un succès immédiat auprès de ses camarades de Clifton bien qu'il ne fût pas très doué, excepté pour l'anglais, le tennis et le théâtre. Il fut bientôt invité à passer des week-ends dans les imposantes demeures de ses nouveaux amis. Ses parents le voyaient peu et de plus, comme le fit remarquer le Révérend Polack : « Son adhésion au rituel juif laisse quelque peu à désirer. » Hector répondit à cela : « Ma sœur rachète mes péchés », ce qu'elle ne faisait plus depuis longtemps.

Au cours d'un été, toute la famille fut invitée au somptueux mariage d'un immigrant qui avait fait fortune dans le commerce du bois. Au cours du bal qui clôtura la soirée, Nahum vit Hector qui plaisantait avec Katya se pencher soudain vers elle et appuyer sur ses tétons.

Il crut revoir le fantôme de Yerucham. Il s'était toujours inquiété des effets de l'hérédité sur les enfants et il supposait que leur manque de conviction religieuse en était une des manifestations. Ce qu'il avait vu en était un autre signe et il entraîna immédiatement hors de la salle le garçon pour lui demander ce que signifiait ce comportement.

Hector le regarda en clignant des yeux. « Quel comportement ?

— Tu sais très bien de quoi je parle. Pourquoi as-tu touché les... les... Pourquoi as-tu touché tante Katya ?

— Oh, c'est ça. Je lui expliquais seulement un principe.

— Je te prierai à l'avenir de ne pas expliquer tes principes sur la poitrine de tante Katya. Tu es ivre. »

Hector, qui bredouillait, le semblait en effet. Nahum pensa qu'il ne l'avait jamais vu dans cet état et il attribua cela à l'influence de ses camarades non-juifs de Clifton.

Il évoqua longuement l'incident avec Miri et il vint à se demander s'il ne valait pas mieux le retirer de l'école.

« Mais il n'a que seize ans et je ne l'ai jamais vu se comporter ainsi. Il doit commencer à grandir.

— Commencer ? Si ce n'est qu'un début, on peut imaginer ce qui s'ensuivra.

— Avec les robes moulantes qu'elle porte, elle ne demande que ça. Elle oublie son âge.

— Je ne suis pas responsable de son comportement mais de celui d'Hector. Il titubait, il bafouillait, il était ivre. Est-ce que nous l'avons envoyé à Clifton pour apprendre à boire ? »

Le cadet ne posait quant à lui aucun problème. Jacob, ou Yechiel comme l'appelait Nahum, faisait preuve d'un profond sentiment religieux qu'il devait avoir hérité de son grand-père ; il était souvent en retard pour le petit déjeuner car il lui fallait une bonne demi-heure pour faire ses prières matinales. Hester, une vieille servante qui avait travaillé pour Moss Moss et qui maintenant gardait les enfants, l'appelait son petit saint. Miri aurait pu s'en inquiéter, mais le précédent de Sophie lui laissait penser qu'il oublierait tout cela en grandissant. Sa sœur, Victoria — les cheveux noirs, les yeux bleus, le nez retroussé — menaçait quant à elle de devenir la version féminine d'Hector. Nahum prétendait avoir le même sentiment pour les six enfants de Miri mais Victoria, ou Vicky comme il l'appelait, pouvait le faire marcher comme elle voulait. Il lui suffisait du chuchoter un vœu à l'oreille de Nahum pour qu'il fût exaucé. C'est elle qui l'incita à acheter sa première voiture. Il y avait déjà pensé mais d'une part il n'avait pas le temps d'apprendre à conduire et d'autre part il lui faudrait un chauffeur-mécanicien. Il n'était pas convaincu de la nécessité de la dépense, cependant Vicky insista.

« *Tout le monde* a une voiture, dit-elle en citant à l'appui l'exemple d'un voisin qui venait d'en acquérir une. Il possède seulement deux magasins alors que *tout le monde* sait que tu es pratiquement l'homme le plus riche de Glasgow, ajouta-t-elle.

— Tu risques de te retrouver avec une autre Esty sur les bras », le prévint sa mère. On aménagea des dépendances pour abriter la voiture, le chauffeur et son épouse. La voiture arriva quelques mois plus tard, luisant monstre noir. Miri et les autres femmes regardèrent par la fenêtre tandis que le chauffeur l'essayait. Un jour, Nahum faillit perdre sa voiture et ses enfants : Vicky, qui était montée dedans avec ses deux frères, avait desserré le frein à main. La voiture descendit la pente et déboucha sur la rue. Le chauffeur revint heureusement à ce moment-là, il plongea sur le siège avant et réussit à arrêter le véhicule.

« Il m'a défiée », dit Vicky en montrant du doigt son plus jeune frère, un paisible et dodu petit gamin qui ne savait même pas ce qu'était un défi.

Les deux belles-filles de Katya, Arabella et Caroline, passaient plus de temps chez Nahum que chez elle, surtout quand les garçons revenaient de Clifton pour les vacances. Ils amenaient souvent des amis avec eux et durant les week-ends la maison était remplie de jeunes gens. Quand il les regardait jouer, Nahum éprouvait un sentiment de plénitude que même ses navires ne lui apportaient pas. Ils avaient joué ainsi à Volkovysk, lui, Lazar, les enfants de l'oncle Sender et d'autres encore ; mais, dès qu'ils entendaient un son inattendu, le bruit sourd de sabots ou les cris d'un paysan ivre, ils se raidissaient. Qui était-ce ? Que se passait-il ? L'inconnu représentait une menace. Leurs craintes étaient peut-être exagérées mais ils vivaient l'oreille aux aguets. A Volkovysk, les enfants n'étaient pas vraiment des enfants. Il avait quitté cet enfer et s'était retrouvé dans un pays où même les adultes ressemblaient parfois à des enfants. Bien qu'il ne se considérât pas comme particulièrement religieux, il lui arrivait pourtant en de tels instants de murmurer les mots d'une vieille prière : « Sois béni, O Seigneur, toi qui nous as laissés en vie, nous a préservés et nous a permis d'atteindre cette époque. »

Il se demandait seulement combien de temps cela durerait.

16.

Le 18 juillet 1911, un aviso-torpilleur allemand, le *Panther,* arriva dans le petit port d'Agadir. Nahum n'avait jamais entendu parler du *Panther* ou d'Agadir et il savait à peine où se trouvait le Maroc. Pourtant, l'incident faillit presque le ruiner. Le navire était censé protéger les intérêts allemands menacés par l'expansion française. Les Anglais redoutaient que les Allemands ne s'emparent de territoires situés à proximité du détroit de Gibraltar. Le 21 juillet, Lloyd George, alors Chancelier de l'Echiquier, déclara lors d'une réunion publique à la City que si le *Panther* ne se retirait pas, cela pourrait entraîner une guerre.

Nahum prit connaissance du discours le lendemain matin au petit déjeuner ; il téléphona immédiatement à Colquhoun pour lui demander ce qu'ils devaient faire.

« Moi, je dirais : rien, répondit Colquhoun.

— Que veux-tu dire par là ? Tous nos navires sont dans la Baltique et deux d'entre eux se trouvent dans des ports allemands. Imagines-tu ce qui se passerait si une guerre éclatait ?

— Oui, je peux l'imaginer mais je ne crois pas que ce soit le cas.

— As-tu lu les journaux ?

— Oui mais c'est Lloyd George. De toute façon, une guerre ne se déclare pas en une nuit. le *Tikvah* sera en mer du Nord dans un jour et les autres auront quitté leur port avant la fin de la semaine. Tout ira bien. »

Nahum télégraphia à Goodkind de venir à Londres pour discuter de la situation ; il ne parut guère inquiet.

« Pourquoi as-tu besoin de moi ? demanda-t-il. Tu veux que je te tienne la main ?

— Crois-tu qu'il va y avoir la guerre ?

— Oui, si Lloyd George veut la faire mais tu sais, ni le Maroc ni l'Atlantique ne font partie de l'empire britannique, pas encore du moins. »

Goodkind avait retrouvé son poids d'autrefois. Il était lourd, trapu et portait une agressive moustache à la prussienne dont les deux extrémités pointaient vers le haut.

« Nous avons des navires dispersés dans toute l'Europe, dit Nahum, et s'il y a une guerre, nous sommes fichus. »

Le téléphone sonna. C'était leur courtier. Le cours des actions était en train de s'effondrer.

« Alors qu'en penses-tu ?

— Voilà ce qui arrive quand on se fait coter en bourse, dit Goodkind. Si tu m'avais demandé mon avis, ce que tu n'as pas fait, je t'en aurais dissuadé.

— Nous n'avons fait des profits que sur le papier et nous ne faisons des pertes que sur le papier, ajouta Colquhoun. La valeur de notre actif reste la même. » Il s'était renseigné auprès des autres compagnies maritimes pour connaître leur réaction : toutes prenaient la situation avec calme.

« Ils peuvent se le permettre, ils ont des navires dans le monde entier. Les nôtres sont bouclés dans la Baltique, fit remarquer Nahum.

— Que proposes-tu ? Que nous leur ordonnions de faire demi-tour sans prendre de passagers ou de fret ?

— Ce n'est pas le premier incident international qui se produit et ce ne sera pas le dernier, dit Goodkind. Si nous nous faisons du mauvais sang à chaque fois que Lloyd George ouvre sa grande gueule, nous n'en avons pas fini. »

Les choses se calmèrent un temps mais recommencèrent à bouger deux mois plus tard. Cette fois, la guerre semblait imminente et partout les navires rejoignaient au plus vite leur port d'attache. Le *Tikvah* faisait route sur Riga lorsqu'il reçut l'ordre de faire demi-tour. Cependant, la gravité de la crise fut à l'origine d'un véritable rush sur les billets dans tous les ports où le navire devait faire escale. Lorsqu'on annonça par voie d'affiches que la navigation était interrompue, on assista à des scènes regrettables bien que les billets aient été immédiatement remboursés. A Dantzig, où l'agent de la compagnie ne fut pas assez rapide, il se produisit une émeute : le bureau fut dévasté, le personnel molesté avant que la police ne vienne rétablir l'ordre. A la suite de ces événements le *Tikvah* fut quasiment boycotté lorsqu'il reprit son service. Durant plusieurs mois, les recettes suffirent tout juste à payer l'équipage.

« Nous naviguons dans des eaux dangereuses », déclara Nahum. Il proposa de fermer le bureau de Stettin et de restreindre leurs services de Hambourg. Goodkind fut consterné et revint précipitamment d'Allemagne pour plaider sa cause.

« Tu es fou. L'Allemagne est le pays de l'avenir. C'est le peuple le plus intelligent, le plus laborieux d'Europe et de plus le pays possède d'immenses ressources naturelles. Les installations, les bâtiments et l'emplacement valent déjà trois fois le prix que nous les avons payés. A supposer que nous n'ayions plus un seul passager, cela reste un bon placement.

— Voilà qui nous donne une raison supplémentaire de vendre, dit Tobias. On ne peut pas faire faillite en réalisant des profits.

— Et s'il y a une guerre ? demanda Nahum.

— Entre la Grande-Bretagne et l'Allemagne ? L'Allemagne gagnera. Les Anglais, les Français, les Russes, les Autrichiens peuvent s'allier, rien n'y fera. Personne ne pourra battre les Allemands.

— C'est de la théorie tout ça, dit Colquhoun. Il n'y aura pas de guerre.

— Nous n'allons pas complètement nous retirer d'Allemagne, souligna Nahum ; nous allons seulement y diminuer le volume de nos investissements. »

Nahum fut pour une fois heureux d'avoir Tobias sous la main car il le soutint à fond.

Goodkind tempêta, menaça de démissionner, essaya de mettre sur pied un consortium pour acheter les avoirs de la filiale allemande mais il échoua. Finalement, il revint à Londres, les pointes de sa moustache et l'oreille basses.

A la même époque, Tobias offrit à Nahum ses services de directeur à plein temps. Il envisageait, disait-il, de se retirer des affaires juridiques (Nahum savait qu'en fait c'étaient les affaires qui lui avaient été retirées). Nahum prit prétexte du retour de Goodkind pour ne pas répondre à son offre. Il est vrai que ce retour soulevait d'autres problèmes car Goodkind était jaloux de la place prépondérante qu'occupait Colquhoun.

« Quand je suis parti, j'étais associé et maintenant je ne suis plus qu'un sous-fifre. C'est Colquhoun ceci, Colquhoun cela. Rien ne se fait sans son accord. On dirait un châtelain.

— J'ai dû beaucoup me décharger sur lui. N'oublie pas que quand tu es parti, j'étais célibataire. Aujourd'hui je suis marié et j'ai six enfants.

— Je m'étonne que tu ne les aies pas confié à Colquhoun. Vu la façon dont il investit l'endroit, on dirait que c'est lui qui possède cette foutue compagnie. »

Il revint encore lui parler quelques jours plus tard. « Tu sais, il est antisémite. N'oublie pas que j'ai travaillé en Allemagne et que je sais reconnaître l'antisémitisme. »

La voix qu'il entendait était bien celle de Goodkind mais les idées étaient de Tobias ; Nahum accusa Goodkind d'être un anti-*goy*.

« Tu étais bien content de l'avoir comme employé et maintenant qu'il a fait son chemin, tu n'en veux plus. Tu es pourtant bien placé pour savoir combien il a travaillé dur pour la compagnie.

— Il y a ici des douzaines de personnes qui ont travaillé aussi dur que lui mais eux, ils n'ont pas fait leur chemin.

— Ils n'étaient pas compétents.

— Oui, et ils n'avaient peut-être pas sa femme non plus. »

Nahum regarda ses joues rebondies, son double menton qui lui donnait un air agressif, sa moustache tombante.

« Espèce de gros porc », commença Goodkind mais il s'arrêta brutalement car on frappait à la porte. C'était Colquhoun. Il les regarda tous les deux et dit : « Je dérange ?

— Non, pas du tout, dit Nahum en se retournant vers Goodkind. Répète à Colquhoun ce que tu étais en train de me dire.

— Je suis désolé, rétorqua Goodkind d'une voix contrite. Je ne sais pourquoi je l'ai dit, je ne le pensais pas vraiment, et il passa devant Colquhoun les yeux baissés.

— Je suppose qu'il s'agissait d'un exposé de l'association Goodkind-Tobias, dit Colquhoun.

— Tu étais au courant ?

— Bien sûr, et j'ai même demandé conseil à Jessie.

— Il est difficile de se mettre en colère contre Goodkind quand on sait toutes les épreuves qu'il a subies.

— J'ai cru que tu allais le frapper quand je suis entré.

— J'ai failli le faire. Je ne sais pas ce qui se passe. Nous nous entendions si bien autrefois.

— C'est de la faute de Tobias. Il lui bourre le crâne.

— Tobias a aussi son caractère. Tu t'es déjà moqué de lui et tu ne rates pas une occasion de le faire.

— C'est possible mais je n'ai pas de temps à perdre avec lui. Il fait partie de la pire espèce des ratés, de ceux qui ont un peu connu la réussite. Nous les *goys,* nous prenons les échecs comme ils viennent, ce qui n'est pas le cas des juifs : ils s'aigrissent et pensent que le monde entier est contre eux. »

Nahum voulut dire quelque chose mais il ne put ouvrir la bouche. Pour la première fois, il en vint à se demander si Tobias n'avait pas raison. Un flot de télégrammes vint interrompre sa réflexion. La guerre était imminente dans les Balkans. Ils avaient deux vapeurs au large de Malte qui faisaient route vers l'Est et Nahum envisagea d'abord de les rappeler.

« La guerre est toujours imminente dans les Balkans, dit Colquhoun. Moi, à ta place, je les laisserais continuer leur route.

— Et si la guerre éclate ? demanda Nahum.

— Nous devons courir ce risque. » Goodkind se rangea à l'opinion de Colquhoun.

La guerre éclata le lendemain. Nahum passa quelques nuits blanches mais s'en tint à la décision prise, moins par esprit de bravade que par dépit. Les navires arrivèrent intacts.

« Félicitations, dit Goodkind, tu es devenu un citoyen anglais.

— Si cela se reproduit, dit Nahum, je finirai sur un fauteuil roulant. »

Cela se reproduisit l'année suivante. Nahum, qui avait organisé des vacances pour sa famille, dut les annuler. Il s'enferma avec Colquhoun, Goodkind, Tobias, ses assureurs, ses avocats, pour étudier la position des navires et notamment de ceux qui se trouvaient dans la région de la mer Egée et de ses nombreuses îles car personne ne savait quelles étaient les limites des zones de conflit. En cas d'incident, il n'était pas du tout évident que ses navires soient couverts par les assurances. A chaque fois qu'il recevait un télégramme ou que le téléphone sonnait, il s'armait de tout son courage en pensant qu'on allait lui annoncer une catastrophe. Il se souvenait du conseil que Wachsman lui avait donné des années auparavant. Il se demandait si le commerce maritime était bien fait pour un juif qui voulait dormir la nuit. Il avait visiblement vieilli en l'espace de ces deux dernières années. Son unique consolation lui venait de ce que les rumeurs de guerre contribuèrent à accroître le trafic des passagers et les recettes du *Tikvah* remontèrent en conséquence.

Tobias suggéra de vendre certains des bateaux tant que les prix étaient corrects.

« Et que ferons-nous de l'argent ? demanda Colquhoun.

— Nous l'investirons ici dans l'immobilier.

— Nous n'en retirerons pas les mêmes profits.

— Peut-être, mais ils sont sûrs. Il n'y a rien de plus stable que l'immobilier ; avec ça, vous pourriez dormir la nuit.

— Oui, et le jour. Il se trouve que nous sommes une compagnie maritime et que notre seule expérience repose sur les navires.

— *Votre* expérience.

— Et la mienne », dit Nahum.

Tobias pointa un doigt vers lui. « Vous coulerez avec vos navires, souvenez-vous de ce que je vous dis, vous coulerez avec eux. » Il allait se lever mais il s'écroula dans sa chaise, le visage blême. De petites bulles se formèrent au coin de sa bouche. Goodkind courut chercher un verre d'eau et Nahum un docteur mais Tobias affirma qu'il allait bien. « C'est déjà arrivé », dit-il. Il n'avait besoin que de repos.

Si les affaires ne marchaient pas très bien, cela n'allait pas mieux à la maison. Miri tomba malade et resta couchée presque tout l'hiver. Le docteur lui conseilla de changer de climat, aussi Nahum décida de l'envoyer à Menton.

Il loua une grande villa à Menton pour six semaines en été (à l'époque, la Riviera était surtout fréquentée en hiver si bien que les loyers d'été étaient comparativement peu élevés). Sophie devait partir avec sa mère, et Nahum, qui avait des affaires à régler à Paris, décida d'aller passer une semaine avec elles avant de venir retrouver en juillet le reste de la famille. Sa mère s'occuperait de la maison pendant ce temps. Ils partirent ensemble à Central Station.

« Tu sais, je me sens déjà mieux rien qu'en pensant au soleil, dit Miri.

— Ce sera notre seconde lune de miel, lui murmura Nahum.

— La troisième, si tu fais bien le compte », lui répondit-elle.

Il allait monter dans le train lorsqu'il entendit qu'on l'appelait ; il vit quelqu'un qui courait vers lui sur le quai. C'était Lazar.

« Tobias, dit-il essoufflé, Tobias est mort. »

Miri estimait qu'ils devaient tous s'en retourner à la maison mais Nahum insista pour qu'elle et Sophie fassent le voyage. Il revint avec Lazar.

« Quand cela est-il arrivé ? demanda Nahum.

— Il y a environ une heure. Comme tu le sais, il a été malade la semaine dernière cependant il semblait aller mieux ces jours-ci. Il avait bien mangé ce soir mais il s'est plaint d'avoir froid ; nous lui avons alors fait un feu dans la salle à manger. Il a dû s'asseoir trop près du feu car au bout d'une demi-heure son pantalon a commencé à brûler. Ma mère lui a crié de se réveiller. Il ne bougeait plus. Elle a appelé un docteur puis elle m'a dit de venir. Il était mort. Une crise cardiaque sans doute. »

Ils poursuivirent leur chemin en silence jusqu'à ce que Lazar dise : « Je suppose que tu dois penser que je l'ai tué.

— Il est certain qu'en lui raflant la moitié de sa clientèle, tu n'as pas dû arranger sa santé.

— Cette clientèle-là l'aurait quitté de toutes les façons. Je faisais presque tout son travail. Je n'avais pas envie de le supporter pour le restant de ses jours. Mais je ne savais pas qu'il était malade.

— Moi non plus. Je crois que chacun à notre façon nous l'avons poussé dans sa tombe. »

Tobias avait une sœur aînée qui n'était pas en très bons termes avec Katya. Elle était persuadée qu'il avait été empoisonné par Katya et/ou Lazar. L'enterrement fut repoussé à cause de l'autopsie, ce qui reporta d'autant le départ de Nahum pour Menton. Alors qu'il allait enfin partir, tomba la nouvelle de l'assassinat de l'archiduc François-Ferdinand à Sarajevo.

« C'est une véritable conspiration, dit-il. A chaque fois que je boucle mes valises, il arrive quelque chose.

— Tout finira par se calmer, dit Colquhoun.

— Et même s'il n'y a pas d'accalmie, ta présence ici n'y changera rien, ajouta Goodkind.

— On dirait que tu as besoin de vacances, fit remarquer Colquhoun.

— Je sens que j'ai besoin de vacances.

— Alors ne remets pas ta décision et pars. »

Nahum avait l'impression, à moins que ce ne fût un effet de son imagination, que l'association Goodkind-Tobias avait laissé la place à un tandem Goodkind-Colquhoun qui manœuvrait pour se débarrasser de lui.

« Ce n'est pas le moment de plaisanter », dit-il.

Il en avait assez de la désinvolture de Colquhoun. Il était d'avis qu'il fallait rappeler tous les navires à leur port d'attache.

« Si nous paniquons maintenant, nous ne chargerons plus de

cargaisons et en plus nous pourrons être poursuivis en justice pour rupture de contrat », dit Colquhoun.

Nahum n'en était pas du tout convaincu mais, comme toutes les autres compagnies semblaient travailler normalement, il n'insista pas davantage.

Miri le bombardait de télégrammes pour savoir s'il allait venir. L'école allait se terminer dans quelques semaines et il était préférable qu'il parte avec sa mère et les enfants. Il prévint aussi Miri qu'il y aurait plus de monde que prévu car Hector voulait venir avec un ami. De plus, il estimait qu'après ce qui lui était arrivé Katya aurait besoin d'un peu de repos et elle voudrait certainement venir avec ses deux belles-filles, Arabella et Caroline. Miri lui répondit : « Amène qui tu veux, moi je rentre à Glasgow. »

Il se demanda si elle plaisantait et jusqu'au jour de son départ, il craignit de la voir revenir. Quand il arriva à Menton, elle ne lui fit aucun reproche, d'une part parce qu'il y avait beaucoup de monde avec lui mais surtout parce qu'elle fut effrayée par son aspect.

« As-tu été malade ? demanda-t-elle.

— J'ai eu des problèmes.

— Tu as toujours eu des problèmes mais tu n'as jamais eu cet air-là.

— Je n'ai jamais eu de problèmes comme ceux-là. »

Nahum était épuisé mais après quelques jours passés au soleil il retrouva la juste mesure de ses problèmes. Avant son départ, il ne voyait partout que complots et trahisons ; maintenant il avait envie d'écrire à Colquhoun et Goodkind pour s'excuser des sentiments qu'il avait nourris à leur encontre. Il profita pleinement de ces vacances. Vers la fin du mois, ils furent rejoints par Alex, Hector et un camarade d'école à eux nommé Cyrus. Lazar était aussi en vacances dans les environs et il passait parfois avec sa femme. Certains soirs, Nahum compta plus de vingt convives à table. Il se souvenait de tous les parents qui venaient à la *dacha* de son père à Volkovysk et du plaisir qu'il avait de voir tous les cousins, neveux et nièces. Nahum avait parfois l'impression de jouer le rôle de son père.

Katya avait subi l'épreuve de son second veuvage avec un certain aplomb. Pour elle et la mère de Nahum, Menton était une sorte de paradis auquel l'élite accédait dans ses moments de gloire. Elles regardaient autour d'elles, intimidées. A peine installées, elles s'étaient précipitées à l'hôtel Windsor où leur sœur avait résidé. Une première déception leur vint de ce que l'hôtel avait été rebaptisé Le

Royal et une seconde de ce que personne ne se souvenait de leur sœur. Elles projetèrent d'aller voir une cousine quelconque qui souffrait d'une maladie des bronches et s'était installée, disait-on, à Grasse.

« J'aimerais mourir ici, dit Katya un jour.

— Je ne sais pas si nous resterons assez longtemps pour ça », rétorqua Nahum.

A la différence de Miri, Nahum aimait la compagnie. Parfois, ils délaissaient leurs invités et dînaient tranquillement dans leur chambre qui donnait sur le parc.

« Ce sont les plus belles vacances de ma vie, dit Nahum.

— Ce serait mieux si Katya et ses maigrichonnes de filles n'étaient pas venues, dit Miri.

— Mais qu'est-ce qui ne va pas avec elles ? Katya est une excellente cuisinière et les filles sont très mignonnes.

— Oh ! je n'ai rien à dire sur leur physique mais je n'aime pas la façon dont l'aînée s'attache à Hector.

— Hector est assez grand pour se débrouiller tout seul.

— Je n'en suis pas si sûre. C'est une finaude ; avec ses yeux en amande et ses grandes dents, elle me fait penser à une louve. »

Arabella, grande et mince, tenait plutôt de la renarde. Nahum s'était pris d'affection pour elle bien que Miri le désapprouvât. Arabella pouvait être maussade, morose, renfermée et, tout à l'opposé, effrontée ou enjouée. Un après-midi, alors qu'il était en train de lire dans le jardin, Vicky se précipita vers lui en larmes.

« Elle m'a dit d'aller au diable, hurla-t-elle, elle m'a dit d'aller au diable !

— Qui ça ?

— Arabella. »

Il la prit par la main et rentra aussitôt dans la maison. « Arabella, as-tu dit à cette enfant d'aller au diable ?

— Moi ? C'est possible mais je devais avoir de bonnes raisons de le dire.

— On ne parle pas ainsi à une enfant.

— Si je ne peux pas parler comme ça à une enfant, à qui diable pourrais-je parler ainsi ? »

On lui avait dit aussi qu'elle fumait et buvait. Il ne l'avait jamais vue avec une cigarette à la bouche mais il remarqua que la bouteille de vin restait souvent au bout de la table occupé par Arabella et Hector.

Ils dînaient fréquemment sur la terrasse et Sophie, Alex, Hector, Cyrus, Arabella et sa sœur y restaient discuter jusqu'à une heure avancée de la nuit. Nahum les enviait : ils vivaient une période de leur vie dont il n'avait pu profiter. Lorsqu'il était arrivé à Glasgow il avait un an ou deux de moins qu'Hector et il lui avait alors fallu se débrouiller pour gagner sa vie, travaillant pour quelques shillings par semaine sans avoir le temps de lire, d'étudier ou de se faire des amis. Pour lui, le passage de l'enfance à l'âge adulte s'était fait sans transition, ce qui n'était pas le cas de toute cette jeunesse qui venait de bonnes familles, fréquentait de bonnes écoles ou l'université et qui se sentait certainement pas concernée par de petits détails comme le gagne-pain.

Un soir, il se promenait le long du bord de mer quand il aperçut un personnage recroquevillé portant un chapeau de paille défoncé et que l'on poussait dans un fauteuil roulant. Il avait l'impression de l'avoir déjà vu. Il s'arrêta pour mieux le regarder et reconnut Wachsman. Il le salua, Wachsman leva la tête et le regarda par-dessus ses lunettes.

« Je vous connais ?

— Je suis Raeburn-Rabinovitz, de Volkovysk.

— Ah... les bateaux, c'est ça ?

— Oui, c'est exact.

— Vous êtes toujours dans la même branche ?

— Oui.

— Alors, vous devez avoir des ennuis. Mais qui n'en a pas ? Tout est fini, mon ami, tout. Quand je me suis retiré des affaires je pensais... J'ai été très malade vous savez, très malade et c'est un miracle que je sois en vie. J'ai eu une crise cardiaque et ils disaient déjà le *kaddish*[1] pour moi mais je m'en suis sorti. Quand je me suis retiré des affaires, je pensais que je mourrais avant la fin du monde. Mais je suis toujours là, vivant et entier alors que le monde va voler en éclats. Avez-vous appris la nouvelle ?

— Vous voulez parler de l'Autriche et de la Serbie ?

— L'Autriche a adressé un ultimatum à la Serbie qui ne peut en aucun cas l'accepter. Cela veut dire qu'il va y avoir la guerre.

— Oui, mais ce n'est pas vraiment une nouvelle. Combien de guerres y a-t-il eu dans les Balkans ces dernières années ?

— Cette fois, il y a plus que les Balkans en jeu, mon ami. Les Habsbourg sont dans le coup et quand on commence avec eux on finit

---

1. *Kaddish :* prière que l'on récite à la fin des passages importants de l'office et également à l'occasion de la mort d'un parent.

avec le diable. La Russie viendra aider la Serbie et les Turcs attaqueront alors la Russie. Avant que l'on ne réalise ce qui se passe, l'Allemagne entrera dans la danse, puis la France et l'Angleterre. Ils sont tous devenus fous, y compris les Allemands, le peuple le plus intelligent et le plus civilisé de l'Europe. Tous fous. Quelle tragédie, surtout pour nous les juifs. Nous venions de trouver notre place dans le monde et qu'est-ce qui arrive ? Le monde se désintègre. »

Quand il arriva à la maison, il trouva Sophie, Alex, Hector et Cyrus qui commentaient la nouvelle sur la terrasse.

« Les nuages se sont accumulés depuis des années, disait Cyrus, rien de tel qu'une bonne bagarre pour éclaircir le ciel.

— C'est une curieuse façon de parler de la guerre, fit remarquer Sophie.

— La guerre est une réalité de la vie, lança Hector.

— Oui, mais ce n'est pas une fatalité, répondit Alex.

— Je ne vois pas comment ils arrêteront celle-là, dit Cyrus.

— Le bon sens devrait suffire. La Grande-Bretagne ne s'est pas battue contre un grand pays européen depuis soixante ans. Si elle se mêle de ce conflit, elle finira sur les genoux, expliqua Alex.

— La *Grande-Bretagne ?* demanda Hector.

— Avec sa marine, dit Cyrus.

— Sur les genoux », répéta Alex.

Quand Nahum monta dans sa chambre, Miri était déjà au lit.

« Ça ne ressemble pas tellement à une lune de miel, n'est-ce pas ? demanda-t-elle.

— Ça aurait pu l'être, sans ces fichus Serbes.

— Et cette fichue Katya, sa fichue fille, ta fichue mère et tous les autres.

— La villa est grande et il y a de la place pour tout le monde.

— Sauf pour toi et moi. Tu ne venais pas près de moi à Glasgow...

— Tu ne le voulais pas.

— J'étais malade mais je vais mieux maintenant, seulement tu passes plus de temps avec les gosses qu'avec moi.

— J'en suis désolé. J'ai quitté la maison à seize ans et je n'ai pas connu d'autres gosses quand j'étais jeune. Il y avait bien Shyke mais je ne l'ai pas revu depuis qu'il a quitté Volkovysk. Il y avait bien Colquhoun mais...

— C'est un *goy.*

— Quelle différence cela fait-il ?

— Cela devrait n'en faire aucune, mais tu n'as jamais appris à vivre avec les *goyim* et tu ne le sauras jamais. Oublions les *goyim* pour le moment. Tire le store et allume la lumière.

— Je veux sentir la brise du soir.

— Et moi je veux te regarder te déshabiller.

— J'ai presque quarante ans et je suis gros.

— Je le sais ; je ne suis pas mince non plus. Les maigres ne savent vraiment pas faire l'amour. »

Elle sortit du lit, tira les rideaux, alluma la lumière et commença à le déshabiller.

« Généralement, j'enlève ma chemise en premier, dit-il.

— Tu peux garder ta chemise. » D'une main elle défit sa ceinture tandis qu'elle glissait l'autre dans son pantalon.

Juste à ce moment-là, on frappa à la porte.

« C'est un télégramme », dit Sophie.

Nahum se tourna vers l'entrée mais Miri le retint.

« Non, pas maintenant », murmura-t-elle.

Il laissa le télégramme en attente, cependant cela affecta sa performance et Miri alla se coucher en larmes. C'était un télégramme de Colquhoun.

AI ORDONNÉ NAVIRES RENTRER. BONNES VACANCES.

Il avait songé à donner un tel ordre après sa conversation avec Wachsman mais il s'était demandé dans quelle mesure Wachsman était au courant des événements. Il lui avait semblé un peu gâteux. Nahum espérait que les choses se calmeraient, cependant si Colquhoun était intervenu sans même s'en référer à lui, alors il y avait des raisons de s'inquiéter.

Tôt le lendemain matin, il ordonna à tout le monde de faire les valises. Dans toute cette précipitation Nahum avait oublié que la tante Katya, sa mère et quelques enfants étaient partis rendre visite à leur parente de Grasse. Il dut envoyer Alex les chercher mais ils revinrent trop tard pour prendre le train de nuit. Ils partirent le lendemain matin. Dans le train qui traversait lentement — trop lentement au gré de Nahum — la France, les rumeurs les plus folles couraient le long des compartiments et des couloirs bondés. On disait que l'Autriche avait déclaré la guerre à la Serbie, que la Russie allait déclarer la guerre à l'Autriche et que l'Allemagne mobilisait ses troupes. Quand le train s'arrêta à Lyon, Nahum eut confirmation de la première rumeur. Il télégraphia à Colquhoun pour demander qu'il lui transmette la position de tous les navires à l'hôtel Scribe à Paris où il pensait être le lendemain soir. Quand il arriva à Paris, il réalisa qu'il avait agi trop tard. L'Allemagne avait déclaré la guerre à la Russie. Il y avait pire encore. Deux de ses navires se trouvaient à Riga et au milieu de toute cette pagaille, il n'était pas certain qu'ils puissent lever l'ancre. Le *Tikvah,* son plus beau navire et de loin sa plus grande source de revenus, avait eu des ennuis mécaniques. On l'avait remorqué jusqu'à Stettin et il ne pouvait repartir sans avoir été réparé. Miri le regardait tandis qu'il lisait et relisait, les mains tremblantes, le télégramme : il sembla vieillir d'un seul coup sous ses yeux.

« A te voir, on dirait que c'est la fin du monde.

— C'est la fin du monde.

— Il y a déjà eu des guerres. Tout sera terminé dans quelques semaines.

— Non, pas cette fois. Quand on commence avec les Habsbourg on finit avec le diable. Toute mon affaire reposait sur le *Tikvah,* les autres navires n'étaient là que pour donner l'illusion de notre importance car seul le *Tikvah* nous rapportait de l'argent. En d'autres temps, ces ennuis mécaniques auraient déjà été une catastrophe mais maintenant nous sommes finis, finis.

— Ne t'arrache pas les cheveux et cesse de te tordre les doigts.

— Je ne m'arrache pas les cheveux.

— Tu le ferais, s'il t'en restait assez. C'est quand un homme a des ennuis que l'on apprend réellement à le connaître. Tout le monde peut être gentil et charmant quand tout va bien. Tu me rappelles mon père quand il n'arrivait pas à vendre un poulet.

— Un navire, ce n'est pas un poulet. »

Il se souvint de l'avertissement que lui avait adressé Tobias : « Souvenez-vous de ce que je vous dis, un jour vous regretterez d'avoir posé les yeux sur ce *goy.* » Il suggérait par là que Colquhoun pourrait le voler, mais Nahum ne l'en avait jamais cru capable sauf quand il avait été à deux doigts de la dépression nerveuse. Nahum, qui était très inquiet en pensant à cette guerre, estima finalement que le flegme de Colquhoun correspondait à une forme de sagesse.

Il ne voyait plus devant lui que le spectre de la ruine.

17.

La famille était trop épuisée pour poursuivre le voyage et ils passèrent la nuit au Scribe. Nahum continua seul ; il arriva à Londres tôt le lendemain matin et fila droit au bureau de Kagan. Ce n'était plus le paisible endroit qu'il avait connu autrefois. Tout n'était qu'agitation : des employés couraient dans tous les sens et il était impossible de joindre Kagan. Nahum réussit à l'attraper au vol alors qu'il entrait par une porte latérale.

« Non, pas maintenant s'il vous plaît, monsieur Raeburn. J'ai une importante réunion à l'étage.

— J'ai un train dans une heure.

— Alors prenez-le absolument. Je n'ai pas le temps.

— Savez-vous que je suis ruiné ? dit Nahum.

— Vous ne l'êtes pas et je doute que vous le soyez un jour.

— La moitié de ma flotte est malheureusement bloquée dans les eaux allemandes et le *Tikvah* a des ennuis mécaniques.

— Le *Tikvah* ? Dans un port allemand ?

— A Stettin.

— C'est plus embêtant mais je vous rappelle que je vous avais parlé de ces contingences imprévues. Je me demande pourquoi vous n'avez pas tenu compte des conseils que je vous avais donnés. Vous êtes toujours allé trop loin, beaucoup trop loin. A chaque fois que vous aviez un penny, c'était pour acheter un bateau. Maintenant, je suppose que vous voulez des crédits d'urgence. Tout le monde en veut. Malheureusement je ne les ai pas et je ne sais même pas si je vous en donnerai au cas où j'en trouverai. Mais pourquoi venez-vous me les demander à moi ? Vous avez des actionnaires, pourquoi ne les sollicitez-vous pas ? Si vous voulez bien m'excuser. »

Nahum attrapa son train de justesse et arriva à Glasgow tard dans la soirée. Il prit un fiacre pour se rendre chez Colquhoun. Jessie se préparait à aller se coucher et son apparition la stupéfia.

« Mon Dieu, s'exclama-t-elle, que t'est-il arrivé ?

— Peu importe ce qui m'est arrivé. Tu sais pour les bateaux ?

— Oui, mais tu n'as pas besoin de crier. Ce n'est pas ma faute, je ne suis pas le Kaiser. »

Elle lui versa un verre de whisky pour le calmer. Colquhoun était à Londres.

« A Londres ! J'y étais. Il aurait pu me prévenir qu'il y allait.

— Il t'a adressé un télégramme à ton hôtel à Paris ; tu ne l'as probablement pas reçu. Tu penses que c'est sa faute n'est-ce pas ?

— Je me fiche de qui c'est la faute, le mal est fait.

— Il a appliqué tes décisions. Tu lui as demandé son opinion, il l'a donnée. Tu n'étais pas obligé d'en tenir compte.

— Que fait-il à Londres ?

— Il voulait te parler de tout ça. » Elle s'interrompit un instant. « Il va s'engager dans la marine.

— Dans la marine ! A son âge ?

— Que veux-tu dire par « à son âge » ? Il n'a que quarante ans. Il a été marin toute sa vie et il était réserviste. Il espère être versé dans l'active mais on lui donnera probablement un travail de bureau.

— Il ne peut pas me quitter ainsi, pas avec tout ce fatras sur les bras. Je ne sais même pas ce qui se passe.

— C'est ce que je lui ai dit, mais il croit qu'on ne le gardera pas plus d'un mois ou deux.

— S'il est parti pour un mois ou deux, tu peux lui dire qu'il ne trouvera pas son travail en rentrant. »

La marine ne se montra guère pressée d'utiliser les services de Colquhoun et plus de trois mois s'écoulèrent avant qu'il ne parte. Entre-temps, la compagnie avait été entièrement réorganisée car sa principale activité, le trafic immigrant, était complètement interrompu et nul ne savait quand il reprendrait, à supposer qu'il reprenne un jour. Ils n'eurent aucun mal à trouver une affectation aux autres navires, aux chevaux et aux remorques mais le bureau des expéditions et de la vente des billets, qui avait vu naître leur affaire, demeurait vide. Quand il devint évident que la guerre allait durer des années, il demanda à Goodkind de liquider le trafic passager. Cela prit quelques semaines et quand le travail fut achevé, le dernier homme payé et que l'on eut trouvé une nouvelle maison pour le chat du bureau, alors il rentra chez lui et mourut.

Nahum ne voulut pas y croire, ni quand on lui annonça la nouvelle, ni quand il embrassa Jessie en larmes auprès du lit, ni quand il vit le corps massif de son associé qui reposait dans la pièce du devant. Son visage était complètement blanc, à l'exception du nez et des lèvres violacées. Cela lui rappelait le masque de clown qu'il mettait pour la fête des enfants du personnel à Noël. Il s'attendait presque à le voir tourner la tête et à lui faire un clin d'œil. Mais il demeurait immobile ; ses gros orteils faisaient une bosse sous le linceul blanc. Ce furent ces orteils qui d'une certaine façon le ramenèrent à la réalité. Goodkind était mort. Il s'assit et pleura comme jamais il n'avait pleuré depuis son enfance.

Jessie s'assit près de lui, l'entoura de son bras, l'embrassa sur le cou et l'oreille mais cela ne le consola pas. Il ne comprenait pas sa propre détresse car lui et Goodkind n'avaient plus été aussi proches qu'autrefois ces dernières années. Il avait découvert chez Goodkind des traits de caractère qu'il n'avait jamais remarqués auparavant, et notamment son irritabilité, sa jalousie, sa méfiance et même, avait-il pensé parfois, sa fourberie. Il n'attendait pas de Goodking qu'il soit parfaitement logique, car les gens ne le sont jamais, mais il y avait des périodes où il changeait complètement de personnalité et d'aspect. Il avait suivi un traitement médical durant un temps et peut-être les remèdes avaient-ils été responsables de son comportement lunatique. Mais Nahum pleurait probablement davantage sur la Goodking-Raeburn que sur Goodkind. Il n'était pas du tout certain que son affaire passerait le cap de la nouvelle année. Ce qui l'inquiétait le plus n'était pas tant l'imminence de la ruine que le sentiment qu'il allait décevoir tous ceux qui étaient là, sans parler de ses employés dont il parlait souvent comme d'une famille.

Le problème des employés des autres services fut moins difficile à régler qu'il ne l'aurait cru. En temps normal, il lui arrivait de licencier une personne incompétente ou pire, inutile, mais il le faisait toujours non sans regret. Quand il mesura la totalité des conséquences de la guerre sur sa compagnie, il se demanda comment il pourrait se résoudre à licencier la plus grande partie de son personnel. Les événements se substituèrent à lui car à peine le premier coup de feu avait-il été tiré qu'ils allèrent presque tous s'enrôler dans la marine, l'armée de terre ou les régiments écossais. Tous étaient excités comme s'ils allaient à un bal. Nahum ne comprenait déjà pas le plaisir que les hommes prenaient à tirer sur les oiseaux et il comprenait encore moins cette passion qui pouvait les amener à se tirer les uns sur les autres.

Hector avait également annoncé son intention de s'enrôler. Ses bulletins scolaires avaient presque tous été mauvais, cependant il s'était montré plus brillant dans les rangs des cadets de l'école et son commandant disait de lui qu'il « avait l'étoffe d'un officier ». Miri et Nahum se rassurèrent en pensant que le garçon n'avait que dix-sept ans et que la guerre serait finie avant qu'il ne soit en âge de partir. En attendant, il brûlait d'en découdre et Nahum se demanda si en plus d'être une graine d'officier il n'était pas une graine de *goy*.

Alex, qui était plus grand, plus mince et légèrement voûté, n'avait vraiment pas l'étoffe d'un officier et son étoffe de soldat elle-même n'impressionnait personne. Il ne pensait pas quitter Oxford avant 1917 et personne, Nahum y compris, ne croyait que la guerre durerait jusque-là.

Quant à Sophie, si elle n'avait pas réussi à se marier quand elle mangeait son pain blanc comment aurait-elle pu trouver un époux quand il ne lui restait plus que son pain noir ? La nouvelle de l'infortune de Nahum s'était vite répandue et il avait constaté que la foule des jeunes gens qui se pressaient autour de Sophie lors des *bar mitzvahs,* des mariages ou lors des rares occasions où elle se rendait à la synagogue, avait considérablement diminué. Il aurait voulu connaître ses projets mais il avait toujours hésité à lui parler et ses difficultés professionnelles ajoutaient à son hésitation. La prospérité lui avait donné un certain aplomb. S'il n'avait ni toutes les connaissances de Sophie ou d'Alex ni la bonhomie ou la verve d'Hector, il était malgré tout un homme d'affaires doué d'un solide sens de l'à-propos, riche, heureux. Il était un personnage dont l'opinion comptait et dont les conseils étaient prisés ; il faisait alors partie du bureau de nombreuses associations de charité et était le vice-président du mouvement Sioniste de Grande-Bretagne. Tout cela était maintenant remis en question. On ne lui demanda pas de démissionner des différents comités mais on le sollicita moins souvent. En quelques mois, il était passé du statut de grand patron à celui de *nebbich*.

Le jour de l'enterrement de Goodkind, sa mère vint le trouver à son bureau et après s'être assurée qu'ils étaient vraiment seuls elle lui chuchota à l'oreille : « Pourquoi ne pas écrire à Lotie ? »

Il la regarda comme si elle était devenue folle.

« Je sais que tu as des problèmes, tout le monde le sait. Lotie t'aidera à en sortir. Un million de dollars, ce n'est rien pour elle. Elle fera tout ce qui est en son pouvoir pour toi, c'est une femme, je la comprends.

— Tu peux la comprendre, mère, mais je ne te comprends pas » et, en la prenant par le coude, il la fit sortir du bureau.

Après l'enterrement, Lazar offrit de le ramener à la maison en voiture (Nahum avait vendu la sienne quelques semaines auparavant) et, tandis qu'il conduisait, Lazar lui dit : « Je suppose que ça va être plus difficile sans Goodkind.

— Ce n'était pas si facile avec lui.

— Mais tout cela va s'arranger bientôt.

— C'est ce que tout le monde dit, mais entre-temps je dois négocier le remboursement de mes emprunts. Si cela continue ainsi, je serai bientôt à la merci de mes créanciers. J'envie Goodkind d'une certaine façon. »

Lazar se tut un instant puis il dit : « As-tu pensé à vendre ?

— Vendre ?

— Oui, la compagnie.

— N'importe qui peut envisager de vendre une affaire si on lui en propose un bon prix mais qui voudra acheter celle-ci ?

— Je pourrais trouver un acquéreur.

— *Tu* pourrais trouver un acquéreur ?

— Oui.

— Ce ne serait pas toi l'acquéreur, par hasard ?

— C'est tout à fait hors de question.

— Je ne le crois pas, ne serait-ce qu'à la façon dont tu amènes la question sur le tapis.

— Ecoute Nahum, je ne cherche pas à faire une affaire. Tu en obtiendras un prix correct.

— Mon garçon, de toute ta vie tu n'as jamais été capable de payer un prix correct. J'ai peut-être des problèmes mais je ne suis pas sur les genoux. Peux-tu arrêter la voiture ?

— Nous ne sommes pas encore arrivés.

— J'ai besoin de respirer de l'air frais. »

Il avait offert en cadeau de mariage à son cousin mille actions de la Goodking-Raeburn ; il avait alors pensé qu'il regretterait probablement sa générosité un jour, ce qui était le cas. Comme Katya avait hérité des parts de Tobias, il contrôlait 15 % du montant total des actions. Nahum en possédait 50 %, Colquhoun 12 % et Lotie 10 % :

il ne se sentait donc pas menacé. Le *chutzpah*[1] de son cousin l'amusait et le peinait à la fois.

« Il m'est arrivé une chose amusante en revenant de l'enterrement, dit-il à Miri. Quelqu'un m'a proposé de me sortir des griffes des créanciers.

— Qu'y a-t-il d'amusant à cela ?

— Tu ne sais pas qui c'était ? Lazar.

— Je ne saisis toujours pas la plaisanterie. Lazar n'est pas un manchot. Il s'est fait tout seul, ce garçon.

— Un garçon ? Il a presque mon âge.

— Tu es jaloux de lui, tu l'as toujours été. Tu es arrivé avant lui et tu as filé droit dans les affaires ; lui, il s'est débrouillé pour aller à l'université, puis il est devenu avocat et a épousé une riche héritière.

— Ecoute, si j'avais eu un cousin timbré aux crochets de qui j'aurais pu vivre, moi aussi je serais allé à l'université et j'aurais fait ce que je voulais. Je ne sais pas combien de temps il est resté chez moi sans débourser un sou.

— Sa mère tenait ta maison, elle te faisait faire l'économie d'une domestique. Et puis, tu aimais Lazar autrefois, du moins c'est ce que tu m'as dit.

— Quand ça ?

— Quand il dépendait de toi. Ce qu'il ne faut pas oublier c'est qu'il s'en est sorti tout seul et qu'il a réussi, lui. »

Nahum se demanda s'il s'agissait d'un effet de son imagination mais il lui semblait que Miri contestait presque tout ce qu'il disait depuis qu'il avait des ennuis. Le matin, il ne pouvait lui dire bonjour sans se heurter à son hostilité.

Sa situation s'améliora lorsque le premier choc de la guerre fut surmonté. On créa un fonds spécial pour aider les compagnies dont les biens étaient tombés aux mains de l'ennemi. Par ailleurs, il utilisait toujours les navires qui lui restaient mais il ne put maintenir son ancien train de vie. Durant l'été 1915, ils retournèrent à la maison de Carmichael Place où il habitait avant son mariage.

« Voilà, dit Miri à sa fille aînée, tu as toujours prié pour que nous soyons pauvres. Tes prières ont été entendues. Tu es contente ?

— Tout le monde devrait être aussi pauvre », lui répondit Sophie. Ils n'étaient peut-être pas pauvres mais ils étaient logés à l'étroit : il

---

1. *Chutzpah* : le culot, l'effronterie.

n'y avait que quatre chambres et, outre Hester — qui en vieillissant commençait à devenir un véritable fardeau — il y avait Thelma, une grande chienne noire que Sophie avait recueillie. Avec l'âge, elle avait grossi, était devenue presque aveugle et incontinente ; elle se traînait dans la maison en heurtant les gens et les objets. A chaque fois qu'on lui suggérait de la faire piquer, Sophie protestait en criant : « Vous devrez d'abord me piquer pour ça », une proposition qui ne sonnait pas si désagréablement aux oreilles d'Hector. Quand lui et Alex venaient en vacances, ils devaient dormir sur un canapé pliant. Alex, qui apportait avec lui une véritable petite bibliothèque, se plaignait de ne pas avoir un coin tranquille dans la maison.

Hector était plus véhément : « Bon Dieu ! Est-ce qu'il y a des gens qui vivent comme nous ? Ce n'est pas notre campement définitif, n'est-ce pas ? »

Si l'allure, la façon d'être et d'agir d'Hector inspiraient une certaine fierté à Nahum et Miri, les projets de ce garçon qui ne leur appartenait plus tout à fait leur causaient quelque inquiétude. Ils pensaient tous les deux que cela avait été une erreur de l'envoyer à Clifton. Certes, il y avait reçu une bonne éducation (à laquelle il s'était efforcé au maximum de se soustraire) mais le collège l'avait placé, si ce n'est au-dessus de sa condition, du moins au-dessus de la leur depuis qu'ils avaient descendu les barreaux de l'échelle sociale. Il passait la plus grande partie de ses moments de liberté avec ses « grands amis » comme les appelait Miri. Un moment, ils avaient hésité à déménager pour Carmichael Place à cause d'Hector mais Miri avait dit : « Nous n'allons pas nous ruiner pour satisfaire ses goûts de seigneur. »

Nahum, qui avait envisagé le déménagement avec une certaine appréhension, se sentit singulièrement heureux quand il fut achevé. Dans sa maison précédente, trop grande et trop somptueuse, il avait parfois l'impression d'être un étranger. En outre, il avait le sentiment que Miri ne tenait pas très bien en main les domestiques. Les bonnes étaient toujours enceintes, les jardiniers s'enivraient et comme ils démissionnaient tous à tour de rôle, il n'arrivait jamais à se familiariser avec leurs visages. Une fois, Nahum et Miri étaient allés passer un week-end chez les Kagan et la maîtresse du lieu avait dit à Miri : « Le secret d'une domesticité stable, c'est un bon maître d'hôtel digne de confiance. Le maître d'hôtel est à la domesticité ce que l'adjudant-chef est au régiment. Sans lui, la domesticité devient populace indisciplinée. » Miri en parla avec Nahum à leur retour mais il refusa en raison de la dépense que cela occasionnerait.

« Je suis à l'aise mais je ne suis pas encore Kagan. » La véritable raison de son refus était que les maîtres d'hôtel l'intimidaient et qu'il n'aurait jamais pu vivre sous le même toit qu'un tel personnage. Il était déjà intimidé par sa cuisinière, aussi il fut heureux de retourner vivre dans une maison presque sans domestiques.

Ce qui le surprit par contre, c'est la joie dont fit montre Miri après leur emménagement. Cela venait tout simplement de ce que la mère de Nahum avait décidé d'aller vivre pour le moment chez la tante Katya. Des quatre maisons qu'il avait habité depuis son arrivée à Glasgow, celle de Carmichael Place lui plaisait le plus. S'il n'y avait eu la guerre, il aurait été satisfait, même en dépit de la diminution de ses revenus. Il avait peut-être trouvé son véritable rang dans la société et il s'était montré probablement trop présomptueux en essayant de le dépasser.

La guerre l'angoissait. Tous les journaux commentaient les victoires et les percées ou, au pire, les retraites stratégiques, mais personne ne semblait vraiment progresser alors que le carnage se poursuivait. Chaque jour, la presse publiait d'impressionnantes listes de soldats morts au combat. Il avait déjà entendu parler de la « résignation orientale » mais cette résignation n'avait rien de comparable avec celle qu'il vit en Angleterre. Il rencontrait des gens qui avaient perdu des fils, des frères, un père mais qui allaient au travail le visage inexpressif, comme s'il ne s'était rien passé.

Hector quitta l'école l'été du déménagement ; au début de l'année suivante, il fut nommé officier dans les fusiliers d'Enniskillen. Nahum ne pouvait comprendre comment il se faisait qu'Hector, fils d'un juif russe, né en Ecosse et éduqué à l'anglaise, pouvait avoir été affecté dans un régiment irlandais. Hector était magnifique dans son uniforme avec son ceinturon et son baudrier d'officier cependant Nahum pensait qu'il aurait été encore mieux, revêtu du kilt d'un régiment des Highlands.

Hector reçut sa feuille de route peu après. Nahum organisa une petite réception avant son départ. Un épais brouillard empêcha la plupart des invités de venir, à l'exception d'Arabella qui s'était débrouillée pour être présente.

« Elle voulait venir, chuchota Miri. Je me fais plus de soucis en pensant à elle qu'en songeant aux Allemands ou au front. J'aimais bien Tobias mais je me demande quelle sorte de femme était sa mère ; c'est une véritable peste. »

Lorsqu'elle descendit le lendemain matin, elle trouva Arabella en train de faire le petit déjeuner.

« Tu as passé la nuit ici ? demanda Miri.

— Pourquoi, vous croyiez que j'allais repartir avec ce brouillard ?

— Si tu es venue jusqu'ici, cela ne devait pas être trop difficile de repartir. Je suis sûre qu'Hector aurait été enchanté de t'accompagner.

— Oui, bien sûr seulement je craignais qu'il ne revienne tout seul. A un si mignon garçon, il pourrait en arriver des choses. »

Hector partit en vapeur de Broomielaw. Il avait un moral d'acier, comme tous ses compagnons et, n'étaient le ciel gris et les uniformes kaki, on aurait pu croire qu'ils partaient pour un voyage d'agrément. Nahum et sa femme restèrent sur le quai jusqu'à ce que le navire fût hors de vue.

« Je ne sais pas où il va, dit Miri, mais il y sera plus en sécurité qu'ici.

— Quelle mère es-tu ? Tout ce que tu sais c'est qu'il part pour le front occidental. Quelle chance a-t-il en tant qu'officier de revenir vivant ? Et toi pendant ce temps-là, tu ne penses qu'à cette fille. Il a dix-huit ans, il sortira avec des centaines de filles avant de se marier.

— Ce ne sera certainement pas le cas si elle arrive à ses fins et elle est du genre à y arriver. Est-ce que tu sais qu'elle a passé la nuit dernière sous notre toit et qu'elle n'a même pas essayé de le cacher ? Quand je suis descendue, elle faisait le petit déjeuner comme si elle était propriétaire des lieux.

— Il y a une guerre. Qui sait s'il la reverra jamais ? Tu dois savoir donner des permissions.

— Pas pour des gens comme Arabella. Les permissions, elle se les donne toute seule. »

Nahum n'avait aucune envie de continuer indéfiniment cette conversation que Miri pourtant aurait aimé poursuivre. Il dut rejoindre rapidement son bureau. Quand il entra, il vit Jessie Colquhoun qui l'attendait. Elle était là depuis une demi-heure. Il était toujours ravi de la voir mais elle ne venait pas souvent. Quelque chose l'inquiéta dans son attitude. Il lui prit la main.

« Que se passe-t-il ? »

Ses yeux s'embuèrent et elle dit dans un sanglot étouffé : « Kenneth est porté disparu.

— Disparu ?

— Son navire a coulé. »

18.

Nahum fut abasourdi. Il avait toujours dans sa poche une lettre qu'il avait reçue la veille et dans laquelle Colquhoun lui faisait part de ses projets pour l'après-guerre. « Je suis sûr que la fin est proche, écrivait-il, non point, malheureusement, parce que la victoire est en vue mais parce que les deux camps réaliseront qu'ils ont massacré la plus belle fleur d'une génération et qu'ils ont perdu tous les deux. Quand tout sera fini, ajoutait-il, le monde entier (ou du moins ce qu'il en restera) se mettra en mouvement à travers les continents et par-delà les océans. Tous ceux qui travailleront dans le commerce maritime, les transports, les voyages feront des affaires d'or. Aussi, quelles que soient tes difficultés n'abandonne aucun de tes navires et achète tous les vieux rafiots que tu trouveras. »

Colquhoun n'avait jamais dit ce qu'il faisait dans la marine et à chaque fois que Nahum le demandait à Jessie, elle ne se montrait pas particulièrement loquace.

« Ou il est dans quelque chose d'archi-secret, ou il a honte de me dire ce qu'il fait », disait-elle. Nahum supposait, étant donné son âge, qu'il avait dû être affecté dans un bureau bien tranquille. En fait, il servait sur un croiseur qui fut touché par un coup direct dans la soute aux munitions. Le navire coula dans l'Atlantique nord et tous les hommes de l'équipage périrent.

Une cérémonie commémorative fut organisée à l'église locale. Quand Nahum arriva, il se retrouva assis, à sa grande surprise, près de Lazar.

« Que fais-tu ici ? chuchota-t-il.

— Tu ferais mieux de le demander à Mme Colquhoun. »

Il pensa que ce n'était pas le moment mais quelques semaines plus tard, Jessie lui dit : « Il est l'avocat de notre famille. Avant, un vieux s'occupait de nos affaires mais il est devenu un peu gâteux. Quand il est mort, Kenneth a décidé de se trouver un jeune et brillant avocat juif et je dois dire qu'il est merveilleux. »

Quelques mois plus tard, Lazar demanda à le rencontrer. Nahum répondit qu'il était très occupé mais Lazar lui dit d'un ton menaçant qu'il avait intérêt à se libérer un moment.

Nahum devina à peu près de quoi il retournait. Lazar était le dépositaire des biens de Colquhoun, ce qui lui donnait le contrôle de 25 % des parts de la compagnie et Nahum supposa qu'il n'était pas satisfait de la gestion de la compagnie, ce qui était compréhensible. Les autres actionnaires avaient également fait des réflexions désagréables. Nahum savait très bien que depuis la mort de Colquhoun, il n'avait plus le cœur aux affaires.

Il avait supporté les premières difficultés de la guerre en espérant qu'une fois les hostilités terminées ils pourraient prendre un nouveau départ. Par exemple, en récupérant la flotte tombée aux mains des Allemands, ils pourraient envisager de se lancer sur l'Atlantique. Les mois passèrent. Sa principale activité consistait à faire tourner la machine au ralenti dans l'espoir d'une aube nouvelle. La mort de Colquhoun l'accabla profondément. Il n'avait pas particulièrement envie de traiter avec Lazar mais s'il était vraiment désireux de prendre le contrôle de la compagnie, il était prêt à vendre à un prix raisonnable. Goodkind était mort, Colquhoun était mort et la Goodkind-Raeburn n'avait plus grand sens pour Nahum.

Cependant, Lazar avait d'autres plans. Il voulait être nommé à la direction, ce qui, étant donné le nombre d'actions qu'il possédait, était tout à fait de son droit. Mais ce n'était pas tout.

« Le problème avec toi et tes gens, dit-il, c'est que vous ne connaissez guère que la Baltique. La Baltique fermée, vous ne pouvez rien faire. Cependant, il y a encore les pays neutres : la Scandinavie, la Hollande...

— Nous avons parfois traité avec les Hollandais.

— Mais tout est arrêté. En ce moment, j'ai un associé, un Hollandais du nom de Zaiderbaum qui connaît le commerce à fond et qui a des contacts partout. Si tu lui proposais la place de directeur gérant...

— De directeur *gérant* ? Et qu'est-ce que je ferais, moi ?

— Tu continuerais à être le président.

— Tu veux dire que tu ne veux pas me racheter la compagnie mais qu'en même temps tu voudrais que je me retire.

— Non, pas du tout. Ton nom est respecté et la Goodkind-Raeburn ne signifierait rien sans Raeburn. Tu pourrais t'occuper de la politique commerciale à long terme. N'était-ce pas ton domaine de prédilection ?

— Oui, à une époque où l'on pouvait faire des prévisions mais que pouvons-nous voir devant nous sinon des jours sombres ?

— Cela ne durera pas éternellement. Il y avait toujours quantité de problèmes quotidiens à régler dont tu laissais la charge à Goodkind et Colquhoun.

— Malheureusement, les problèmes de cet ordre sont moins nombreux et cela ne justifie pas le salaire d'un directeur.

— Ce serait pourtant dans ton intérêt de le prendre : il pourrait dénicher de nouveaux contrats et toi tu pourrais te consacrer entièrement aux projets de l'après-guerre. Naturellement, si au bout d'un an tu estimes qu'il ne t'a pas apporté de nouvelles affaires, tu pourras t'en débarrasser. »

Présenté de cette façon, le projet paraissait séduisant mais il le mettait pourtant mal à l'aise sans qu'il puisse dire vraiment pourquoi. Cela venait probablement du fait que la chose émanait d'abord de Lazar, mais tout ceux à qui il demanda conseil convinrent d'une part que la compagnie ne pouvait se permettre de végéter comme c'était actuellement le cas et d'autre part que les projets de Lazar pouvaient parfaitement la revitaliser. Il donna son accord, moins par conviction que par lassitude.

Les nouvelles dispositions le chagrinèrent dès le premier jour. Il était vrai, comme Lazar l'avait dit, qu'il était généralement débordé par les tâches quotidiennes mais il aimait l'agitation qu'entraînaient les messagers, les télégrammes, le courrier, les appels téléphoniques, les allées et venues des chefs de service, des employés, les visiteurs occasionnels venus d'outre-mer. Les choses avaient bien changé depuis le début de la guerre et il se sentait comme prisonnier de son propre bureau. Il allait quelquefois traîner dans le bureau de Zaiderbaum ; il lui posait quelques questions auxquelles Zaiderbaum répondait succintement en veillant à ne pas s'étendre sur les problèmes que Nahum soulevait.

Ses maigres occupations professionnelles accentuèrent l'acuité de ses problèmes familiaux.

Miri souffrait de troubles circulatoires à la jambe et il lui était difficile de se déplacer. La petite femme vive et animée d'autrefois avait perdu de son entrain, prenait de l'embonpoint et faisait la grasse matinée. La vieille Hester préparait le petit déjeuner pour la famille mais, comme elle tremblait, elle renversait partout du lait froid et de l'eau bouillante. Les enfants se disputaient, hurlaient et de son lit leur mère criait que si on l'obligeait à descendre, elle les tuerait tous. Thelma était plus maladroite que jamais. Un jour, Miri trébucha sur l'animal endormi sur le palier ; elle faillit piquer une tête dans les escaliers et menaça de l'empoisonner. Lorsque Thelma mourut quelques jours plus tard, Sophie fut convaincue que Miri avait mis sa menace à exécution. Une violente querelle s'ensuivit qui ne s'acheva que lorsque Nahum eut fait procéder à une autopsie.

Autrefois, Nahum pouvait éviter les problèmes familiaux en se plongeant dans ses affaires ; aujourd'hui, il n'avait plus assez de travail pour pouvoir y échapper.

Là-dessus arriva une longue lettre, plutôt inattendue, de sa sœur et qui fit paraître ses problèmes bien insignifiants.

« Cher Nahum,
Tu as dû en entendre parler car ce genre de nouvelles circule vite : nous avons des ennuis.

Tu te souviens certainement que grâce à ta généreuse aide nous avions monté une petite pension de famille dont les bénéfices nous avaient permis d'acheter un petit hôtel. Ce commerce était d'un faible rapport mais il nous permettait de réaliser quelque profit. Il a entièrement brûlé le mois dernier. Je te jure que ce n'était pas pour escroquer les assurances : l'échéance de la nôtre était au 31 décembre, Arnstein a oublié de la renouveler et l'hôtel a brûlé le 2 janvier. Tout ce que nous possédions a été réduit en cendres et nous n'avons plus un kopeck. Ce n'est pas tout. Quatorze personnes (ou davantage peut-être) ont péri carbonisées dans l'incendie et nous avons maintenant leurs familles sur le dos. Arnstein a failli être lynché et la police a dû le dégager, ce qui est dommage car son assurance-vie n'était, elle, pas périmée. La justice nous réclame à peu près quatre millions de dollars. Mais il y a pire encore. Il paraît que nous avons enfreint les règles de sécurité en vigueur. Je pensais n'en avoir transgressé que quelques-unes mais elles sont si nombreuses et compliquées que quiconque voudrait en respecter la moitié y risquerait son affaire si ce n'est sa santé mentale.

Arnstein est donc passé devant le tribunal (heureusement, l'hôtel était à son nom) ; il a été mis en liberté provisoire sous caution et il doit comparaître à nouveau dans quelques semaines.

Je n'ignore pas que les choses ne sont plus aussi faciles en Angleterre qu'elles l'étaient il y a quatre ou cinq ans, mais si tu pouvais nous prêter deux ou trois cents dollars, tu nous sauverais la vie. En fait, je ne sais pas si elle mérite d'être sauvée et s'il n'y avait pas notre petite fille, qui n'est plus si petite, je ne serais pas venue t'embêter. »

Nahum envoya immédiatement un mandat télégraphique de quatre cents livres à sa sœur. Il lui écrivit également pour lui conseiller de ne pas dépenser un centime pour les avocats, de les laisser se débrouiller avec son mari et de venir en Grande-Bretagne avec sa fille.

Des mois s'écoulèrent et il n'avait toujours pas de réponse. Il se décida à écrire à Lotie pour lui parler des ennuis de sa sœur et pour lui demander si les journaux évoquaient le procès. Elle répondit par le télégramme suivant :

PAS DE PROCÈS STOP ARNSTEIN A FUI JUSTICE STOP FAMILLE ET ENFANT DISPARUS.

Sa mère ne sembla pas très surprise par la nouvelle.

« Tu verras, un soir elle viendra frapper à ta porte et elle sera là dehors avec sa fille et cet abominable petit homme qu'elle a ramassé. Elle a toujours été une enfant terrible et je n'ai jamais pu la tenir, d'autant plus qu'elle était tout pour ton père, ce qui n'arrangeait rien. C'est pourquoi je n'ai pas du tout été surprise quand tu m'as écrit que tu l'avais retrouvée. J'étais certaine qu'il ne lui était rien arrivé de mal la première fois et cette fois-ci, ce sera pareil. »

Nahum ne partageait guère son optimisme. Il se souvenait de l'expression *kein ein horeh* que son père ajoutait après chacune de ses appréciations positives. Les enfants ? Merveilleux — *kein ein horeh*. Ma santé ? Excellente — *kein ein horeh*. Les affaires ? Je me débrouille — *kein ein horeh*. L'expression était destinée à éloigner l'œil du diable. Nahum ne l'utilisait jamais mais il commençait à se demander si le diable n'avait pas posé *son terrible regard* sur lui, ou peut-être sur le monde entier, car tout allait si mal qu'il doutait que la vie puisse un jour reprendre son cours normal.

Un soir, Sophie annonça qu'elle allait être infirmière auxiliaire.

« Infirmière ? dit Miri, stupéfaite.

— Infirmière auxiliaire, juste pour la durée de la guerre.

— Pour vider des pots de chambre et autres choses de ce genre ?

— Quelqu'un doit bien le faire.

— Est-ce pour cela que nous t'avons envoyée à l'université ? J'ai quitté l'école à treize ans et je n'ai pas reçu toute votre éducation. J'espérais au moins que mes enfants profiteraient de ce qui m'a manqué.

— J'en profite et je vous en suis reconnaissante mais il y a une guerre, tu sais.

— Hector est déjà officier.

— Mais il y a des milliers de blessés chaque jour, des soldats comme Hector...

— Dieu nous en préserve.

— Ils n'ont pas assez d'hôpitaux, pas assez d'infirmières, ils ont besoin d'auxiliaires.

— Que sais-tu du métier d'infirmière ?

— Rien, mais je vais apprendre.

— Si tu avais fait des études de médecine, j'aurais compris que tu sois médecin, mais infirmière... » Miri se tourna vers Nahum qui avait écouté leur conversation en silence. « Tu l'as entendue ? Infirmière...

— Ils ont besoin d'infirmières.

— Mais pourquoi elle ? Une fille qui a un niveau universitaire.

— Son éducation ne sera pas mal venue. »

Plus tard dans la soirée, Sophie vint le voir en souriant, ce qui était rare.

« Je ne m'attendais pas à ce que tu prennes ma défense. Je craignais que tu ne prennes l'attitude juive traditionnelle qui dit que la place d'une jeune fille est à la maison et qu'elle ne doit la quitter que pour se marier et faire des enfants.

— C'est exactement ce que je pense mais tu as la chance de ne pas être ce genre de fille et je suppose aussi que ce n'est pas le genre de cette maison. »

Quand elle partit faire son stage dans un hôpital situé au sud de l'Ecosse, elle l'embrassa si tendrement que Nahum et Miri en furent tout surpris.

La guerre se poursuivant, on rationna les combustibles. Au cœur de l'hiver, ils ne pouvaient faire de feu que dans une seule pièce et ils devaient tous se serrer les uns contre les autres autour de l'unique source de chaleur. La mère de Nahum, à qui il fallait un minimum d'espace, marchait souvent jusque chez Katya où il y avait plus de place. Une nuit, une femme fut violée dans une rue voisine et sa mère craignit dès lors de sortir la nuit, ce que Miri trouvait assez amusant.

« Si j'avais votre âge, je me sentirais en sécurité », dit-elle.

Ce à quoi la mère de Nahum répondit : « Si j'avais votre allure, je me sentirais encore plus en sécurité. »

Vicky avait entendu la conversation et elle dit sur un ton malicieux : « Un à zéro pour grand-mère. » Miri se retourna, furieuse, et la gifla.

Nahum attendit que sa mère fût sortie de la pièce pour adresser ses remontrances à Miri. « Ton geste était déplacé.

— *Déplacé ?* dit Miri. Tu peux peut-être supporter une telle insolence venant de tes enfants, mais pas moi, pas même lorsqu'il s'agit de ta chère petite Vicky. Dieu sait ce qu'elle va devenir. Elle suit les traces d'Arabella.

— Je ne parlais pas de Vicky mais de ce que tu as dit à ma mère.

— Qu'est-ce que j'ai dit à ta mère ? Est-ce que tu as entendu ce qu'elle m'a dit ? Et toi tu es resté là, assis, sans prononcer un mot. Tu l'as laissée m'insulter.

— C'est toi qui as commencé.

— Je ne faisais que plaisanter. Nous en avons bien besoin dans cette maison. Et la voilà qui se met à m'insulter.

— Encore une fois, tu as tiré la première.

— Ce n'est pas une insulte de dire à quelqu'un qu'il est vieux — encore que j'espère être morte avant d'avoir son âge — mais elle a prétendu que j'étais moche, et ça c'est une insulte. Et toi, tout ce que tu as fait, c'est de rester assis là, sans dire un mot. »

Il soupira.

« C'est tout ce que tu sais faire, soupirer ?

— Tu veux peut-être que je pleure ? »

Elle fondit alors en larmes. Il se pencha vers elle, la prit sur ses genoux et la berça doucement en fredonnant une vieille ballade russe jusqu'à ce qu'elle s'endorme.

En ces sombres journées, son unique source de réconfort lui vint de Zaiderbaum qui se montra tout aussi capable que Lazar l'avait annoncé. Malgré la guerre les affaires s'amélioraient mais il en retirait une moindre joie du fait que ces progrès résultaient davantage de l'action de Zaiderbaum que de la sienne. Le futur lui paraissait par contre toujours aussi incertain et il ne parvenait pas à se lancer dans des projets à long terme.

Par un morne après-midi de ce qui, normalement aurait dû être la pleine saison, il passa devant un cinéma où l'on projetait un film comique. Poussé par une impulsion, il entra. Le film ne l'amusa guère mais l'atmosphère de la salle obscure et la lueur vacillante des images le détendirent. Par la suite, il se rendit au moins une fois par semaine au cinéma sans en parler à personne car il se sentait coupable. Il y avait une guerre. Des hommes mouraient par milliers, on demandait à tous de grands efforts et lui, un homme dans la force de l'âge, passait la moitié de sa semaine de travail dans les cinémas.

Un soir, en rentrant à la maison, il trouva Miri — qui se déplaçait avec peine sur sa jambe valide — dans un état de grande agitation.

« Où étais-tu ? J'ai téléphoné à ton bureau, ils t'ont cherché partout. Je viens de recevoir un télégramme du ministère de la Guerre. Sophie est gravement malade et est hospitalisée. Veux-tu aller la voir ou dois-je y aller ? Peux-tu garder les enfants ?

— Mais non, j'irai. »

Il prit le train de nuit pour Londres et descendit à Lockerbie. Il ne put trouver avant le matin un moyen de transport pour se rendre à l'hôpital, une grande bâtisse campagnarde installée au milieu d'un parc. Il trouva Sophie dans une petite salle. Elle était livide, respirait difficilement et était plongée dans un lourd sommeil.

Il s'assit sur son lit et regarda par la fenêtre le brumeux paysage automnal. Il finit par entamer la conversation avec une femme qui se trouvait dans le lit voisin.

« Ils disent que c'est la nourriture, commença-t-elle. Mais c'est pas possible. J'y touche jamais à la nourriture. Vous savez je suis cuisinière et si je commençais à manger je pourrais pas m'arrêter. D'abord j'ai pas le temps de faire un vrai repas. Je grignote par-ci par-là, quelquefois je prends une tasse de thé. On perd l'habitude de manger quand on est cuisinière, enfin presque. Non, j'ai jamais touché à rien mais ils rejettent quand même la faute sur moi. Ils disent que je les ai empoisonnés et que je devrais me porter cuisinière volontaire dans l'armée allemande. Si je les ai empoisonnés, comment que ça se fait que je suis au lit moi aussi ? »

Nahum ne se porta pas volontaire pour répondre à ce genre de questions mais elle changea de sujet.

« C'est votre femme ?

— Ma fille.

— Votre fille ? Mérite une médaille. Les infirmières pouvaient plus y arriver mais elle a tenu le coup, jour et nuit pendant presque une semaine. Pas étonnant qu'elle soit tombée, hein ? Il n'y en avait aucune qui pouvait y arriver, non, aucune.

— Arriver à quoi ?

— Eh bien, il y a eu une épidémie, tout le monde vomissait, avait des boutons et tombait raide mort. On n'a jamais vu ça. La moitié des infirmières y est passée, et même les docteurs. On aurait pu croire que c'était de ma faute vu la façon dont ils sont venus fourrer leur nez dans mes casseroles. Mais si je les ai empoisonnés, comment ça se fait que je suis au lit moi aussi ?

— Depuis combien de temps est-elle hospitalisée ?

— Votre fille ? Trois, quatre, peut-être cinq jours. Vous savez on perd le sens du temps quand on est ici. Elle a été mal la nuit dernière — ou alors c'était la nuit d'avant ? Ils ont mis un paravent autour de son lit, ils ont amené des machines sur roulettes et des docteurs sont venus à toute vitesse. Il faut être bien malade pour voir un docteur par les temps qui courent. Là où était mon pauvre mari, il fallait que vous soyiez mort depuis une semaine pour voir une infirmière. Je me suis inquiétée quand ils ont mis le paravent. On dirait de la sorcellerie ces paravents. Ils les montent en vitesse, les infirmières et les docteurs se précipitent derrière ; après ils l'enlèvent en moins de deux, ils disparaissent tous et le lit est fait comme si jamais personne n'avait dormi dedans. J'ai été soulagée quand j'ai vu qu'elle était toujours là, pas seulement pour elle mais aussi pour moi. Vous savez comment c'est, on se dit qu'on sera la prochaine. »

Sophie commença à bouger. Elle ouvrit les yeux, le regarda sans le reconnaître, l'air perdu. Puis un sourire gagna lentement son visage à la façon d'un soleil perçant une brume matinale.

« Depuis combien de temps es-tu ici ? demanda-t-elle d'une voix si faible qu'il pouvait à peine comprendre ce qu'elle disait.

— Je viens juste d'arriver.

— Tu en as fait du chemin !

— Oh non, l'hôpital n'est pas très éloigné de la ligne de Londres et j'aime bien voyager en train.

— Comment va maman ?

— Bien.

— Sa jambe va mieux ?

— Disons que ça n'empire pas, Dieu merci. Elle t'embrasse. Nous n'avons pas pu venir tous les deux.

— Je ne m'attendais pas à te voir ici. Tu as pu facilement te libérer pour une journée ?

232

— Malheureusement, je pourrais même me libérer pour une année en ce moment.

— Cela va si mal ?

— La compagnie n'est plus ce qu'elle était. Nous sommes devenus des bricoleurs qui tendons la main à quiconque pourra nous faire honnêtement gagner un penny. »

Comme elle parlait avec difficulté, il la pressa de s'allonger et de se reposer, ce qu'elle fit ; quelques minutes plus tard, elle dormait à nouveau.

« N'a pas l'air d'aller très bien, hein ? » dit sa voisine.

Nahum se leva pour chercher un médecin ; il finit par trouver l'interne de garde, un jeune homme maigre qui avait l'air épuisé et portait une blouse blanche bien trop grande pour lui. Il avait le cou et le visage couverts de boutons et semblait ne pas avoir dormi depuis une semaine. « Pneumonie, cria-t-il par-dessus son épaule. Elle a passé le pire mais il faudra encore un jour ou deux avant qu'elle ne soit tirée d'affaire. »

Nahum prit une chambre à l'hôtel dans la ville voisine et passa les quatre jours suivants près de Sophie ; elle semblait reprendre des forces. Ils parlèrent comme jamais ils ne l'avaient fait auparavant. Elle lui demanda des nouvelles de Miri.

« Tu me l'as demandé hier et je t'ai dit qu'elle allait bien.

— Pardonne-moi, mais j'ai l'impression qu'elle ne va pas bien.

— Bon, il y a le problème de sa jambe.

— Et seulement ça ?

— Tu essaies de flairer quelque chose, malheureusement, pour autant que je le sache, je n'ai rien à cacher.

— Tu te rappelles quand maman et moi sommes allées à Menton ?

— Oui, je m'en souviens.

— Tu sais comme elle déteste dormir seule. Je partageais sa chambre et nous parlions tard dans la nuit. Elle me disait qu'elle était fière de toi et elle se plaignait de ce que je ne l'étais pas assez. Je lui ai dit, et je te demande pardon de l'avoir dit : " Mais quelle raison y a-t-il d'être fier ? " En m'entendant elle s'est assise sur son lit : " Quelle raison ? Il est venu ici sans un sou en poche, sans savoir un mot d'anglais alors que maintenant il possède une compagnie maritime et est un des hommes les plus aisés et les plus respectés de Glasgow. — Oh, ai-je répondu, tu veux dire qu'il est riche, mais je connais des tas de gens riches. " Elle m'a répliqué : " Il se peut que tu en connaisses mais n'oublie pas que c'est grâce à ce que ton père est devenu. Lui, il ne connaissait personne quand il est arrivé, et moi non plus. Nous sommes venus tous les deux de nulle part. " Je crains qu'elle n'ait pas bien supporté ton revers de fortune.

— Qui le pourrait ?

— Toi. Quand nous sommes revenus de Menton, j'ai cru que tu ne tiendrais pas le coup. Tu es maintenant le personnage que tu as toujours été, ce qui n'est pas le cas de maman. Je crains qu'il n'y ait pas que sa jambe. Elle doit imaginer qu'elle va passer ses vieux jours à plumer des poulets. » Ses yeux s'embuèrent.

« Ta mère ira bien, l'assura-t-il.

— Elle ira bien si tes affaires vont bien. Sa santé dépend de ta fortune.

— Les affaires ne vont pas si mal.

— Pas si mal, ce n'est pas assez pour ma mère. Elle se veut l'épouse d'un grand patron du commerce maritime. »

Il aurait aimé poursuivre la conversation mais cela semblait la déprimer. Quand il revint le lendemain, il lui demanda ce qu'elle espérait faire après la guerre.

« *Après* la guerre ? dit-elle. Y aura-t-il jamais un *après* ? Ce futur-là semble aussi lointain et improbable qu'un autre monde. N'as-tu jamais eu le sentiment que la guerre et les massacres font partie d'un ordre naturel alors que la paix semble une aberration ? Tout ceci crée une insensibilité et une amoralité qui est elle-même, je suppose, une forme d'insensibilité. Des filles sont mortes empoisonnées ici. Tout le monde a accusé la pauvre cuisinière bien qu'il ait été prouvé que cet empoisonnement avait été causé par une bouteille de sauce que quelqu'un avait amenée aux cuisines. Sept jeunes filles sont mortes. Elles n'étaient que des enfants mais on ne les a guère pleurées. Il y a tant de morts que sept jeunes vies ne semblent pas compter. Les gens vivent sans penser au lendemain, sans aucun sens des responsabilités, sans aucun respect de la personne humaine. Nous sommes des centaines ici et, pour la plupart d'entre nous, c'est la première fois que nous avons quitté la maison. Nous essayons d'organiser des loisirs — des chorales, des concerts, des jeux — mais la distraction la plus populaire, y compris chez les femmes dont les maris sont au front, c'est la fornication. Elles ne pensent qu'à ce que les hommes ont dans leur culotte. Certains de ces pauvres soldats sont à peine sur pied qu'ils les ont sur le dos. Un pauvre garçon est arrivé ici avec la moitié du flanc arraché. Nous avons pu le rapiécer mais avant qu'il ne soit remis, il a été terrassé par la syphilis.

— Comment se fait-il que tu aies atterri dans un tel endroit?
— Que veux-tu dire? Je suis volontaire. Il faut bien du monde pour faire ce travail. Tu es juif russe et ton sentiment de persécution a détruit ton sens de l'altruisme. Je suis née ici. Ce pays est saigné à blanc et je veux l'aider. Tu ne ressens pas la même chose?

— Pour être honnête, je suis tellement stupéfié par ce qui se passe que je ne sais pas ce que je ressens. Au début, je ne pensais qu'à mes propres problèmes; la guerre se prolongeant, j'ai commencé à me poser des questions. Il ne m'était pas venu à l'esprit qu'un pays pourrait mettre l'Angleterre au défi ni que ce conflit pourrait durer plus d'un an. Je crois profondément en l'armée et la marine britanniques mais, regarde, la guerre en est à sa troisième année et on n'en voit pas la fin. On dirait qu'ils sont prêts à sacrifier toute la jeunesse pour ce qu'ils appellent la victoire. Naturellement, ce pays compte beaucoup pour moi, seulement, je ne le comprends pas. »

Le lendemain après-midi, comme il lui restait quelques heures avant de prendre son train, il envisagea d'aller au cinéma mais il n'y en avait aucun dans la ville. Il repéra cependant un théâtre désaffecté. Pour la première fois depuis le début de la guerre, il sentit brûler en lui le démon des affaires. Il rechercha l'agence immobilière qui s'occupait de ce théâtre, s'enquit des conditions de vente et prit une option pour l'acheter. Il fit effectuer une expertise et il signa le contrat de vente environ un mois plus tard. En cette période il n'était pas facile de trouver la main-d'œuvre et les matériaux nécessaires à la rénovation mais son investissement lui redonnait confiance. Quand la guerre serait terminée, il ouvrirait son premier cinéma. De plus, comme il avait dissocié ce projet de ses affaires maritimes, il pouvait enfin prendre des initiatives en dehors de la pesante présence de Zaiderbaum.

Sophie se rétablit rapidement et sortit bientôt de l'hôpital. Mais entre-temps Miri était tombée sérieusement malade. L'infection de sa jambe se révéla plus grave qu'on ne l'avait cru. Elle s'était souvent plainte de la sentir lourde comme du plomb. Le médecin décida finalement de la faire hospitaliser. « Nous pensons la sauver mais il reste peu d'espoir pour sa jambe », dit-il à Nahum.

Miri le prit avec un remarquable sang-froid. « Vous ne pouvez pas savoir comme je serais contente d'en être débarrassée. Je commence à haïr cette jambe. Vous m'imaginez avec une prothèse en bois? Poum! Poum! Poum! J'aurai l'air comique, non? »

Nahum était moins détendu que Miri et il ne se faisait pas tellement à l'idée qu'on lui coupe la jambe. Il en discuta avec le docteur et lui demanda s'il n'y avait pas moyen d'aller consulter à Londres.

« Sincèrement, je ne pense pas que votre femme puisse faire le voyage. De toute façon, la Grande-Bretagne n'est pas la Russie. Tous les services médicaux ne sont pas concentrés dans la capitale. Les services de Glasgow sont aussi bons que les autres. Et puis, c'est la guerre. Les hôpitaux de Londres sont bourrés de garçons qui ont eu la jambe sectionnée. »

Il n'était pas du tout certain, étant donné son état général, qu'elle pût supporter l'opération. Sophie, Hector et Alex vinrent à la maison, qui en congé, qui en permission. Miri se montra plus résistante que le docteur ou la famille n'aurait pu le supposer. On lui coupa la jambe sous le genou et quelques jours plus tard, elle trônait dans son lit avec toute sa famille assise autour d'elle.

« J'ai l'impression d'être sur mon lit de mort à vous voir tous ainsi rassemblés.

— Le ciel nous en préserve, dit Nahum.

— J'ai déjà un pied dans la tombe. »

« Tu sais, dit plus tard Nahum à Sophie, je pense que tu as été injuste envers ta mère. C'est une femme remarquable. Je n'aurais jamais eu son courage. Je me sens plus bouleversé par son opération qu'elle ne l'est elle-même.

— Elle réagit toujours très bien face à l'adversité. Est-ce qu'elle t'a jamais dit pour mon père et... » Elle hésita.

« Ton père et qui ?

— Si elle ne te l'a jamais dit, je n'aurais pas dû t'en parler.

— Mais tu en as parlé.

— N'insiste pas, je n'ai pas le droit de te le dire. De toute façon, ça me rend malade rien que d'y penser. Elle était très amoureuse de mon père, du moins je le suppose, et il est arrivé quelque chose qui aurait fait perdre la tête à la plupart des femmes. Mais elle a agi comme s'il ne s'était rien passé.

— Tu veux dire qu'elle l'a trouvé au lit avec une autre femme.

— Non, elle y était habituée mais s'il te plaît, n'insiste pas. »

Quelques mois plus tard, Alex décrocha son diplôme de langues orientales à Oxford. La joie de Nahum et de Miri fut cependant atténuée par l'annonce de son départ à l'armée. Il y avait déjà Hector sous l'uniforme ; ils sursautaient dès que le téléphone sonnait ou que l'on frappait à la porte et ils vivaient le martyre dans l'attente de ses lettres. Il faisait cependant montre d'un tel aplomb qu'il donnait presque une impression d'invulnérabilité, ce qui n'était pas du tout le cas du frêle et triste Alex. Hector leur avait dit un jour : « Ils commencent par prendre le dessus du panier mais je ne les vois pas enrôler ce sacré Alex. » Nahum non plus ne pouvait l'imaginer sous l'uniforme, pourtant il passa sans problème les tests médicaux et fut affecté quelques mois après dans un centre d'entraînement pour officiers. Nahum en vint à se demander s'il aurait un jour le plaisir de voir son fils Jacob, alors âgé de neuf ans, sous l'uniforme.

Au début de l'année 1917, il se trouvait à Londres pour affaires lorsqu'on lui dit que Vladimir Jabotinsky allait prendre la parole dans un meeting qui devait se tenir dans l'East End. Jabotinsky, une des figures légendaires du Mouvement Sioniste et l'un de ses meilleurs orateurs, s'était engagé dans l'armée britannique avec un certain nombre de ses camarades. Il essayait maintenant de lever une Légion Juive pour aller libérer la Palestine de l'emprise turque. Nahum ne put assister au meeting mais il se rendit à la réception donnée aussitôt après chez des particuliers. L'endroit débordait d'une foule bigarrée qui parlait russe, yiddish, hébreu, allemand, français et même anglais. Jabotinsky, un frêle personnage qui portait de grosses lunettes — il lui rappelait un peu Alex — se tenait dans un coin de la pièce, entouré d'une foule compacte d'admirateurs. Alors que Nahum se dirigeait vers lui en jouant des coudes, il remarqua un long personnage en uniforme qui, un verre de thé à la main, parlait avec une femme. Il s'arrêta, pétrifié. N'était le fait que l'homme était en uniforme de simple soldat de l'armée britannique, il aurait juré qu'il s'agissait de son ami d'enfance de Volkovysk. Il se fraya un chemin vers lui jusqu'à le toucher. L'homme leva les yeux, le regarda. Son verre lui tomba des mains.

« C'est Nahum, cria-t-il.

— Shyke ! »

19.

Ils s'étreignirent avec une telle violence et créèrent une telle agitation que les bavardages cessèrent et que les gens se retournèrent pour voir ce qui se passait.

« Qu'est-ce que tu fais là ? Toi, dans l'armée britannique ? Qu'est-ce que tu deviens ? Tu n'es pas un peu vieux pour ce genre de choses ? » Un torrent de questions venaient aux lèvres de Nahum.

« Qu'est-ce que tu entends par vieux ? J'ai le même âge que toi.

— Tu es un peu plus vieux que moi.

— D'accord, tu as quarante et un ans et j'en ai quarante-deux mais as-tu un extrait d'acte de naissance ? Moi pas. Je leur ai dit que j'avais trente ans, ils m'ont cru. Du moment que tu es assez fort pour tenir un fusil, ils te prennent. »

Il leur était difficile de parler au milieu de la foule, aussi ils sortirent s'asseoir sur les marches de l'escalier dans l'entrée.

« Qu'est-ce qui t'est arrivé ? J'ai entendu raconter plein d'histoires à ton sujet. Elles disaient que tu possédais une compagnie maritime, que tu étais millionnaire mais je n'arrivais pas à y croire. Ce Nahum-là n'était pas celui que je connaissais, le petit Nahum empoté, sans allant ni entrain et qui, je me disais, avait tout pour faire un rabbin. Es-tu un magnat du commerce maritime ?

— Je l'étais.

— Que s'est-il passé ?

— Il y a eu la guerre.

— Mais la plupart des gens semblent bien s'en porter.

— Moi, je m'en porte plus mal.

— Ah, tu n'as pas changé.

— Et toi, que t'est-il arrivé ?

— Que ne m'est-il pas arrivé ?

— Comment as-tu fait pour entrer dans l'armée britannique ?

— C'est une longue histoire.

— J'ai tout mon temps.

— Je suppose que tu sais que je suis parti de Volkovysk peu après toi. Je me suis d'abord rendu à Odessa. Quelle ville ! Y es-tu allé ?

— Les parents de ma mère y vivaient. J'y ai passé mon enfance mais je ne m'en souviens pas.

— C'est une ville de cent cinquante mille habitants dont le tiers est juif, mais des juifs différents de ceux que nous connaissions à Volkovysk. Ils sont non seulement libérés de la servitude russe mais aussi de la servitude *juive,* une chose qui semblait impossible à Volkovysk. Mes résistances à l'enseignement que nous recevions au *heder* et à la *Yeshiva* étaient purement intellectuelles ; cela tombait sous le sens. Ce à quoi je n'avais pas pensé c'est que ce pouvait être également appauvrissant. Ces *tefillin*[1] que toi et moi devions nouer autour du bras et de la tête (je suis sûr que tu le fais toujours) te coupent toute énergie, toute initiative. Il y a malheureusement des juifs qui continuent d'en porter à Odessa mais la majorité s'en est débarrassée. Il en résulte une véritable métamorphose : au lieu de benêts tremblants et s'entassant les uns sur les autres dès qu'ils entendent parler de violence, on voit de robustes juifs qui n'hésitent pas à mordre quand on les a mordus (certains même commencent les premiers).

J'ai également été surpris par toutes les ressources culturelles de la ville. Tu te souviens de nos études à Volkovysk, de ces éternels rabâchages de pensées usées jusqu'à la corde, de commentaires sur les commentaires, de gloses sur les gloses ? On ne nous faisait jamais part d'idées nouvelles, d'expressions récentes et nous ne pouvions jamais enfreindre la vieille routine ennuyeuse. On disait que j'étais un *ilui* parce que je pouvais réciter par cœur des passages entier du Talmud — un talent qui aurait dû pourtant être moins prisé avec l'invention de l'imprimerie. C'était bon pour les Yerucham. Au fait qu'est-ce qu'il est devenu ?

— Yerucham ?

— Tu sais qui je veux dire : « Le Saint ». Il allait épouser ta sœur.

— Il ne l'a pas épousée.

---

1. *Tefillin* : ou « phylactères », sont portés pendant la prière du matin sur la tête ou au bras.

— Ça ne m'étonne pas. Je me demandais comment elles avait pu s'attacher à lui. C'est une fille intelligente et instruite. Attends une minute, elle n'a pas...

— Si.

— Tant mieux pour elle. Et « Le Saint ? »

— Il est mort.

— C'est tout en sa faveur, je ne pouvais pas le supporter. Où en étais-je ?

— A Odessa.

— Ah oui. A Odessa, j'ai découvert ce qu'était la création en la personne de poètes, d'écrivains, d'intellectuels ; certains écrivaient en russe, d'autres en yiddish, d'autres encore dans un hébreu si raffiné qu'il n'aurait pas été déplacé dans les Psaumes. Pour moi, c'était comme si une fenêtre s'était soudainement ouverte, laissant entrer l'air et la lumière. Tous les livres publiés n'étaient pas d'une égale qualité mais ils suscitaient une vie intellectuelle. Il y avait un théâtre yiddish très florissant.

Naturellement, l'émancipation peut avoir ses revers. Les craintes que nous avions à Volkovysk impliquaient des contraintes. A Odessa, ces entraves n'existant plus, il y avait tout un milieu de gangsters juifs, de bordels juifs, de proxénètes juifs, de prostituées juives. Une fois, j'ai été à deux doigts de me faire trucider parce que j'avais passé la nuit avec une fille et que je n'avais pas d'argent pour la payer (je pensais qu'elle m'avait abordé parce que j'étais beau gars). De toute façon, si des villes comme Volkovysk sont paisibles, c'est parce que les jeunes gens les plus turbulents sont attirés par des cités comme Odessa.

J'y suis resté environ dix mois et j'ai exercé divers métiers. J'ai notamment été marmiton dans un bordel où j'étais payé en nature et en liquide. J'ai pu suffisamment économiser pour prendre un bateau pour Jaffa. Je suis tombé malade dès que j'ai eu posé le pied sur la terre sainte. On m'a transporté chez un docteur. Il est arrivé en s'essuyant les mains pleines de sang sur un torchon sale : je me suis soudainement senti guéri et me suis sauvé. J'ai trouvé refuge dans une espèce d'hospice où j'ai été soigné par des religieuses. J'ai trouvé un travail d'ouvrier agricole à Petah Tiqva mais je ne pouvais rivaliser avec les Arabes qui, me semblait-il, pouvaient vivre un mois avec une poignée d'olives et un quignon de pain. Alors je suis parti pour la Galilée où je suis à nouveau tombé malade. J'ignorais ce que j'avais ; ce n'était ni la malaria, ni le choléra, ni le typhus mais je ne pouvais presque rien avaler et j'étais bien trop affaibli pour me lever. Je me souviens qu'à cette époque j'ai éprouvé une profonde nostalgie de la Russie, de ses grands espaces, ses immenses forêts, ses plaines. Nous étions alors en mars ou en avril, l'époque où la neige commence à fondre à Volkovysk et où les rivières grossissent, les prairies émergent de leur enveloppe grise et la terre se ramollit. L'expression la Mère Russie convient bien car au printemps ce pays me fait penser à ma propre mère, une grande femme lugubre (elle avait ses raisons de l'être, la pauvre) mais qui, dans ses moments de détente, pouvait se fendre d'un sourire qui réchauffait toute la maison. Au fait, comment va ta mère ?

— Ne me dis pas que tu ne sais pas ?

— Ne sais pas quoi ?

— Qu'elle a épousé ton père.

— Oui, mais c'est il y a longtemps ; elle l'a enterré depuis, le pauvre. Qu'est-ce qu'elle lui trouvait ? C'était un grand lettré mais ta mère n'appréciait guère ce genre de choses. Quant à son argent, il avait toutes mes sœurs à marier. Tu n'en as vu aucune ?

— Non.

— J'ai entendu dire que Sorke était en Angleterre.

— Sorke, en Angleterre ?

— Je l'ai entendu dire. J'ai aussi entendu dire qu'elle était en France. On parle d'elle un peu partout mais je n'ai jamais rencontré quelqu'un qui l'ait vue. Bon, j'étais en train de mourir en Palestine et de rêver à la Russie. Je me remémorais toutes les chansons russes que je connaissais : *Poluschka, Le Coquelicot Rouge, Le Bouleau*. Volkovysk aussi me manquait. Tu te souviens des bains que nous prenions ? Il y avait le jeudi soir pour les femmes et les petits enfants, et le vendredi après-midi pour les hommes et les garçons. J'ai appris à distinguer les femmes de Volkovysk par leurs poils pubiens. Ceux de la femme du rabbin étaient aussi abondants que ceux de la barbe de son mari, ceux de ma tante dessinaient un cœur. Ta tante Katya était blonde en haut et rousse en bas ; quant à la femme de Yankelson, on aurait dit qu'elle avait un hérisson entre les jambes. J'étais précoce pour mon âge. Un jeudi soir, la femme du rabbin m'a vu et a jeté un cri perçant. Ma mère s'est précipitée vers moi en jetant un cri encore plus perçant et elle m'a enveloppé immédiatement dans une serviette. Je ne devais pas avoir plus de sept ans mais à dater de ce jour, je dus aller me baigner avec les hommes. J'avais l'impression d'avoir été banni d'un paradis. Les hommes avaient des formes nettement moins intéressantes. Ils se flagellaient les uns les autres avec les *besums* — les rameaux de bouleaux — jusqu'à ce que la peau leur cuise. Comme le disait mon père, tu en sortais non seulement avec une nouvelle peau mais aussi avec une nouvelle âme. La Russie ne t'a jamais manqué à toi ?

— Si, souvent.

— Qu'est-ce qui nous attire en elle ? Ses grandes étendues ? Ses sombres abîmes ? Ses forêts qui murmurent ? Ses immenses plaines ? Ou peut-être ses hivers ? Tu te souviens du silence qui régnait quand il y avait de la neige ? Le fracas des charrettes et le tintement des souliers cloutés sur les pavés cessait. Les voix semblaient singulièrement étouffées et j'entends toujours le bruit des pas sur la neige. Cela durait presque la moitié de l'année. On ne voyait que du blanc et du noir. Les forêts gémissaient et craquaient sous le poids de la neige. J'imagine que le contraste des couleurs devait induire certains comportements : moi par exemple, je devenais farouchement anti-religieux (si je n'avais pas séjourné à Odessa où j'ai appris que je pouvais rester juif sans devenir un fossile, je me demande si je serais resté juif). En Palestine, je me suis remis lentement mais comme je n'avais pas retrouvé toutes mes forces, j'ai commencé à écrire. J'ai publié quelques textes qui m'ont fait gagner un peu d'argent mais pas suffisamment pour vivre. Quand j'ai été guéri, j'ai traversé une longue période d'insomnies. J'en ai tiré parti en apprenant à tirer au fusil et j'ai pris un emploi de veilleur de nuit. La majorité des veilleurs du coin étaient des Circassiens et mon travail consistait pour l'essentiel à les surveiller. Ils étaient tout à fait corrects mais on se méfiait d'eux parce qu'ils étaient des *goyim*. Entre-temps, j'avais appris l'arabe, le français et je publiais régulièrement des articles dans un journal d'Alep.

— Alep !

— Alep. Je me trouvais là par hasard lorsque j'ai aperçu une agence de la banque de Wachsman. Wachsman était un ami de mon père, si tu t'en souviens.

— Il semble avoir été l'ami de tous les pères.

— Quand j'ai vu ce nom, je suis entré, l'air très digne, et j'ai demandé le directeur. J'ai dit que je parlais cinq langues et ai proposé mes services. Bien sûr, j'ai joué sur notre relation passée avec Wachsman.

— Tout le monde joue là-dessus.

— Pas à Alep. Toujours est-il que j'ai décroché un emploi et que j'ai fait rapidement mon chemin. J'allais être muté à Beyrouth quand la guerre a éclaté mais j'ai décidé de me muter moi-même au Caire.

— Tu ne m'as toujours pas expliqué comment tu étais arrivé dans l'armée britannique.

— J'y arrive. Quand la guerre a éclaté j'ai eu l'intuition que, quel que soit le gagnant, la Turquie serait perdante et ce serait alors la fin de l'empire ottoman. Le grand Vladimir pensait exactement la même chose. En 1915, quand il a mis sur pied un corps expéditionnaire pour venir en aide aux alliés, j'ai été parmi les premiers à le rejoindre. Nous étions basés dans la péninsule de Gallipoli. Quand notre corps a été dissous, il a rejoint l'armée britannique. Je l'ai suivi et me voilà.

— Ça a été aussi simple que cela ?

— Exactement.

— Es-tu marié ?

— Je suis veuf.

— Je suis désolé.

— Tu ne le serais pas si tu avais connu ma femme. Et toi ?

— Marié, six enfants.

— C'est ce qu'on appelle être marié. Moi, j'ai dû en faire deux douzaines, dont deux avec ma femme... je crois.

— Tu n'as pas changé.

— Pourquoi, j'aurais dû ?

— Non, mais tout le monde a tellement changé que je suis heureux de trouver quelqu'un qui est resté semblable à lui-même. Tu travailles avec Jabotinsky ?

— Oui, tant bien que mal. Il essaie de persuader le gouvernement britannique que s'ils créaient une Légion Juive, Dieu serait à leurs côtés et la guerre serait terminée en quelques jours. Moi, j'essaie de rallier les masses juives au drapeau. Crois-moi, il a la plus belle part. Ici, ils sont pires qu'à Volkovysk. Ils ne veulent pas se battre pour le Tsar, ce dont je ne les blâme pas ; ils ne veulent pas se battre pour le Roi, ce que je comprends moins mais ils ne veulent pas non plus se battre pour les juifs. Ils veulent simplement continuer à gagner leur vie en laissant la mort aux autres. Ça, ils ne l'emporteront pas au paradis. Je me demande pourquoi les juifs se comportent ainsi.

— Tu n'as rencontré que de mauvais juifs. Des milliers d'autres se sont portés volontaires. Tu vois, j'ai trois enfants qui ont l'âge d'être incorporés : l'une est infirmière, les deux autres sont officiers.

— Officiers !

— Tous les deux.

— *Kein ein horeh.* Même le grand Vladimir n'est que sergent et moi qui suis chef, je ne suis que simple soldat. Notre commandant pourrait être mon fils tant il est jeune. Alors, les petits-enfants de Yechiel sont dans l'armée britannique ? Mon Dieu, ce pays t'a réussi.

— Ce ne sont pas vraiment les petits-enfants de Yechiel mais plutôt les enfants de Yerucham.

— *De Yerucham ?*

— J'ai épousé sa veuve.

— Ah, tu t'es fait une famille en laissant le sale boulot au pauvre vieux Saint.

— Pas tout à fait. Je suis le père de trois des enfants. »

Nahum lui proposa de venir avec lui à Glasgow pour faire connaissance avec sa famille.

« Maintenant ? Je ne suis qu'un simple soldat et je dois être rentré au baraquement à minuit. Ainsi en a décidé le grand Vladimir. Il a pris le thé avec le secrétaire d'Etat aux Affaires étrangères cet après-midi. Quand il se trouve parmi nous, les juifs, c'est un roi mais de retour au baraquement, il n'est plus que le sergent Jabotinsky.

— Et ici, il n'a pas réussi à persuader le plus grand nombre de rejoindre la Légion Juive ?

— Oh, oh, on n'a jamais vu ça. Il y avait bien près d'un millier de personnes sans compter toutes celles qui se trouvaient à l'extérieur. Tous l'ont applaudi et ont frappé du pied. Beaucoup étaient en larmes. Il a dit encore quelques mots à la fin de son discours pour accéder à leur demande, et ils ont à nouveau applaudi chacun de ses mots. Mais tu sais comment les choses se passent. Les gens ont considéré son discours comme une des attractions de la soirée plutôt que sous l'angle d'un appel à l'action. Nous étions neuf ou dix à la sortie pour prendre les noms et les adresses des gens. Une centaine de personnes seulement se sont fait connaître et parmi celles-là, combien pensent véritablement à venir rejoindre la Légion ? »

Nahum retourna à Glasgow par le train de nuit. Il était bondé mais il finit par trouver une place après que des passagers furent descendus à Rugby et il s'endormit bientôt. Quand il se réveilla, il se demanda si sa rencontre avec Shyke n'avait pas été un rêve car, s'il pouvait l'imaginer dans presque toutes les situations, il ne pouvait croire qu'il fût simple soldat dans l'armée britannique. Mais plus il se remémorait leur conversation et plus il se convainquait de sa réalité. A quelques semaines de là, il fut impliqué dans une controverse sur la solution préconisée par Shyke.

Au début de la guerre, l'armée britannique était composée de volontaires mais après la boucherie du front occidental, les volontaires devinrent insuffisants et en 1916 la conscription fut instaurée. La majorité des juifs vivant à Glasgow étant d'origine russe, les décrets sur la conscription ne les concernaient pas. Mais l'année suivante on vota une loi qui obligeait les citoyens russes en âge d'accomplir leurs obligations militaires à servir dans l'armée du tsar s'ils ne voulaient pas servir dans l'armée britannique. Un meeting de protestation fut organisé auquel on invita Nahum à se joindre. Il donna son accord sans trop chercher à connaître le thème de la réunion — il y avait si longtemps que l'on n'avait pas fait appel à lui que cette invitation le flattait probablement — et ce fut seulement lorsque le premier orateur eut achevé son intervention qu'il réalisa de quoi il s'agissait. Il se leva alors et sans y avoir été invité ou annoncé — et ce, au grand déplaisir du président de séance — il se dirigea vers le devant de l'estrade et s'adressa au public :

« Mesdames et messieurs. Je n'ai pas été invité à vous parler mais j'ai été invité à prendre place sur l'estrade et j'espère que vous m'excuserez pour ces quelques mots.

Comme nombre d'entre vous dans cette salle, je suis venu dans ce pays il y a vingt, vingt-cinq ans. Comme certains d'entre vous, je me suis enrichi. J'ai connu des hauts et des bas mais je vis dans une maison convenable, je mange à ma faim, mes enfants ont fréquenté de bonnes écoles — et même l'université, ce dont nous n'aurions jamais osé rêver au pays — et je vais me coucher l'âme en paix. Je ne dis pas que les gens d'ici nous ont accueillis à bras ouverts et je n'oublierai jamais certains articles de journaux qui évoquaient la « lie de l'étranger », c'est-à-dire vous et moi. Mais malgré tout, ce pays est une terre d'accueil et de liberté. Même si ce n'est pas le paradis, vous savez et je sais que nous avons quitté les ténèbres pour venir vers la lumière. Voilà ce qui est menacé.

Ce pays lutte maintenant depuis trois ans et nage dans un fleuve de sang. Il n'y a pas si longtemps, j'ai perdu mon plus proche collaborateur, un homme de mon âge qui s'était porté volontaire dans la marine : son navire a coulé dans l'Atlantique nord. Avant la guerre, une centaine de gens travaillaient pour moi. Plus de la moitié se sont immédiatement engagés dès la déclaration de la guerre. Quatorze d'entre eux, des jeunes gens, sont morts. Deux sont estropiés. Il n'y a guère de famille qui n'ait perdu un père, un frère, un fils et parfois les trois. Supposons que vous soyez pris dans cette guerre pendant encore des années... »

Il fut interrompu aux cris de : « Ça ne risque pas ! Il n'y a que les goyim pour être aussi fous ! »

Il attendit que le calme revienne avant de poursuivre :

« Supposons que la guerre se prolonge encore des années et que vos frères et vos fils soient massacrés par milliers. Et supposons qu'il y ait alors parmi nous des étrangers qui continuent d'aller au travail comme si de rien n'était, en jouissant de tous les avantages de la cité sans en accepter aucun des dangers. Ne les détesteriez-vous pas, surtout si vous aviez à pleurer la perte d'un frère, d'un père, d'un fils ?

Je puis comprendre qu'un juif de bon sens n'ait aucune raison de combattre pour le tsar. Mais je ne puis pas comprendre qu'un juif qui se respecte et qui a fait sien ce pays refuse de combattre pour le roi. »

Une indescriptible agitation se produisit alors. Une partie du public se leva pour l'applaudir, une autre partie cria et le conspua. Le président de séance demanda à Nahum de rejoindre sa place mais il refusa.

« Ecoutez-moi, cria-t-il par-dessus les vociférations, écoutez-moi. » Le président le tira par le manteau mais Nahum se libéra de son emprise. « Vous ne me ferez pas taire. Je me ferai entendre même si je dois attendre toute la nuit et je serai entendu parce que vous savez dans vos cœurs comme je sais dans le mien que ce que je dis est la vérité. Je me ferai entendre. » Et le président, qui avait été incapable de maîtriser l'orateur, tenta, avec succès cette fois, de calmer l'assistance.

Nahum poursuivit d'une voix plus posée :

« Puis-je vous poser une question, monsieur le président ? Pourquoi m'a-t-on demandé de venir sur cette estrade ? J'ai deux fils à l'armée — l'un est volontaire, l'autre conscrit — et tous les deux sont officiers. Ma fille, volontaire elle aussi, est infirmière dans un hôpital militaire et vous m'avez invité à un meeting qui prétend refuser les obligations militaires au service du tsar ou du roi et ce, pour laisser les autres aller à la mort. Pourquoi m'avez-vous invité ? Je vais vous le dire. Vous pensez que je suis un *heimische Yid*[1], ce que je suis, qui peut comprendre les sentiments des autres *heimische Yid*, ce qui est le

---

1. *Heimische Yid* : un vrai juif.

246

cas, mais *rabboishei*[1], toutes nos manières de penser ne sont pas salutaires. Certaines sont dangereuses et la plus dangereuse repose sur la croyance que ce qui arrive aux *goyim* ne nous regarde pas. Ce pourrait être justifié en Russie ou en Pologne mais ça ne l'est plus ici. Nous n'avons pas le droit de continuer à faire nos affaires alors que ce pays est saigné à blanc.

Il y a quelques semaines, j'ai eu le privilège de rencontrer l'un des plus grands juifs de notre époque, M. Vladimir Jabotinsky. Il essaie de mettre sur pied une Légion Juive pour que les Juifs puissent se regrouper sous leur propre drapeau et montrer que l'esprit des Macchabées est toujours vivant. Vous et vos fils, rallierez-vous son drapeau? Ou croyez-vous que la seule finalité de la vie, ce sont les affaires? »

Il se produisit un nouveau tumulte mais Nahum sentit qu'il avait produit son effet et il partit d'un pas digne. Il fut alors accosté par un homme corpulent qui lui dit :

« Vous vous souvenez de moi?

— Je crains que non.

— Je suis venu ici sur l'un de vos bateaux, comme la moitié des gens qui se trouvent dans cette salle. Maintenant que vous transportez des soldats à la place de civils vous êtes devenu patriote. Vous vous êtes trouvé une clientèle de choix. »

Peu de temps après, Alex vint en permission, revêtu de l'uniforme de lieutenant du Corps Royal des Transmissions. Même habillé ainsi, il ne ressemblait pas beaucoup à un soldat. Miri avoua qu'elle avait eu envie de rire en le voyant car, avec son pantalon bouffant qui sortait de ses bandes molletières serrées, et ses fines jambes qui s'enfonçaient dans d'énormes chaussures, il ressemblait à un acteur déguisé en officier. Il passa la plus grande partie de sa permission à lire. Lorsque Nahum entrait dans une pièce où il se trouvait seul en train de lire, il s'asseyait en face de lui et tentait d'engager, sans succès, une conversation.

« La guerre ne se déroule pas très bien.

— Pardon?

— La guerre ne se déroule pas très bien.

— Pas bien du tout.

— Les soldats font ce qu'ils peuvent mais je n'en penserais pas autant des généraux.

---

1. *Rabboishei :* adresse respectueuse à l'égard d'un public.

— Personne ne le pense non plus, je le crains. »

Silence.

« Qu'est-ce que tu fais au juste dans les transmissions ?

— Nous n'avons pas à le dire.

— Excuse-moi.

— Je n'aurais d'ailleurs pas grand-chose à dire. »

Silence.

« Crois-tu qu'Hector va passer capitaine ?

— Ça ne me surprendrait pas.

— Penses-tu que c'est un bon officier ?

— Sincèrement, non.

— Pourquoi ?

— Il est tellement indifférent à la mort qu'il serait prêt à risquer la vie de ses hommes. Il y a trop d'officiers comme lui dans l'armée britannique. La dernière fois que je l'ai vu, il se plaignait de ne pas avoir été chopé.

— De ne pas avoir été quoi ?

— Chopé, blessé. A la façon dont il le disait on aurait pu croire qu'il avait manqué une promotion.

— C'est quand même un brave.

— Il n'a pas peur, ce qui n'est pas pareil. Seuls les trouillards comme moi peuvent être braves.

— Toi, trouillard ?

— Oh oui alors. J'ai peur à chaque fois que j'entends le canon.

— Mais tu n'as jamais essayé de quitter l'armée.

— J'avais bien trop la trouille pour le faire. »

Nahum lui parla du discours qu'il avait fait et, à sa grande surprise, Alex prit la défense des immigrants.

« Je ne reprocherais pas à ces types de rester en dehors de tout ça s'ils le peuvent. Des gens comme moi y sont impliqués à cause de la pression sociale. Une telle pression n'existe pas dans leur milieu et, de toute façon, on ne peut imaginer ce qu'est l'armée pour un immigrant. Je me souviens de deux types qui se trouvaient dans l'unité où j'ai reçu ma formation. Tout le monde se fichait d'eux. Des gens comme Hector ont rejoint l'armée parce qu'ils voyaient en elle une continuité du collège où ils avaient de bonnes chances de devenir préfets [1]. Mais pour les autres, l'armée est un monde étranger où ils ont de grandes chances d'être tués. Quand on a été chassé de partout depuis deux mille ans, on tient à sa chère petite vie.

— Ce n'est pas un argument par les temps qui courent », dit Nahum.

Ironie du sort, il reçut le lendemain un télégramme lui annonçant qu'Hector avait été gravement blessé.

Il entra immédiatement en contact avec le ministère de la Guerre pour demander s'il pouvait aller le voir. L'officier de service, un homme d'un certain âge, fut surpris par cette demande.

« Il est hospitalisé en Belgique, pas très loin du front, dit-il. Il y a eu des milliers de blessés et si tous les parents nous faisaient de telles demandes, le front fourmillerait de civils. Il y a une guerre, vous savez.

— Je sais, mais il est gravement blessé.

— Peut-être, mais il vous faudrait bien une semaine pour aller en Belgique.

— Une semaine ?

— Eh oui, à cause des mines. Ce n'est pas une excursion touristique. Il y a des mines dans la Manche. Il faut trois jours pour se rendre à Dieppe et Dieu sait combien d'autres jours pour traverser le nord de la France. Le pauvre a tout le temps de mourir d'ici à ce que vous arriviez. »

Nahum demanda à parler à son officier supérieur mais ce fut impossible. Il contacta un membre du Parlement et obtint enfin les papiers nécessaires pour un voyage qui dura, comme il le raconta après, les huit jours les plus longs de sa vie. La mer était mauvaise et le navire devait aller en zigzaguant. Comme on l'avait prévenu, la traversée, qui n'aurait dû prendre que quelques heures, dura près de trois jours. En France, il était quasiment impossible de se déplacer. Tout n'était que chaos et ruines. Les communications ferroviaires étaient interrompues et il dut faire presque tout le voyage en charrette. Il avait l'impression de se retrouver à Volkovysk, excepté qu'en traversant le nord de la France, le paysage était couleur de boue et que le sol était éventré sur des kilomètres. Il ne restait pas un arbre, pas un brin d'herbe. Lorsque Nahum arriva à l'hôpital, Hector ne s'y trouvait plus.

---

1. Dans les collèges anglais, les préfets sont les étudiants chargés du maintien de la discipline.

« Pourquoi ? cria Nahum, inquiet. Que lui est-il arrivé ? Est-il toujours vivant ?

— Bonne question, lui dit le médecin militaire. Je suis malheureusement nouveau ici, mais il ne me faudra pas plus d'une minute pour retrouver sa trace. » Il lui fallut dix minutes au bout desquelles Nahum était bon à ramasser à la petite cuiller.

« Désolé pour ce contretemps, dit le médecin d'un ton enjoué. Ça vous dirait un petit verre ? »

Non, ça ne disait rien à Nahum.

« Il y a eu un petit bombardement, venu d'on ne sait où. Les Fritz sont supposés être à cinquante kilomètres mais de toute façon ils déplacent les gars qu'ils peuvent rapiécer. Il ne doit pas être trop mal s'ils ont pu le déplacer. »

La nuit était tombée et Nahum ne pouvait poursuivre sa route. Il se réveilla aux petites lueurs grises de l'aube. On entendait au loin comme le grondement du tonnerre. Lorsqu'il sortit dans la cour, il vit des nuages noirs de poudre et de fumée qui s'élevaient à l'endroit où tombaient les bombes.

Un infirmier le conduisit en voiture à l'hôpital, distant d'environ cinquante kilomètres. Le bruit de la canonnade ne disparut qu'au bout d'une heure de trajet. Ils s'arrêtèrent dans le parc de ce qui avait été autrefois un château. Il y avait des lits partout : dans l'entrée, les couloirs, les dépendances. Il trouva Hector dans une longue baraque qui avait été construite sur une terrasse. Il était assis, maigre, pâle, avec de larges cernes rouges autour des yeux et des plaies autour de la bouche. Il grimaça plus qu'il ne sourit lorsque Nahum fit son apparition.

« Mais qu'est-ce que tu fais là, nom d'une pipe ? » demanda-t-il.

Nahum agrippa sa main avec soulagement. « Alors, que t'est-il arrivé ?

— J'ai été transpercé de part en part. Une ou deux balles sont entrées ici — il désigna un endroit en bas de sa poitrine — et sont ressorties de l'autre côté. Si quelqu'un en avait eu envie, je crois qu'il aurait pu voir le jour à travers moi. Je pense que mes blessures guériront mais j'ai perdu des litres de sang ; il coulait comme d'une conduite crevée. C'est la dernière chose que je me suis dite avant de tomber dans les pommes : « Mon Dieu, je ne pensais pas en avoir autant. »

On donna un lit à Nahum dans une serre aménagée, et il resta à l'hôpital pendant près d'une semaine. Il se rendit utile en faisant les lits, en vidant les pots de chambre, en faisant le thé et occasionnellement en donnant un coup de main à la morgue. Il ne s'était jamais senti aussi motivé depuis que la guerre avait éclaté. Cet effort lui donna un extraordinaire sentiment de plénitude et il commença à comprendre pourquoi Colquhoun et les autres étaient partis à la guerre aussi rapidement. La vie à proximité du front — même si elle consistait à vider des pots de chambre — était d'une intensité peu commune. Il était trop vieux pour être enrôlé mais il regrettait de ne pas s'être porté volontaire. Tout ce pourquoi il s'était passionné auparavant, — y compris ce qui lui permettait maintenant de faire des profits — lui semblait sans commune mesure avec la guerre.

Il constata, comme pour Sophie, qu'il pouvait plus facilement communiquer avec un Hector malade, comme si la proximité de la mort invitait à la confidence. Lors des premières visites de Nahum, Hector était trop faible pour parler mais le dernier jour ils passèrent ensemble presque deux heures.

« Tu sais, dit Nahum, avant je ne pouvais comprendre comment toi, le fils juif d'un père juif, tu pouvais t'être porté volontaire. Maintenant, je comprends. Je n'aurais jamais cru que des soldats, des canons, des batailles puissent produire un tel effet sur un vieux juif grassouillet comme moi.

— Es-tu certain que je suis le fils juif d'un père juif ? demanda Hector.

— Que veux-tu dire par là ?

— Tu sais que Sophie a de singulières théories sur notre véritable parenté. Elle est certaine d'être la fille de Yerucham — même si elle souhaite ne pas l'être — parce qu'elle lui ressemble. Ce qui n'est pas mon cas, ni celui d'Alex. Elle prétend que père était souvent absent de la maison quand elle était petite et que tu étais un visiteur assidu...

— J'étais un ami de la famille. Je connaissais ta mère depuis qu'elle avait quinze ans.

— Ce n'est pas la peine de s'excuser ou de s'expliquer. Sophie n'a jamais pu tout à fait pardonner à sa mère — ou au genre humain — d'être la fille de son père et elle ressent cela comme une marque ineffaçable. Je n'avais rien contre lui, je l'admirais plutôt. Alex parle de lui comme d'un homme commun qui pouvait à l'occasion se livrer à des occupations douteuses, alors que Sophie le considère comme un parfait gredin qui ne pouvait pas faire quelque chose honnêtement s'il existait un moyen de le faire malhonnêtement. Selon elle, son observance des rites religieux, sa présence à la synagogue, sa prétention à la piété n'étaient que poudre aux yeux. Il a trompé et volé sa femme, son beau-père, ses clients, la douane, les impôts et même ses avocats. Et quand on sait comment il est mort ! Qui pourrait admirer un tel homme ? Sophie qui est toujours à l'affût des motivations inconscientes pense que je me suis engagé dans l'armée parce que je hais les hommes et, toujours d'après elle, si je les exècre c'est parce que je déteste mon père.

— Pourquoi t'es-tu engagé ?

— Parce qu'il le fallait ; mais il y a des moments où je le regrette. J'étais basé au départ près d'une sorte d'estuaire boueux dans le Norfolk avec pour seuls compagnons des oies sauvages et des soldats alcooliques. Quelqu'un, moi peut-être, avait mentionné que ma famille était dans les affaires maritimes. On me conduisit à un petit port et mon commandant me dit : « C'est un peu la pagaille ici, Rabinovitz... euh... Raeburn — et cela devint presque mon nom : Rabinovitz... euh... Raeburn — c'est un peu la pagaille ici, pouvez-vous remettre un peu d'ordre ? C'est ce que j'ai fait, même si cela signifiait la réquisition de tous les wagons et de tous les bateaux en vue. Cependant, le danger à l'armée, c'est que lorsque l'on fait quelque chose avec un minimum de compétence, on risque d'en avoir pour la vie. On m'a donné un grade supplémentaire et je suis parti pour la France. Là, j'ai dû faire face à une situation encore plus terrible : le port était plus grand, les encombrements plus importants et la main-d'œuvre, guère enthousiaste, commettait des vols. Il y avait urgence. Tandis que des hommes mouraient au front, ils se plaignaient de ce que les charges étaient trop lourdes ou peu maniables, que le temps était trop humide ou trop sec, que les prises étaient trop glissantes, ce qui n'empêchait pas des chargements entiers de disparaître sans laisser de traces. J'ai sollicité la permission d'en prendre quelques-uns — pas plus d'une douzaine — et de les faire fusiller *pour encourager les autres* [1]. Mais le commandant m'a dit que c'était impossible car ils ne faisaient pas partie des nôtres. Dans la confusion générale, il y avait comme toujours des cargaisons immobilisées et leurs propriétaires s'arrachaient les cheveux, hurlant à la ruine. J'en ai réuni quelques-uns et leur ai laissé entendre qu'avec un peu d'argent il était possible de débloquer la situation. Les fonds nécessaires furent rapidement réunis. Je n'avais pas besoin d'arroser

---

1. En français dans le texte.

tous les ouvriers mais seulement leurs chefs, qui se rappelèrent brutalement que leur pays était en guerre. Dès lors, la situation évolua.

— Mais si tu étais dans les transports, comment as-tu fait pour être blessé ?

— Mon commandant a aussi voulu le savoir et m'a promis que je passerais en cour martiale si je guérissais. Bon, comme les choses s'arrangeaient au port, nous avons voulu décongestionner le trafic ferroviaire. A ce moment, nous en étions à aider une brigade d'artillerie à organiser son approvisionnement en munitions. Nous nous trouvions à proximité du front mais les Allemands progressèrent de nuit, nous surprirent et anéantirent le convoi de ravitaillement. Les artilleurs se trouvant à court de munitions, j'organisai rapidement ma propre colonne avec mes hommes pour venir en aide aux artilleurs. Et c'est en commandant cette colonne que j'ai ramassé mon premier pruneau. Je n'avais pas pensé que les Allemands étaient si près. C'est peut-être un tireur d'élite mais je ne serais pas surpris que le coup ait été tiré par l'un de mes propres hommes.

— Par l'un de tes hommes ?

— Cela arrive souvent. Je les avais tenus un peu durement. Curieusement, je n'ai pas eu très mal mais j'ai eu une sensation de courant d'air. J'étais à cheval et j'ai trouvé que ma selle devenait humide et gluante. J'ai mis pied à terre pour voir ce qui se passait et je me suis évanoui. Pour compliquer le tout, le cheval est à son tour tombé sur moi.

— C'est un miracle que tu sois en vie.

— Je l'ai échappé belle. Au fait, tu te souviens de Cyrus, ce grand type qui était avec nous à Menton ? Il m'a vu il y a une ou deux semaines — on perd le sens du temps à l'hôpital — alors que j'étais plutôt en mauvais état. Il m'a dit qu'il irait peut-être en Ecosse mais je crains qu'il n'ait alarmé Ara. Tu vas la voir, je suppose ?

— Naturellement, et je lui dirai que tu vas bien. »

En fait, ce n'était pas tout à fait exact et Nahum aurait aimé rester une semaine de plus mais il commençait à s'inquiéter de ce qui se passait à la maison. Alex et Sophie devaient être partis maintenant et, bien que la vieille Hester fût avec elles, il n'était pas très rassuré à l'idée de savoir Miri et sa mère ensemble.

Il lui fallut dix jours pour revenir et plus il se rapprochait de Glasgow, plus il avait le sentiment qu'il s'était passé quelque chose.

Quand il arriva à la maison, deux hommes corpulents en trench coats l'attendaient. Ils se levèrent lorsqu'il entra et l'un d'entre eux sortit une plaque d'identité de sa poche.

« Nous sommes de la police », dit-il.

Il comparut le lendemain matin devant les magistrats de la ville sous l'accusation de commerce avec l'ennemi mais il fut laissé en liberté provisoire. Des mandats d'arrêt avaient également été lancés contre Lazar et Zaiderbaum mais ils avaient tous les deux disparu.

20.

« Aux yeux de la loi, l'ignorance n'est pas une excuse » dit à Nahum son avocat, Krochmal. « Il existe de toute façon quantité de documents qui portent votre signature et vous impliquent totalement.

— Qui est-ce qui regarde ce genre de document ? Je lisais seulement les chiffres et je ne pouvais pas toujours les interpréter, mais je comprends maintenant pourquoi ils voulaient que je sois président. Il n'y a pas si longtemps, j'ai dit à Lazar : « Tu sais, j'ai si peu à faire que je ne mérite guère mon salaire » et il a répondu : « Au contraire, tu es irremplaçable. » Ils avaient en fait besoin d'un dindon.

— Vous êtes injuste, dit l'avocat. Ils avaient besoin d'un nom connu pour donner une assise respectable à leur entreprise. Mais dites-moi, si les autres ont eu vent des enquêtes de la police, comment se fait-il que vous n'en ayez rien su ?

— A supposer que ce fût le cas, qu'aurais-je pu faire ? Où aurais-je pu partir et dans quel but ? De toute façon, que peuvent-ils me faire ?

— En ce moment, ils peuvent vous faire beaucoup de choses. Il s'agit tout de même de contrebande de marchandises destinées à l'Allemagne et donc d'infraction au blocus des Alliés. Nous allons voir le procureur demain et il me semble que le mieux est de lui dire ce qui s'est exactement passé. Le fait que vous soyez resté là alors que les autres se sont enfuis joue en votre faveur et peut laisser supposer que vous êtes la victime, et non l'acteur, d'une escroquerie. De plus, vous pourrez faire état de vos problèmes familiaux — les enfants sous les drapeaux, un fils blessé, une femme gravement malade — comme autant de raisons qui vous interdisaient d'accorder l'attention nécessaire à la bonne marche de la compagnie.

— Je n'y accordais pas d'attention parce que le contrôle des affaires m'échappait. Je n'avais aucune idée de ce qu'ils étaient en train de faire.

— Je vous crois si vous me le dites mais vous auriez dû faire davantage attention aux papiers que vous signiez. Vous étiez le président de la firme, ils n'étaient que vos adjoints. Il était dans vos attributions de veiller à leurs agissements. Est-ce que les chiffres améliorés de l'exercice ne vous ont pas semblés suspects ?

— Non, pourquoi auraient-ils dû l'être ? La réorganisation de la compagnie et l'embauche de Zaiderbaum étaient justement destinées à les améliorer. S'ils avaient baissé, je m'en serais inquiété. Dans les affaires, quand tout va bien, on laisse aller les choses. Je m'aperçois maintenant que j'ai été un fou, un fou même un peu trop gourmand ; mais l'argent ne reste pas dans la poche des fous. Ce qui me trouble le plus, c'est qu'une affaire que j'ai mis près de vingt-cinq ans à monter finisse ainsi.

— On n'y peut plus rien. Ce que nous avons de mieux à faire, c'est de laisser traîner tout cela jusqu'à la fin de la guerre...

— Pour vivre avec un couperet au-dessus de la tête Dieu sait combien d'années ? Non merci. Lorsque quelque chose de désagréable m'attend, je préfère régler cela tout de suite pour qu'on n'en parle plus. Je suis innocent, vous savez, je suis totalement innocent mais s'il est impossible de le prouver, alors plaidons coupable et finissons-en.

— Vous oubliez le climat du moment. Vous serez reconnu coupable, non seulement pour avoir été un malfaiteur, mais un malfaiteur étranger.

— Que voulez-vous dire par malfaiteur étranger ? Je suis citoyen britannique depuis des années.

— Ce qui aggrave le délit et fait de vous un traître. L'opinion publique est très remontée en ce moment et même les tribunaux sont affectés par cette vague de haine. S'ils reconnaissent Rabinovitz coupable de commerce avec l'ennemi, vous pouvez être pendu, aussi le mieux est de laisser traîner les choses. »

Nahum était moins affecté par l'affaire qu'il ne l'aurait cru. Il éprouvait parfois des remords en songeant à la disparition de sa compagnie et de son gagne-pain, en songeant également à son imprévoyance, sa crédulité, sa stupidité. Mais tout cela n'était rien en comparaison de ses soucis familiaux.

Hector avait reçu la Croix de Guerre (et l'ironie de la situation n'échappait pas à un Nahum que l'on poursuivait pendant ce temps pour commerce avec l'ennemi) mais sa guérison fut plus lente que prévu : « Dans ces satanés hôpitaux, écrivit Hector, on ne sait pas quels fichus microbes on peut ramasser. » Nahum craignait qu'Hector ne soit invalide jusqu'à la fin de ses jours.

Il s'inquiétait également au sujet d'Alex. Ils n'avaient pas eu de nouvelles depuis six semaines ; il semblait si fragile, si vulnérable qu'ils se demandaient comment il pouvait affronter les vissicitudes de la vie militaire, sans parler des combats. Le seul son du canon paraissait déjà capable de le réduire en mille morceaux.

Nahum s'inquiétait encore au sujet de Sophie qui ne montrait guère d'enthousiasme pour venir passer ses congés à la maison et qui avait même trouvé une excuse pour ne pas venir à Pâques. Elle avait presque vingt-trois ans et elle n'avait pas souvent l'occasion de rencontrer des juifs, si bien qu'il commença à se demander si elle se marierait jamais.

Il s'inquiétait par-dessus tout au sujet de Miri. L'opération de sa jambe n'avait pas été un succès total et elle devait souvent retourner à l'hôpital pour subir d'autres examens et recevoir d'autres soins.

Le chirurgien déclara un jour qu'ils avaient localisé un foyer infectieux.

« Vous voulez dire que vous allez devoir en couper un autre morceau ? demanda Miri.

— Cela peut être nécessaire.

— Alors pourquoi ne m'avez-vous pas tranché la gorge pour en finir avec ça ? Vous me prenez pour quoi ? Pour un salami ? » Elle éclata en sanglots. Nahum fut à la fois bouleversé et rassuré par ces larmes car elle avait adopté jusqu'alors une telle attitude qu'il avait commencé à se demander, après l'avoir admirée, si elle était véritablement humaine. Quand elle se retrouva à l'hôpital pour la seconde fois, elle perdit le moral. Elle y resta six semaines ; quand elle rentra à la maison, elle avait complètement changé : ses yeux avaient perdu leur éclat, sa chair était flasque, elle se tenait tassée sur elle-même, la tête penchée sur le côté. Il essayait de lui remonter le moral en lui annonçant de bonnes nouvelles, mais les victoires des alliés en Palestine, en Mésopotamie ou sur le front occidental lui étaient tout à fait indifférentes. Jacob, le premier « fruit de leur union » comme il aimait à l'appeler — un gros garçon placide âgé de huit ans, rougeaud, maladroit, qui passait la plupart de ses instants de liberté à aligner ses soldats de plomb sur le sol de la salle de séjour — avait, à la surprise générale, réussi à décrocher une bourse pour le collège d'Eton mais cette annonce la laissa de marbre. Seule l'éventualité de la fin de la guerre évoquée devant elle faisait briller une légère lueur dans ses yeux, mais quand Nahum ajouta que Sophie et les garçons seraient bientôt de retour à la maison, elle dit : « Où vont-ils tous dormir, maintenant que ta mère s'est définitivement installée ici ? »

La mère de Nahum avait parlé de vivre chez Katya mais lorsqu'il s'avéra que Miri était pour toujours infirme, elle resta et sa présence devint une véritable source d'obsession pour sa belle-fille. Un soir, alors que Nahum se déshabillait, Miri, qui était assise dans son lit, lui dit : « Tu te laisses aller. Regarde-toi, tu as grossi. Tes pantalons sont déformés, tu n'es pas rasé, ta moustache ressemble à une queue de rat. Tu n'as même pas cinquante ans et on dirait que tu en as soixante-dix. Lotie ne t'épousera plus maintenant. »

Il n'avait aucune envie de lui rappeler que Lotie avait fait un mariage heureux et qu'il avait rompu tous les ponts avec elle, mais il était curieux de savoir pourquoi elle pensait à Lotie.

Il ne tarda pas à l'apprendre.

« J'ai vu le visage de ta mère s'illuminer quand elle a appris que je devais retourner à l'hôpital. Il n'était pas difficile de lire dans ses pensées : « Elle va y passer. Encore une semaine ou deux, un mois maximum, et il pourra épouser Lotie. » Oh, elle est très serviable mais à chaque fois qu'elle entre dans ma chambre ses yeux expriment toujours le même regret, à savoir que son fils, son fils unique, aurait pu épouser une riche héritière au lieu de quoi il a fini avec la fille d'un marchand de poulets, veuve et estropiée. D'une certaine façon, je ne lui en veux pas, j'aurais pensé la même chose mais je sais lire la haine dans ses yeux. A chaque fois qu'elle me regarde, mon moignon me fait souffrir, comme si elle le frottait avec du sel. J'aimerais qu'elle quitte cette maison, même si cela implique que je doive me déplacer en sautant à cloche-pied sur mon unique jambe. Je n'ai rien dit jusqu'à présent parce que je ne voulais pas te chagriner — tu as déjà assez de soucis — mais elle m'empoisonne tout autant avec son regard que si elle avait mis de l'arsenic dans ma nourriture, ce qu'elle aurait certainement fait si elle avait eu l'ombre d'une possibilité. Ta mère n'a jamais été croyante, n'est-ce pas ? Pourtant, avant mon hospitalisation, je l'ai vue prier et je suis certaine qu'elle le faisait dans l'espoir que je ne rentre pas. Quand tout le monde me croyait perdue, une pensée ne me quittait pas malgré la fièvre : je me disais qu'il fallait que je lui survive. »

Le comportement de sa mère avait étonné Nahum. Il l'avait toujours crue très égocentrique mais dès que Miri était rentrée elle avait retroussé ses manches et pris en main les affaires de la maison ; elle fit la cuisine, nettoya, lava, reprisa, cira les chaussures, soigna les plantes de la maison et du jardin, veilla sur la vieille Hester qui était maintenant presque paralysée. Il ne l'avait jamais vue travailler avec autant d'ardeur et d'entrain ; de plus elle s'occupa de Miri comme l'aurait fait une infirmière. Il ne pouvait pas lui dire de partir maintenant que l'on avait encore davantage besoin d'elle mais, sa présence affectant le moral de Miri, il lui demanda de ne plus se montrer devant elle. Cela ne fut d'aucun secours car Miri se plaignit de « sentir » sa présence — « elle est comme un mauvais génie qui hante la maison. »

Miri n'était pas alors en état d'être raisonnée. Il expliqua la situation à sa mère qui la comprit parfaitement ; elle fit ses bagages et retourna chez Katya. Il écrivit entre-temps à Sophie qui obtint un congé pour venir s'occuper de la maison.

La santé de Miri continuant à se dégrader, il installa son lit dans le salon. La maison ressemblait à un hôpital. Tout le monde marchait sur la pointe des pieds et parlait à voix basse. On avait mis une petite cloche près d'elle et ils prenaient leurs repas en silence, craignant de ne pas l'entendre. Nahum préparait parfois un plateau pour aller s'installer à ses côtés. Elle mangeait peu et souffrait continuellement. Ils avaient une infirmière de jour mais comme la douleur l'empêchait de dormir, ils engagèrent une infirmière de nuit. A la fin, elle retourna à l'hôpital.

Entre-temps, la date du procès avait été fixée. Krochmal dit à Nahum qu'il pouvait être repoussé sans problème.

« Non, pour l'amour de Dieu n'en faites rien. Qu'on en finisse. »

Le procès dura moins d'une semaine. Son avocat insista sur le fait que ses deux fils avaient été affectés dans des régiments de première ligne et que l'un d'eux venait de recevoir la Croix de Guerre pour acte de bravoure. Il précisa que son client avait été préoccupé par leur sort et qu'il avait eu d'autres soucis familiaux. Tout cela l'avait empêché d'accorder une attention suffisante à la marche de ses affaires. En outre, les deux directeurs s'étaient efforcés de lui cacher les transactions illicites, sachant pertinemment qu'il n'aurait pas été partie prenante. Ils avaient falsifié les livres de comptes, réalisé et subtilisé les actifs, réduisant ainsi à la taille d'une coquille de noix une affaire jadis prospère.

La cour sembla impressionnée par la plaidoirie et le juge, dans son exposé, déclara qu'au vu des circonstances, il convenait d'être « indulgent ». L'avocat opina du chef en direction de Nahum comme pour lui dire « Tout va bien mon garçon ». On lui infligea une amende de cinquante mille livres.

Le verdict lui coupa le souffle. C'était cela, l'indulgence ! Cinquante mille livres ! Ses avoirs ne devaient représenter que la moitié de la somme et les frais de justice devaient probablement se monter à cinq mille livres. Tout le procès lui avait semblé irréel et il en avait retiré un sentiment d'étrangeté. Il s'était attendu à quelque chose de plus dramatique. Il se souvint du vieux proverbe yiddish qui disait *abi gezunt* et qui signifiait à peu près : « Rien n'a d'importance tant qu'on a la santé. » Devoir trouver cinquante mille livres lui semblait bien futile alors que Miri agonisait.

A la sortie du tribunal, on lui remit un message lui demandant de se rendre directement à l'hôpital. Il prit un fiacre et arriva quelques minutes plus tard. On avait disposé un paravent autour du lit de Miri. Sophie était assise dans le couloir sur un banc.

« Elle a du mal à respirer, dit-elle. Ils lui donnent de l'oxygène. Comment s'est déroulé le procès ?

— Quelle importance ?

— Aucune, je suppose.

— Depuis quand es-tu là ?

— Deux ou trois heures. Ils nous ont prévenus ce matin.

— Pourquoi ne me l'as-tu pas fait savoir plus tôt ?

— Qu'est-ce que tu aurais pu faire de plus ? Je leur ai dit d'attendre la fin de l'audience. J'ai contacté le ministère de la guerre mais il y a peu de chances qu'Alex ou Hector arrivent ici à temps.

— Pourquoi pas ? Ta mère s'en tirera. Tu ne la connais pas. Elle a déjà surmonté une crise.

— Avant, elle voulait vivre, maintenant elle ne le veut plus. C'est la dernière chose qu'elle m'ait dite : « Pourquoi me maintiennent-ils en vie ? Je veux dormir, dis-leur de me laisser dormir. »

Environ une heure plus tard, un docteur sortit et leur dit que la crise était passée et qu'elle dormait. « Elle devrait s'en sortir, les fonctions vitales ne sont pas touchées », ajouta-t-il.

Ils rentrèrent à la maison et soupèrent en silence. Nahum monta ensuite prendre un bain. En se plongeant dans l'eau il songea que ce serait merveilleux si les gens pouvaient fondre aussi facilement que les sels de bains. Autour de lui tout s'effondrait ou s'était déjà effondré.

Son affaire était morte, comme son mariage bientôt et comme le monde qu'il avait connu. Il avait lu par hasard ce matin-là l'annonce du décès de Wachsman. Il se souvenait de ses paroles. « Le commerce maritime n'est pas bon pour un juif. Si vous commencez avec des navires, vous finirez au fond de la mer », ce qui était approximativement l'endroit où il se trouvait. Il se souvenait des mises en garde de Kagan sur les dangers d'une croissance trop rapide et de ses propres hésitations à ce sujet. Il aurait dû écouter la voix de sa conscience. Il ne serait pas devenu si riche mais il ne serait pas non plus tombé si bas et n'aurait jamais eu affaire à Lazar et compagnie. Katya l'avait supplié de ne pas rejeter toute la faute sur son pauvre fils. « De toute façon, avait-elle ajouté, il est probablement mort à l'heure qu'il est et tu ne dois pas dire du mal d'un mort. » Ce à quoi Nahum répondit d'un ton amer : « J'ignore s'il est mort mais si j'arrive à lui mettre la main dessus, c'est lui qui souhaitera l'être. »

Il se demandait comment il allait se débrouiller pour nourrir toute sa famille dans les mois à venir. Il avait une bonne assurance et la meilleure solution aurait été qu'il meure. Il pensait que s'il avait été un bon père juif, il serait allé se pendre mais il n'avait que quarante-deux ans et bien que n'ayant pas très envie de rester en vie il sentait qu'il était inutile de montrer trop de zèle à vouloir mourir. Il lui faudrait revendre sa maison de Carmichael Place et retourner dans les Gorbals, mais cette fois avec une femme invalide, six enfants et sans l'optimisme de la jeunesse. Demain les journaux évoqueraient son procès à longueur de colonnes. Nahum Raeburn, né Rabinovitz, *der heiser patriot,* le fougueux patriote, avait été reconnu coupable de commerce avec l'ennemi. Et lui, Nahum, un personnage public estimé qui avait représenté la communauté de Glasgow aux congrès Sionistes de Hambourg et de Vienne, qui avait fréquenté des personnages puissants, lui dont la présence faisait honneur aux tribunes des réunions publiques, dont les journaux yiddish du monde entier avaient célébré la réussite, lui dont la porte avait toujours été ouverte à une interminable procession de *schnorrers,* se trouvait réduit au rôle de simple *schnorrer* à son tour. La pauvreté en soi n'était jamais agréable mais se retrouver pauvre après avoir connu la richesse était insupportable.

On frappa à la porte et il se leva, inquiet. C'était Sophie. L'hôpital avait appelé. Miri était dans le coma.

Ils la veillèrent toute la nuit. Au petit jour, elle ouvrit les yeux, les regarda sans les reconnaître, puis ferma ses paupières. Elle mourut quelques minutes après.

Lorsqu'ils rentrèrent à la maison, trois policiers se tenaient devant leur porte et un petit groupe de gens étaient rassemblés sur le trottoir d'en face. Toutes les fenêtres de la maison et nombre de celles des habitations voisines avaient été brisées. Les barrières avaient été arrachées et des débris de verre, des briques et des mottes de terre jonchaient la rue. Un groupe d'excités avait fait une descente tôt le matin aux cris de « Juif traître » et « Valet de l'étranger ». La mère de Nahum, qui était venue garder les enfants, avait mis la tête dehors pour voir ce qui se passait et avait été aussitôt prise à partie. Des voisins étaient venus à son secours et quelqu'un avait appelé la police. Il y avait eu des cris et des coups, plusieurs personnes blessées par des jets de pierre ou de verre brisé. La police avait évacué la mère de Nahum et les enfants dans un fourgon mais Hester, qui ne pouvait pas se déplacer facilement, s'était évanouie et on l'avait dirigée en ambulance vers l'hôpital. Des journaux déchirés jonchaient le sol ; le titre de l'un d'eux proclamait : UN JUIF RUSSE CONDAMNÉ POUR COMMERCE AVEC LES BOCHES.

« Vous voyez, dit Nahum, on n'a pas besoin d'être en Russie pour voir un pogrom. »

Mais tout cela ne l'affecta pas vraiment. Rien d'ailleurs ne semblait l'affecter, comme si toute émotion avait à jamais disparu en lui. Sa femme, âgée seulement de quarante ans, était morte après des mois de souffrance. Ses enfants étaient orphelins. Ses beaux-enfants avaient certes atteint l'âge adulte mais Jacob n'avait que neuf ans, Vicky huit ans et Benny six ans. Il était ruiné et son nom était sali. Et pourtant, il n'en semblait guère bouleversé. Il ne pleura même pas, jusqu'au jour où Hector arriva inopinément : appuyé sur une canne, le visage blême, il n'était plus que l'ombre de lui-même. Nahum se leva pour l'embrasser et retomba en larmes dans son fauteuil. Il pressentit qu'il pleurait davantage sur Hector que sur Miri ou lui-même. Il avait été inconsidérément fier de lui, de ce beau-fils à qui il attribuait toutes les qualités qu'il jugeait atrophiées chez les autres Juifs. Hector se tenait droit, l'allure martiale, l'air courageux. Nahum prenait un tel plaisir à le regarder qu'il en oubliait les malheurs de la famille. Et aujourd'hui, même Hector l'indomptable semblait abattu.

Nahum avait cessé de se conformer aux nombreux rituels juifs mais il observa toute une semaine de deuil avec ses enfants assis autour de lui. La maison fut remplie de gens du matin au soir. Ce qui l'attrista le plus, ce fut le spectacle de ses petits garçons disant le *Kaddish* tandis qu'Hector, bafouillant quelques mots d'hébreu, tentait d'en faire autant.

La guerre se termina cette semaine-là. On entendit dehors le bruit des réjouissances. Nahum fut aussi peu affecté par la bonne nouvelle que par son propre malheur mais il se réjouit quand même de ce qu'Alex fût rentré sain et sauf.

Presque tous les gens qu'il connaissait vinrent lui rendre visite durant cette semaine. Katya et ses deux filles avaient pris les affaires de la maison en main. Au fil des allées et venues il commença à régner dans la maison une atmosphère de petite fête amicale. Un soir, il aperçut Jessie Colquhoun dans un groupe. Il y avait bientôt deux ans qu'il ne l'avait vue. A l'époque, elle parlait de rejoindre un corps d'armée féminin mais il ne l'avait pas prise au sérieux.

« Mais si, dit-elle, je suis officier et tu ferais bien de me saluer. »

Elle avait maigri et semblait avoir grandi en conséquence mais elle était plus vivante et gaie que jamais. Il lui demanda ce qu'elle comptait faire après la guerre.

« Nous y sommes déjà.

— Oui mais je pensais à après l'après.

— Je ne sais pas encore. Je reviens de Malte. J'aime l'Ecosse mais cette île m'a donné le goût du soleil. »

La mère de Nahum lui demanda par la suite qui était cette personne. Il le lui dit.

« Elle est très séduisante, tu ne trouves pas?

— Tu crois?

— Très séduisante. Est-elle juive? »

21.

« Des Gorbals aux Gorbals en une génération », dit Nahum en poussant la porte de son appartement. Il se sentait singulièrement heureux de revenir dans ces murs, comme s'il retrouvait son véritable foyer (mais il est vrai qu'il avait ressenti la même chose en retournant à Carmichael Place). C'était petit mais suffisant, et facile à chauffer. Victoria et Benny partageaient une chambre. Sophie, qui tenait la maison, en occupait une autre tandis que lui dormait dans une alcôve située dans la cuisine et qu'il utilisait ce qu'ils appelaient la « grande pièce » comme bureau.

Il aurait pu conserver Carmichael Place dont les charges, comparées au montant de toutes ses dettes, étaient faibles mais il le vendit lorsqu'il fut certain que ni Alex ni Hector ne reviendraient à Glasgow, ce qu'avait prédit Sophie.

La guerre finie, Nahum pensa qu'ils seraient rapidement démobilisés mais six mois s'écoulèrent avant qu'ils ne le fussent. Hector décida pourtant de se réengager. Il était alors presque complètement guéri et Nahum pensait qu'avec ses antécédents militaires toutes les portes lui seraient ouvertes, mais il ne savait pas vraiment ce qu'il désirait. Nahum n'avait guère les moyens de lui faire une offre intéressante, aussi l'armée semblait à Hector le meilleur parti.

« Tu veux dire que tu vas devenir soldat professionnel ? demanda Nahum, incrédule. La guerre est finie.

— Cette guerre-là est peut-être finie mais il y a de petits conflits partout dans le monde, et puis il y a celui de la Russie qui risque de s'étendre. »

Il voulut demander des nouvelles d'Ara mais il avait le sentiment que cela ne le regardait pas. Sophie était d'avis qu'Hector rempilait pour échapper aux griffes d'Ara, ce que Nahum contestait car à chaque fois qu'il les voyait ensemble, Hector semblait très heureux.

« Epousera-t-il un jour cette fille ? demanda Katya.

— Aimerait-elle être la femme d'un soldat ? s'enquit Nahum.

— Qui aimerait cela ? De toute façon va-t-il s'engager ?

— Que ferait-il autrement ? Je n'ai pas d'argent à lui donner.

— Le père d'Ara lui en a laissé un peu.

— Peut-on imaginer ces deux-là vivant avec peu d'argent ?

— Alors que va devenir Ara ?

— Je l'ignore. C'est une grande fille, c'est un grand garçon. Ils devraient pouvoir se débrouiller tout seuls. »

La situation d'Alex était plus claire. On lui avait proposé un poste dans l'équipe du gouverneur de Jérusalem, Sir Ronald Storrs.

« Avec tes diplômes, tu ne pourrais pas trouver un travail ici ? lui demanda Nahum.

— Oui, je le pourrais mais je préfère aller là-bas.

— J'ignorais que tu étais sioniste.

— Je ne sais pas très bien ce qu'est un sioniste mais je n'ai aucune envie de vivre à Glasgow alors que l'on m'offre la possibilité d'aller habiter à Jérusalem. »

Kagan lui avait adressé une longue et sympathique lettre pour la mort de Miri ; il lui demandait quels étaient ses projets immédiats et ajoutait : « Il est probable qu'à la lumière de votre expérience, le commerce maritime doit vous sembler un domaine particulièrement peu rentable. » Quand Nahum lui répondit qu'il pensait se lancer dans l'exploitation de salles de cinéma, Kagan lui écrivit que cette activité était tellement éloignée de ses connaissances pratiques qu'il hésiterait à le conseiller. Il fallut se rendre à l'évidence : il hésitait aussi à lui proposer de l'argent. Nahum se tourna alors vers de petits marchands juifs originaires de la région de Volkovysk, qu'il avait aidés à leurs débuts et qui étaient ravis de l'aider à leur tour. Les sommes à engager étaient si faibles — comparées à celles qui lui avaient été nécessaires à ses débuts — qu'il en était presque gêné de les solliciter. Mais il voulait transformer en salle de cinéma le vieux théâtre qu'il avait acheté au sud de l'Ecosse et il lui fallait d'autre part engager un gérant. La somme totale nécessaire ne dépassait pas une semaine de salaire du temps de la Goodkind-Raeburn.

Le cinéma remporta un succès immédiat. La guerre était finie. Les gens en avaient assez de la grisaille quotidienne et des drames. Ils recherchaient une évasion que leur procura le cinéma. A la fin de la première année, Nahum avait épargné suffisamment d'argent non seulement pour rembourser ses dettes et payer son amende mais également pour investir dans une autre salle située dans une petite ville minière du Lanarkshire, à quelque trente kilomètres au sud de Glasgow. A la fin de la seconde année, il en acheta une troisième, à la fin de la troisième une quatrième ; puis il utilisa un bâtiment voisin pour en ouvrir une autre. A l'époque il avait retrouvé un bureau, un administrateur, une secrétaire, un comptable et il fut agréablement surpris de constater combien on pouvait s'enrichir avec une petite mise de fonds.

Sa nouvelle prospérité ne lui permettait pas cependant de retrouver son ancien rang social. Un propriétaire de salles de cinéma n'était pas un armateur, mais si ce n'était pas le même genre d'affaires il n'avait pas non plus les mêmes ennuis. Il n'avait plus à s'inquiéter des crises internationales — nombreuses en cette période de l'après-guerre — des tempêtes en mer, des mutineries, des suicides de passagers, des employés corrompus ou des banquiers rapaces. Il pouvait dormir la nuit mais il n'était plus une personnalité et cela lui manquait. Il ne s'était pas entièrement réconcilié avec l'idée de l'anonymat. Bien que n'entretenant plus de relations d'affaires avec Kagan, depuis qu'il avait été invité avec Miri dans sa maison de campagne, il avait l'impression que leur relation avait pris un tour plus personnel. Il l'invita donc à la *bar mitzvah* de Jacob. Le secrétaire de Kagan lui répondit sur un ton formaliste qu'un surcroît de travail ne lui permettait pas de venir. Nahum interpréta cela comme l'annonce officielle de leur rupture.

Miri lui manquait beaucoup ; il aurait aimé parler avec elle de ses revers de fortune. Sa santé avait décliné presque en même temps que ses affaires comme si les deux étaient liés. La lueur d'admiration qu'il avait cru lire dans son regard au début de leur mariage s'était peu à peu teintée de mépris. Elle pensait avoir épousé l'homme d'une réussite — « l'affaire du siècle » avait dit sa mère — et il s'était révélé l'homme d'un échec. « Tout le monde semble gagner de l'argent avec la guerre alors que toi, tu en perds », faisait-elle remarquer amèrement. On ne pouvait pas non plus lui reprocher de ne pas avoir prévu la guerre. Il s'en voulait d'avoir collaboré avec Lazar mais le succès de sa nouvelle aventure confirmait ses qualités d'homme d'affaires et il regrettait que Miri n'en fût pas témoin.

Il entretenait une bonne relation avec Sophie tout en évitant soigneusement deux sujets de conversation : les affaires et l'argent.

Elle faisait une excellente ménagère mais elle était dure avec les enfants et surtout avec Vicky qu'elle estimait paresseuse, têtue et insolente.

« Elle n'a que onze ans, lui rappela Nahum.

— A son âge, on n'est plus une enfant, répondit Sophie. Elle doit comprendre que tu n'es plus riche, que je ne suis pas sa domestique et qu'elle doit faire son lit toute seule. »

Le lit de Vicky ne fut pas fait pendant dix jours ; le onzième Sophie trouva la chambre en ordre.

« Contente ? demanda Nahum.

— Non, dit Sophie. C'est toi qui l'as fait.

— *Moi ?* Je ne fais même pas le mien.

— Je sais, mais c'est toi qui as fait celui de Vicky. »

Elle avait raison.

Ce qui inquiétait davantage Nahum c'est qu'à vingt-six ans, Sophie était toujours célibataire. Plus jeune, elle disait souvent que les gens qui s'asseyaient près d'elle étaient surtout intéressés par son argent. Les événements prouvèrent qu'elle avait raison. La fortune de Nahum engloutie, les prétendants levèrent le siège. Elle avait alors pris un coup de vieux mais aux yeux de Nahum elle n'en demeurait pas moins séduisante.

Sa mère, qui s'était définitivement installée chez Katya, avait dit : « C'est une fille sérieuse qui fait très anglais ; elle a un sens aigu du devoir. Les Anglais n'attachent pas la même importance que nous au mariage. Elle se sent obligée de tenir la maison pour toi et tu ne t'en débarrasseras pas avant que tu ne sois remarié. »

Quelques jours plus tard, sa mère regardait des photographies d'un bal de charité publiées dans un journal, lorsqu'elle tomba sur un cliché où l'on voyait Lotie danser avec son frère.

« Pourquoi est-elle avec son frère ? demanda-t-elle.

— Et pourquoi pas ?

— D'habitude les gens assistent à de telles réunions avec leurs maris.

— Son mari a peut-être perdu une jambe à la guerre, je ne sais pas, moi.

— Elle pourrait aussi avoir divorcé.

— Et pourquoi donc ?

— Les Américains le font souvent, surtout les riches.

— C'est peut-être son frère qui a divorcé. Pourquoi ne danse-t-il pas avec sa femme ?

— Ils ont peut-être divorcé tous les deux.

— Très bien, je pourrais alors épouser son ex-femme. J'ai toujours rêvé d'avoir Kagan pour beau-père.

— L'ennui avec toi, Nahum, c'est que tu ne me prends jamais au sérieux. Sophie ne se mariera jamais tant que tu resteras seul. Elle croit que tu as besoin d'elle.

— Je peux toujours prendre une gouvernante.

— Essaie donc. Sophie ne lui laissera pas franchir le seuil de cette maison. »

Sa mère n'avait pas tort. Lorsque, sa situation s'améliorant, il voulut déménager dans une plus grande maison et engager une domestique, Sophie ne voulut pas en entendre parler.

« J'en ai les moyens.

— Comment peux-tu savoir le temps que durera ta bonne fortune ?

— Pourquoi ne durerait-elle pas ?

— Celle d'avant n'a pas duré.

— J'ai été escroqué.

— Tu pourrais l'être de nouveau. »

Nahum avait parfois le sentiment qu'elle se complaisait dans la misère et qu'elle ne serait réellement heureuse que lorsqu'ils leur faudrait vivre dans un deux-pièces.

Si Sophie lui causait du souci, Alex le comblait. Shyke, après diverses aventures et mésaventures — aucune ne l'avait, au grand regret de Nahum, amené à Glasgow — avait atterri à Jérusalem. Il travaillait à la Barclay's Bank et il avait rencontré Alex lors d'une garden-party donnée par le haut-commissaire.

« Tout le monde, du haut-commissaire au gratte-papier, l'estime énormément. Il est brillant, s'exprime très bien, travaille beaucoup et s'entend à merveille avec les Arabes — mieux qu'avec les juifs. Donne-lui encore dix ou quinze ans et il deviendra haut-commissaire. »

Hector était basé en Egypte où il disait passer la majeure partie de son temps à perfectionner son aisance au polo, malgré l'agitation perpétuelle qui régnait alentour. Il se rendait de temps à autre à Jérusalem et il confirma les dires de Shyke. « Il me suffit de dire que je suis son frère et toutes les portes s'ouvrent. »

Quand Nahum pensait à sa famille, il n'y songeait pas en termes d'enfants et de beaux-enfants, cependant il ne pouvait s'empêcher de comparer la progéniture de Yerucham à la sienne qu'il trouvait moins développée. Vicky, bien qu'elle fût une véritable tête de mule, le rassurait cependant. Si elle n'avait pas l'intelligence de Sophie, elle avait pourtant quelque chose de la belle allure d'Hector. Jacob et Benny n'avaient quant à eux ni allure ni personnalité mais ce n'était que de jeunes garçons ; cela viendrait peut-être avec le temps. Il les envoya à Clifton en espérant qu'au moins l'un des deux deviendrait l'égal d'Alex.

Lorsque Benny quitta la maison, il se sentit curieusement déprimé. Certes, Vicky restait avec lui mais elle n'avait jamais incarné à ses yeux l'innocence de l'enfance. Elle avait maintenant quatorze ans et avait l'allure (et les goûts de luxe) d'une jeune femme. Elle fréquentait une coûteuse école dans le West End et se plaignait de ne pouvoir recevoir des amies tant qu'ils vivraient dans les Gorbals. Sophie répondit que cela constituait au contraire une excellente raison d'y rester. Cependant, Nahum avait déjà décidé de déménager ; sans en dire mot à Sophie, il acheta une maison voisine de celle où Miri avait habité dans Pollockshields. Lorsqu'il eut signé l'acte de vente, il en parla fortuitement lors d'un dîner. Sophie le regarda comme si elle avait mal entendu.

« Tu as dit une maison ?

— Une maison.

— Tu n'y penses pas ! »

Il sortit l'acte de vente et le posa sur la table.

« Mais pourquoi ? Nous ne sommes que trois ici et c'est déjà trop grand.

— Je pense que nous devrions déménager », dit gaiement Vicky.

— On ne t'a rien demandé.

— Je suis aussi membre de cette famille.

— Oui, et c'est dommage. »

Placée devant le fait accompli, Sophie ne discuta pas davantage et elle acheta quantité de papiers peints et de tissus. Elle disait souvent que l'argent ne signifiait rien pour elle, elle dépensa donc sans compter. Une fois aménagée, la maison ressemblait à un palace.

La mère de Nahum, qui estimait que Katya « était devenue impossible avec l'âge », vint habiter chez eux.

Il y avait un grand jardin entouré de hautes haies et la maison devint le lieu privilégié des fêtes de charité. Il fut heureux de constater que Sophie attirait de nouveau l'attention de célibataires convenables et qu'elle ne les fuyait plus comme avant.

« Si tu avais déménagé il y a un an ou deux, lui dit sa mère, elle serait mariée à l'heure qu'il est. »

Sa nouvelle maison faillit pourtant le perdre. Nahum possédait alors cinq cinémas installés dans d'anciens théâtres ou des chapelles désaffectées mais il avait toujours rêvé d'en faire construire un. Il avait acheté un terrain dans une station balnéaire de la côte du Ayrshire, et engagea un architecte pour bâtir une salle de cinéma équipée des derniers perfectionnements techniques. Cependant, le chantier avait à peine débuté qu'il apparut que le coût de la réalisation serait supérieur aux devis. Il chercha à emprunter de l'argent. Ses banquiers estimaient qu'une aventure aussi onéreuse ne pouvait être rentable et il n'était pas question d'emprunter de telles sommes à des amis ou connaissances.

Son avocat, Krochmal, un homme corpulent à l'air sérieux, lui avait bien conseillé de mettre chacune de ses salles en société à responsabilité limitée, de façon que, si l'une d'entre elles périclitait, elle ne puisse entraîner les autres dans sa chute, mais Nahum estima que c'était trop compliqué à réaliser : il haïssait la paperasse et ne voulait pas payer les droits d'enregistrement. Il voyait maintenant que Krochmal avait eu raison car son nouveau cinéma menaçait d'engloutir les profits réalisés par les autres. Mais alors qu'il s'arrachait les cheveux, un ange tomba du ciel : Jessie Colquhoun. Elle était mince, bronzée et avait teint ses cheveux en roux foncé, ce qui lui donnait un air un peu vulgaire ; mais Nahum n'avait jamais considéré la vulgarité comme un obstacle à la séduction.

Elle était retournée à Malte après le conflit et, avec l'aide d'une amie rencontrée à l'armée, elle avait investi dans un petit hôtel qui avait bien marché. Seulement, elle en avait assez des marins ivres, des officiers turbulents, des lubriques administrateurs coloniaux et des Maltais perfides. Elle pensait qu'il devait exister des moyens plus reposants de gagner sa vie. Elle avait amassé un certain capital et demanda à Nahum s'il voulait une associée dans son affaire. « C'est comme si tu demandais à un homme en train de se noyer s'il désire une bouée », lui avoua Nahum.

Elle prouva son efficacité en allant superviser les travaux qui traînaient en longueur. Son expérience militaire produisit un effet stimulant sur le chantier. Un jour, Nahum descendit pour constater l'avancement des travaux et il l'invita à déjeuner.

« Non, dit-elle, viens chez moi goûter ma cuisine italienne. »

Elle avait loué une petite maison qui se trouvait à cinq minutes du terrain par l'autobus. Ils firent le chemin à pied, d'abord à pas tranquilles, puis au trot et finirent au galop.

Dès qu'ils eurent refermé la porte derrière eux, Nahum commença à défaire sa cravate.

« Non, non, dit Jessie en enlevant ses chaussures, nous n'avons pas le temps » et comme ils roulaient sur le plancher il eut l'impression de faire l'amour avec Miri mais Jessie connaissait quelques trucs que sa première femme ignorait et l'odeur de moisi du tapis ajouta un certain sel à la chose.

Après cela, tandis qu'ils fumaient assis sur les marches de l'escalier, Jessie dit : " Les ans ne la flétrissent pas, ni le temps ne défraîchit son infinie diversité. "

— De qui est-ce ?

— D'un vieil amiral qui citait Shakespeare.

— Quel âge avait l'amiral ?

— Environ quatre-vingts ans.

— Voilà qui me laisse espérer.

— Oui, et qui nous laisse du temps. »

Par la suite, il se rendit presque chaque jour dans le Ayrshire. En regardant son splendide Palais de l'Image sortir du chaos environnant il le percevait presque comme le symbole de sa vie sentimentale retrouvée. Miri était morte depuis quelques années. Il n'avait jamais pensé à une autre femme, non point par respect pour la mémoire de la sienne mais parce que cela ne lui était jamais venu à l'esprit. Pour lui, il s'agissait moins d'une conséquence de son veuvage que de son âge : il approchait la cinquantaine. Il connaissait les récits de la Bible sur les anciens qui faisaient des enfants à l'âge de quatre-vingt-dix ans mais il ne vivait pas en ces temps bibliques et il avait l'impression que de telles histoires avaient été écrites par des vieillards qui voulaient se consoler de leurs vieux jours. En douze ans de vie commune avec Miri, il pensait ne pas avoir été frustré sexuellement car il avait vécu avec elle ce que la plupart des hommes connaissent en toute une existence. De plus, il y avait eu ses relations avec Lotie et Katya. Il avait eu sa part, plus que sa part peut-être, de plaisirs charnels et il s'était fait à l'idée de l'inévitable déclin, jusqu'à ce que Jessie arrive. Un jour, alors qu'il était enfant, un parent venu d'Odessa lui avait apporté une boîte de chocolats anglais. Il se souvenait de l'indicible joie qu'il avait éprouvée lorsque, ayant achevé une première rangée de chocolats, il avait découvert sous un papier une seconde rangée. En lui faisant connaître de nouvelles émotions, Jessie lui avait communiqué une semblable impression.

Sophie fut prompte à remarquer son changement d'attitude.

« Que se passe-t-il ? lui demanda-t-elle. Tu n'arrêtes pas d'acheter de nouveaux vêtements, de nouveaux chapeaux, tu portes un œillet à la boutonnière et tu ne marches pas, tu danses.

— Il est amoureux », dit Vicky.

Elle n'avait pas entièrement tort.

Ils n'avaient jamais parlé de mariage mais Nahum y avait souvent pensé. Seule l'ombre de son père et la présence de Sophie l'empêchaient d'en parler avec Jessie. Sur ces entrefaites, lui et Jessie mirent la dernière main aux préparatifs du gala d'inauguration de leur cinéma, qu'ils décidèrent d'appeler l'Impérial. Ce devait être l'événement le plus important de l'histoire de la petite ville. Les Provost, le Lord Lieutenant du Comté et d'autres personnalités devaient y assister. A l'affiche, on annonçait la première écossaise de *Golden Nights,* avec Leonor Langton qui avait d'ailleurs promis de venir honorer le gala de sa présence, ainsi que le producteur du film, Victor Cassel. Nahum invita tous ses parents et amis ; il proposa même à Alex, Hector et Sophie de leur payer le voyage mais tous trois s'excusèrent. Shyke répondit par contre qu'il viendrait : il avait certaines affaires à régler à Londres et il en profiterait pour faire un saut à Glasgow. Lorsque Nahum le vit enfin, vêtu d'un costume bien coupé et portant une petite moustache grise, il n'en crut pas ses yeux.

« Tu fais riche et distingué, lui dit Nahum.

— Ma distinction est naturelle mais ma richesse est feinte, répondit Shyke. Cela fait partie de mon travail puisque je suis dans une banque. Mais tu n'as pas l'air de trop mal te porter, toi non plus.

— C'est une soirée de fête, je ne suis pas ainsi les autres jours. Mais pourquoi as-tu attendu tout ce temps pour venir ? Il y a bien huit ans que je ne t'ai vu.

— Je sais, je sais. J'ai souvent essayé de venir, surtout depuis que je savais que tu faisais dans le cinéma. Je pensais te trouver entouré de belles filles. Où sont-elles ? »

Ils furent alors rejoints par Arabella. On aurait dit qu'elle était vêtue de foulards de soie noire assemblés qui laissaient entrevoir, lorsqu'elle bougeait, l'éclair d'une jambe ou d'une cuisse.

« Ah ! dit Shyke en lui prenant la main, vous devez être Leonor Langton.

— Elle est bien plus jolie, dit Nahum en baissant la voix.

— Et j'ai plus de talent », ajouta Arabella.

Jessie, qui avait eu à faire dans les coulisses, sortit peu après de son bureau.

« Je te cherchais, dit Nahum. Je veux te présenter un très vieil ami », mais tandis qu'il parlait, Shyke sauta au cou de Jessie. Ils s'étaient déjà rencontrés. Il avait séjourné dans son hôtel. A partir des brèves indications que lui avait données Jessie sur son hôtel, Nahum se représentait assez bien l'endroit, aussi lorsque Shyke dit qu'il y avait été invité, Nahum eut le sombre pressentiment que sa relation avec Jessie était sur le point de s'achever. Shyke passa pourtant la plus grande partie de la soirée en compagnie d'Arabella. Il commença par lui poser la main sur l'épaule, puis autour de la taille et enfin sur les cuisses. Nahum se sentit obligé de le prendre à part pour lui signaler qu'elle était presque fiancée à Hector.

« Oh, je sais pour Hector, elle me l'a dit. Je le connais, Hector, c'est un jeune homme très bien. »

Nahum devait se rendre à Londres le lendemain. Shyke avait initialement prévu de descendre avec lui car il savait qu'ils ne pourraient pas discuter au milieu de toute cette cohue mais il décida de rester quelques jours de plus.

« Je veux visiter l'Ecosse, dit-il, tout le monde prétend que c'est un beau pays. » Et Nahum partit seul.

D'habitude, il appréciait le voyage en train, surtout dans l'un de ces fameux express. Il prenait généralement un rapide déjeuner arrosé d'une bouteille de vin. Ensuite, il lisait et somnolait jusqu'à l'heure du thé, passait en revue quelques documents et avant qu'il n'ait fini, le train ralentissait et il arrivait à Londres. Cette fois, le voyage lui sembla interminable et quand il passa à table, il ne put avaler une bouchée. Il ignorait ce qui le perturbait autant. L'idée de Shyke « invité » de Jessie ou le spectacle de la main velue de ce même Shyke sur les cuisses d'Arabella le tracassaient probablement mais il n'avait aucune raison d'être aussi déprimé. L'épisode de la relation avec Jessie s'était déroulé bien avant le retour de celle-ci en Ecosse et de toute façon elle ne lui avait jamais caché qu'elle avait été une veuve assez joyeuse. Quant à Arabella, elle n'était ni sa fille ni encore sa belle-fille. Il ne saisissait pas très bien les raisons de son attitude protectrice envers elle et il attribua finalement sa tristesse au fait que Shyke vivait ce que lui-même avait toujours eu envie de vivre. Mais alors, dans quelle mesure ses sentiments pour Jessie étaient-ils sincères ?

Il se souvint qu'à la *Yeshiva* de Volkovysk, lui et Shyke s'asseyaient au dernier rang ; les gros volumes du Talmud ouverts devant eux, ils faisaient semblant d'étudier tandis que Shyke racontait ses exploits à voix basse. Nahum les revivait avec lui, pensant qu'ils n'étaient que de pure imagination. Maintenant qu'il avait vu ce dont Shyke était capable, il en devint presque malade de jalousie.

Lorsqu'il revint en Ecosse quelques jours plus tard, Shyke était déjà parti. Jessie avait également disparu, et elle téléphona pour dire qu'elle était allée rendre visite à un vieux parent qui habitait Perth. Il aurait voulu lui parler de Shyke mais il sentit que ce n'était pas le moment. « Reviens vite, tu me manques », lui dit-il en espérant qu'elle lui dirait de même. Mais elle se tut.

Arabella vint le voir le lendemain matin. Elle désirait une lettre d'introduction pour se rendre chez Victor Cassel.

« Pour quoi faire ?

— Tu ne le sais pas ? Je veux devenir actrice.

— Tu sais jouer la comédie ?

— Je sais chanter.

— Je m'en suis aperçu mais au cinéma une bonne voix n'est pas d'un grand secours.

— Chanter implique un jeu d'acteur, surtout à l'opéra.

— Tu as déjà joué dans des opéras ?

— Oui, des petits rôles.

— Je l'ignorais.

— Tu ne sais pas grand-chose de moi. Alors, tu me fais cette lettre d'introduction ?

— Pourquoi ne te maries-tu pas ? J'étais un ami très intime de ton père et je sais ce qu'il aurait voulu pour toi.

— Mon père est mort il y a dix ans. J'ignore ce qu'il aurait désiré pour moi mais je sais ce que moi je veux. Je veux faire du cinéma.

— As-tu rencontré Cassel quand il était ici ?

— Oui, mais il peut m'avoir oubliée. »

Il posa sa main sur la sienne. « Ma chère enfant, s'il t'a parlé il n'a pu t'oublier mais je vais quand même te rédiger une lettre. »

Tandis qu'il écrivait, il ne put résister à l'envie de lui demander ce qu'elle pensait de Shyke.

« Il est très bien.

— C'est tout ?

— Il a essayé de glisser sa main sous mes jupes mais c'est une question d'habitude. Il était bien plus occupé par Mme Colquhoun. »

Jessie revint quelques jours plus tard. Il y avait quelque chose dans son allure qui disait qu'elle n'avait pas passé tout son temps à soigner une personne âgée.

« Comment s'est déroulée cette lune de miel ? demanda Nahum.

— Lune de miel ?

— Oui, avec Shyke.

— Oh, tu crois que c'est ce que nous faisions ? Il m'a demandé de lui faire connaître un peu l'Ecosse.

— C'est tout ce que tu lui as montré ? »

Elle l'enlaça et lui couvrit le visage de baisers.

« Tu es jaloux comme un petit garçon, dit-elle en souriant. Cela me rajeunit. Oh, c'est un petit garnement, ton ami, et il a essayé sur moi la tactique qu'il utilise avec tout le monde.

— Je sais.

— Mais il ne s'est pas arrêté là. Il m'a demandé de l'épouser et je lui ai dit : tu sais certainement que je suis une *shiksa*. Il m'a répondu qu'il ne lui serait pas venu à l'esprit d'épouser quelqu'un d'autre. Peux-tu m'imaginer en Mme Grossnass ? Je dois être cinglée. J'ai dit oui. »

Le plus rapide avait encore gagné.

Plus tard lorsque Nahum félicita Shyke il lui dit : « Je semble condamné à revivre ma vie. J'espère seulement que tu ne seras pas condamné à revivre celle de Yerucham.

— Qu'est-ce que tu veux dire par là ? demanda Shyke.

— Rien, c'est une remarque personnelle. »

22.

Lorsque la sœur de Nahum et sa famille avaient disparu de New York, il avait écrit à toutes ses connaissances pour trouver une piste. En vain. Jusqu'à ce qu'un officier de marine lui dise au début de la guerre qu'ils avaient été vus à Odessa. Nahum se renseigna immédiatement auprès du Consul britannique et des compagnies maritimes qui travaillaient vers Odessa, mais il fit chou blanc.

Vint alors la Révolution Russe qui représenta, pour les Juifs en tout cas, la meilleure chose que la guerre ait produite. A supposer que sa sœur, Arnstein et leur enfant (qui devait avoir dans les seize ans) fussent toujours vivants, Nahum espérait qu'ils pourraient le contacter mais la situation changea lorsque la révolution fit place à une longue et sanglante guerre civile. Un ami lui écrivit :

« Les blancs tuent et les rouges volent (parfois ils tuent en plus) aussi il vaut mieux ne pas se trouver ici. Mais que faire quand on est sans argent et que toutes les routes sont barrées ? De toute façon, même si tout va mal on craint de partir car qui nous dit que ce n'est pas pire ailleurs ? » En plus de la guerre, la faim et la maladie sévissaient ; des milliers de gens périssaient, victimes du typhus ou du choléra.

Vers la fin de la guerre, Nahum apprit que Cyrus, l'ami d'Hector, accomplissait une mission militaire en Russie. Il se prit à espérer qu'il pourrait avoir des nouvelles de sa sœur mais Cyrus était à Mourmansk, une ville qui, écrivait-il, est « plus éloignée d'Odessa que de Londres ».

Nahum avait cependant établi un contact avec un collègue qu'on avait envoyé à Odessa. Une année s'écoula avant qu'il ne reçoive des nouvelles : il lui raconta qu'il avait rencontré une famille Arnstein mais qui ne correspondait pas à la description. Nahum abandonna ses recherches car, comme le lui dit sa mère : « La guerre est finie maintenant. Ils savent où tu habites et s'ils sont vivants, ils te contacteront tôt ou tard. Si je connais bien ma fille, ils sont sains et saufs. » Nahum n'était pas aussi optimiste.

Durant les années vingt, on vit arriver une petite vague de nouveaux venus en provenance de Lituanie, de Lettonie, de Pologne et même parfois de la Russie des Soviets. Dès qu'ils se montraient à la synagogue ou dans l'une des nombreuses boutiques juives des Gorbals, ils étaient aussitôt entourés par des gens désireux de savoir des nouvelles du pays et ils étaient submergés d'offres d'hospitalité.

Nahum allait maintenant à la synagogue plus souvent qu'auparavant, en partie pour rendre grâces de sa fortune retrouvée et aussi parce qu'il était moins pressé par le temps. On ne le regardait plus bouche bée comme s'il venait d'une autre planète. On ne l'entourait plus pour lui prendre la main ou lui offrir des livres de prières ; il pouvait se détendre et être un *Yid* parmi les *Yidden,* un juif parmi les juifs. Comme les autres fidèles, il ramenait souvent un visiteur à la maison pour déjeuner.

Un jour, il remarqua le visage pâle d'un personnage squelettique au fond de la synagogue. Il portait un costume élimé et une calotte en toile. Il avait un air vaguement familier mais Nahum n'arrivait pas à le reconnaître. A la fin du service, il se dirigea vers lui ; dès qu'il ouvrit la bouche, il le reconnut. Il avait déjà vu ces grandes dents de cheval quelque part. Nahum lui demanda d'où il venait.

« Varsovie.

— Et avant cela ?

— De partout et nulle part.

— Et avant encore ?

— De Volkovysk.

— Ah ! » Nahum lui serra la main. « *Sholom aleichem*[1]. Tu es le fils de Yankelson, le *shammos*. Tu lui ressembles.

— Et toi, qui es-tu ?

— Je ne te rappelle pas quelqu'un ?

— Tu as l'air bien nourri et il n'y en avait pas beaucoup qui avaient cet air-là à Volkovysk.

— Je suis Nahum, le fils de Yechiel.

---

1. *Sholom aleichem :* formule de salutation.

— Yechiel Rabinovitz ? Je le connaissais, comme tout le monde. Il m'a tenu sur ses genoux. C'était le meilleur homme de Volkovysk. »

Nahum le ramena à la maison. D'habitude, lorsqu'il revenait avec un visiteur de ce genre, Sophie levait les yeux au plafond, s'asseyait devant la table, tambourinait avec ses doigts, l'air ennuyé et réprimait avec peine des bâillements.

« Je ne suis pas inhospitalière et j'aime la compagnie mais tu parles toujours du pays en yiddish avec les gens que tu ramènes. Je ne comprends jamais rien », lui dit-elle un jour.

Cette fois-là, bien que la conversation se tînt encore en yiddish, tout le monde, et particulièrement Sophie, l'écouta très attentivement.

Le visiteur était dans une *Yeshiva* lorsque la guerre avait éclaté. A la fin de 1914, il rejoignit l'armée, où il fut tellement brimé par des soldats brutaux et des officiers antisémites qu'il désirait presque en découdre avec l'ennemi pour que cessent ses tourments. « Je ne sais pourtant pas ce que j'aurais fait si j'avais rencontré un Allemand, un Autrichien ou un Turc car ils étaient moins mes ennemis que les Russes », ajouta-t-il.

Il était basé près de Kovno et début 1915 ils commencèrent à se déplacer vers l'ouest, lourdement chargés. Ils couvraient près de vingt kilomètres par jour.

« L'intendance, déroutée ou perdue, ne nous suivait pas toujours. Nous étions presque toujours affamés et certains soldats tombèrent en route. D'autres désertèrent en mettant la nuit à profit et se nourrirent de ce qu'ils trouvaient. J'avais l'impression que notre division — qui n'avait rien d'une unité d'élite — se désintégrerait bien avant que nous n'entendions le son du canon. Nous marchions depuis dix jours lorsque des rapports nous signalèrent une armée en progression ; nous prîmes alors des positions défensives. Nous étions encore en train de creuser lorsqu'il s'avéra que nous ne faisions pas face à une armée en progression mais à une armée en déroute, la nôtre. Elle avait été battue à Tannenberg par les Allemands et se repliait en désordre sur toute la longueur du front, à la façon d'une large rivière dont les digues ont cédé. Le spectacle de ces soldats brisés, vêtus de haillons et qui avaient le regard fou ne fit rien pour remonter notre moral, déjà au plus bas. La pagaille la plus totale régna encore un jour ou deux. On nous commanda alors d'entamer la retraite mais il était trop tard, nous avions été débordés. Notre front se désintégra et ce fut la débandade. Je me sauvai un soir à la faveur de l'obscurité en laissant mon fusil derrière moi ; je trouvai refuge dans une grange. Le lendemain matin, je pointai mon museau à la ferme pour voir si je pouvais obtenir quelque chose à manger. Les lieux étaient déserts mais dans l'étable je trouvai un homme de ma taille qui s'était — ou qui avait été — pendu aux poutres. Je le descendis, échangeai ses vêtements contre les miens et m'enfuis. Dehors, il y avait des Allemands partout mais je me sentais plus en sécurité parmi eux qu'avec les Russes. Lorsqu'on m'arrêtait, j'ouvrais grand la bouche et les yeux et je me faisais passer pour un idiot, ce qui ne m'était pas trop difficile. Je réussis à travailler chez des paysans à court de main-d'œuvre. Parfois, je jouais le rôle du sourd-muet, d'autres fois celui de l'idiot ou tout simplement le mien. Il m'arrivait de ne plus très bien savoir quel rôle je devais jouer mais qu'importe, j'étais nourri et logé. »

Il s'arrêta, le gosier sec. Nahum lui versa un verre de vodka qu'il avala d'un trait avant de poursuivre.

« J'enviais les paysans. Ils connaissaient des conditions de vie rudes mais sécurisantes. Quoi qu'il arrive, les vaches devaient être traites, les champs labourés, les moissons récoltées. Peu importe quels étaient les maîtres du pays. « Du temps de grand-père, m'a dit un vieillard, c'étaient les Polonais. Hier c'étaient les Russes, aujourd'hui ce sont les Allemands. Et demain, qui sait ? Maudits soient-ils. »

J'aurais pu rester ouvrier agricole jusqu'à ce jour. Mais je me faisais du souci pour ma famille et je savais qu'elle s'en faisait pour moi, alors j'ai tenté de continuer mon chemin vers l'est. C'est là que mes ennuis ont commencé. Je me suis d'abord dirigé vers la Lituanie où j'avais de la famille. Toute la communauté juive avait été déportée vers l'est par les Russes qui craignaient qu'elle ne collabore avec les Allemands. Dans les villages déserts, tout n'était que vide et désolation. Il restait cependant des Allemands. J'ignorais complètement ce qui s'était passé et je croyais que les Allemands avaient envahi la Russie. Mais, deux ans après avoir quitté l'armée, je me retrouvais en fait derrière les lignes russes. Je n'allai pas bien loin : je fus cueilli par la police militaire. J'essayai à nouveau de jouer le rôle de l'idiot mais cela ne marcha pas, sans doute parce que l'idiotie n'est pas une tare en Russie. »

Il ouvrit la bouche et désigna trois dents abîmées.

« Un bon coup dans les gencives m'a permis de retrouver mes esprits. Je leur ai donné le nom de mon unité et expliqué que l'on nous avait ordonné de nous replier mais que nous avions été séparés les uns des autres par l'avance allemande ; j'avais bien essayé de retrouver mon unité mais les Allemands m'avaient fait prisonnier.

« Et je suppose, dit celui qui m'interrogeait, que tu espères que l'on va te décorer. »

Je passai en cour martiale, fus reconnu coupable de désertion et condamné à être fusillé le lendemain matin. Dieu merci, j'étais dans l'armée russe et non dans l'armée allemande : quand je fus conduit en cellule, j'y trouvai plusieurs prisonniers qui avaient aussi été condamnés au poteau d'exécution. On aurait dit qu'ils allaient plutôt mourir de faim et de froid. « Ils n'ont pas assez de balles », me dit quelqu'un. C'était vraiment réconfortant mais quelques jours plus tard, je fus réveillé par le bruit d'une fusillade. Ah, me suis-je dit, ça y est. Je commençai à dire mes prières, ce que je n'avais pas fait depuis un ou deux ans. La porte de la cellule fut alors violemment ouverte et un grand soldat me sauta dessus, m'embrassa sur les deux joues et m'invita à reprendre ma liberté.

« L'heure de la révolution a sonné, camarade », cria-t-il.

Il semblait ivre et je pensais qu'il dépassait la mesure. Le moins que l'on puisse espérer quand on va être exécuté c'est une certaine réserve mais il continuait à brailler : « C'est la révolution ! » Je lui demandai enfin : « Quelle révolution ?

— Celle des travailleurs, camarade. Tu es libre, nous sommes libres. Le Tsar est tombé. » Je me dirigeai en vacillant vers la cour de la prison sans croire vraiment à ce qu'il disait ; je m'attendais à recevoir une balle entre les deux yeux.

De onze à dix-neuf ans, j'avais été dans la *Yeshiva* complètement coupé du monde extérieur. Après, j'avais vécu dans mon propre monde et n'avais pensé qu'à une seule chose : sauver ma peau. Autant qu'il m'en souvienne, j'avais toujours entendu parler du mot « révolution » un peu comme chez les juifs du mot « Messie » mais cela me semblait incarner davantage une vague aspiration qu'une réalité. Quand j'avais dix ans, il y avait bien eu ce qu'ils avaient appelé la révolution de 1905 mais la Russie était restée le même pays ; la police était toujours aussi tyrannique et les fonctionnaires aussi corrompus. Je n'avais donc aucune raison de penser que cette révolution serait différente des autres mais j'étais quand même bien heureux des changements qu'elle m'avait apportés. Dès que je me retrouvai à l'air libre, je me sauvai avant que la vie ne reprenne son cours normal et que je ne sois à nouveau jeté en prison et fusillé.

J'errai ainsi je ne sais combien de temps jusqu'à ce que j'arrive dans une petite ville. Il faisait nuit. Des lumières brillaient aux fenêtres mais les rues étaient vides. J'entendis des chants et réalisai soudain, les larmes aux yeux, que c'était la Pâque. Je frappai à la première porte venue. Les chants s'interrompirent et j'entendis chuchoter des voix anxieuses.

« Je suis juif », criai-je. Quelqu'un tira un rideau et on ouvrit tout doucement la porte. Je fus accueilli comme si j'étais le bon Dieu et ils m'invitèrent à partager leur *seder*[1]. Les *matzos*[2] étaient gris et on aurait dit de l'amiante mais je n'avais jamais rien goûté d'aussi bon de toute ma vie : ils me donnaient sur la langue le goût de la liberté. En dehors des *matzos*, il n'y avait pas grand-chose à manger et à boire mais nous nous grisâmes d'espoir car ils étaient convaincus qu'une nouvelle époque commençait pour les juifs russes. Hier, ils étaient esclaves, demain ils seraient libres.

Je restai dans le *shtetl*[3] et trouvai du travail chez un scribe reconverti dans la distillation. Il ne m'initia jamais aux secrets de son alchimie et je ne pus découvrir quelle matière première il distillait : il n'utilisait en effet ni céréales, ni pommes de terre, ni sucre. Je suppose qu'il devait user d'un peu de paille et de vieilles chaussettes. Une fois, il m'offrit d'en boire ; il remplit trop mon verre et le liquide qui tomba fit un trou dans la nappe de la table. Mon travail consistait à transporter des charges car son cheval était mort de faim ; il avait dû probablement le couper en morceaux et le distiller avec tous les ingrédients qui lui tombaient sous la main. »

Il s'arrêta et Nahum lui remplit un autre verre.

« Mon travail consistait donc à transporter des charges mais au fil des semaines il s'avéra que j'étais destiné à une plus noble tâche : épouser sa fille. Elle était jeune mais elle grandissait vite ; dès qu'elle atteignit, si ce n'est l'âge, du moins les mensurations d'une jeune fille, je me sauvai.

La première révolution en avait provoqué une seconde et on pouvait entendre des voix triomphantes évoquer la nouvelle aube. De maigres petits juifs, savetiers ou chapeliers, vous disaient que leurs fils étaient généraux, amiraux, commissaires. Cependant, si on avait connu la faim au printemps, en hiver, ce fut la famine. Un jour, je trouvai sept personnes dont quatre enfants, morts de faim dans une

---

1. *Seder* : le repas de fête de la Pâque.
2. *Matzos* : galettes de pain azyme.
3. *Shtetl* : le village, le bourg.

maison. Personne ne savait ce qui les avait tués, de la faim, de la maladie ou du froid mais nul ne s'en inquiétait. Si l'on voyait des gens partir, on pensait qu'ils quittaient la famine pour l'abondance, aussi on les suivait. Je voulais cependant toujours retrouver ma famille et après de nombreuses aventures, j'arrivai à Volkovysk. Depuis combien de temps étais-je parti, trois ans ? Je reconnus difficilement les lieux et les habitants. Il y avait eu un incendie. Durant les chauds étés, les maisons pouvaient facilement s'enflammer mais d'habitude il y avait toujours des pompiers. Or, certains étaient partis à l'armée, d'autres étaient morts lorsque l'incendie éclata si bien que la moitié de la ville brûla et l'autre moitié s'écroula. Il restait heureusement de la nourriture à Volkovysk, du pain et des pommes de terre surtout. Un nouveau roi avait surgi dans la ville, un Trotski modèle réduit avec un pince-nez comme lui et une petite barbiche. Devinez qui c'était ? Selznick.

— Pas le rabbin Selznick ? dit Nahum.

— Non, son fils. Nous étions ensemble à la *Yeshiva* mais il ne se souvenait pas de moi, du moins il le prétendait. Ce roi était le commissaire local des soviets. J'étais revenu à Volkovysk pour voir ma famille mais il n'y avait plus rien ni personne à voir. Ma mère avait péri dans l'incendie, mon père était mort dans son lit deux semaines après, mes deux sœurs, âgées de quatorze et quinze ans, avaient disparu on ne sait où. Elles n'ont pas fait de *shiva* pour mon père. Elles ont disparu le jour de son enterrement. J'ai fait toutes les recherches possibles et imaginables. Personne ne savait ce qu'elles étaient devenues ou peut-être craignait-on de me dire ce qui s'était passé. Je repris mon chemin sans trop savoir où aller — quelle importance cela avait-il ? — et c'est alors que je fus enrôlé de force dans l'Armée Rouge.

— Quand tu étais à Volkovysk, tu n'as rencontré personne de ma famille ? demanda Nahum.

— Qui était resté là-bas ? Ton oncle Sender ? Il n'y avait aucune trace de lui ou de sa famille. N'avait-il pas quitté Volkovysk ?

— Je pensais à ma sœur.

— Esty ? Elle n'était pas partie en Amérique ?

— Si, mais j'ai entendu dire qu'elle était retournée en Russie.

— J'espère qu'elle n'a pas fait cette folie. En tout cas, elle n'était pas à Volkovysk. Bon, comme je viens de le dire j'ai été enrôlé dans l'Armée Rouge. L'avantage, c'est que nous étions assurés d'avoir chaque jour un morceau de pain et parfois même une assiettée de choux. L'inconvénient, dans cette guerre bizarre, c'est que l'on ne savait pas trop sur qui on tirait ou, pire encore, qui risquait de nous tirer dessus. La guerre contre les Allemands était terminée — maintenant je le savais — mais des soldats de cette armée se battaient encore. Naturellement, il y avait les Blancs auxquels venaient s'ajouter un nombre d'armées plus ou moins importantes regroupant des Polonais, des Lettons, des Lituaniens, des Estoniens, des Finlandais et même des Tchèques. Elles se battaient soit contre nous, soit entre elles et étaient toujours prêtes à faire feu sur tout ce qui bougeait. Les ennemis devenaient des alliés et réciproquement, on ne savait plus qui allait devenir quoi, quand on allait se faire tirer dessus et quelles balles on allait recevoir. A la fin de la journée, on éprouvait un étrange sentiment de contentement lorsque l'on pouvait s'asseoir avec des membres et un corps intacts.

Après une interminable marche au cours de laquelle nous perdîmes une bonne partie de nos camarades — au départ, nous avions un fusil pour deux, à l'arrivée nous en avions trop — nous arrivâmes à une gare où l'on nous entassa dans des sortes de wagons à bestiaux qui devaient nous emmener vers le nord. Le bruit courait que nous allions combattre les Anglais et les Français qui avaient débarqué quelque part dans l'Arctique. Il me semblait pourtant qu'ils étaient, ou qu'ils avaient été récemment, nos alliés. Nous devions aussi garder un œil sur les Tchèques : nul ne savait ce qu'ils fabriquaient si loin au nord mais ils ne pouvaient pas être plus perdus que je ne l'étais. De toute façon, nous n'atteignîmes jamais notre destination : à peine avions-nous démarré que notre locomotive tomba en panne et, alors que nous attendions, nous fûmes attaqués par je ne sais trop qui. Nous repoussâmes l'attaque mais la seconde voie ferrée avait sauté et, locomotive ou non, cela nous interdisait dorénavant d'avancer ou de faire demi-tour. Il commença alors à neiger. On envoya des détachements pour rétablir les communications et trouver un cantonnement et du fourrage. Je quittai rapidement mon détachement, ce qui n'était vraiment pas très malin au cœur de l'hiver russe. Mon gros orteil gela et je dus me le faire amputer par un *shochet* de village à l'aide d'un couteau qu'il utilisait d'habitude pour tuer les poulets. « Le couteau n'est plus *kasher,* me dit-il, mais il y a des mois que je n'ai pas vu de poulets et j'ignore si j'en reverrai un jour. » Je ne savais pas qu'un orteil gelé pouvait tant faire souffrir. Des semaines s'écoulèrent avant que je puisse marcher de nouveau mais le *shochet* appréciait ma compagnie car nous pouvions étudier ensemble le Talmud. Il avait, dit-il, prié le ciel pour que quelqu'un vienne l'étudier avec lui et j'étais l'incarnation du vœu de sa prière. Sa femme répondit à cela qu'il aurait mieux fait de prier pour demander des poulets car ils étaient à deux doigts de la famine. Ils arrivaient pourtant toujours à me donner un peu à manger. La spécialité de sa femme était le *schavil,* une soupe à base d'herbes ; elle faisait du potage avec n'importe quoi. Je suis sûr qu'elle m'aurait passé à la moulinette si j'étais resté. De toute façon, je partis bientôt pour la Lituanie d'abord et la Pologne ensuite. Je ne me suis pas arrêté depuis.

— Quand es-tu arrivé ici ? demanda la mère de Nahum.

— Il y a deux jours.

— As-tu une chambre ?

— J'ai un lit. »

Le mot « bet » en yiddish ressemblait au mot anglais « bed » et Sophie dit immédiatement : « Nous avons plein de pièces ici. Je suis sûre que père serait ravi si tu restais chez nous. »

Nahum le lui proposa sans grand enthousiasme mais leur invité refusa.

« Non, non, non, je suis très bien là où j'habite. Je n'aime ni marcher, ni me déplacer et on m'a proposé un travail à deux pas de chez moi.

— Qu'est-ce que tu fais ? lui demanda Nahum.

— Pour gagner ma vie ? Jusqu'à présent, j'ai sauvé ma peau, ce qui en soi constituait une occupation à plein temps. Demain, je débute dans un abattoir où je dois apposer des cachets sur des poulets *kashers.* On dirait qu'il m'est impossible de m'éloigner des poulets et de la boucherie. A chaque fois que je mange du poulet ou de la soupe de poulet, mon orteil amputé me fait mal. »

Sophie n'allait plus souvent à la synagogue jusqu'alors, aussi Nahum fut-il surpris de la voir assise le samedi suivant dans la galerie, à la place de sa mère, au premier rang. La semaine suivante elle vint encore et Nahum la vit souvent parler avec Yankelson après le service. Elle s'entraînait à prononcer les quelques mots de yiddish qu'elle avait appris et lui ses quelques mots d'anglais.

Nahum devait se rendre à Londres pour affaires et il s'absenta une partie de la semaine. Quand il revint, Sophie était partie mais il fut accueilli par une rayonnante Victoria qui lui dit : « Tu sais, je crois que Sophie s'est enfin trouvé un jeune homme. »

Une ou deux semaines après, Sophie vint le voir à son bureau pour demander si elle pouvait lui parler en tête à tête.

« Que dirais-tu si j'épousais Yankelson ? commença-t-elle.

— Que pourrais-je dire ? Tu es une grande fille maintenant et tu as le droit de faire ce que bon te semble.

— Est-ce que tu serais heureux ?

— Franchement, non.

— Tu me surprends. »

Nahum était lui-même étonné de sa réaction spontanée car il s'était pris d'une grande amitié pour Yankelson. Il y avait en lui une certaine grandeur pathétique. Il était solide comme un roc et malgré tout ce qu'il avait vécu, il ne s'apitoyait pas sur son sort. Mais Nahum ne pouvait oublier que Sophie était la fille de Miri et il avait peut-être inconsciemment réagi comme Miri l'aurait fait.

« Qu'est-ce que tu as contre lui ?

— Rien du tout. Je l'apprécie et l'admire ; c'est un exemple pour nous tous mais je ne suis pas certain qu'il soit l'homme qu'il te faut. Pense à ta famille et pense à la sienne. Son père était *shammos,* donc un homme bon, mais il était le domestique de tout le monde, un vrai *nebbich.*

— Mais qu'était mon père ? Et ma mère ?

— Une femme remarquable, Sophie, ne l'oublie jamais.

— Elle était jolie, vivante mais aussi frivole et snob, Dieu sait pourquoi.

— A cause de ses enfants. Elle n'était peut-être que la fille d'un marchand de poulets mais regarde ses enfants. Combien de familles juives de Glasgow ont envoyé les leurs à Clifton ? Combien sont allés à Oxford en terminant dans les premiers ? Combien sont devenus officiers et ont décroché le grade de commandant ? Combien ont reçu la Croix de guerre ? Et toi, tu es une femme bien éduquée, cultivée, diplômée d'université...

— J'ai eu la chance d'étudier mais pas lui. Tout ce que tu me dis c'est que nous avons eu plus de chance que lui.

— Mais il approche de la trentaine. Il n'a aucune qualification ; que fera-t-il pour gagner sa vie ?

— Il n'a aucune envie de devenir beau-fils professionnel si c'est ce que tu sous-entends.

— Oui mais de quoi allez-vous vivre ? De son salaire d'employé à l'abattoir ?

— Oui, s'il le faut, mais ce ne sera pas nécessaire. Il a l'intention de s'installer comme paysan.

— Comme quoi ?

— Paysan.

— Paysan ?

— Oui, celui qui laboure, sème et récolte.

— Je sais cela mais sais-tu combien coûte une ferme ? A-t-il au moins une idée de la façon dont on exploite une ferme ?

— Oui, un peu mais il veut se perfectionner. Il n'aura pas besoin de beaucoup d'argent car il va partir en Palestine. Des amis à lui ont créé un *moshav* — une coopérative agricole — et nous projetons de les rejoindre.

— En Palestine ?

— On dirait que c'est la lune à t'entendre. Je te croyais sioniste.

— Je le suis mais je croyais que tu ne l'étais pas.

— Je ne l'étais pas jusqu'à ce que je rencontre Yankelson. Je ne suis d'ailleurs pas très certaine de l'être mais l'idée de vivre à la campagne et de travailler la terre me plaît beaucoup. Je pensais que cela te séduirait mais tu sembles déçu. Est-ce parce que nous n'aurons pas besoin de ton argent ? »

Nahum était déçu. Il devinait l'issue probable de la relation entre Sophie et Yankelson et il savait également qu'il ne pouvait rien faire pour l'interrompre. Il avait toujours été convaincu que son futur beau-fils travaillerait avec lui. Le rapide développement de ses affaires lui avait posé des problèmes de personnel. Jessie partie, il n'avait pas réussi à dénicher quelqu'un de l'envergure d'un Colquhoun ou d'un Goodkind. Comme ses fils n'avaient aucunement l'intention d'entrer dans sa compagnie, il avait pensé à son beau-fils ; mais il savait maintenant que c'était inutile.

« Tout le monde va en Palestine ces temps-ci mais je suis heureux pour toi », dit-il.

Elle se pencha par-dessus le bureau et l'embrassa sur le front. Il se pencha à son tour et la serra dans ses bras, envoyant voler partout crayons, papiers et encriers.

« Peu importe qui étaient tes parents, ajouta-t-il. Je ne crois pas beaucoup à l'hérédité. Tu as une forte personnalité et tu as rencontré quelqu'un qui est à ta hauteur. Je suis seulement chagriné de penser que vous habiterez tous les deux à des milliers de kilomètres.

— Pourquoi ne viendrais-tu pas avec nous ? » demanda-t-elle.

Ils se marièrent quelques mois après et toute la famille, y compris Alex et Hector, se trouva réunie.

Ce fut un grand mariage et, comme le dit plus tard Nahum, « cela me coûta presque le prix d'un cinéma ». Mais ses affaires marchaient bien et plus il y pensait plus il se réjouissait de cette union. Depuis qu'elle avait rencontré Yankelson, Sophie avait maigri et était devenue plus chaleureuse. Elle faisait une belle mariée, rayonnante.

Nahum n'avait que six enfants mais il avait une mauvaise mémoire. Il ne se rappelait pas toujours leur âge ou leur caractère. Ce mariage lui permit de passer en revue sa famille.

Benny, le cadet, avait alors quinze ans. Il portait de grosses lunettes, était mince et gai de caractère bien qu'il n'eût guère d'occasions de se réjouir. Vicky disait gentiment de lui qu'il était « le raté de la couvée ». Ce n'était pas tout à fait exact. Il suffisait de le regarder pour constater qu'il n'avait rien d'un athlète et ses grosses lunettes lui donnaient un air d'élève doué, ce qui était faux car il était mauvais dans toutes les disciplines sauf dans les études juives. D'après le Révérend Polack c'était « un jeune homme d'une remarquable personnalité, pieux, studieux, utile à la synagogue et pour l'organisation des services religieux. » Nahum pensait qu'il finirait rabbin.

Vicky, âgée de seize ans, était à la fois une source de fierté et de désespoir. Elle ressemblait énormément à sa mère ; elle était impertinente, jolie, insolente et très intelligente bien qu'elle se laissât facilement distraire au lieu de travailler. Il aurait aimé qu'elle rentre à l'université mais il pouvait rarement l'obliger à ouvrir un livre. De toute façon, même quand elle les ouvrait, ses résultats scolaires s'en ressentaient peu. Elle dirait plus tard : « Je suis instruite mais j'ai été mal éduquée. » Elle voulait devenir actrice et il attribua ce désir à l'influence d'Arabella. Il l'adorait, cette Arabella, mais il n'appréciait guère l'influence qu'elle avait sur sa fille. Il le lui dit un jour, ce à quoi elle répondit : « Mon cher Nahum, quel mal y a-t-il à vouloir devenir actrice ?

— Rien, seulement je ne voudrais pas que ma fille le soit.

— Tu n'espères quand même pas qu'elle va se marier comme toutes les autres petites juives ?

— Pourquoi pas ? J'espère au contraire qu'elle le fera.

— Je crois que tu vas être déçu, mon cher. »

Il redoutait qu'elle n'ait raison.

Si on lui avait demandé d'imaginer le parfait contraire de Vicky, il aurait certainement pensé à Jacob. Il avait presque dix-huit ans et était aussi flegmatique que Vicky était vive. Il était vigoureux, calme, portait des lunettes et avait le visage rouge. A l'école, on l'avait surnommé Bouboule et on le brimait souvent. A une époque il y était si malheureux que Nahum envisagea de le faire revenir à Glasgow mais, comme Benny se trouvait également à Clifton et qu'il y paraissait assez heureux, il ne voulut pas l'y laisser seul. Jacob devint plus sûr de lui en grandissant. Les gens disaient toujours du bien de lui. Il le faisait penser à Goodkind, si ce n'est qu'il avait la singulière habitude de terminer toutes ses phrases sur le mode interrogatif. Il obtenait d'assez bons résultats à l'école et lorsque Nahum lui demanda un jour s'il aimerait entrer dans sa compagnie à la fin de ses études, il lui répondit : « Ce serait gâcher toute mon éducation, tu ne penses pas ?

— Alors, qu'est-ce que tu as envie de faire ?

— Tu ne crois pas que quelques années à Cambridge me seraient profitables ?

— Et après Cambridge ?

— Il ne sert à rien de voir trop loin, n'est-ce pas ? »

Il aurait voulu avoir Hector dans la compagnie mais il hésitait à lui en parler. Il demanda à Alex — qui venait d'être nommé commissaire-adjoint de district en Galilée — s'il pouvait en glisser un mot à Hector.

« Je n'aurais pas envisagé de le lui demander il y a quatre ou cinq ans : je dirigeais alors une petite affaire, mais j'ai besoin de personnel maintenant. » Il lui raconta dans quelles circonstances il avait dû licencier un gérant qui avait falsifié des comptes et détourné des fonds puis un autre qui avait, selon les termes du rapport de police, toléré dans ses salles des « comportements lascifs et indécents ». Quant à son directeur général, un petit personnage tout rabougri répondant au nom de Bontovsky et qui, n'étaient son menton lisse et son athéisme, aurait pu sortir d'un séminaire rabbinique, il lui avait appris toutes les ficelles du métier mais il s'était mis à boire et passé deux heures de l'après-midi, il ne tenait plus le coup. Colquhoun avait aussi été un grand buveur mais l'effet de ses libations se faisait rarement sentir avant la fin de la journée. De plus, il était *goy* alors que son directeur général était juif : la sobriété aurait donc dû compter au rang de ses qualités.

Alex l'écouta sans broncher raconter ses déboires puis il dit : « Qu'est-ce qui te fait croire qu'Hector conviendrait mieux ?

— Au moins il ne boirait pas.

— Je n'en suis pas si sûr.

— Tu parles de quelqu'un qui a fait dix ans d'armée et a été décoré de la Croix de Guerre.

— Sauf le respect que je te dois, père, Hector est né pour faire la guerre et il ne vit que pour cela. Je ne crois pas qu'il soit capable de faire autre chose. En temps de paix, il ne peut que susciter des conflits autour de sa personne et je ne pense pas que cela vous soit profitable à tous les deux. Mais il va sans doute être bientôt disponible. »

Nahum reprit espoir.

« Vraiment, il envisage de quitter l'armée ?

— Il n'aura peut-être pas le choix.

— Qu'est-ce que tu veux dire ?

— Je crains de ne pouvoir t'en révéler davantage. J'en ai déjà trop dit. »

A la fin de la soirée, alors que les invités s'étaient retirés et que les musiciens rangeaient leurs instruments, Katya vint trouver Nahum et lui montra Hector et Arabella : ils étaient assis dans un coin du vestibule, lui les pieds sur une chaise, elle appuyée sur son épaule ; elle lui mordillait l'oreille. Tous les deux semblaient légèrement ivres.

« Qu'allons-nous faire de ces deux-là ? dit-elle d'une voix inquiète. Qu'allons-nous en faire ?

— Que pouvons-nous en faire ?

— Vont-ils continuer ainsi toute leur vie ?

— Ni toi ni moi ne pourrons les en empêcher s'ils le désirent. »

23.

Hector et Alex partirent le lendemain du mariage. Nahum attendit que la bombe éclate. Elle n'éclata pas. Il attendit des lettres, des télégrammes qui ne vinrent pas. Un jour, environ un mois après le mariage, Arabella entra en dansant dans son bureau. Elle l'embrassa en guise de salut et lui dit : « Devine quoi ? Hector revient pour de bon ! Il quitte l'armée. »

Nahum feignit la surprise.

« A-t-il dit pourquoi ?

— Parce qu'il m'aime.

— Tout le monde t'aime mais ce que je ne comprends pas c'est pourquoi il a quitté Glasgow alors que tu y es.

— Il l'a fait parce que je n'avais pas l'intention de me marier avant d'avoir une carrière en perspective. »

Il fit le tour de son bureau, la prit par la main et la conduisit à un canapé situé au fond de la pièce. Il lui demanda, lui tenant toujours la main : « Arabella, quel âge as-tu maintenant ?

— Je suis vieille.

— Je travaille depuis bientôt sept ans dans la distribution cinématographique et je connais un peu le monde du spectacle. Tu es bien plus jolie que toutes ces petites grues que l'on voit dans les films, ensuite, tu as plus de talent qu'elles et enfin tu es plus intelligente. Seulement, ces petites filles commencent à dix-sept ou dix-huit ans et, pardonne-moi de te le dire, quand elles arrivent à ton âge, elles sont bonnes à jeter.

— C'est parce qu'elles n'ont pas mon talent. N'oublie pas qu'il y avait une guerre quand j'étais âgée de dix-sept ans. J'étais clouée ici, en province, avec un père malade et une belle-mère folle et j'ai énormément travaillé ma voix. Je dois bientôt jouer un rôle important dans le West End.

— Ah bon ? Je croyais que Victor Cassel allait t'aider à faire du cinéma.

— Il voulait d'abord m'aider à aller dans son lit mais il est tellement moche, tu ne trouves pas ? » Elle lui passa la main dans les cheveux tandis qu'elle parlait puis elle l'embrassa sur les lèvres.

« Ne fais pas cela, s'il te plaît, Arabella. Je t'aime mais je veux te parler sérieusement. Est-ce qu'Hector t'a dit pourquoi il quittait l'armée ?

— Je te l'ai dit, parce qu'il m'aime.

— Nous n'en sortirons jamais. Il t'a toujours aimée. »

Elle lui caressa de nouveau les cheveux.

« Es-tu fâché contre moi ?

— Non, mais il est impossible de te parler sérieusement. Bon, repartons à zéro. Hector va quitter l'armée, d'accord ?

— D'accord.

— Que va-t-il faire ?

— Pour vivre, tu veux dire ? Oh, il veut se lancer dans la mécanique.

— La mécanique ? Qu'est-ce qu'il y connaît ?

— Rien, mais il va s'associer avec un camarade de régiment.

— Est-ce que vous allez vous marier avant ?

— C'est un détail.

— Non, ce n'en est pas un. Vous n'êtes plus très jeunes et vous voulez fonder une famille, n'est-ce pas ?

— Nous ? Je n'en suis pas si sûre.

— Tu penses ainsi pour le moment mais tu penseras autrement lorsque tu seras plus vieille et il sera alors trop tard. J'ai monté une affaire qui marche bien et je dois travailler dur pour la garder sur les rails. Il ne se passe pas un jour où je n'aie des soucis mais je suis prêt à faire des efforts car j'ai des enfants pour qui je dois travailler.

— Mon cher et bien-aimé Nahum, tu es de ceux qui vivent pour les autres tandis que moi je fais partie des gens qui vivent pour eux-mêmes. Et nous sommes pas mal dans ce cas-là.

— Hector est ainsi ?

— Je ne le sais pas vraiment.

— Est-ce que tu lui as déjà parlé sérieusement ?

— Et toi ?

— Il ne me dit jamais rien. La seule fois où je lui ai un peu parlé c'est quand il se trouvait à l'hôpital dans les Flandres. Il ne m'a pas dit qu'il allait quitter l'armée, ni qu'il allait se lancer dans les affaires, ni même qu'il allait se marier.

— Oh, nous n'allons pas nous marier tout de suite.

— Qu'est-ce que tu entends par : pas tout de suite ?

— Nahum chéri, tu ne vas pas me gronder ?

— Je suis désolé mais vous semblez penser tous les deux que le temps importe peu.

— Nous ne sommes pas pressés. Il faut d'abord qu'il monte sa société et moi j'ai cette comédie musicale qui peut marcher des années.

— Des *années* ! Alors vous n'allez pas vous marier.

— Pas dans l'immédiat. Pourquoi est-ce que tu veux tant nous voir mariés ?

— Parce que je veux vous savoir installés et heureux, voilà.

— Est-ce la seule raison ?

— Quelle autre raison pourrait-il y avoir ? »

Elle se pencha vers lui et lui prit la tête entre les deux mains. « Tu pourrais avoir peur de moi. Tu n'as jamais désiré m'épouser ?

— T'épouser ? Je pourrais être ton père.

— J'employais un euphémisme. Tu n'aimerais pas me faire l'amour ?

— Je n'aimerais pas faire quoi ?

— L'amour avec moi. »

Il se releva d'un bond.

« Ara, Ara, Ara, tu es ma future belle-fille.

— Les beaux-pères n'ont-ils jamais couché avec leurs belles-filles ? Je me souviens de l'histoire de Judah et de Tamar dans la Bible.

— Tu as une mauvaise mémoire. Tamar était veuve.

— Moi je ne suis pas mariée. » Elle s'allongea sur le canapé. « Tu n'as pas envie de me caresser ? »

Il s'assit près d'elle et l'embrassa sur la bouche.

« Tu ferais mieux de fermer la porte, dit-elle l'air rêveur, mais tant pis si tu ne le fais pas. »

Il se dirigea vers la porte mais, au lieu de la fermer, il l'ouvrit en grand, se précipita dans le couloir, dévala les escaliers à toute vitesse pour se retrouver dans la rue. Il pleuvait à verse mais il continua de courir jusqu'à ce qu'il fût trempé et épuisé. Lorsqu'il revint à son bureau dix minutes plus tard, Arabella était partie mais il sentit encore son parfum. Il se laissa tomber dans un fauteuil et resta quelques instants le visage enfoui dans ses mains. Il regarda par hasard son bloc-notes. Sur une page on avait gribouillé à l'aide d'un bâton de rouge à lèvres le mot *froussard*. Cela le fit sourire. Il encadra la feuille et l'accrocha par la suite au-dessus de son lit.

A quelques semaines de là, Hector revint à la maison. On aurait dit un voyageur de commerce représentant une gamme de produits pas très recommandables et qui se serait trompé d'adresse, en oubliant de surcroît ses échantillons. Arabella se trouvait alors à Londres où elle répétait son spectacle.

« Oui, j'en ai entendu parler, dit Hector. Elle peut très bien se débrouiller. Elle a enfin trouvé sa voie. »

Nahum avait quant à lui l'impression qu'Hector avait perdu la sienne. Il ne parla pas de son départ de l'armée ni de ses projets dans le civil. Nahum hésitait à le questionner. Il avait certainement essuyé d'importants revers mais, après tout, un homme avait bien le droit de taire ses blessures.

Il se levait tard, jetait un œil sur un livre, allait se promener et c'était tout. Il se trouvait à la maison depuis deux semaines lorsqu'il annonça qu'il allait quitter Glasgow.

« Tu pars en vacances ? lui demanda Nahum.

— Non, répondit-il, je pars pour de bon. Je vais habiter définitivement à Londres mais je voyagerai beaucoup. »

Une telle réserve sembla excessive à Nahum qui décida de prendre le taureau par les cornes.

« Je ne suis que ton beau-père, dit-il, mais j'ai été marié à ta mère pendant douze années. J'ai assuré une partie de ton éducation et j'ai enduré plus que ma part de soucis quand tu as rejoint l'armée. Tu m'as toujours tenu à distance et quand tu me disais quelque chose, ce qui était rare, tu me plaçais devant le *fait accompli*[1]. Tu n'as jamais discuté avec moi, tu ne m'as jamais demandé conseil. Tu t'es engagé dans l'armée sans me le dire. Tu as quitté l'armée sans me le dire. Tu reviens ici sans prononcer un mot. Tu fréquentes Arabella depuis douze ou treize ans. Tout le monde pensait que vous alliez vous marier. Maintenant tu viens me dire que tu pars sans préciser ni pourquoi ni comment. Tu ne penses pas que j'ai le droit de savoir ?

— Tu poses trop de questions à la fois.

---

1. En français dans le texte.

— D'accord, alors laisse-moi te les poser une par une. Pourquoi as-tu quitté l'armée ?

— J'ai été cassé.

— Cassé ?

— J'ai été obligé de démissionner. Quelques petits incidents se sont produits mais je n'entrerai pas dans les détails.

— Qu'est-ce que tu vas faire à Londres ?

— Des affaires.

— Quelles sortes d'affaires ?

— Des machines-outils. Distribution surtout.

— As-tu assez de capital ?

— Je le pense.

— Est-ce que je peux t'aider ?

— Non merci. »

Cette conversation rendit Nahum très malheureux. Il avait cru qu'un dialogue à cœur ouvert leur aurait permis d'éclaircir leurs rapports mais cela avait pris la forme d'un interrogatoire et le « non merci » final, dit sur un ton cassant, l'avait particulièrement affecté. Il avait l'impression qu'au lieu de se rapprocher davantage, ils s'étaient éloignés.

Il écrivit à Arabella et lui rapporta leur conversation. Elle lui répondit qu'Hector n'en avait pas parlé « mais il t'aime » ajoutait-elle, « tout le monde t'aime ». Ceci le réconforta un peu.

Entre-temps, il s'était retrouvé avec une autre affaire, plus prenante celle-là, sur les bras. Il fut convoqué un jour par la directrice de l'école de Vicky. L'entretien fut bref mais désagréable. Selon ses dires, non seulement Vicky ne fournissait aucun travail mais elle avait en plus une « influence malsaine » sur ses camarades.

Quand il rapporta la teneur de cette entrevue à Vicky, celle-ci lui dit : « Cette vieille sorcière ne m'aime pas, elle n'aime aucune des filles juives, elle est antisémite.

— Et je dois te croire ?

— Pourquoi pas ? C'est la vérité.

— Tu sais, quand Sophie avait ton âge...

— Sophie, Sophie, Sophie-ci, Sophie-ça, j'en ai assez d'entendre parler d'elle. Sophie c'est Sophie et moi c'est moi. Nous en resterons là.

— Je ne vais pas continuer à te payer l'école si tu ne fais pas le moindre effort...

— J'ai essayé d'en faire.

— Non, tu n'as pas essayé, cria-t-il. Tu es sortie tous les soirs. Je ne me souviens même pas de la dernière fois où je t'ai vue ouvrir un livre.

— Papa, tu ne cries pas sur moi comme cela d'habitude.

— Je le devrais peut-être. Ta mère m'avait prévenu que je te laissais trop de liberté et elle avait parfaitement raison. Il y aura dorénavant un nouveau régime dans cette maison. Terminées les sorties le soir et les heures passées au téléphone. Tu devras monter dans ta chambre faire tes devoirs et je veillerai à rentrer tôt pour être sûr que tu les fasses. »

Elle changea l'espace d'un mois ou deux, mais Nahum ne pouvait pas toujours rentrer tôt à la maison car il devait fréquemment effectuer des déplacements. Il décida finalement de l'enlever de l'école à la fin du trimestre.

« Tu devrais te marier, ne serait-ce que pour elle, lui dit sa mère. Une fille de son âge a besoin d'une mère. » Cependant, le moment venu de quitter l'école, le problème de Vicky sembla devoir se résoudre de lui-même.

Elle avait toujours eu de nombreux admirateurs et, durant le week-end, Nahum s'était habitué à voir aux quatre coins de la maison une nuée de jeunes gens. Ils étaient si nombreux et ils changeaient si souvent que Nahum ne leur accordait guère d'attention. Un visage commença pourtant à émerger de la masse anonyme : il était plus âgé, plus mûr, plus grand que les autres. Il avait des cheveux de jais, un beau profil, une belle moustache, des vêtements et des manières impeccables. Il s'appelait Bruce Flemyng et avait récemment obtenu son diplôme d'avocat. On savait que Nahum avait été présenté à sa mère quand elle était célibataire ; elle était maintenant mariée à un riche peaussier nommé Flambaum.

« Vous auriez pu être frère et sœur », dit-il un jour à Vicky.

Nahum se réjouissait de leur relation, et pas seulement pour Vicky. Il lui semblait que le jeune Flemyng était l'homme dont il avait besoin dans sa compagnie. Le jeune couple se fréquentait depuis quelques mois lorsque Nahum demanda à Vicky si le moment n'était pas venu que les deux familles se réunissent.

« Mais je croyais que tu les connaissais déjà.

— Oui, mais je veux parler d'une réunion dans les règles.

— Si tu veux. Ce sera terriblement ennuyeux. »

Ce fut plutôt un désastre.

La mère de Nahum, qui avait été très séduite par le jeune homme et sa famille, descendit vêtue d'une robe de velours rouge qui avait fait l'admiration de Volkovysk au début du siècle. Seulement, à cette époque elle était deux fois plus mince et Nahum se demanda comment elle avait pu entrer dans cette robe et, pire, comment elle pourrait en sortir. Hector se trouvait à la maison ce week-end-là. Il avait passé le plus clair de son temps au lit et n'était guère disposé à s'habiller. Il annonça même son intention de ne pas assister au repas.

« Tu ne peux pas faire ça, dit Nahum, exaspéré. Ils savent tous que tu es là, ils ont entendu parler de toi, ils veulent te voir. » Il monta finalement se changer mais oublia de se raser.

A table, tout le monde voulut l'entendre évoquer sa guerre mais il ne répondit aux questions que par monosyllabes.

« Comment était-ce au front ?

— Humide.

— Vous avez dit humide ?

— Et boueux.

— Comment avez-vous décroché votre Croix de Guerre ?

— La chance.

— La chance ?

— Une mauvaise chance, j'ai reçu une balle. »

La soirée sembla interminable pour Nahum et quand les invités furent partis, il s'approcha d'Hector, excédé.

« Tu es venu dîner pour me mettre des bâtons dans les roues. C'était une soirée importante et j'ai presque dû me mettre à genoux pour que tu passes un costume ; mais regarde-toi, même en costume... Tu ne t'es pas rasé, ta chemise est fripée. A table, tu ouvrais à peine la bouche. J'ai lu des livres entiers écrits par des gens qui n'ont pas vécu la moitié de ce qui t'est arrivé et toi tu n'as fait que grommeler. Qu'est-ce qu'ils vont penser de toi ?

— Je l'ignore mais de toute façon, c'est Vicky que ce type doit épouser, pas moi. C'est un jeune homme obséquieux mais ça a l'air d'aller bien pour lui. Une fille qui a l'allure, l'argent et la personnalité de Vicky a bien le droit d'avoir un taré dans sa famille.

— Je n'ai jamais dit que tu étais le taré de la famille.

— Ça ou autre chose, tu vois bien ce que je veux dire. »

Six mois plus tard, comme les jeunes gens se fréquentaient toujours, Nahum demanda à Vicky s'il n'était pas temps de penser au mariage.

« Pourquoi se presser ? dit-elle. Nous prenons du bon temps. Le mariage pourrait très bien gâcher les choses.

— Tu commences à parler comme Arabella. Est-ce que vous ne devriez pas vous fiancer au moins ?

— Mais nous sommes plus ou moins fiancés.

— Je n'aime pas ce plus ou moins. J'aime les situations claires. »

Les parents du jeune homme pensaient de même et Nahum proposa qu'ils se réunissent pour discuter de ce qu'il appelait les dispositions finales. Vicky entendit la phrase par hasard.

« Qu'est-ce que tu veux dire par : les dispositions finales ? On dirait que tu parles des derniers sacrements.

— Je veux parler de la date de publication des bans, du lieu où se déroulera la cérémonie et du contrat de mariage.

— Le quoi ?

— Le contrat de mariage.

— Quel contrat de mariage ? Tu ne veux pas parler de *nadan*[1] j'espère ? »

Nahum éclata de rire. « Qu'est-ce qu'il y a de mal à cela ? J'ai mis un peu d'argent de côté pour vous tous mais au lieu de vous en faire hériter après ma mort, comme chez les *goyim*, je préfère vous voir en profiter. Sophie ne voulait pas entendre parler d'argent mais quand je lui ai donné un chèque, elle ne l'a pas jeté.

— Sophie avait peut-être besoin d'argent.

— Si j'en crois ce qu'elle m'a dit, non.

— Bruce n'en a pas besoin non plus.

— Pas maintenant peut-être mais quand il aura acheté et meublé une maison et qu'il devra subvenir aux besoins des enfants, payer l'école...

— Ce sera à lui de gagner le nécessaire, non ? »

Nahum posa un bras sur son épaule. « Ne t'en fais pas, je m'occuperai de lui. »

Vicky n'ajouta rien de plus mais elle sortit de la maison d'un air décidé et ceci l'inquiéta. Il attendit son retour et commença à se faire du souci. A deux heures sonnantes, il alla se coucher et il entendit son pas alerte résonner sur les marches de l'escalier quelques instants après. Il eut la désagréable impression que la relation entre Vicky et Flemyng était rompue.

Elle ne descendit pas déjeuner le lendemain matin. Il l'appela du bureau et lui demanda de venir déjeuner avec lui en ville. Il scruta

1. *Nadan* : la dot.

attentivement son visage lorsqu'elle arriva. Si les événements de la soirée précédente lui avaient brisé le cœur, elle n'en laissait rien paraître. Il se sentait bien plus perturbé qu'elle ne semblait l'être.

« Que s'est-il passé ? demanda-t-il.

— Rien. C'est un grippe-sou, une petite merde, c'est tout. Je lui ai demandé ce qu'était cette histoire de contrat de mariage. Il a éclaté de rire et m'a dit que je devrais laisser ça aux hommes, ce dont je n'ai aucune envie. On dirait que tu lui as promis la moitié de Glasgow.

— *Moi ?*

— Si tu ne le lui as pas promis, il l'espère en tout cas. Tu lui as dit que tu espérais qu'il prendrait ta suite dans la compagnie.

— J'ai parlé de *m'occuper* de lui, tu l'as mal compris.

— Non, c'est lui qui t'a mal compris mais en fait je ne le pense pas. Il l'a annoncé à son père qui, comme tu le sais, est peaussier. On dirait qu'il est capable de dépouiller les gens vivants si cela peut lui rapporter une demi-couronne de plus. Son père a dit que tu lui avais donné des assurances et moi je lui ai dit qu'il pouvait aller se faire voir avec ses assurances...

— Tu l'as dit comme ça ?

— Mes mots ont été un peu plus durs. Ça les a un peu abasourdis mais Bruce a dit alors : « Tu n'espères quand même pas vivre comme une princesse ? » et je lui ai répondu que j'y comptais bien dès qu'il en aurait les moyens. Son père, une vraie face de crabe, est intervenu à ce moment pour dire : « Ne lui parle pas, ce n'est qu'une écolière, elle ne sait pas ce que c'est que la vie. Je parlerai à son père. » Je lui ai rétorqué que je ne savais peut-être pas ce qu'était la vie mais que j'apprenais vite.

— Il est vrai que son père m'a appelé ce matin. Il paraissait très bouleversé. Il m'a expliqué comment il avait lancé son fils dans la vie...

— Bruce n'a pas besoin d'être lancé mais plutôt d'être freiné. C'est ce qui m'a mise en colère. Je n'y aurais pas accordé autant d'importance s'il avait été un étudiant sans le sou ou quelque chose dans le genre mais ils sont pleins aux as. Je n'aurais pas tiqué non plus si tu m'avais donné un chèque après le mariage comme tu l'as fait pour Sophie mais entendre parler de contrats, de conditions, de parts, comme si tout cela n'était qu'une affaire d'argent, c'est plus que je n'en pouvais supporter. Je suis partie. Maintenant, je suis là, j'ai dix-huit ans et je me retrouve seule.

— Je pense que tu as agi un peu précipitamment. Il est de coutume pour un homme de mon rang...

— D'acheter un mari à sa fille ?

— Ne parle pas à ma place.

— Cela revient à ça.

— J'ai eu la chance de pouvoir gagner de l'argent mais pourquoi crois-tu que je l'ai gagné ?

— Pas pour Bruce Flemyng, né Flambaum, licencié ès lettres, docteur en droit et plein aux as. Si tu veux l'enrichir davantage, c'est ton affaire mais moi, je ne veux plus entendre parler de lui. Est-ce que tu l'as déjà vu de profil ? Il commence à ressembler à un billet de banque. Arabella m'avait prévenue.

— Arabella ?

— Tu ne le savais pas ? C'est un de ses anciens. »

On avait envoyé à Nahum et Hector des billets pour la première de *La Reine des Cœurs,* la nouvelle comédie musicale qui allait faire d'Arabella une star internationale, à en croire Katya. Nahum était trop occupé pour pouvoir s'y rendre. Quant à Hector, il était mal fichu, du moins il le prétendait. Katya fit donc le voyage avec Caroline, la sœur d'Arabella. Elle revint le lendemain soir au bord des larmes.

« C'était épouvantable, dit-elle. Caroline est sortie après le premier acte. J'ai assisté à tout le spectacle en pensant que cela allait peut-être s'améliorer. Elle a bien chanté et bien dansé mais ils lui font dire des choses... Je ne savais pas qu'ils toléraient un tel langage sur les scènes londoniennes. Elle jouait le rôle d'une prostituée et je suis au regret de dire qu'elle en avait toute l'apparence. Elle était demi nue la moitié du temps et je me demande comment elle n'est pas morte de froid. Je ne connaissais heureusement personne mais j'avais honte de regarder autour de moi. Ce n'est pas le pire. Il y a un prétendu imprésario, un Oriental au visage grêlé. Il s'appelle Azulay et elle vit avec lui...

— Comment le sais-tu ?

— Il était dans sa loge quand elle s'habillait. J'ai le nez pour renifler ce genre de situations et si je te le dis, c'est que c'est vrai.

— Qu'est-ce que tu peux y faire ?

— Moi, rien. Mais elle te respecte. Je voudrais que tu voies ce spectacle et cet épouvantable Azulay. Tu pourrais juger par toi-même de l'horrible situation dans laquelle elle s'est fourrée. Ce n'est ni mon enfant ni le tien mais je ne peux m'empêcher de penser à son pauvre père et à ce qu'il dirait. Cela me brise le cœur. Tu iras la voir, n'est-ce pas ? »

Nahum avait eu de toute façon l'intention d'aller voir le spectacle dès que l'occasion s'en présenterait, mais les lamentations de Katya accrurent son désir. Il était à Londres deux semaines plus tard. Il se débrouilla, à vrai dire ce ne fut pas très difficile, pour se trouver aux premières loges. Il fut désolé de constater que le théâtre était à moitié vide. La musique était sirupeuse et fade, l'intrigue banale, les dialogues invraisemblables mais il trouva Arabella ravissante ; il prit d'ailleurs un tel plaisir à suivre ses évolutions qu'il en oublia les défauts de la pièce. Il ne partageait par les sentiments de Katya qui avait estimé le spectacle vil et dégoûtant car lui le trouva d'une volupté débordante. Dans son esprit, la sensualité était le synonyme de formes généreuses. Arabella était une exception : elle était si mince et si plate qu'elle faisait très masculine. Le contraste entre sa peau blanche et la soie noire, le décolleté de la robe, la vision fugitive de ses membres élancés étaient presque insoutenables. Quand il se rendit dans sa loge après le spectacle, il craignit de l'approcher mais elle lui sauta au cou et l'enlaça tout en criant sa joie de le revoir.

« Ne me dis pas ce que tu penses du spectacle, je sais qu'il est minable, dit-elle. Il s'achève à la fin de la semaine, Dieu merci. Mais écoute, je vais faire du cinéma. Qu'est-ce que tu en penses ? Finis ces continuels aller et retour entre Londres et Glasgow. Je reste ici pour de bon et alors, qui sait, peut-être irai-je à Hollywood. » Tout en parlant, elle se changeait sans faire attention à lui.

Il chercha à repérer quelqu'un qui pourrait correspondre à l'Azulay dont lui avait parlé Katya mais il n'y avait là aucun Oriental, le visage grêlé ou non.

Elle n'avait pas mangé. Il l'emmena dîner et dans le taxi il lui parla d'Azulay.

« Azulay ? Qu'est-ce que tu sais de lui ? Katya a dû t'en parler, la vache. J'imagine ce que tu penses mais c'est inutile. Il ne pourrait avoir d'érection qu'en se la mettant dans une attelle. C'est mon ange gardien, même si je dois admettre qu'il n'a pas le physique de l'emploi. Il est en train de monter — en fait, il a monté — une petite compagnie de production ; ils commenceront à travailler cet été. Il a déjà trouvé un scénario et un metteur en scène.

— A-t-il déjà fait des films ?

— Non, pas plus que des spectacles d'ailleurs. C'est un financier.

— Et il va faire ça...

— Parce qu'il admire mon art.

— Comment as-tu fait sa connaissance ?

— C'est lui qui a fait la mienne. Il m'a vu jouer un petit rôle dans une comédie musicale et il est venu me voir dans les coulisses. Il m'a dit que j'étais trop douée pour jouer un si petit rôle et il avait bien raison.

— Tu es bonne mais je n'en dirais pas autant du spectacle.

— Tout le monde le pense aussi.

— Et qu'est-ce qui te fait croire qu'il a choisi un film qui te conviendra ?

— Rien, mais une chose en amène une autre.

— Et ton mariage ?

— Je savais que tu en parlerais. Nous vivons ensemble et c'est bien ainsi. Est-ce que cela te choque ?

— Non, il m'en faut davantage à moi qui te connais. Mais pourquoi ne réglez-vous pas cette situation ?

— A cause du temps, mon cher. Je meurs d'envie de commencer ce film et Hector est rarement là. D'ailleurs, il est absent en ce moment. » Elle lui prit la main. « Tu rentres avec moi ?

— Tu sais, je me demande parfois si tu ne te moques pas de moi.

— Me moquer de toi, chéri ? Je t'aime mais tu m'amuses avec tes inhibitions. Tu es un redoutable puritain.

— A t'entendre, on dirait que c'est une tare. Il n'y a rien de mal à être puritain. Malheureusement, je serais plutôt un vieux libertin.

— Alors, pourquoi ne rentres-tu pas avec moi ?

— Tu le sais très bien. Est-ce que tu te conduiras ainsi après ton mariage ?

— Je ne sais pas.

— Dans ce cas, pourquoi se marier ?

— C'est une des raisons qui font que je ne le suis pas.

— Je commence à croire que toi et Hector n'êtes pas faits l'un pour l'autre.

— Je sais que je ne suis pas faite pour lui mais pourquoi la réciproque serait-elle vraie ?

— Vous vous seriez mariés depuis longtemps dans le cas contraire.

— Certainement pas.

— Et il serait allé à l'université, aurait appris un métier. Son affaire de machines-outils ne m'inspire pas confiance. Que fait-il exactement ?

— Je ne sais pas trop mais il a l'air de bien s'en sortir. Tu es en train de dévier la conversation. Tu rentres avec moi ?

— Non.

— Froussard. »

Elle vint à Glasgow quelques mois plus tard pour le mariage de sa sœur Caroline avec un minuscule bonhomme nommé Erich Kroch-mal, le fils de l'avocat de Nahum, qui était lui-même avocat. Ce fut un petit mariage car c'était une petite famille et de toute façon, Katya ne pouvait se permettre de voir plus grand. Nahum ne s'y amusa guère car l'ombre de la femme de Lazar, morte la semaine précédente, plana sur toutes les festivités.

Lazar ayant disparu sans divorcer, elle était restée *agunah* (« femme liée ») aux yeux de la loi juive, c'est-à-dire qu'elle n'était ni veuve ni divorcée et qu'elle ne pouvait se remarier. Son père s'était quasiment ruiné en envoyant des détectives privés aux quatre coins de la planète pour tenter de retrouver la trace de Lazar, mais en vain. Le vieillard était mort au début de l'année et sa fille l'avait suivi dans la tombe à quelques mois d'intervalle. Katya porta une robe noire en signe de deuil.

A quelques jours de là, Katya vint lui annoncer qu'elle allait mettre sa maison en vente. « Elle est beaucoup trop grande pour moi toute seule.

— Où vas-tu... » commença Nahum. Il réalisa à ce moment ce que sa question impliquait et il laissa sa phrase en suspens ; mais il était trop tard.

« Où vais-je vivre ? J'espérais que tu pourrais m'abriter le temps que je trouve quelque chose. Cela ne me prendra pas plus d'une semaine ou deux. »

Au bout de deux mois, comme elle n'avait rien trouvé à sa convenance, elle devint membre à part entière de la maisonnée.

La place ne manquait pas. Victoria avait pris des vacances prolongées en Palestine et habitait chez Sophie. Hector se trouvait naturellement à Londres. Jacob avait quitté Clifton pour Cambridge. Benny terminait se dernière année à Clifton. Seule sa mère habitait toujours chez lui. Elle était devenue dure d'oreille, acariâtre et excentrique. Plus elle vieillissait, plus elle s'habillait jeune si bien qu'à chaque manifestation officielle, Nahum s'attendait presque à la voir apparaître en petite tenue. Maintenant elle faisait vraiment femme âgée, surtout comparée à sa sœur. A soixante et quelques années, celle-ci était d'une robustesse et d'une vivacité peu communes à son âge. Elle produisait toujours un certain effet sur lui. Au début, il mit cela sur le compte des souvenirs de leurs premières étreintes mais comme ces effets persistaient, il les attribua à sa solitude. Le fait qu'il ne puisse regarder sa tante sans avoir envie de glisser sa main dans son corsage traduisait à l'évidence son besoin d'une femme. Pour la première fois depuis son histoire avec Jessie, il songea sérieusement à se remarier.

Arabella lui téléphona un soir pour lui annoncer qu'elle avait terminé son film. Aimerait-il assister à une projection privée ? Il répondit qu'il y assisterait dès que possible mais il fut saisi d'un doute en raccrochant. Ils seraient assis côte-à-côte dans une salle de cinéma plongée dans l'obscurité, ils arroseraient l'événement, ils iraient ensuite à son appartement et l'inévitable se produirait. La pensée de l'occasion ratée — que concrétisait la feuille de bloc-notes encadrée au-dessus de son lit — le tortura une bonne partie de la nuit. Il commença à se demander si après tout il ne pouvait pas coucher avec Arabella. Il était maintenant convaincu qu'elle et Hector n'avaient jamais envisagé sérieusement le mariage et qu'ils ne se marieraient probablement jamais. Alors, pourquoi ne pas en profiter ? Elle était célibataire et le Talmud, très strict pourtant sur d'autres sujets, permettait de séduire des femmes non mariées. Il pensa que ses résistances n'avaient rien à voir avec la morale ou l'éthique mais il craignait que sa princesse charmante ne se transforme, une fois qu'il aurait couché avec elle, en citrouille, en monstre, en crapaud ou tout simplement en une femme ordinaire.

Il y pensait souvent, surtout quand il se retrouvait seul au lit. Un soir, ses spéculations furent interrompues par un coup de fil d'Hector.

« J'ai pensé que tu aimerais savoir qu'Ara et moi allons nous marier », dit-il.

Il ne savait pas comment prendre cette nouvelle mais il répondit sans réfléchir : « J'en suis ravi ! »

Arabella prit le combiné : « Alors, tu es content ?

— Cela n'a aucune importance. Mais toi, es-tu heureuse ? »

Il l'entendit demander à Hector : « Hec, sommes-nous contents ?

— Oui, répondit Hector.

— Il a dit oui, nous sommes contents.

— Alors, je suis aussi content. Reste en ligne, je vais prévenir Katya. J'espère pour toi et pour moi que ce n'est pas une plaisanterie, sinon elle aura vite fait de tout casser. »

Katya, qui lisait au lit, s'inquiéta lorsqu'elle entendit frapper à la porte et elle s'inquiéta encore davantage quand on lui dit qu'on la demandait au téléphone. Il était presque minuit. Elle descendit, vêtue d'une chemise de nuit qui laissait voir le haut de sa poitrine.

« Tout va bien, c'est une bonne nouvelle, dit Nahum.

— On ne téléphone pas à cette heure de la nuit pour annoncer une bonne nouvelle. »

Elle prit l'annonce sans grand enthousiasme.

« Je ne sais vraiment qu'en penser. Pourquoi après toutes ces années ? Pourquoi maintenant ? » demanda Nahum qui était très troublé.

— Elle est peut-être enceinte. Mais non, cela ne se peut pas.

— Et pourquoi ?

— Parce que les Arabella de ce monde ne restent pas enceintes si elles ne le désirent pas. Elle peut très bien se faire avorter, les docteurs ne manquent pas dans son entourage. Mais cela ne répond pas à ta question. Pourquoi maintenant ? »

C'est Vicky qui apporta ce qu'elle prétendait être la réponse quelques semaines après. Elle avait séjourné chez Arabella en revenant de Palestine.

« Ara vient de finir son film et elle est en passe de devenir une star. Le célibat ne convient pas au vedettariat. Une star se doit d'avoir un mari comme il faut : séduisant, brillant, héros de guerre et gentleman. Hector convient. Ce que j'aimerais savoir, c'est ce qu'il y trouve, lui ?

— C'est une femme riche, dit Katya, elle doit gagner des fortunes comme vedette.

— Elle ne l'est pas encore mais lui gagne plein d'argent avec son affaire. »

24.

Katya voulait faire un grand mariage. « J'ai tant d'amis et tant de choses à fêter. Et puis, vu mon âge, je n'aurai plus beaucoup d'occasions de ce genre », dit-elle.

L'événement fut bien plus important qu'elle ne l'avait imaginé. Elle avait parlé à Nahum de la possibilité d'utiliser son jardin pour la réception. L'idée l'enchanta et il offrit de prendre en charge tous les frais. On allait lui épargner la dépense.

Arabella annonça qu'Azulay avait gentiment mis sa demeure, un hôtel particulier situé dans les faubourgs de Londres, à leur disposition. Lorsque Nahum arriva en compagnie de Katya, de sa mère, de Vicky et de ses deux plus jeunes fils, il s'aperçut que le service publicité d'Arabella avait pris les choses en mains. Il lui sembla, comme Vicky l'avait suggéré, que ce mariage n'était en fait qu'un coup publicitaire. Le premier film d'Arabella avait été lancé quelques mois plus tôt au son des fanfares et quand Hector et elle s'étaient fiancés, toute la presse avait publié leur photo avec des légendes du style : UNE STAR ÉPOUSE UN HÉROS DE GUERRE. Le mariage ne lui paraissait qu'une étape supplémentaire de cette campagne mais il était surpris qu'Hector s'y soit prêté.

Tout le gratin du cinéma était présent, vedettes de l'écran, producteurs, metteurs en scène, distributeurs. Des cameramen et des reporters, mêlés à la foule, importunaient les personnages les plus célèbres mais devaient à leur tour subir les assauts des moins célèbres. Avant la fin de l'après-midi, certains invités avaient déjà forniqué dans les massifs et d'autres avaient vidé le contenu de leur estomac sur les Rodin de la terrasse.

Nahum, Katya, Arabella, Hector, étaient alignés en rang d'oignons dans le hall d'entrée. Un majordome arborant deux médailles annonçait les invités d'une dissonante voix martiale. Au bout d'une heure, la main, le bras et le corps tout entier de Nahum commencèrent à le faire souffrir. Il connaissait certains invités et en reconnaissait d'autres d'après les films ou les photos publicitaires qu'il avait vus. Il entendit soudain un nom et aperçut un visage qui le firent sauter au plafond. C'était le protégé de Colquhoun, le jeune Cameron. Il ne l'avait pas vu depuis vingt ans mais il semblait n'avoir guère vieilli. Il avait toujours ses fossettes, ses cheveux cendrés, ses taches de rousseur et sa silhouette mince.

Nahum hésita à lui serrer la main ; il n'arrivait pas à croire que c'était *le* Cameron et il lui demanda : « Vous êtes aussi devenu vedette de cinéma ? »

Cameron éclata de rire : « J'aurais bien voulu l'être. Hector ne vous l'a pas dit ? Je suis son associé. »

Des gens continuaient encore à arriver et Nahum, plongé maintenant dans une sorte de brouillard, continuait à serrer mécaniquement des mains et à exhiber ses dents en guise de sourire. Dès qu'il le put, il attira Hector à l'écart.

« Pourquoi ne m'as-tu jamais parlé du jeune Cameron ?

— Du jeune qui ?

— Cameron.

— Oh, Eddy, mon associé. Qu'avais-je à en dire ?

— Il ne t'a pas dit qu'il a autrefois travaillé pour moi ?

— Si. Je l'ai connu à l'armée et il n'a su que bien plus tard que tu étais mon beau-père.

— Et il ne t'a pas dit qu'il a autrefois travaillé pour moi ?

— Oh, ça va. Je le connais à fond et lui aussi me connaît.

— Et tu n'as pas peur de faire équipe avec lui ?

— Pas du tout. Lui non plus ne craint pas de faire équipe avec moi. Il a eu de très bons états de service durant la guerre.

— Peut-être, mais est-ce que tu connais ses états de service en temps de paix ?

— Je te l'ai dit, je sais tout sur lui. Comment peux-tu imaginer qu'il puisse me cacher quelque chose alors qu'il sait que je suis ton beau-fils ? Tu peux dire ce que tu veux sur Eddy sauf qu'il est fou. Il est sorti du rang sans être allé au collège ou à l'école des officiers. Il a commencé simple soldat et a fini commandant. Il faut le faire dans l'armée britannique ! Les gens m'ont souvent dit combien il était difficile pour un juif d'aller loin dans l'armée britannique, et c'est vrai. Mais c'est encore bien plus difficile quand on sort de la classe ouvrière. Son père était docker.

— Quelles sortes d'affaires faites-vous ?

— Je ne te l'ai pas dit ? Les machines-outils.

— Quelle sorte de matériel fabriquent vos machines-outils ?

— De la petite mécanique. Des ressorts, des bobines, des tuyaux, des choses comme ça. Nous ne les fabriquons pas, nous les vendons.

— Est-ce que je pourrais aller voir vos installations ?

— Bien sûr, si tu le veux, mais il n'y a pas grand-chose à voir. C'est un entrepôt réaménagé. Il n'y a qu'Eddy, moi, quelques techniciens et des secrétaires. Nous ne sommes pas plus d'une douzaine.

— Comment as-tu fait pour que ça marche si vite et si bien ?

— Qui t'en a parlé ?

— Vicky. »

Nahum chercha des yeux Vicky et il l'aperçut en train de parler avec Arabella et un très grand personnage à la face toute ronde en qui il reconnut le producteur d'Arabella, Kapulski. Il hésita à se joindre à eux car l'homme lui déplaisait. Mais Arabella lui fit signe et lorsqu'il les eut rejoints, Kapulski posa un bras sur son épaule. Venant d'un étranger, ce geste ne plaisait guère à Nahum et puis il n'aimait pas non plus s'approcher trop de Kapulski car sa grande taille lui donnait des complexes.

« Nous discutions de l'avenir de Vicky, dit Arabella.

— Vous ne m'aviez pas dit que vous aviez une aussi jolie fille, Nahum, ajouta Kapulski. Qu'est-ce qu'une beauté comme elle fait dans un trou perdu comme Glasgow ? Elle est faite pour le cinéma.

— Pensez à son pauvre père. Il a déjà perdu sa belle-fille dans l'affaire. Epargnez sa fille, lança Arabella.

— Mais sa fille a peut-être envie de faire du cinéma, fit remarquer Vicky.

— Ma chère, tu ne sais pas dans quel monde tu entres. Tu ferais mieux de faire le trottoir. »

C'était aussi le sentiment de Nahum.

Bien plus tard, Nahum allait considérer que ce mariage marqua le début — et peut-être en fut-il même la cause — de ce qu'il appelait ses *schwartze yoren,* ses années noires.

Peu après le retour de Vicky de Palestine, il avait organisé une réception pour fêter l'ouverture d'un nouveau cinéma qu'il avait fait construire dans les faubourgs de Glasgow. Il avait de nouveau invité une vedette de cinéma pour cette inauguration. Afin d'être certain que l'ouverture de cette salle serait placée sous de bons auspices, il avait fait venir un rabbin pour consacrer et apposer une *mezuzah*[1] sur la porte.

L'idée de la *mezuzah* était de Michael Mittwoch, le gérant du cinéma, un fils de pauvres immigrants que Nahum avait engagé par pure charité mais qui fit montre de remarquables capacités. Ses propres fils ne manifestant aucun intérêt à l'égard de ses affaires, Mittwoch apparut bientôt comme son héritier présomptif. Mittwoch avait des manières et un langage assez vulgaires mais Nahum connaissait peu de gens qui se comportaient autrement dans le monde du cinéma ; certains considéraient même ses défauts comme des qualités. Il était vif, un peu trop parfois. A peine Nahum avait-il commencé une phrase que Mittwoch, qui pensait avoir compris son idée, le coupait. « Me laisserez-vous finir ? » répétait inlassablement Nahum. Il aurait aimé que Mittwoch et Vicky fassent connaissance mais il nourrissait une certaine aversion pour les rencontres organisées dont il avait été lui-même la victime il n'y avait pas si longtemps. De toute façon, connaissant Vicky, il savait qu'elle ne voudrait rien avoir à faire avec lui, précisément parce que leur entrevue aurait été organisée. L'inauguration constituait, par contre, une raison toute naturelle. Ils se plurent immédiatement, comblant ainsi les espoirs de Nahum. Katya le mit en garde : « Ce jeune homme sera bientôt ton beau-fils si tu ne fais pas attention.

— Y faire attention ? J'en serais très heureux, au contraire. »
Katya le regarda comme s'il avait perdu la tête.
« Il n'a que dix-neuf ans. Je sais qu'elle n'est pas facile mais elle peut prétendre à mieux. Je connais sa famille. Son père n'a jamais été fichu de gagner sa vie.

— Son père est mort.

— Alors il ne peut certainement pas gagner sa vie. Quant à sa mère, elle est corsetière et travaille pour moi.

— Elle fait du très bon travail si j'en crois mes yeux.

— Vicky a quand même le choix. Il y a toujours plein de jeunes gens qui lui tournent autour et quand elle est partie, je passe la moitié de la journée à répondre au téléphone pour noter des messages de Nat, Schmat, Basil, Henry, Gavin, Herbert, Malcolm, Stephen, Duncan — je n'arrive même pas à me rappeler tous leurs noms — des

---

1. *Mezuzah* : petit boîtier contenant un rouleau de parchemin sur lequel sont inscrits des passages de la Bible, et que l'on fixe sur le chambranle de la porte d'entrée.

médecins, des dentistes, des architectes, des avocats, des jeunes gens d'avenir et issus de bonnes familles. Pourquoi avoir choisi celui-là ?

— Ce n'est pas moi qui ai choisi, c'est elle et, de toute façon, je puis te garantir qu'il conviendra beaucoup mieux que n'importe lequel de tes Nat ou Schmat.

— Oui, grâce à ton argent.

— Je pourrais en dépenser pour pire que cela. »

Mittwoch n'assista pas au mariage d'Arabella et Nahum lui en voulut. Il prétendit qu'il ne pouvait s'absenter en raison d'ennuis dus au lancement du nouveau cinéma. « Vous êtes trop consciencieux », lui dit Nahum (il pensa par la suite qu'il n'avait pas voulu venir parce que sa mère n'avait pas été invitée). Mais c'est surtout à Kapulski qu'il en voulut. Nahum connaissait les défauts de Vicky mais il l'avait toujours considérée comme une femme équilibrée. Il avait admiré sa conduite lors de sa rupture avec Flemyng et cela prouvait qu'elle avait davantage les pieds sur terre que lui. Pourtant, Kapulski n'avait eu qu'à lui chuchoter le mot de « cinéma » pour qu'elle commence à s'imaginer dans la peau d'une vedette de l'écran. Il essaya de la raisonner. « Ecoute, Vicky. Tu sais combien je suis attaché à Arabella. Je l'aime et je ferais tout ce qui est en mon pouvoir pour l'aider mais si j'avais pu la mettre dans un couvent afin de l'empêcher de vivre l'existence qu'elle mène actuellement, je l'aurais fait.

— Et tu ferais la même chose pour moi ?

— Bien sûr, mais malheureusement il n'existe pas de couvent *kasher*. Tu n'as donc pas d'autre ambition que de devenir une de ces ombres sur les écrans de cinéma ?

— Oh non alors ! Je n'ai hélas pas l'aplomb ou l'effronterie d'Arabella mais j'ai douze ans de moins qu'elle et je suis jolie...

— Tu es belle, mon enfant, et c'est un plaisir de te regarder — surtout les jours où tu te donnes la peine de passer un peigne dans tes cheveux — mais Arabella est la plus jolie de toutes.

— Tu es fasciné par elle. Elle est mal proportionnée, elle n'a pas de formes. Elle est toute en jambes et en bras — ses cuisses lui remontent jusqu'aux seins — elle n'a pas de poitrine, et pourtant elle arrive à mettre tout le monde dans sa poche, toi y compris. J'ignore si je deviendrai vedette de cinéma, d'ailleurs je ne suis pas certaine de le vouloir — ça te plaît ? — mais j'aimerais essayer.

— Et le jeune Mittwoch ?

— Il n'est pas si jeune.

— Je pensais que vous étiez, enfin...

— Non, nous ne le sommes pas mais s'il est aussi intéressé par moi qu'il l'est à vouloir t'enrichir, alors il saura où me trouver.

— Tu vas partir ?

— Oui.

— Mais j'ai encore besoin de toi ici.

— Et pourquoi donc ? Tu as deux femmes à ta disposition. Katya est une excellente maîtresse de maison et une merveilleuse cuisinière. Tu crains peut-être qu'elle ne te dévore ? »

Elle ne croyait pas si bien dire. Nahum redoutait en effet de se retrouver seul en face de Katya. Certes, il n'était pas vraiment seul mais sa mère restait couchée la plupart du temps. La présence de Vicky avait imposé à Katya une certaine réserve mais dès qu'elle fut partie, elle se mit à déambuler dans la maison en tenue légère. Elle l'entraînait parfois dans son lit et s'invitait fréquemment dans celui de Nahum, comme si elle usait d'un droit. Nahum pensait qu'une épouse aurait été plus réservée. Il se demandait comment le désir pouvait encore exister chez une femme de cet âge.

Il se disait parfois qu'il pourrait la jeter hors de son lit mais il cédait à un obscur sens du chevaleresque : il lui était difficile d'insulter une femme de la génération de sa mère et qui était sa sœur de surcroît. Et puis, il lui fallait compter avec le poids de l'habitude. Elle venait si fréquemment dans son lit qu'elle aurait pu proclamer ses droits d'occupante. En fait, la véritable raison pour laquelle il ne lui disait pas de partir quand il ne la désirait pas c'est qu'il craignait qu'elle ne refuse à son tour de venir le rejoindre quand il la voulait.

Il réalisa à cette époque combien sa maison était grande et sombre. Sophie l'avait meublée selon la mode de l'immédiat après-guerre alors que le style édouardien était encore de mise en province. Aujourd'hui, ces meubles imposants et ces objets inutiles faisaient ressembler cet intérieur à un camp retranché ou à un musée, encore que les parfums capiteux dont s'arrosait Katya donnaient à l'ensemble une légère connotation de bordel de luxe.

Durant les jours sombres qui suivirent, il eut deux sources de consolation. Lorsqu'il avait adressé à Sophie une invitation au mariage d'Arabella, Vicky lui avait dit : « Tu perds ton temps. Elle ne viendra pas. Elle est enceinte jusqu'au cou d'un ou de plusieurs enfants. » Quelques jours après le mariage, il reçut un télégramme lui annonçant la naissance de leurs jumeaux. L'accouchement avait été apparemment assez difficile mais Shyke, qui avait assisté à la circoncision (*brith*) affirma que Sophie se remettait bien et que les jumeaux étaient splendides.

Son autre source de consolation fut ses garçons. Jacob avait décroché un diplôme à Cambridge et on lui avait proposé un travail au lycée d'Edimbourg. Nahum pensait qu'il pourrait donc le voir souvent. Quant à Benny, il avait réussi, à la surprise générale, à entrer à la faculté de médecine de Glasgow. Nahum pouvait alors espérer une certaine compagnie qui le protégerait de Katya.

Durant son union avec Miri, il avait toujours veillé à traiter tous les enfants sur le même pied mais il avait tant fait pour qu'Alex et Hector ne se sentent pas ses beaux-enfants qu'il avait négligé Jacob et Benny. Il fut bientôt évident qu'ils ne seraient jamais des Alex ou des Hector, ces fils d'un père immigrant et petits-fils d'un vendeur de poulets dévoré par les puces qui avaient réussi à se faire un chemin dans la société britannique. Hector l'avait un peu déçu mais il n'avait que trente-deux ans et pouvait encore escalader l'échelle de la réussite sociale. Quant à Alex, personne ne doutait qu'il serait nommé gouverneur des colonies et qu'il serait décoré de l'Ordre de la Jarretière avant longtemps. Il ne pouvait imaginer Jacob ou Benny allant si loin, pas plus qu'il n'en imaginait aucun devenant officier de l'armée britannique. On avait dit à Nahum que l'éducation des écoles anglaises reposait pour une grande part sur la confiance en soi et le maintien physique ; à voir Benny et Jacob, ils ne semblaient guère en avoir profité. Au mariage d'Arabella, ils restèrent assis dans un coin, revêtus de leurs costumes mal coupés (Nahum les avait pourtant adressés à un bon tailleur mais ils faisaient partie de ces gens qui portent toujours mal des vêtements bien taillés), clignant des yeux, l'air ahuri et effrayé comme s'ils vivaient un cauchemar.

Quand Benny revint à Glasgow pour commencer ses études, Nahum le trouva peu sociable ; il lui rappelait Lazar.

Il avait espéré connaître de nouveau les joies d'une maison remplie de jeunes gens, résonnant du bruit de la musique, des disques et des éclats de rire mais Benny était un jeune homme solitaire et très laborieux. Le souper terminé, il retournait rapidement à ses livres dans sa chambre. Nahum se retrouvait donc seul face à Katya. Aussi, quand il se rendait dans l'un de ses cinémas particulièrement éloigné, il ne rentrait pas à Glasgow pour la nuit. Mais dans ces cas-là, il se demandait si Benny était bien en sécurité.

La nature des opérations réalisées par Hector l'intéressa beaucoup du jour où son associé lui fut présenté. Il ne pouvait imaginer Hector impliqué dans une affaire douteuse mais il ne pouvait non plus imaginer Cameron impliqué dans autre chose. Un jour, il alla leur rendre visite. Leur entreprise se trouvait dans un sordide petit entrepôt. Son arrivée impromptu causa un embarras et une surprise manifestes. Hector et Cameron étaient tous les deux en ville. Une secrétaire à l'air inquiet les fit prévenir rapidement et le dissuada d'explorer le bâtiment.

Les deux associés arrivèrent enfin dans une imposante Bentley et l'introduisirent dans un confortable bureau. Cameron se chargea de servir à boire tandis qu'Hector lui expliquait qu'il les avait surpris à un moment inopportun car ils allaient déménager dans de nouveaux locaux, plus grands que ceux-ci.

« Puis-je voir ce que vous vendez ? demanda Nahum.

— Bien sûr », répondit Hector, qui le conduisit aussitôt à un entrepôt situé près des docks de Londres et où les pièces étaient emballées. Les caisses portaient le nom de la firme, ce qui rassura un peu Nahum car il s'était demandé s'ils ne faisaient pas de la contrebande de whisky à destination de l'Amérique.

Hector l'invita à dîner ce soir-là. Ils furent rejoints par Arabella, Vicky et Cameron. Ce fut un délicieux repas servi dans un splendide décor. Arabella, plus belle que jamais, était couverte de fourrures. Le vin coulait à flots et Nahum ne savait ce qu'il y avait de plus enivrant d'Arabella ou du vin. La sympathique ambiance qui régnait fit tomber son aversion contre Cameron mais il fut quand même troublé par la complicité qui semblait le lier à Vicky. Celle-ci paraissait soucieuse et guère rayonnante pour une future gloire du cinéma.

Il l'interrogea sur le déroulement de sa carrière.

« Demande à Ara, dit-elle.

— Elle a eu un petit rôle dans mon prochain film, répondit Arabella.

— Un *très* petit rôle, souligna Vicky. Je joue le rôle d'une femme de service qui se fait étrangler dans la première partie.

— Mais elle le joue très bien », fit remarquer Arabella.

Quand Nahum rentra à Glasgow le lendemain soir, il fut surpris de trouver la maison dans l'obscurité. Il appela Benny et Katya mais personne ne répondit. Une porte s'ouvrit enfin à l'étage et il entendit le pas lourd et traînant de sa mère. Elle descendit lentement l'escalier, vêtue d'une robe de chambre et tenant à la main une grosse canne.

« Je n'étais pas sûre que ce soit toi. Tu es parti en me laissant seule, dit-elle.

— J'étais à Londres, tu ne le savais pas ?

— Quelle différence cela fait-il que tu sois à Londres ou en Chine ? Quand tu n'es pas là, je reste seule. Il pourrait m'arriver quelque chose. Quelqu'un a frappé un peu avant toi mais j'avais trop peur pour répondre. Il aurait pu m'arriver n'importe quoi, à moi, une femme seule et sans défense. Le téléphone a sonné aussi.

— Le téléphone ?

— Il n'a pas arrêté.

— Pourquoi n'as-tu pas répondu ?

— Parce que, le temps que j'arrive au combiné, il s'arrêtait de sonner. Et quelqu'un a frappé à la porte mais je ne pouvais pas répondre, moi, une femme seule et sans défense. Avec ça et le téléphone, j'ai cru devenir folle. »

A ce moment, le téléphone sonna de nouveau.

« Tu vois, qu'est-ce que je t'avais dit, ça a été...

— Chut, maman, c'est un appel de l'étranger.

— Qu'est-ce que tu dis ?

— Tais-toi, c'est un appel de l'étranger. » Elle se tut et s'assit lourdement sur la marche supérieure de l'escalier en laissant tomber sa canne avec un grand bruit.

C'était le ministère des Colonies. Alex avait été agressé par un Arabe et hospitalisé dans un état critique.

25.

Nahum avait appris par les journaux les incidents qui se produisaient en Palestine, où l'on voyait des Arabes assassiner des juifs et des juifs assassiner des Arabes. Il se faisait du souci pour Alex mais, comme l'avait expliqué Hector : « Il est membre du cabinet du gouverneur, il est donc bien protégé et tu n'as rien à craindre. » Ceci ne l'empêcha pas de continuer à s'inquiéter, surtout lorsque les incidents se multiplièrent. Pour lui, il n'existait rien de plus terrible qu'une peur fantasmée : l'espoir pouvait être imaginaire, pas la peur. Et en ce jour, ses craintes se confirmaient.

Lorsqu'il arriva à Jaffa, il fut accueilli par un membre du gouvernement et un officier supérieur de la police locale. Nahum essaya de lire une nouvelle sur leurs visages mais ils restèrent tous les deux impassibles.

« Il est mieux qu'on aurait pu le penser, dit le personnage officiel. Alex est plus résistant qu'il n'y paraît. Il se tirera d'affaire, mais personne n'en aurait dit autant la semaine dernière.

— Comment cela est-il arrivé ?

— Il était assis dans un café de Tulkarm et lisait un journal en hébreu, ce qui n'est pas très prudent en ce moment à Tulkarm, dit l'officier de police, c'est rempli d'excités. Un type s'est approché de lui avec une hache.

— Avec une hache ?

— Les Arabes peuvent être très méchants. Il a détourné le coup avec sa main, heureusement, sinon cette fichue hache lui aurait fendu le crâne. Il a quand même perdu trois doigts et a été sérieusement commotionné.

« — Il a failli mourir exsangue ; il a énormément perdu de sang »,
dit le personnage officiel.

Ils arrivèrent à l'hôpital deux heures après. C'était une institution
dirigée par une congrégation catholique et qui se trouvait au milieu
des pins, au sommet d'une colline. Quand Nahum entra dans la
chambre d'Alex, celui-ci se redressa en souriant malgré ses bandages.
Il était blanc comme un linge. Il avait une main plâtrée. Nahum se
précipita vers lui et serra sa main valide. Il ouvrit la bouche pour dire
quelque chose mais aucun son n'en sortit. Il s'effondra en larmes ;
cependant, il se ressaisit rapidement.

« Je ne fais pas très britannique, n'est-ce pas ? dit Nahum.

— Quelques larmes ne font pas mal de temps à autre, répondit
Alex. Ils savent ce que sont les larmes ici.

— Tu sais, quand tu reçois à la maison un télégramme t'appelant
au chevet d'un malade, tu commences malgré toi à dire le *kaddish*
dans ta tête. Je n'ai pu m'empêcher de pleurer parce que je suis
heureux de te voir vivant.

— J'ai piqué une colère quand j'ai su qu'ils t'avaient prévenu. Tu
n'avais pas besoin de venir en cette période. Le mois de septembre
peut être très chaud.

— Et s'ils t'avaient fendu le crâne en septembre, aurais-je dû venir
en mai ?

— Ils ne m'ont pas fendu le crâne. J'ai perdu quelques doigts mais
ma tête est intacte, du moins je le pense. La blessure est superficielle.

— Si on t'a mis tous ces bandages, elle ne doit pas être très
superficielle. Que s'est-il exactement passé ?

— Comme tu le sais, il y a eu des incidents à Jérusalem et surtout
ce terrible massacre à Hebron. Ici, la situation était plutôt calme en
comparaison et comme je suis honorablement connu, j'ai été très
surpris de ce geste. Je prenais un café dans mon bar habituel
lorsqu'un type est venu vers moi qui m'a pris pour un hachoir. Sa
hache était heureusement propre, sinon j'aurais pu avoir de sérieuses
complications. Quand je suis revenu à moi ici, je souffrais d'un
terrible mal de tête et je ne pouvais lever ma main droite, qui était
lourde et douloureuse. J'ai la chance d'être gaucher, c'est un moindre
mal. J'ai perdu beaucoup de sang et on a dû me faire une transfusion
— avec du sang arabe je crois — ce qui fait que je suis maintenant à
moitié arabe. Sophie se trouvait là l'autre jour quand je lui en ai parlé,
elle m'a regardé d'un air envieux et m'a posé plein de questions.
Comme tu le sais, elle est obsédée par l'hérédité paternelle et elle

315

pense avoir du sang mêlé. Il ne serait pas étonnant qu'elle s'ouvre les veines un jour pour avoir une transfusion. Est-ce que tu l'as vue ?

— Pas encore. J'espère passer quelques jours en sa compagnie.

— Elle est venue avec ses jumeaux, des sacrés numéros. Ils n'ont pas arrêté de s'accrocher ou de ramper sous les jupes des infirmières qu'ils ont rendues folles. Je pensais qu'on te verrait à la circoncision. Je sais qu'un prépuce excisé ce n'est pas tout à fait la même chose qu'un doigt excisé mais la cérémonie est plus importante.

— Ne me parle pas de circoncision, dit Nahum.

— Et pourquoi donc ?

— C'est un sujet douloureux. Le... pourquoi ris-tu ?

— La circoncision, un sujet douloureux, elle est bien bonne venant de toi. Il ne faut pas que tu me fasses rire, ça me fait mal.

— J'ai reçu le télégramme trop tard.

— C'était pourtant une occasion à ne pas rater. La moitié de Volkovysk y a assisté, sans parler de ceux de Bialystock, Brest Litovsk, Kamenets Podolsk. Tu aurais aimé. Yankelson a grandi de vingt centimètres depuis qu'il est devenu père. C'est un paysan né ce Yankelson, un véritable enfant de la terre ; je n'en dirais pas autant de cette chère vieille Sophie. Elle vit sur un grand pied et on dirait une châtelaine au milieu de ses serfs. « Il faut maintenir un certain standing, m'a-t-elle dit, surtout lorsqu'on se trouve en compagnie de gens qui n'en ont pas. » Ma sœur n'est donc pas très populaire et ma présence n'ajoute guère à sa popularité.

— Pourquoi ?

— Tu ne le sais pas ? Je suis l'ennemi public numéro un, le Salomon local. Je suis chargé de régler les conflits entre les personnes. Je décide du bien-fondé des cas défavorables aux juifs, aussi m'accuse-t-on d'être pro-arabe. Herbert Samuel était ainsi considéré de son temps et tous les juifs qui tentent de remplir leur devoir honnêtement subissent le même sort. Je passe pour le pire de tous. Je ne suis pas marié et j'ai un domestique arabe, Jamal, un jeune homme assez beau. On raconte que nous formons un couple de joyeux pédés.

— De joyeux quoi ?

— Tu n'es pas censé le savoir mais je pense que tu sais faire la part des choses. Le haut-commissaire m'a même suggéré qu'il serait plus prudent de prendre une domestique femme, ou mieux encore une épouse, juive de préférence. J'ai répondu à cela que mon domestique Jamal était également cuisinier et que si l'on me trouvait une femme, juive ou non, qui cuisine aussi bien que Jamal, j'étais prêt à l'épouser demain. Une chose en entraînant une autre, lorsqu'on m'a trouvé la tête en sang et les doigts coupés, le bruit a circulé que mon assaillant était juif. Maintenant que l'on a établi que c'était un Arabe, on m'a plus ou moins pardonné. L'autre jour, un éminent rabbin est venu me voir pour me dire que l'on priait pour mon prompt rétablissement, ce qui me fait craindre une rechute imminente. S'ils savaient que je suis sur la voie d'une guérison rapide et qu'en plus j'ai du sang arabe dans les veines, ils changeraient encore d'attitude. »

Nahum rendit quotidiennement visite à Alex durant une semaine environ. Il était heureux de noter l'amélioration progressive de son état même si le ballet des infirmières — qui, vêtues de grands uniformes blancs, se déplaçaient silencieusement et semblaient planer tels les doux anges de la mort — l'emplissait d'un sombre présage. A la fin de la semaine, il alla rendre visite à Sophie.

Il ne l'avait pas vue depuis plus de deux ans. Elle avait grossi et était très bronzée. Comme elle tenait à porter des robes plutôt que des pantalons ou des shorts (« les pantalons ou les shorts portent atteinte à la dignité de la femme », disait-elle), elle ressemblait à une paysanne arabe. Elle et Yankelson étaient membres d'un *moshav,* une coopérative agricole différente des *kibboutz* et au sein de laquelle chaque famille exploitait ses propres terres et élevait son bétail. Les machines étaient propriété commune et la production était vendue communautairement. L'idée de passer quelques jours dans un village avait enchanté Nahum mais le *moshav* ne ressemblait à aucun des villages qu'il connaissait. Toutes les maisons, petites, carrées, étaient quasiment identiques et donnaient l'impression d'être sorties d'un même moule (ce qui était le cas) avec leurs murs blancs et leurs toits rouges. Les intérieurs variaient suivant les goûts et les moyens des habitants. La plupart des meubles, artisanalement fabriqués à partir de morceaux de bois taillés dans des poutres aux formes bizarres et laborieusement assemblés, étaient d'apparence bancale sauf *chez*[1] les Yankelson.

Sophie avait voulu éviter le luxe mais durant leur lune de miel qu'ils avaient passée aux confins de l'Ecosse, dans la région où elle avait été affectée durant la guerre, elle avait acheté des meubles chez des antiquaires ou des brocanteurs. Sans y faire attention, elle avait bientôt acquis suffisamment de meubles Régence pour équiper un

1. En français dans le texte.

château. Elle avait par ailleurs reçu de somptueux cadeaux de mariage comme un service à thé en argent et un service de table de Wedgewood. Au début, elle n'avait pas osé les sortir de leurs emballages mais elle estima que les assiettes en fer émaillé qui étaient *de rigueur*[1] dans le *moshav* lui coupaient l'appétit.

Yankelson lui dit un jour : « Pourquoi gardes-tu ton service à thé dans son emballage ? Tu n'as pas à avoir honte de ton argenterie. Si c'est le cas et si tu n'en vois pas l'usage, fais-en cadeau et n'en parlons plus. »

Sophie commença alors à déballer ses cadeaux petit à petit et bientôt on appela dans le voisinage leur maison le *ha-armon,* le palais. Lorsqu'une personnalité importante était de passage, on la recevait au *palais* mais des articles de journaux publiés en métropole ayant prétendu que les colons vivaient comme des seigneurs, cette coutume fut abandonnée.

Ils mangeaient d'excellents fruits frais, des légumes, des produits laitiers mais la viande et le poisson étaient rares. Par contre, ils dormaient peu et Nahum se demandait parfois s'ils fermaient jamais l'œil tant ils travaillaient. La nuit, les jumeaux pleuraient quelquefois jusqu'à en faire trembler les vitres. De son lit, il pouvait voir Sophie traverser la salle à manger sur la pointe des pieds pour revenir avec un ou deux enfants sur les bras. Il faisait une chaleur suffocante et il lui arrivait de dormir sur le carrelage. Il était convenu de rester une semaine mais il aurait aimé partir au bout d'une nuit. Il resta pourtant car il savait que Sophie aurait mal pris la chose.

Nahum connaissait l'hébreu classique mais il ne pouvait comprendre l'hébreu moderne de Sophie et Yankelson, surtout lorsqu'ils parlaient vite. Il avait l'impression de les déranger. Leur maison semblait conçue pour un célibataire peu exigeant plutôt que pour une famille et son invité. Ils avaient l'habitude de faire une petite sieste l'après-midi. Nahum ne dormait pas et quand il essayait de se déplacer dans la maison plongée dans l'obscurité, il butait contre des objets, les renversait, les cassait, marchait sur la queue du chat ou trébuchait sur un tapis : Sophie se levait alors, les lèvres pincées, visiblement en colère. Certes, elle ne l'avait jamais réprimandé mais il pouvait lire sur son visage son mécontentement.

L'atmosphère était plus détendue le vendredi soir. On allumait des

---

1. En français dans le texte.

bougies, les hommes revêtaient des chemises blanches, les femmes des robes à fleurs et Nahum pouvait enfin discuter avec eux de leur vie et de leur travail. Il était malaisé de parler avec Sophie car elle se plongeait dans des piles de livres et de journaux qu'elle avait entassés au fil de la semaine. Yankelson se montrait plus conciliant et Nahum s'asseyait avec lui sous le petit auvent devant la maison. Ils cassaient des noix et buvaient du thé jusqu'à ce que Sophie leur demande de faire moins de bruit pour ne pas empêcher les enfants de dormir.

Les petits jumeaux à la peau sombre, aux petits yeux ronds et vifs, lui plaisaient beaucoup ; il les appréciait moins lorsqu'il restait seul avec eux : ils lui montaient dessus, lui tiraient les cheveux ou la moustache, ouvraient sa braguette, tripotaient ses dents, mettaient leurs doigts dans ses narines ou ses yeux. Un jour, alors qu'il s'était endormi la bouche ouverte, ils lui enfoncèrent un manche à balai dans la gorge.

Nahum fut chagriné et surpris par l'impopularité de Sophie. On l'avait surnommée *Kum-kum-Kaspi* (la théière en argent) et elle n'était en bons termes avec personne. Par contre, son mari était l'homme le plus populaire du *moshav* : il connaissait très bien les machines, les animaux, la terre et était bon orateur. On l'appelait affectueusement le *Mukhtar*, l'ancien du village en arabe (il avait d'ailleurs appris cette langue et s'entendait bien avec la population arabe).

« Qu'est-ce qu'ils ont contre elle ? lui demanda un jour Nahum. Elle est si bonne, si généreuse, si laborieuse.

— Justement, elle l'est trop, répondit Yankelson. N'oublie pas qu'elle a été très malade et qu'elle n'est pas encore tout à fait rétablie.

— Alors pourquoi travaille-t-elle ainsi ?

— Essaie donc de l'en empêcher ! Elle croit aux vertus du labeur. Elle dit que le travail est le salut de ce pays et que sans lui, cela ne vaudrait pas la peine de vivre avec ces gens-là.

— Ils ont pourtant l'air très bien.

— Bien sûr qu'ils le sont mais elle a des goûts de luxe. J'en suis responsable d'une certaine façon : tout a commencé avec l'histoire de la théière ; s'il n'avait tenu qu'à moi, elle serait toujours dans sa boîte.

— Et s'il n'y avait que moi, tu serais aussi dans la boîte », intervint Sophie. Comme elle se trouvait dans la pièce voisine et que les murs étaient épais comme des feuilles de papier, elle avait tout entendu.

« Je savais que cette théière poserait des problèmes mais je ne pouvais pas prévoir l'ampleur qu'ils allaient prendre. Je ne suis pas la seule ici à posséder une maison confortable. Il y a une Polonaise qui a hérité d'un tas de bijoux qu'elle garde dans le coffre d'une banque de Jaffa. Je ne l'ai jamais vue en porter mais cette théière était un objet utilitaire dont je me servais à chaque fois que quelqu'un venait prendre le thé. » Elle la sortit d'un meuble. « Regarde ces formes et ce bel argent de Géorgie. C'est un plaisir de la regarder et c'est un plaisir que je voulais partager. Passe encore que l'on m'accuse d'être riche mais ce que je ne supporte pas, c'est que l'on m'accuse de faire étalage de mes biens. Je n'ai aucun désir d'être la victime des envieux dans une communauté qui prétend édifier un nouveau paradis et un nouveau monde. J'aurais supporté cela à Glasgow ou même à Tel Aviv mais pas ici. Pourtant, ce n'était qu'un début. Yankelson devint l'homme à tout faire. Il faisait un excellent maçon, plombier, électricien, charpentier, peintre, décorateur...

— Ce qu'elle essaie de te dire, intervint Yankelson, c'est que je suis un mari et un père indigne.

— Tu l'es d'une certaine façon, mais ne parle pas à ma place. Nous avons eu des problèmes avec les Arabes et comme tu le sais, il dirige la milice à l'échelon régional. Comme il ne sait pas dire non, il rentrait à la maison — quand il rentrait ! — mort de fatigue. Une fois, il a eu un malaise et j'ai dit : ça suffit ! Yankelson fera sa part de travail et c'est tout. On ne me l'a jamais pardonné. Ils me détestent et compatissent à son sort mais je suis prête à supporter cela.

— Ta fille n'était pas destinée à vivre au sein d'une petite communauté ni à épouser un paysan, dit Yankelson.

— Et toi, étais-tu destiné à devenir paysan ? lui rétorqua-t-elle.

— C'est une femme raffinée qui a des goûts et a besoin d'une compagnie tout autant raffinés. Je crois que nous devrions partir vivre en ville.

— Quitte à vivre en ville, j'aurais mieux fait de rester à Glasgow. D'ailleurs nous aurions peut-être dû tous y rester », dit-elle en éclatant en sanglots.

Nahum fut surpris. Il n'avait pas vu Sophie pleurer depuis bien longtemps.

Elle essuya ses larmes et se ressaisit. « Je suis désolée. Je pensais au pauvre Alex. Qu'est-ce qu'un être fragile comme lui est venu faire dans cet enfer ?

— Tout ira bien pour lui, la rassura Nahum, il est moins fragile qu'il n'y paraît. Je l'ai vu assis dans son lit en train de parler comme nous après qu'il ait reçu un coup de hache sur la tête. S'il survit à ce choc, il survivra à tout.

— J'espère que tu as raison », dit-elle en le serrant violemment dans ses bras. Elle l'embrassa sur le front et sortit.

« N'oublie pas qu'elle a été très malade, lui chuchota Yankelson.

— Mais vous êtes heureux ici, non ?

— Heureux ? Je n'ai pas le temps d'y penser. Les gens me demandent si je n'ai pas eu peur durant toutes mes années d'errance en Russie : j'étais alors bien trop préoccupé de sauver ma peau pour avoir peur. Mais attends — il alla dans le jardin et revint avec une riche poignée de terre rouge et or, comme un mélange de sable et de sang — avec ça sous mes pieds, je connais plus que le bonheur, j'ai un but. Toutefois, si les choses continuent ainsi, je pars demain. » Sa voix baissa encore d'un ton. « Mais je pense que cela ne continuera pas. N'oublie pas qu'elle a été très malade. »

A la fin de l'après-midi de ce dimanche, ils allèrent tous les deux se promener dans les champs. Ils avaient fait une sieste puis on leur avait servi le thé sous la véranda. La chaleur du jour était retombée et une légère brise s'était levée qui faisait frémir les pins autour du village. On entendait le chuintement des rampes d'arrosage et du sol humide montait une odeur de moisissure qu'il trouvait presque enivrante.

« Tu as la bonne vie ici, dit Nahum. Tu sais que j'ai failli venir il y a plus de trente ans. J'aurais dû le faire.

— Tu ne posséderais pas une maison comme celle que tu as à Glasgow.

— Quelle importance ? Je ne retire pas de mon travail les mêmes satisfactions que toi.

— Tu n'as pas de soucis à te faire quand la moisson est mauvaise et tu ne dois pas monter la garde un soir ou deux par semaine. Toute notre plantation d'orangers a été brûlée le mois dernier.

— Par les Arabes ?

— Par les Arabes.

— Je croyais que vous étiez en bons termes avec eux.

— Normalement, oui ; mais nos relations changent souvent. Ce pourrait être le paradis ici, seulement j'ai l'impression qu'à l'image de certaines céréales qui ne poussent pas sous des climats donnés, tout ce qui est normal ne prendra jamais racine sur cette terre. D'ailleurs, le mot normal n'existe pas en hébreu et nous avons dû nous inspirer de l'anglais pour en créer un équivalent. Cela ne signifie pas que je regrette d'être venu. Nous avons nos peines et nos soucis mais à une heure paisible comme celle-ci, quand je m'arrête pour regarder le résultat de notre labeur, nos ennuis me semblent un faible prix à payer. »

Alors que Nahum regardait autour de lui, il aperçut l'imposante silhouette de Sophie qui courait vers eux. Il ne l'avait jamais vue courir et elle se déplaçait à une telle vitesse qu'elle soulevait un nuage de poussière.

« C'est l'hôpital, dit-elle essoufflée. Ils viennent de téléphoner. Alex a fait une rechute. J'ai envoyé un télégramme à Hector. »

Une voiture les attendait devant la maison ; ils roulèrent à tombeau ouvert tandis que la nuit tombait.

« Je redoutais cela depuis que je l'ai vu la première fois, dit Sophie. Il s'est remis trop rapidement : j'ai souvent vu des cas de ce genre durant la guerre chez des convalescents. Une seconde infection se déclarait et ils étaient fichus. »

Quand ils arrivèrent à l'hôpital, deux médecins et une infirmière parlaient à voix basse autour du lit d'Alex. Il était dans le coma.

« Un caillot de sang s'est formé dans le cerveau à la suite du choc, expliqua l'un des médecins, et ce caillot continue de grossir. Nous devons donc opérer dès que possible, seulement nous attendons des équipements supplémentaires. »

L'opération commença à l'aube et se poursuivit durant une bonne partie de la matinée. Vers midi, un médecin vint leur dire : « Nous lui avons sauvé la vie mais il est encore trop tôt pour se prononcer définitivement. »

On les autorisa à aller voir Alex dans la soirée : il était encore inconscient et il l'était toujours lorsqu'ils revinrent le lendemain. En fin de soirée, il ouvrit un œil (l'autre était sous les bandages) et ne sembla pas les reconnaître.

Ils vinrent dorénavant lui rendre visite deux ou trois fois par jour. Nahum estima qu'une légère amélioration se produisait au fil des jours. Sophie lui répondit, exaspérée : « Quand cesseras-tu de te faire des illusions ? Tu ne vois donc pas qu'il est en train de mourir ? »

Ils s'installèrent dans une petite pension voisine. Arrivé dans sa chambre, Nahum demanda une Bible et commença à lire les Psaumes :

« Heureux est l'homme qui n'a pas marché dans le conseil des méchants et qui ne s'est pas tenu dans la voie des pécheurs et qui ne s'est pas assis dans le siège des moqueurs... »

Il continua jusqu'aux dernières lignes :

« Toute chose qui respire, qu'elle loue le Seigneur. Louez le Seigneur. »

A Volkovysk, on lisait toujours les Psaumes lorsque quelqu'un était en danger de mort. Il ne se souvenait pas que cela ait pu aider quiconque mais il se sentit singulièrement soulagé et plus sûr de lui quand il eut achevé de les lire au petit jour. En revoyant Alex quelques heures plus tard, il eut l'impression qu'il allait mieux et que son œil semblait plus expressif. Il ne le dit pas à Sophie de crainte qu'elle ne crie encore après lui.

Hector arriva le lendemain matin, en pleine forme. Il s'avança vers Alex et le salua d'une voix forte : « Alors, qu'est-ce que tu as encore fait ? De mon temps, on passait en cour martiale pour moins que ça. On tire au flanc, hein ? » A ce moment, une lueur de vie brilla dans l'œil d'Alex, teintée d'angoisse. Puis il retomba de nouveau dans l'hébétude.

Ils restèrent là près d'une heure à le regarder et à se regarder entre eux, envahis par un sentiment de désespoir.

C'était une belle journée ensoleillée. L'air était si chaud et lourd qu'il pesait sur eux telle une main moite. Hector suggéra qu'ils aillent se baigner dans la mer de Galilée.

« Tais-toi, pour l'amour de Dieu !

— Nous n'allons quand même pas rester ici toute la journée. Le spectacle de ton joli visage penché sur lui n'y changera rien. Nous reviendrons ce soir.

— Il n'y a rien de mal à aller faire un petit tour en voiture, dit Nahum.

— Allez-y sans moi », dit-elle. Réflexion faite, elle se joignit pourtant à eux.

La chaleur devint plus supportable tandis qu'ils escaladaient les pentes abruptes des collines de Galilée mais l'air redevint plus chaud et lourd quand ils redescendirent vers la côte. Des ondes de chaleur s'élevaient au-dessus du rivage. Lorsqu'ils y parvinrent, Nahum enleva immédiatement ses chaussures, ses chaussettes, retroussa son pantalon et avança dans l'eau. Sophie entra dans les flots tout habillée et se dirigea vers les roseaux. Hector, qui était resté en caleçon, folâtra dans la mer, faisant jaillir des gerbes d'eau, tel un dauphin.

« On dirait qu'il n'a aucun souci, dit Nahum.

— Ce sont ses dix ans d'armée qui l'ont rendu ainsi.

— J'aurais bien fait de passer quelques années sous les drapeaux. »

Ils restèrent jusqu'à ce que le jour fraîchisse et revinrent sous un ciel cuivré. Quand ils arrivèrent à la pension, le téléphone sonnait. « Il a sonné toute la journée, dit le gérant. C'était pour vous. » Alex était mort.

Nahum ouvrit la bouche pour prononcer la formule traditionnelle en de telles occasions — *Baruch dayan emeth*, Béni soit le juste juge — mais les mots ne vinrent pas.

Alex fut enterré sur le Mont des Oliviers en présence du haut-commissaire, des chefs de département et des dirigeants de nombreuses communautés. Shyke et Jessie vinrent également. Nahum faillit s'évanouir sous l'épouvantable chaleur, tandis que le rabbin, qui n'avait jamais vu Alex de toute sa vie, prononçait un long éloge funèbre. A la fin de la cérémonie, les gens rejoignirent rapidement leurs voitures mais Nahum revint sur ses pas.

« Tu as oublié quelque chose ? demanda Hector.

— Oui, dit Nahum qui commençait à déchiffrer les pierres tombales. Mon grand-père, un saint homme, est venu mourir en Palestine et a été enterré ici.

— Mais il y a des milliers de pierres tombales, il faudrait un mois de recherche pour le trouver.

— Je ne suis pas pressé. »

Ils ne le trouvèrent pas ce jour-là mais, tôt le lendemain matin, avec l'aide de Shyke et d'un gardien du cimetière, ils réussirent à localiser la pierre.

« Voilà, Nahum Rabinovitz. On m'a appelé comme lui.

— Qu'y a-t-il d'écrit en plus de son nom ?

— Je ne peux pas le lire, pas plus que la date. Un quelconque visiteur pourrait croire que c'est ma tombe. Tu sais, j'ai l'impression que c'est moi qui repose là.

— Evidemment, cela te ferait l'économie d'une pierre tombale mais je dois te faire remarquer que tu n'es pas mort.

— Non, pas encore, mais mon père est mort à cinquante-six ans et j'en ai déjà cinquante-quatre.

— Alors tu veux rester attendre ici deux ans ? »

Shyke, qui dirigeait maintenant une petite banque, mit sa villa à leur disposition. Hector devait immédiatement retourner à Londres et Nahum passa la journée à errer dans Jérusalem en compagnie de Jessie.

« J'aurais dû faire comme Shyke et venir m'installer ici quand j'y ai pensé la première fois. Mais je ne sais pas si j'aurais fait preuve d'autant de courage et de ténacité que lui. J'ai été trahi à deux reprises...

— Et tu t'en es sorti, dit Jessie.

— Oui, mais je n'ai pas enduré les épreuves qu'a subies Shyke.

— La maladie de Miri a déjà été une épreuve suffisante et la mort d'Alex en est une autre. Tu lui étais très attaché n'est-ce pas ? Je sais qu'il t'aimait beaucoup.

— Vraiment ?

— Vraiment.

— Tu ne le dis pas pour me faire plaisir ?

— Il parlait de toi avec affection et respect.

— Tu vois, voilà ce qui me rend jaloux. Il avait le temps de parler à Shyke mais pas à moi. C'était un homme d'action qui ne voulait parler qu'à ses semblables. Moi, je n'ai été bon qu'à faire de l'argent, une chose pour laquelle il n'a jamais eu de respect. Honnêtement, je dois dire d'ailleurs que je ne respecte pas beaucoup l'argent non plus. Alex ne me parlait jamais de lui. Avait-il une petite amie ?

— Non, je ne crois pas.

— Ah ! et dire qu'un homme comme lui n'aura jamais pu fonder de famille. On meurt vraiment pour toujours quand on n'a pas eu d'enfants. » Il fut alors surpris de constater que Jessie était au bord des larmes.

« Je suis désolé, j'avais oublié.

— Kenneth ne pouvait pas faire d'enfants. Nous avions souvent parlé d'en adopter un mais j'ai été alors trop égoïste.

— Excuse-moi. J'ai tant de chagrin que j'en oublie les autres. »

Quand il confia à Shyke son intention de vendre son affaire et de venir s'installer en Palestine, celui-ci lui dit : « Avec peu de capital, on peut faire du chemin ici, surtout si tu investis dans les cinémas. L'endroit regorge de soldats pleins aux as et qui n'ont rien d'autre à faire que de s'enivrer. Il y en aura encore davantage bientôt, c'est certain.

— Je ne sais pas si je veux continuer dans les cinémas.

— Tu feras comme tu voudras. Il existe trois situations où l'on ne devrait jamais repousser ses décisions : quand on est amoureux — et il désigna Jessie — tu vois ce qui m'est arrivé ? Je disais donc trois situations : quand on est amoureux, quand on est ivre, quand on est frappé d'un deuil. Je pense que tu devrais t'installer ici, comme tous les juifs d'ailleurs. Mais retourne d'abord en Angleterre, reprends ta vie normale et quand ton esprit sera apaisé, si tu penses toujours que tu dois venir, alors viens... mais ne prends pas ta décision avant. »

26.

« Chère Sophie,

Ne te fais pas de soucis pour notre pauvre père. Je dois avouer que j'ai eu un choc en le voyant à la gare — tout comme Katya qui s'est précipitée sur lui et l'a presque porté jusqu'à la maison — mais il a maintenant repris le travail et son moral s'est un peu amélioré. La seule chose qui me tracasse est son nouvel intérêt pour la religion. Il dit le *kaddish* pour Alex trois fois par jour. Si mes souvenirs sont exacts, il ne l'a presque pas dit pour maman. Il est vrai qu'elle avait quatre fils qui auraient pu le dire (je suis certaine qu'aucun ne l'a récité) alors qu'Alex n'avait personne.

Comme tu peux l'imaginer, nous avons tous été extrêmement affectés par la nouvelle même si nous nous y attendions. Il n'y a que la grand-mère, la pauvre, qui réalise à peine ce qui se passe. Elle a le visage et le cou bouffis, ses mouvements sont lents, ses paroles confuses : on dirait qu'elle s'est transformée en un bloc de pierre. Et dire qu'elle a été si belle ! Je pense parfois que l'on devrait faire disparaître les femmes — du moins c'est ce que je voudrais pour moi — avant qu'elles ne s'enlaidissent.

Est-ce qu'on t'a raconté le service commémoratif qui a eu lieu à Clifton ? Ça a été très solennel et impressionnant. Père ne savait pas comment s'habiller et après avoir demandé conseil à gauche et à droite, y compris à Krochmal, son avocat (qui est un vieux bonhomme tout décrépi et sourd ; on doit tout lui répéter une douzaine de fois et j'imagine qu'il présente sa note à chaque répétition).Il s'est finalement décidé pour un pantalon à rayures, une redingote et un chapeau haut de forme. Il faisait très chic même au milieu de cette assemblée très distinguée. Le proviseur l'a présenté à

Lord ceci, au général cela et même au Lord Maréchal je ne sais trop quoi. Il s'est retrouvé assis près d'un ministre d'Etat qui, à son grand désappointement, se révéla un ancien mineur aux vilaines dents (je suppose que tu sais que les travaillistes ont gagné les élections). Le Révérend Polack a dit l'office, l'évêque a lu les Evangiles et le Grand Rabbin a prononcé le sermon. Ça a été si émouvant que j'en ai pleuré. Père s'est quant à lui effondré en larmes quand on a lu le *kaddish,* ce qui m'a encore fait pleurer. Je me suis ressaisie un peu après mais père est resté abattu. Tu sais comme il aime à se croire un parfait Anglais (attention, pas un Ecossais, un Anglais) mais je crois que là, il a eu l'impression d'être pris en défaut. Il semblait un peu perdu lors de la réception qui a suivi et il avait l'air de se demander ce qu'il faisait, lui, Nahum Raeburn, né Rabinovitz, de Volkovysk, parmi tous ces généraux, ces lords, ces maréchaux, ces ministres et tout ce beau monde. Mise à part son expression ébahie, il ne faisait pas du tout déplacé et je dois dire qu'il a même une certaine élégance toute naturelle. Hector était bien sûr dans son élément et il s'est conduit comme dans une réunion de vieux copains de régiment, serrant des mains, racontant des histoires du bon vieux temps, évoquant des amis communs et présentant Arabella (elle était éblouissante en noir) comme s'il l'avait gagnée à une loterie. Elle était mieux habillée que toutes les autres femmes mais sais-tu qu'elle n'est pas très bien proportionnée ? Elle semble pourtant penser, comme tous les autres d'ailleurs, qu'elle est la plus belle femme de la création. Elle est très fière de son dernier film mais un de mes amis, qui s'y connaît, a trouvé qu'elle jouait terriblement faux et il a jugé l'ensemble assez laborieux (il n'est pas encore sorti dans les grandes salles et je me demande s'il y passera jamais). Elle tourne en ce moment un film parlant qui aura l'avantage de faire entendre son agréable voix, bien qu'un peu fluette, lorsqu'elle chante, mais qui aura l'inconvénient de faire entendre sa voix forte et perçante lorsqu'elle parle. Quand elle ouvre la bouche, on a toujours l'impression qu'elle s'adresse à une assemblée de durs d'oreille.

Inutile d'ajouter que père, qui n'a aucun esprit critique, a été très impressionné par ses films. Du moment que ça bouge et qu'il y a assez de retraités et d'inactifs qui déboursent quatre pence pour remplir ses cinémas pouilleux, alors pour lui c'est un bon film. Il parle de construire un grand cinéma au centre de Glasgow et il a l'intention, s'il te plaît, de l'appeler l'Arabella.

Son dernier film s'intitule *Le faible et le fort* et si tu es assez observatrice tu remarqueras un personnage connu, confronté à une situation qui restera, je l'espère, exceptionnelle. En d'autres termes, je suis moi aussi devenue une vedette mais d'une façon très modeste et assez désagréable puisque je me fais étrangler dès la première minute du film. Le rôle m'a été attribué par un certain Kapulski, un immense amerloque hydrocéphale aux attributions mal définies mais qui a la main sur tout. Il m'a même proposé de filer à Hollywood. Cela m'aurait tentée s'il ne m'avait offert de filer avec moi (il assistait d'ailleurs à la cérémonie et a proposé à la comtesse de Bristol ou de je ne sais trop quoi, de devenir actrice de cinéma).

Maintenant, j'en viens au point le plus important. Kagan était présent (il est membre du conseil d'administration de l'école). Sa barbe s'est éclaircie et il a beaucoup vieilli. Son fils l'accompagnait : il est grand, prend des airs pompeux, a des cheveux de jais et des cernes autour des yeux comme s'il souffrait de constipation depuis la puberté ; il y avait avec lui une femme qui n'était pas la légendaire Lotie. Elle ressemblait un peu à Kagan et j'ai cru un moment que c'était une parente mais on l'a présentée comme Mme Kagan, ce qui signifie que la merveilleuse Lotie (que je n'ai jamais rencontrée mais dont grand-mère, dans ses moments de lucidité, dit le plus grand bien) est ou morte, ou divorcée. Comme les gens de son rang ne meurent pas facilement, j'en déduis qu'elle est divorcée. Il n'était pas question de demander au jeune Kagan ce qu'était devenue sa première femme (j'ai pourtant failli le faire) mais comme je m'étais fait un point d'honneur de connaître le fin mot de l'histoire, j'ai fini par tout savoir. Elle a bien divorcé et vit en Nouvelle-Angleterre. Le divorce a été prononcé l'an dernier mais les choses allant vite en Amérique, elle s'est peut-être remariée depuis. J'ai annoncé la nouvelle à grand-mère à mon retour et elle m'a dit de sa voix lente : « Lotie ? Pas la Lotie de Nahum ?

— Elle n'était pas tout à fait la Lotie de Nahum mais elle a bien failli le devenir.

— Je parle de ta mère.

— Qu'est-ce que tu veux dire ?

— N'est-elle pas morte à la guerre ? »

Complètement gaga, la pauvre. J'ai aussi appris la nouvelle à Katya dont les joues de bébé bien nourri se sont dégonflées d'un seul coup. Quel plaisir de la voir ainsi ! Je la déteste. Elle a plus ou moins pris le contrôle de la maison ; elle s'assied en bout de table, face à papa, comme si elle était maman. A son âge, elle s'habille comme une jeune fille et le résultat est grotesque. Certes, elle a toujours un certain charme et personne ne se douterait qu'elle a un pied dans la tombe (si elle pouvait avoir les deux !). Je sais exactement ce que les gens aiment en elle et je crois que c'est une chance qu'elle puisse encore les exhiber à son âge mais franchement, tant qu'elle se trouve dans les parages, je tremble pour papa bien que j'aie parfois l'horrible sentiment qu'il s'est produit ce que je redoute.

Devrais-je écrire à Lotie ? Pour lui dire quoi ? « Chère Lotie, vous ne me connaissez pas mais si vous aviez épousé mon père, vous seriez ma mère. Je sais que vous pouvez vous remarier ; mon père le peut aussi, depuis douze ans. Voudriez-vous le rencontrer ? Bien à vous. » J'ai comme l'impression que ça ne marcherait pas. J'aurais voulu qu'il rencontre la jeune veuve qu'il y avait à ton *moshav*. Je sais que tu la trouvais vulgaire mais elle ne l'était pas davantage que Katya et elle était plus jeune. Les as-tu présentés l'un à l'autre ? Je ne fais pas partie de ces juives qui considèrent le mariage comme la panacée de tous les maux mais cela résoudrait bon nombre de ses problèmes et pas mal des miens aussi. Voilà qui m'amène au propos essentiel de ma lettre.

Tu dois te rappeler que lorsque nous étions chez Shyke, on m'a présenté un très beau jeune Ecossais du nom d'Eddy Cameron. Je l'ai revu à plusieurs reprises en Palestine et beaucoup plus encore ici ; nous vivons ensemble maintenant. Nous voudrions nous marier et j'essayais de prendre mon courage à deux mains pour l'annoncer à père lorsque la nouvelle de la mort d'Alex nous est parvenue. Avant cela, Hector m'avait déjà dit (ils travaillent ensemble) : « Tu ne peux pas faire ça au vieux, ça le tuerait. » Vu son état de déprime, je ne puis pas le lui annoncer maintenant. Je sais que son meilleur ami, Shyke, s'est « mal marié » et que selon toi, si Shyke ne lui avait pas damé le pion, il aurait pris sa place. J'ai eu du mal à le croire mais de toute façon il a bien changé. Il suit la trace de son père ; Jacob a accepté un poste dans un lycée de Glasgow pour l'assister et lui tenir compagnie. Il se peut que pour père, cet attrait momentané de la religion ne soit qu'une aberration passagère engendrée par le chagrin mais pour Jacob c'est plus sérieux puisqu'il passe la moitié de sa vie à la synagogue.

Si tu étais à ma place, je crois que tu aurais laissé tomber Cameron mais tu n'aurais sans doute pas noué une telle relation. J'ai pourtant essayé de rompre. Lorsque je suis allée accueillir père à la gare Victoria, j'ai été tellement touchée de le voir ainsi que j'ai aussitôt décidé de rayer Cameron de mon existence. J'ai voyagé avec père jusqu'à Glasgow et je suis restée environ deux mois en sa compagnie ; cela a été le plus grand sacrifice de toute ma vie. Je n'ai ni écrit ni téléphoné à Cameron, qui avait très bien compris la situation et n'a pas essayé de me joindre. Tu ne peux pas imaginer combien c'était déprimant. Grand-mère avait l'air d'un fantôme, père restait à regarder sa nourriture comme s'il ne voulait pas en avaler une bouchée et il sanglotait de temps à autre. Katya s'efforçait d'égayer la conversation en évoquant ses différents admirateurs (tous ne sont pas morts) tandis que Benny, ce cher petit nigaud, avalait bruyamment sa soupe en en renversant une moitié sur lui et l'autre sur la nappe. Je crois bien que si j'étais restée une minute de plus à Glasgow j'aurais tué Katya, brûlé la maison et me serais suicidée. Lorsque Jacob est venu s'installer à Glasgow j'ai pu alors retourner à Londres et à ma « carrière ».

Naturellement, mon problème reste entier.

Je ne puis espérer me marier que si mon père se remarie d'abord. Il a fêté ses cinquante-cinq ans la semaine dernière et je suis retournée le voir (tu dois te demander : « Qu'est-ce qui est arrivé à la petite Vicky ? »). Je lui avais fait un gâteau sur lequel j'avais inscrit le chiffre cinquante-cinq en sucre glace rose. Il est resté à regarder l'inscription un long moment puis il a dit comme s'il se parlait à lui-même : « Mon père est mort à cinquante-six ans. » Il m'a dit qu'il avait réservé un emplacement près de la tombe d'Alex sur le Mont des Oliviers. Pour autant que je le sache, il a également réservé un emplacement près de maman au cimetière de Glasgow. Est-ce qu'il croit à la résurrection ? On ne devrait pas en rire mais il a plein d'idées morbides : le mariage devrait lui enlever tout ça de la tête (il est vrai qu'il pourrait lui en créer d'autres). Que pouvons-nous faire en attendant ? Que ferais-tu, toi ?

Embrasse pour moi Yankelson et les jumeaux (Père n'arrête pas d'en parler et je ne crois pas exagérer en disant que c'est le fait de penser à eux qui l'a empêché de devenir fou ces derniers mois).

Je t'embrasse,

Vicky.

27.

Nahum dut affronter de nouveau une montagne de soucis.

L'industrie cinématographique connut une mauvaise passe, et surtout son domaine d'activité. Ses salles neuves, dont il avait tiré de coquets profits, arrivaient tout juste à couvrir leurs frais ; les anciennes salles, les chapelles, les théâtres, les écuries, les casernes de pompiers qu'il avait réaménagées, faisaient quant à elles des pertes. Il possédait onze cinémas dont il avait marqué l'emplacement par des épingles bleues sur une carte d'Ecosse. Le matin, à son bureau, il les regardait avec fierté tel un père contemplant sa famille qui s'agrandit. L'idée d'en fermer un correspondait pour lui à la perte d'un parent.

Avant de partir pour la Palestine, il avait essayé de vendre trois de ses plus anciennes salles mais comme les affaires ne marchaient pas très bien, les négociations échouèrent. Il dut se résoudre à les fermer. Dans une quatrième, qui avait été rentable, les autorités locales lui imposèrent un certain nombre de modifications pour respecter les règlements de la sécurité incendie. Il dut installer de nouvelles portes, des lances à incendie et des postes d'eau. Ces travaux achevés, on lui demanda de faire mettre de nouveaux urinoirs et — comme on les appelait dans cette région — des « trônes ». Il se crut alors victime de l'antisémitisme ou des menées d'un rival ; aussi, comme sa clientèle d'un certain âge commençait à se soulager dans les coins sombres de la salle, il décida de la fermer.

Et puis, il y eut l'avènement du cinéma parlant. Les grands circuits de distribution se lancèrent tous dans le « parlant » et il savait que, s'il ne suivait pas le mouvement, il risquait d'y laisser ses plumes. Les nouveaux équipements nécessaires à la reconversion étaient coûteux et les difficultés qu'il rencontra pour obtenir des capitaux lui rappelèrent celles qu'il avait connues lors de ses débuts dans les affaires maritimes. « Il n'est pas nécessaire que je me plonge dans mes livres de comptes, disait-il, je peux deviner ce qu'il en est au vu de la façon dont je suis reçu par les banquiers »; il fut bien sûr accueilli sans grand enthousiasme. Il put emprunter de l'argent, mais pas suffisamment, et vendit un autre cinéma. « Il en reste six », dit-il d'un air lugubre en regardant la carte. Il lui fallut plusieurs mois pour mettre en place le nouveau matériel. Durant des années il s'était inquiété de savoir qui lui succéderait; il en venait maintenant à se demander s'il y aurait jamais une succession à prendre.

Un de ses problèmes venait de ce qu'il détestait augmenter les tarifs. Sa politique des bas prix était devenue un principe : il considérait le cinéma comme un bienfait pour l'humanité, se prenant lui-même pour un bienfaiteur qui apportait de la gaieté dans la morne vie des gens; il préférait un cinéma plein à six pence la place qu'une salle à moitié vide à un shilling la place. Il estimait que le spectacle d'une file de spectateurs devant un cinéma en attirait d'autres. De plus, dans une salle vide, les gens avaient tendance à faire des bêtises. Un jour, Katya et sa mère, qui se trouvaient sur la côte, durent entrer dans un cinéma (qu'il possédait) pour s'abriter de la pluie. Katya se déclara outragée par ce qu'elle y avait vu, « pas sur l'écran mais sur les sièges du fond. Je ne pouvais en croire mes yeux.

— Tu n'aurais pas dû regarder, dit Nahum.

— Regarder ? Je ne pouvais m'en empêcher. Tout le cinéma en était retourné. On aurait pu croire que c'était un couple de jeunes amants passionnés. Eh bien pas du tout. C'était un vieux satyre à cheveux blancs en compagnie d'une jeune ouvreuse; il soufflait et crachotait comme une vieille machine à vapeur. »

Nahum, qui tenta de faire la lumière sur cette histoire, en fut troublé car c'était le signe du déclin. Des confrères lui affirmèrent que pour entretenir la respectabilité d'une salle il fallait d'abord pratiquer des prix respectables. « Une place à vil prix incite à de vils comportements », lui dit l'un d'eux.

A titre d'expérience, il augmenta ses prix de vingt-cinq pour cent dans l'une des salles. La fréquentation diminua un peu mais pas les recettes qui, effectivement, firent un bond respectable.

Durant l'année où il dit le *kaddish* pour Alex, il se lia d'amitié avec un veuf d'un certain âge du nom de Lomzer et qui, lui, disait le *kaddish* pour sa femme. A la synagogue, quand il leur fallait attendre qu'un quorum suffisant soit réuni, ils parlaient de leur famille, de santé, de politique et bien sûr des affaires.

Lomzer fut surpris d'apprendre que Nahum était dans le cinéma.

« Je sais que c'est un milieu où il y a beaucoup de juifs mais j'ignorais qu'un juif nageant dans ces eaux-là puisse venir à la *shul* trois fois par jour pour dire le *kaddish*.

— Pourquoi pas ? demanda Nahum.

— A cause des femmes nues.

— Quelles femmes nues, où ça ?

— Sur l'écran, les femmes nues.

— Où avez-vous vu des femmes nues ? Je fais ce métier depuis dix ans et je n'ai pas vu une seule femme nue dans un film. Demi-nues, peut-être.

— Mais il y a beaucoup de femmes à demi nues.

— D'accord, mais vingt femmes à demi nues ne font pas dix femmes nues. Je gère un commerce respectable. Je ne projette rien que vous ne pourriez montrer à votre femme ou votre fille.

— Je n'ai pas eu de fille et j'ai perdu ma femme.

— Mais si vous aviez une femme ou une fille, vous verriez qu'il n'y a rien dans mes cinémas qui les ferait rougir.

— Rien n'aurait fait rougir ma femme — Dieu ait son âme — mais ça, c'est une autre histoire. »

Lomzer était dans l'immobilier. « Ce n'est pas gigantesque, un immeuble par-ci, un peu de terrain par-là, mais ça me permet de vivre, grâce à Dieu. »

Quelque temps après, lorsque Nahum revit Lomzer à la synagogue, il lui annonça son intention de construire un cinéma à proximité immédiate du centre ville, seulement il pensait se heurter à des problèmes pour trouver un bon emplacement à un prix raisonnable.

« Un emplacement ? dit-il. Je pense avoir ce qu'il vous faut. » Et il invita Nahum à venir à son bureau. Ce « bureau » était situé au fond d'un appartement dans les Gorbals et lorsque Nahum découvrit le décor — un lit défait, la vaisselle empilée, les rideaux usés, les vitres sales — il douta que Lomzer possédât le terrain qu'il recherchait. Pourtant, il sortit de sous son lit une grande boîte en carton et démontra à Nahum qu'il avait bien l'emplacement désiré. Malheureusement, il en demandait un prix exorbitant.

« Réfléchissez, dit Lomzer. Que Dieu me punisse si je fais du profit sur le dos d'un ami. S'il m'avait coûté moitié prix, vous l'auriez eu à moitié prix mais je ne peux pas en demander moins que ce que j'ai payé et puis j'ai mes frais. Et ils sont lourds. On ne peut rien faire dans ce métier sans avocats et vous savez ce qu'ils demandent. »

Nahum suggéra qu'ils fassent une expertise.

« Une expertise ? Cela va rajouter à vos frais et aux miens. Concluons l'affaire entre amis et finissons-en.

— Ce n'est pas ma manière de procéder. »

Ils se mirent d'accord finalement pour demander l'avis d'un expert mais ses tarifs étaient si élevés que Nahum renonça. Lomzer lui téléphona alors tous les jours en baissant son prix à chaque fois, si bien qu'à la fin il lui demanda : « Qu'est-ce que vous voulez ? Que je vous l'offre en cadeau de Noël ?

— Non, non, dit Nahum. Votre proposition est raisonnable, seulement je n'ai pas les moyens de m'offrir ça.

— Alors pourquoi m'ennuyez-vous avec cette histoire ? » Et il ajouta : « Vous voulez que je vous dise ? Vous ne savez même pas diriger vos affaires. » Nahum en fut suffoqué.

« Excusez-moi, monsieur Lomzer, j'ai pu élever six enfants grâce aux fruits de mon travail, je vis dans une belle maison à Pollock-shields, j'ai un beau bureau, soixante personnes travaillent pour moi et je possède une jolie voiture. Vous, vous travaillez au fond d'un appartement et vous n'avez même pas une paire de bottines convenables.

— D'accord, vous dépensez beaucoup d'argent. Mais il n'y a pas besoin d'être génial pour faire ça. Combien faites-vous sur ce que vous gagnez ?

— Environ trois pour cent.

— Vous ne parlez pas à votre percepteur en ce moment, mais à un ami.

— J'ai dit environ trois pour cent.

— Et vous vous prenez pour un homme d'affaires ?

— Je crois aux gros chiffres d'affaires et aux petits bénéfices.

— Ce sont les petits bénéfices qui engendrent les grosses pertes. »

C'est sous ces auspices peu prometteurs que commença une nouvelle association qui — du moins au début — n'englobait pas toutes les affaires de Nahum et concernait seulement le projet du centre ville. Une des premières décisions qu'ils prirent, après avoir examiné les comptes, fut d'abandonner ce projet pour acheter une petite compagnie en faillite qui possédait trois cinémas, tous neufs et dont l'un était assez grand.

Nahum se demanda un moment s'il avait bien fait, non qu'il doutât des capacités de Lomzer, mais il avait des doutes sur sa personnalité. Il lui faisait penser à Lazar qui, au lieu de remettre son affaire à flot, l'avait coulée. Il avait cependant l'impression que l'homme était intègre. Ce qui le gênait davantage c'était son aspect extérieur. Il vivait dans ce pays depuis cinquante ans et s'habillait, parlait, comme s'il venait de descendre du bateau. Il s'exprimait dans un anglais mêlé de yiddish, d'hébreu et de russe. Son odeur lui faisait penser à celle de ses passagers qui sentaient le hareng et l'oignon. Eté comme hiver, il allait vêtu d'un manteau noir, d'un chapeau mou qui avaient connu de meilleurs jours et traînait un parapluie informe. Il venait au bureau presque tous les jours sans s'annoncer ; il ne se débarrassait ni de son manteau ni de son chapeau, s'asseyait sur une chaise et s'appuyant sur son parapluie il demandait : « Comment vont les affaires ? »

Il avait des poils blancs sur le menton ainsi que sur le cou, qui ressemblait à celui d'un poulet mal plumé. Des cernes rouges entouraient ses yeux bleus toujours larmoyants ; son nez avait aussi tendance à couler perpétuellement. Il parlait d'une voix faible et lasse. Les employés du bureau se moquaient de son allure et sa présence gênait Nahum lorsqu'il recevait des invités. Il fit mettre un ventilateur qu'il branchait quand il arrivait dans son bureau. Nahum s'était pourtant pris d'affection pour le vieil homme dont il appréciait les conseils. Si, au début, il ne l'avait consulté que pour ses affaires, il en vint à le considérer comme un sage qu'il citait à tout propos, si bien que Mittwoch pouvait anticiper ses déclarations qui commençaient par : « Lomzer dit que... »

Cette admiration n'était pas partagée.

« Vous voulez que je vous dise ? lança un jour Lomzer. Vous n'êtes pas un homme d'affaires. Vous ne savez pas marchander, vous ne savez pas fixer un prix, réaliser l'opportunité d'une vente, utiliser vos bénéfices. Vous achetez tout en payant rubis sur l'ongle. A regarder vos comptes, on croirait que le crédit n'existe pas. Je me demande comment vous avez pu tenir aussi longtemps. Il n'y a qu'une explication, vous avez eu de la chance et c'est pour cela que j'ai accepté de devenir votre associé. Votre chance ajoutée à mes capacités, nous ne pouvons pas échouer. »

Au bout d'un an d'association leur compagnie possédait neuf cinémas qui faisaient tous des bénéfices, et même de bons bénéfices pour certains.

Par un matin brumeux, Nahum et Lomzer se trouvaient dans la banlieue de Glasgow sur le futur emplacement de leur dixième salle.

Une pelleteuse avait creusé une étroite tranchée et Nahum regardait le trou.

« Ça ressemble à une tombe », dit-il.

Lomzer le regarda. « Si c'en était une, est-ce que vous voudriez la sous-louer à une compagnie de pompes funèbres ?

— Non, j'ai bientôt cinquante-sept ans.

— Et alors ?

— Mon père est mort à cinquante-six ans.

— Le mien est mort avant ma naissance. Alors qu'est-ce que vous voulez dire ?

— Vous n'avez jamais eu la prémonition que vous alliez mourir trop jeune ?

— A mon âge, c'est un peu tard. Il est même un peu tard pour mourir trop tard.

— On ne vit pas vieux dans ma famille, tous les hommes sont morts jeunes.

— Votre mère vit encore. Qui vous dit que vous ne tenez pas d'elle ?

— Franchement, je préférerais mourir comme mon père à cinquante-six ans plutôt que d'atteindre soixante-seize ans comme ma mère.

— Vous n'avez pas le choix, vous vivrez jusqu'à cent vingt ans.

— Qui souhaiterait vivre jusqu'à cet âge ?

— Lorsque vous aurez le mien, vous vous serez habitué à la vie et vous aurez l'impression d'être éternel.

— Dieu m'en préserve ! »

Peu après Nahum apprit une nouvelle qui lui redonna le goût de vivre. Jacob annonça son intention de se marier.

« Toi ? Te marier ?

— Et pourquoi pas ?

— Tu n'en as jamais parlé et je ne t'ai jamais vu avec des filles.

— Peut-être mais j'ai connu une fille à Edimbourg. Elle est originaire de Glasgow mais elle faisait ses études là-bas. Elle les a terminées, alors je lui ai demandé de m'épouser et elle a accepté. C'est plutôt bien, non ?

— C'est tout ce que tu as fait ?

— Pourquoi, que font les autres ?

— Rien, *mazeltov*, je suis très heureux mais cela m'aurait donné du courage si tu me l'avais dit plus tôt.

— Je ne pouvais pas te le dire avant.

« — Tu aurais pu me parler de tes projets. Je suis malgré tout très heureux. Que fait-elle ?

— Médecin. Une bonne profession, non ?

— *Médecin ?* Alors nous en aurons deux dans la famille. Dommage que tu n'aies pas fait médecine, nous aurions pu ouvrir une clinique. »

Son nom de famille ne disait rien à Nahum mais lorsqu'ils se réunirent tous un soir pour dîner, il reconnut la mère. C'était une des filles Black. Ses enfants semblaient condamnés à épouser les progénitures de filles qu'il avait repoussées. La mère était une grande femme élégante, bien plus jolie que sa fille, qui était mince, ressemblait à une souris et portait des lunettes. Jacob et elle semblaient très heureux ; il en était ravi. Ses *schwartze yoren,* ses années noires, étaient sans doute terminées.

28.

Hector prit le train pour aller chercher sa sœur à Crewe. Se penchant par la vitre, il aperçut la grande silhouette de Sophie qui se frayait un chemin dans la foule. Elle avait débarqué à Liverpool le matin même.

Il se précipita sur le quai pour l'aider et ils s'embrassèrent.

« Tu as l'air en pleine forme, lui dit-il lorsqu'ils furent assis.

— Oui, une grosse forme ; mais je crois que j'ai maigri dans la précipitation de ces derniers jours. Mon Dieu, comme je déteste voyager !

— Où sont Yankelson et les jumeaux ?

— Les jumeaux auraient été plutôt embêtants qu'autre chose et Yankelson est resté les garder. Mais peu importe Yankelson, où est la grande Arabella ?

— Dans la phase ultime de sa plus grande expérience, son premier film parlant. Je suppose que tu n'as vu aucun de ses films ?

— Si, mais ils ne m'ont pas tellement plu.

— Ils étaient horribles, n'est-ce pas ? Ils n'ont pas rapporté beaucoup d'argent ; celui-ci devrait être différent car si elle n'est pas une actrice extraordinaire, elle a une assez jolie voix et ça tombe bien.

— Est-ce que Vicky a un rôle dans ce film ?

— Je crains que non. Elle et Arabella s'entendent mieux lorsqu'elles sont séparées. Elle traverse une mauvaise passe, la pauvre.

— Est-ce qu'elle vit toujours avec... machin ?

— Oui, et c'est bien la cause de tous ses soucis.

— Je l'avais prévu dès que je les ai vus échanger leurs premiers regards chez Shyke. Elle aurait dû s'arranger pour régulariser sa situation.

— Elle ne pouvait pas, je ne l'aurais pas laissée faire.

— Si elle t'a permis de te mêler de cette affaire, c'est qu'elle n'était pas très sûre de ses sentiments. Elle m'a dit qu'elle ne pouvait m'imaginer dans une semblable situation. Pourtant j'ai vécu la même chose durant la guerre : je suis tombée amoureuse d'un jeune médecin anglais mais j'ai su dès le départ que cette relation ne devait pas avoir de suite. J'ai demandé et obtenu mon transfert.

— Tu crois vraiment qu'il ne faut pas se marier hors de sa religion, même si l'on n'y croit pas ?

— Bien sûr que non. Seulement, mon bonheur dépendait tellement de celui de Père que je n'ai pas voulu envisager l'éventualité du mariage.

— Elle croit que le mariage de Jacob va lui offrir une échappatoire.

— Elle va annoncer son mariage avec Cameron durant le banquet de noces ?

— Je n'en mettrais pas ma main au feu. Mais je dois reconnaître que l'éclat qui brillait dans ses yeux lorsqu'elle a dit qu'elle avait sans doute trouvé une solution nous a donné quelques craintes avant ce mariage.

— J'appréhende tous les mariages. Où se trouve-t-elle en ce moment ?

— A Glasgow, ce qui ne me rassure guère. »

Le futur beau-père de Jacob tenait une boutique de vêtements pour hommes au centre ville. Nahum pensait qu'il n'était pas très riche mais comme la future épouse était fille unique, il avait fait réserver la plus belle salle de réception du plus grand hôtel de Glasgow et invité la moitié de la ville.

Alors qu'il se trouvait aux côtés des jeunes mariés et des parents à l'entrée de la salle, Nahum s'efforçait de ne pas penser au mariage d'Hector. Il avait l'étrange impression de revivre le passé. Certes, il ne régnait pas la même ambiance joyeuse, il n'y avait ni reporters ni cameramen mais il y avait autant de monde. Le maître de cérémonie criait à tue-tête le nom des invités. Nahum s'attendait un peu à voir Cameron mais son nom ne fut pas prononcé. Il entendit à la place celui de Lotie qui s'avança vers lui, les bras tendus. Ce fut seulement lorsqu'ils s'embrassèrent — au grand embarras des gens présents — qu'il fut réellement persuadé que c'était elle.

Il marmonna quelques mots d'excuses à ses hôtes et la conduisit dans une pièce au calme.

« Tu ne peux pas savoir comme je suis content de te voir. Mais comment se fait-il que tu sois là ?

— Que veux-tu dire ? Tu m'as invitée.

— Je... » Il ne l'avait pas invitée mais il devinait qui l'avait fait à sa place. Il ne lui était pas venu à l'esprit que sa mère y pensait encore ; elle n'avait pas parlé de Lotie depuis des années. « Oui, bien sûr, je t'ai invitée, se reprit-il, mais je n'en reviens pas de te voir.

— Et moi non plus. » Ils s'enlacèrent de nouveau, s'embrassèrent, puis elle murmura : « Je loge dans cet hôtel, oublions le mariage et montons dans ma chambre.

— Et marions-nous tranquillement à notre façon, c'est ce que tu veux dire ? Il y a un rabbin à côté, je vais chercher des témoins, j'emprunte un anneau, pourquoi pas ? Seulement le Talmud dit : *ein mar'arvin simcha b'simcha,* on ne doit pas mélanger deux cérémonies.

— Ce n'est pas exactement au mariage que je pensais.

— Je sais à quoi tu penses, ma chérie, et je dois te dire que je n'ai pas cessé d'y songer moi aussi. » Il avait l'impression que les vingt-quatre années qui les avaient séparés n'avaient jamais existé. « A titre de renseignement, es-tu libre ?

— Tu sais très bien que je le suis. Mon divorce d'avec Richard a fait la une de tous les journaux. Tu ne m'aurais pas invitée à ce mariage si tu n'avais su que j'étais divorcée. Ce n'est pas le premier mariage qui se déroule dans cette famille ?

— C'est le troisième.

— Eh bien ! »

Leur affectueux entretien fut interrompu par la mère de la mariée qui se confondit en excuses mais qui leur lança un regard laissant entendre qu'il y avait un lieu et une heure pour tout.

Pendant le dîner, Nahum, coincé entre son fils et sa mère, ne la quitta pas des yeux. Elle avait maigri, son nez paraissait plus long, ses pommettes plus saillantes mais ses yeux étaient toujours aussi beaux et son teint irréprochable. Il remarqua que Katya lui lançait des regards noirs.

Lotie était à la même table que Sophie, Hector et Vicky ; elle paraissait très détendue et joyeuse, engageant même une conversation animée avec Benny, ce qu'Hector considéra comme un véritable exploit.

Le jeune Mittwoch se tenait à une table voisine, tournant le dos à Vicky, ce qui ne les empêcha pas de discuter. Le repas terminé, lorsque le bal commença, Mittwoch se précipita vers elle et ils passèrent presque toute la soirée ensemble.

Nahum dut danser la valse d'ouverture avec la mère de la mariée et la seconde avec la jeune mariée. Elle semblait si menue, légère et raide comparée à la douce langueur de sa mère que Nahum se demanda si son fils n'était pas tombé amoureux de la mère et n'avait pas choisi la fille en guise de consolation. A la fin de la danse, alors qu'il cherchait Lotie, il se sentit entraîné par Mme Mittwoch, une corpulente matrone russe qui avait un soupçon de moustache sous un magnifique nez. Elle portait une longue robe de velours sur laquelle Nahum ne cessa de trébucher, ce qui faisait qu'il piquait du nez dans son décolleté tandis qu'elle lui parlait en russe des mystères de l'art de la corseterie. La valse lui parut interminable.

Mais l'épreuve n'était pas terminée. Mme Mittwoch voulait lui parler en privé et elle le conduisit par la main dans une pièce contiguë.

« Je ne sais pas si vous me connaissez très bien, monsieur Raeburn, mais je suis la mère de mon fils. Il est franc et nous le sommes d'ailleurs tous les deux. Franchement, je crois que c'est le meilleur des garçons et je pense que votre fille lui conviendrait tout à fait, même si pour moi elle n'est pas la meilleure de toutes. J'ai beaucoup de clientes, monsieur Raeburn, et elles bavardent beaucoup — l'essayage d'un corset peut prendre un après-midi — et elles parlent beaucoup de votre fille.

— Moi, je leur dirais de s'occuper de leurs oignons.

— Je ne leur réponds même pas, parce que si vous me connaissiez, monsieur Raeburn, vous sauriez que je n'écoute ni les commérages ni les conversations sérieuses. Ce que je veux dire, c'est que j'ignore de quoi elles peuvent parler et que si mon fils veut épouser votre fille, il a ma permission.

— C'est ce que vous aviez à me dire ?

— Non, c'était le début, j'en arrive à la fin. » Elle rapprocha légèrement sa chaise de la sienne. « Je suis veuve depuis longtemps, monsieur Raeburn. Et vous, cela fait combien de temps ?

— Douze ans, répondit Nahum tout en essayant de reculer sa chaise aussi discrètement que possible.

— Oh ! il y a douze ans, j'avais déjà oublié à quoi ressemblait mon mari. Je suis une mère dévouée et tant que mon fils était petit je pensais ne pas avoir le droit de me remarier bien que je recevais alors des demandes en mariage toutes les semaines. Je sentais que c'était un garçon qui réussirait dans la vie et je ne voulais pas qu'il ait un père qui soit un handicap comme le premier l'avait été. Maintenant qu'il va se marier, je crois qu'il est temps que je pense à moi. » Elle se rapprocha encore davantage et Nahum recula.

« Monsieur Raeburn, on dirait que votre ami Lomzer a besoin d'une femme. »

Nahum poussa un soupir de soulagement.

« Vous ne l'avez pas rencontré ?

— Si, mais je n'ai jamais été présentée.

— Venez avec moi. »

En sortant de la pièce, il tomba sur Lomzer qui venait des toilettes et reboutonnait sa braguette.

« Lomzer, je voudrais vous présenter une très bonne amie. Connaissez-vous Mme Mittwoch ?

— La mère du jeune je-ne-sais-quoi ?

— C'est ça.

— Votre fils est très intelligent.

— Il ressemble à sa mère, dit Mme Mittwoch.

— Il n'a pas de père ?

— Son père est mort.

— Ah ! » Sur ce il se détourna et s'enfuit en grommelant dans sa barbe : « Je suis sûr qu'il n'a pas été mécontent de rendre l'âme. »

Nahum se remit en quête de Lotie et la découvrit en train de danser avec Lomzer. Il portait une cravate blanche et une queue-de-pie ; il avait dû amidonner son costume en même temps que sa chemise car sa queue-de-pie, qui se redressait, était raide comme un bout de bois.

La soirée était presque terminée lorsque Nahum put enfin s'approcher de Lotie. Ils étaient tous les deux trop fatigués pour danser et ils allèrent se réfugier dans un coin tranquille du hall où ils mangèrent des canapés et de la salade de fruits tout en parlant.

« Qui est avec ta fille ? demanda-t-elle. Il valse merveilleusement.

— Il travaille pour moi, c'est un jeune homme qui promet.

— Va-t-il épouser la fille du patron ?

— Je ne veux pas vendre la peau de l'ours avant de l'avoir tué.

— Il est beau.

— Ma fille n'est pas mal non plus, n'est-ce pas ?

— Elle est magnifique. Je ne me souviens pas que sa mère ait été aussi jolie qu'elle.

— Oh si. Elle était impertinente, pleine de vie, et avait tout autant de personnalité, débordant de *chutzpah*[1].

— On dirait que tu la regrettes.

— Mais non. Il y a douze ans qu'elle est morte. La vie est ainsi faite que l'on s'habitue à l'absence. Sa maladie a été terrible, longue, douloureuse.

— Tout comme mon mariage. Je me suis mariée pour faire plaisir à ma mère. On ne devrait jamais faire ça.

— Ta mère ? Elle était morte.

— On fait souvent plus pour les morts que pour les vivants. Elle adorait Richard et le voulait comme gendre ; elle l'a eu. Il avait pour lui tout ce dont une mère peut rêver : une bonne famille, de belles manières, une bonne éducation, une belle allure mais bien sûr ce n'était pas mère qui devait vivre avec lui. Dès le début, j'ai su que notre mariage ne serait pas une réussite mais on se laisse porter par l'espoir les premières années et par l'habitude ensuite. Puis père... tu sais qu'il a eu des problèmes ?

— J'en ai vaguement entendu parler.

— Althouse vendait essentiellement des produits allemands, et quand l'Amérique est entrée en guerre, il en a subi les conséquences. Il n'a pas été totalement ruiné mais il n'est jamais redevenu l'Althouse d'autrefois et je crois bien qu'il en était heureux. Un jour, alors qu'il jouait au golf, il a raté une balle et est tombé face contre terre. Il ne s'est pas relevé. A l'enterrement, en levant les yeux de la tombe, j'ai vu un grand étranger qui se tenait à côté de moi. Je me suis demandé s'il était vraiment mon mari, lui qui signifiait si peu de chose pour moi. Au lieu de rentrer avec lui, je suis allée chez mon avocat et j'ai déclaré mon intention de divorcer. Il a essayé de me convaincre d'attendre un peu en me disant que j'étais trop déprimée pour savoir ce que je voulais vraiment. Mais ce décès m'a éclairci les idées. Quand j'ai obtenu le divorce, je me suis demandé pourquoi je ne l'avais pas fait plus tôt. Pourquoi avais-je attendu cinquante ans pour refaire une nouvelle vie ?

— Pourquoi ne m'as-tu pas fait savoir que tu étais divorcée ?

— Qu'est-ce que tu voulais que je fasse ? Passer une annonce dans le *Times ?* " Mme Lotie Kagan, femme de Richard Kagan et fille du

---

1. *Chutzpah* : le culot, l'effronterie.

regretté Wilfred Althouse, a repris son statut et son nom de jeune fille. " Kagan ne te l'avait pas dit ?

— Kagan ? Je ne veux plus entendre parler de lui.

— Le pauvre homme, plus personne ne veut entendre parler de lui. Il a failli tout perdre, tu sais.

— Kagan ? Quand ?

— Il y a un an ou deux.

— Pourquoi est-ce que je ne l'ai pas su ?

— Il a fait le maximum pour que ça ne se sache pas mais tout le monde est au courant maintenant. »

Nahum fut envahi d'un sentiment de nostalgie et de *schaden-freoude*[1]. La nostalgie, c'était celle de ses premières armes lorsque Kagan l'avait aidé, avec réticence certes, à monter son affaire ; le *schaden-freoude* c'était pour les humiliations qu'il lui avait fait subir, ses sermons, son doigt réprobateur, son ton hautain, pour la barrière sociale qu'il avait dressée entre eux et enfin pour la lettre de refus écrite par son secrétaire en réponse à son invitation à la *bar mitzvah* de Jacob. Il avait cru déceler une note de regret dans la voix et sur le visage de Kagan lors du service commémoratif pour Alex mais avec le recul il lui sembla que c'est sur lui-même qu'il s'apitoyait et non sur Alex.

« Est-il ruiné ? demanda Nahum qui l'espérait presque.

— Ruiné ? Il n'en est pas réduit à vendre ses biens ni sa femme ses bijoux mais il n'a plus le pouvoir d'antan. C'est Richard qui l'a perdu. Il voulait devenir lui aussi un Kagan et il a investi les fonds de la banque dans des valeurs américaines.

— Et elles ont chuté avec le krach de Wall Street.

— Non, quelques mois avant. Nous avons divorcé à ce moment-là et on a fait courir le bruit que la banque était en mauvaise situation parce que j'avais retiré mes avoirs. Il est vrai que mon père avait conclu un très généreux arrangement, en actions Althouse surtout, lorsque je me suis mariée mais elles ne valaient plus rien à l'époque de mon divorce. Je suis presque sans un sou, Nahum, peux-tu imaginer cela ? Moi, Lotie Althouse, presque sans un sou ?

— Tu n'as pas l'air trop pauvre.

— Je me demandais si j'aurais un jour de tes nouvelles car j'étais certaine que tu étais au courant du divorce et j'ignorais si tu étais remarié ou... » Elle hésita.

---

1. *Schaden-freoude* : c'est la joie que l'on ressent face au malheur des autres.

« Ou quoi ?

— Eh bien, tu es dans le cinéma.

— Et alors ?

— Tu sais la vie que mènent ces gens-là. Je pensais que tu avais une maîtresse.

— Je ne fais pas partie de ce monde-là. J'avais vaguement entendu parler de ton divorce mais c'est le genre de chose dont on entend souvent parler. De toute façon, tu aurais pu te remarier. Tu n'es peut-être pas dans le show-business mais tu es américaine.

— Pas à ce point-là.

— Quoi qu'il en soit, je suis heureux de te voir et j'espère que tu resteras.

— Pas longtemps, mon chéri. Je pars pour la Riviera.

— Je croyais que tu n'avais presque pas d'argent.

— Mes amis en ont. J'avais décidé de partir avec eux avant que je sache pour le mariage et je ne suis censée faire qu'une étape ici.

— Rien ne te déciderait à rester ?

— Non, je ne dis pas ça mais j'ai l'intention de partir quand même demain après-midi. »

Plus tard, il aperçut Lotie en grande conversation avec ses deux filles. Il n'avait pas besoin d'être très perspicace pour deviner qu'une conspiration se tramait contre lui. Il déjeuna le lendemain au Central Hotel en sa compagnie. Alors qu'elle consultait le menu elle lui dit : « Ta famille pense que nous devrions nous marier.

— Commençons par le commencement, dit Nahum. Qu'est-ce que tu prendras ?

— Un homard thermidor.

— Donc je n'ai pas les moyens de t'épouser. »

Ils se marièrent un mois après, au cours d'une cérémonie très simple. Son témoin fut Lomzer qui lui déclara après le mariage : « En fait, j'avais l'intention de l'épouser mais comme je l'ai déjà dit, c'est vous qui bénéficiez de la chance. »

Au moment de rédiger les invitations, il avait téléphoné à Vicky pour lui demander s'il devait inviter Mittwoch.

« Je croyais que ce devait être un petit repas de famille ?

— C'est pour cette raison que je te téléphone ; je le considère presque comme un membre de la famille. »

Il n'obtint pour toute réponse qu'un silence.

« Alors ?

— Je pense qu'on ne doit pas précipiter les choses. »

Il avait prévu quinze convives à table mais des problèmes de tournage s'étant présentés, Arabella ne vint pas et Hector non plus. Ils ne furent donc que treize et il ne put s'empêcher de considérer cela comme un mauvais présage.

Du côté de Lotie, il n'y avait que deux invités : son frère, Edgar, qui était presque le portrait vivant de son père, et sa femme Matilda qui avait perdu tout son brio et avait l'air un peu godiche. Même ses bijoux paraissaient ternes. Elle échangea à peine quelques mots avec Edgar, qui passa le plus clair de son temps en compagnie d'une Vicky qui ne fit rien pour le décourager.

Après le repas, il demanda à Lotie quel genre d'homme était son frère.

« Du genre lubrique ; mais pour ça, il faut être deux. »

29.

Il y eut dès le départ ce que Nahum appela de « tout petits problèmes ». Ils pensaient tous les deux que la maison de Pollock-shields était bien trop grande pour eux. Nahum projetait d'acheter un appartement dans le West End mais il était entendu que le temps qu'ils le trouvent ils resteraient à Pollockshields. Lotie refusa.

« Ta tante m'énerve. Elle ne m'aime pas et je suis persuadée qu'elle veut me jeter un sort.

— Elle est bien trop grosse pour être une sorcière.

— Qui te dit que les sorcières doivent être maigres ? » Ils convinrent finalement d'aller loger à l'hôtel, ce qui agaça Nahum car d'une part, il n'aimait pas les hôtels, et d'autre part, l'idée de cette dépense l'irritait. Lorsqu'il essaya de faire passer sa note sur le compte de la compagnie, il faillit se disputer avec Lomzer.

Ils cessèrent rapidement de chercher un appartement car ils ne trouvaient rien qui corresponde aux goûts de Lotie. Ils se heurtèrent aux mêmes difficultés pour les maisons et Lotie suggéra qu'ils achètent une ruine située sur un emplacement convenable pour la démolir et reconstruire une nouvelle demeure.

« As-tu une idée de ce que cela peut coûter ?

— Je croyais que tu avais de l'argent.

— Oui, mais pas autant que ça.

— Je pourrais peut-être réussir à trouver quelques milliers de livres.

— Je croyais que tu n'avais pas d'argent.

— Oui, mais pas au point de ne pas en avoir du tout.

— Cet achat serait du gaspillage. Nous ne sommes que deux, nous n'avons pas besoin d'un palace.

— Benny restera avec nous et puis il faut toujours prévoir de la place pour la famille ou des amis de passage.

— C'est ce dont j'ai peur. Quand on a de la place pour la famille, ils ne viennent pas seulement pour quelques jours, ils viennent pour rester. Je possède déjà une maison que nous pourrions remettre à neuf et meubler à ton goût, seulement tu refuses d'y mettre le pied sous prétexte que ma famille y séjourne.

— Pourquoi est-ce que tu ne la vends pas ?

— Et qu'est-ce que je ferai de ma mère ? Je la jetterai à la rivière ?

— Non, mais elle ne vivra pas éternellement.

— Tu ne la connais pas. »

Il résolut enfin le problème — du moins il pensait l'avoir résolu — en achetant une maison mitoyenne d'une autre. Elle avait huit pièces et était située à Newlands.

Lotie l'aima car elle donnait sur des champs verdoyants et le jardin était assez grand ; par contre, elle la trouva un peu exiguë.

« Exiguë ? Il y a cinq chambres et trois pièces communes. Combien de parents crois-tu que nous allons devoir loger ?

— Ce n'est pas le nombre de pièces qui compte, c'est leur taille. »

Quelques semaines après, elle annonça à Nahum qu'elle avait une petite surprise pour lui. Elle avait acheté la maison voisine.

« Je l'ai payée avec mon argent, dit-elle. Nous n'aurons qu'à abattre un mur et...

— Pour une femme sans argent, tu as bien des goûts de luxe, dit-il. Nous habiterons la maison que j'ai achetée et si nous la trouvons trop petite alors seulement nous commencerons à abattre les murs.

— Et qu'allons-nous faire de la moitié que j'ai achetée ?

— Ce n'est pas une moitié, c'est un tout.

— Mais qu'est-ce que nous allons en faire ?

— Nous la louerons avec un bail de courte durée. »

Lotie n'était pas très d'accord. En guise de compromis, ils décidèrent de la laisser inoccupée pendant six mois de façon à pouvoir l'utiliser immédiatement au cas où le besoin s'en ferait sentir. Puis, ils commencèrent à s'inquiéter des meubles. Lotie lui dit : « Tu sais, tout cela est stupide. Le type d'ameublement qui convient à une petite maison ne conviendra pas forcément à une plus grande demeure.

— Lotie, nous avons acheté une maison, nous allons l'habiter et si tu ne veux pas la meubler à tes goûts, je la meublerai aux miens. Je n'ai aucune envie de passer le restant de mes jours à discuter de ce logement. »

Elle le regarda comme si elle le voyait — ou plutôt comme si elle l'entendait — pour la première fois. Elle ne l'avait jamais entendu parler aussi sèchement. Cela ne lui plaisait guère mais elle n'était pas disposée à en parler à ce moment précis.

Cette affaire réglée, Nahum passa par une période d'allégresse qu'il n'avait jamais connue avant, même pendant ce qu'il avait appelé ses années d'or. Il supposa que cela devait être lié à son âge ; pour lui, on devait atteindre un certain degré de maturité avant de connaître le véritable bonheur. Parfois, lorsqu'il revenait du bureau dans une nuit glacée et à travers un épais brouillard, une sensation de douce chaleur se répandait dans son corps. Avec Lotie, ils passaient leur temps à regretter ce qu'ils n'avaient pas fait.

Pourquoi ne l'avait-il pas contactée lorsqu'il avait appris qu'elle était divorcée ?

Pourquoi ne l'avait-elle pas contacté ?

Pourquoi n'avait-elle pas divorcé plus tôt ?

Pourquoi s'était-elle mariée avec Kagan ?

Pourquoi ne s'étaient-ils pas mariés après leur première rencontre ?

Nahum se disait parfois qu'il était peut-être injuste car son mariage avec Miri, surtout dans les premières années, avait été heureux et fécond. Il n'avait jamais connu le calme et la satisfaction qu'il éprouvait en ce moment mais ce bonheur avait été plus étincelant, plus turbulent. A l'époque, les vieux n'étaient pas si vieux, les jeunes étaient plus jeunes, tout le monde était réuni et la mort n'avait pas encore frappé. Son bonheur précédent avait été lié à ses succès dans le monde des affaires. Maintenant, il n'était plus qu'un homme d'affaires parmi d'autres ; il était peut-être un peu plus riche que certains mais il n'était ni une gloire, ni un grand armateur. Miri avait de plus vécu dans une grande maison et elle avait dû partager son affection et son attention avec six enfants qui grandissaient. Il n'était pas certain du sens qu'aurait pris sa relation avec Lotie s'ils avaient été dans la même situation.

Elle ne lui donnait pas le même sentiment d'accomplissement sensuel que Miri mais à son âge il n'éprouvait plus le même besoin. Shyke lui avait dit une fois que l'on pouvait aussi bien coucher avec une reine ou une domestique et que s'il y avait une quelconque différence elle serait probablement en faveur de la domestique. Nahum pensa qu'il y avait quelque chose de vrai là-dedans. Il ne prenait pas Lotie pour une reine, pas plus qu'il n'avait considéré Miri comme une domestique mais le comportement de cette dernière dans l'intimité l'avait parfois choqué, ce qui avait d'ailleurs contribué à accroître son plaisir. Durant leurs premières rencontres, Katya avait également été très excitante mais son sentiment de culpabilité avait donné une dimension supplémentaire à son désir. Pour Jessie, cela avait été pareil. Avec Lotie, l'expérience était plus tendre et plus douce, trop douce peut-être. Leurs corps ne recherchaient pas une impétueuse union mais plutôt l'expression progressive d'une intimité. Nahum mettait cela moins sur le compte de leur âge que de la nature de leurs rapports. Ils avaient tellement de choses à se donner réciproquement que les rapports sexuels n'étaient qu'un plaisir parmi d'autres. En considérant le passé, il se disait que si les rapports sexuels avaient eu autant d'importance avec Miri, c'était peut-être parce que leurs rapports étaient insuffisants sur d'autres plans.

Lotie prit son éducation en main. Il habitait à Glasgow depuis quarante ans et avait rarement mis les pieds dans un théâtre ou une salle de concert, exception faite de quelque gala de charité. Elle l'emmena dorénavant une fois par semaine au théâtre et une fois par mois au concert. Il appréciait ces deux sorties bien que les places fussent chères. Shakespeare (dont il avait vu jouer une pièce en yiddish) l'ennuyait mais il aimait Bernard Shaw ainsi qu'un dramaturge écossais de la région, James Bridie. Il ne supportait pas Bach mais appréciait Tchaïkovski et Mendelssohn. En échange, Nahum donna à Lotie une éducation juive. Il lui apprit les préceptes alimentaires et notamment la façon de séparer les plats de viandes d'avec ceux qui contiennent des laitages. Elle se plaignit de ce qu'il ne lui avait jamais parlé de cela quand elle avait fait sa connaissance. Il lui expliqua qu'il était alors célibataire et qu'il y attachait moins d'importance. Mais sa mère avait tenu sa maison *kasher,* tout comme Miri, et maintenant qu'il avait pris l'habitude de la nourriture *kasher,* il ne pouvait en supporter aucune autre, du moins chez lui. Il lui apprit à allumer des bougies le vendredi soir, veille du Sabbath, et le samedi matin, elle l'accompagnait à la synagogue.

Il avait grossi à une certaine époque mais il avait tellement maigri par la suite que lorsque Sophie l'avait vu en Palestine, elle avait insisté pour qu'il consulte un médecin. Son chagrin et ses soucis en avaient certainement été davantage la cause qu'une mauvaise santé. Maintenant qu'il vivait de meilleurs moments il recommença à prendre du poids jusqu'à ce que Lotie lui impose un régime.

Un dimanche, alors qu'ils arrivaient chez Jacob, où ils venaient parfois prendre le thé, ils le trouvèrent en train de faire les sandwichs que leur préparait habituellement Gladys.

« Je m'excuse d'être un peu en retard, dit-il. Gladys ne se sent pas bien et elle se repose. »

Lotie monta aussitôt la voir. Lorsqu'elle redescendit, Nahum vit sur son visage le sourire malin qu'il avait souvent noté chez les femmes quand elles parlaient d'un état particulier à leur sexe. Elle annonça la nouvelle à Nahum durant leur retour en voiture.

« Elle pense être enceinte.

— Qu'est-ce que tu veux dire par : elle pense ? Elle est médecin, elle devrait savoir.

— Mais elle est aussi femme, et une femme irrégulière si tu vois ce que je veux dire. »

Lorsque la chose fut certaine, Nahum se sentit presque coupable du bonheur qu'il ressentit et il se demanda ce qu'il avait fait pour le mériter.

« Je voudrais maintenant que Vicky se marie et soit heureuse », dit Nahum, qui crut voir à ce moment précis une ombre passer sur le visage de Lotie.

Elle avait noué une relation assez intime avec Vicky. Une fois par mois, Nahum devait se rendre à Londres pour ses affaires ; Lotie l'accompagnait et passait la plupart de son temps avec Vicky. Lotie lui faisait quantité de cadeaux coûteux et lorsque Nahum lui reprocha un jour ses dépenses, elle répondit : « Les belles choses lui vont bien. »

Un soir, Lotie lui demanda s'il était vrai qu'il avait failli se marier avec une non juive. Il pressentit aussitôt qu'il y avait derrière cette question plus que le désir d'un simple renseignement. Il lui dit : « Tu ne poses pas cette question parce que tu veux savoir quelque chose mais parce que tu veux me dire quelque chose. Alors vas-y, qu'est-ce que c'est ? »

Elle hésita, puis composa un numéro de téléphone et demanda à Vicky de venir par le prochain train.

« Je savais bien que tu voulais me parler de Vicky, dit-il. Elle veut se marier avec un *sheigatz*, n'est-ce pas ?

— Se marier avec qui ?

— Un gentil. Quelle sorte de personnage est-ce ? » Sa voix était calme et posée.

« Il est du genre assez impressionnant.

— Tu l'as rencontré ?

— Plusieurs fois.

— Pourquoi ne me l'as-tu pas dit avant ?

— J'ai failli le faire il y a trois mois, un soir où tu rentrais de la synagogue, mais je n'en ai pas eu le courage.

— Elle est déjà mariée avec lui ?

— Pas tout à fait.

— Comment cela ? Ou ils sont mariés, ou ils ne le sont pas.

— Ils vivent ensemble.

— Rappelle-la et dis-lui qu'elle nous le ramène.

— Pourquoi ? Qu'est-ce que tu veux faire ?

— Moi ? Rien. Je suis simplement curieux de connaître mon futur gendre.

— Tu ne vas pas l'empêcher de se marier ?

— Tu as une façon très victorienne de dire les choses. Comment pourrais-je l'en empêcher ? Elle a vingt-trois ans, l'âge que tu avais quand je voulais me marier avec toi ; seulement, je ne suis pas ta mère et je n'ai aucune envie de mourir pour avoir ce que je veux.

— Tu prends cette nouvelle très philosophiquement.

— J'ai toujours redouté ce moment depuis qu'elle est partie à Londres et maintenant que cela arrive, c'est pour moi un soulagement. En tout cas, la loi juive est plus tolérante sur ce point pour les femmes que pour les hommes. Ses enfants peuvent être juifs.

— Même s'il ne se convertit pas ?

— Oui. De toute façon, pourquoi devrait-il se convertir ? Elle n'est juive que par son nom mais ses enfants pourront devenir de véritables juifs. Demande-lui qu'elle l'amène, j'aimerais le connaître. J'ai le droit, n'est-ce pas ?

— Tu le connais déjà.

— Je... » Son regard perdu la fixa une seconde, puis il porta ses mains à la tête et poussa un cri aigu qui lui glaça le sang. « Non, pas Cameron, non, pas le jeune Cameron. Ne me dis pas que c'est Cameron, pas Cameron, non. » Et avant qu'elle n'ait pu répondre, il avait glissé à terre, les mains toujours sur la tête. Il ne cessait de la remuer de gauche à droite comme s'il essayait d'en faire sortir ce nom qu'il détestait. Lotie mit quelques minutes à réagir pour téléphoner à un médecin. Elle ne pouvait en croire ses yeux.

Quand le docteur arriva, Nahum s'était calmé mais il frissonnait. Lotie l'aida à remonter les escaliers et à se mettre au lit. Le médecin lui fit une piqûre qui l'endormit.

« Il a eu un choc, dit-il. Gardez-le au chaud et veillez à ce qu'il puisse se reposer complètement. Il devrait aller mieux d'ici un jour ou deux. Je vois au moins un cas de ce genre par semaine en ce moment. C'est le syndrome *shiksa*. »

Lotie appela Vicky pour lui raconter les événements et pour lui demander de ne pas venir à Glasgow pour le moment. Elle téléphona également à Hector.

Le lendemain matin, elle était en train de faire le café lorsqu'elle entendit un coup de sonnette. C'étaient Hector et Arabella. Elle leur raconta en détail ce qui s'était passé.

« L'idiote, dit Arabella. Pourquoi veut-elle se marier ? Elle habite avec lui, qu'est-ce qu'il lui faut d'autre ?

— Elle veut fonder une famille, répondit Lotie. Ce n'est pas déraisonnable pour une femme. Il prenait très bien tout ce que je disais, jusqu'au moment où j'ai nommé Cameron ; là, il est devenu fou furieux.

— Je craignais que cela n'arrive.

— Tu aurais pu m'avertir.

— Elle ne peut pas se marier avec lui, c'est tout, dit Arabella.

— Facile à dire. Seulement moi, j'ai connu les mêmes épreuves que Vicky et je ne pense pas qu'elle doive faire le sacrifice ou les erreurs que j'ai faits.

— Qu'ils aillent vivre en France ou ailleurs, là où l'on n'accorde pas d'importance à ce genre de choses ; ils pourront faire autant de bâtards qu'ils le voudront », dit Arabella.

Nahum ne se réveilla pas avant midi et quand il ouvrit les yeux pour voir le sourire affectueux d'Arabella, il se demanda où il se trouvait. Elle lui caressa les cheveux et l'embrassa sur la bouche.

« Comment se fait-il que tu sois là ?

— J'ai appris que tu étais malade, alors je suis venue.

— Malade ? Moi ? » Et il se rappela les événements de la veille. « Qu'est-ce qui m'est arrivé ? J'ai eu une syncope ?

— Oui, si l'on veut. Je n'arrivais pas à y croire quand Lotie me l'a dit, cela te ressemble peu.

— Lotie ? Où est Lotie ?

— En bas, avec Hector.

— Est-ce que toute la famille est là ?

— Non, il n'y a qu'Hector et moi.

— J'ai dû la secouer terriblement, la pauvre chérie.

— Nous l'avons tous été.

— C'est quand j'ai entendu le nom de Ca... Ca... Je ne peux même pas le prononcer.

— Alors ne le prononce pas.

— Tu sais, je suis un homme plutôt religieux.

— J'aime bien ce *plutôt,* tu es un vrai fanatique, oui.

— Appelle-moi comme tu veux. Je crois au châtiment suprême depuis toujours mais je pensais jusqu'alors qu'on le recevait seulement dans l'autre monde. J'ai tort, tu sais ; le châtiment nous est infligé par nos contemporains et mon châtiment à moi c'est Ca... Cameron.

— Qu'est-ce que tu as fait pour le mériter ?

— Oh, Arabella, si seulement tu savais.

— Oh, Nahum, qu'est-ce qui te fait croire que je ne le sais pas ? Tu as fait l'amour avec ta tante. Ce n'est pas comme si tu l'avais fait avec ta mère, mais enfin.

— Je t'en prie Arabella, je déteste entendre de pareils mots sortir de ta chère petite bouche.

— C'est pour cela que tu t'es enfui quand je t'ai proposé de me faire l'amour.

— Je me suis enfui parce que je t'aimais.

— Tu es un incorrigible romantique, dit-elle en glissant sa main sous les draps.

— S'il te plaît, Ara, dit-il en gémissant, si je suis romantique, je ne veux pas en être guéri. Et en plus Lotie est en bas.

— Je sais, et elle sait que je suis ici. C'est une femme très compréhensive. Et puis, Hector est avec elle. Elle était très attirante dans son négligé. » Arabella se leva, dégrafa sa robe, l'enleva et vint se glisser à ses côtés.

« Tu as l'air bien en forme pour un homme malade », chuchota-t-elle tout en l'invitant à la pénétrer.

Lorsque Lotie vint lui porter à manger, il était si profondément endormi et son visage exprimait une telle béatitude qu'elle pensa qu'il était mort ; elle courut appeler un médecin.

Quand il essayait de se souvenir des événements de ce que Lotie avait appelé « la nuit Cameron » et surtout du lendemain matin, Nahum était presque persuadé que tout cela ne s'était jamais produit. Lorsqu'il demanda plus tard à Arabella si elle était vraiment venue dans son lit, elle fit semblant d'être choquée.

« Quelle allusion indiscrète ! Quelle sorte de femme crois-tu que je sois ? » Puis elle le prit dans ses bras et chuchota : « Tu as été magnifique. Si c'est ce dont tu es capable quand tu es malade, je ne voudrais pas t'avoir dans mon lit en bonne santé. » Depuis le temps qu'il connaissait Arabella, il ne savait toujours pas quand elle plaisantait ou non.

Cependant, que « la nuit Cameron » et sa suite aient eu lieu ou pas, cela contribua à vaincre, provisoirement du moins, son hostilité à l'encontre de Cameron. Quelques semaines après, Cameron et Vicky se marièrent civilement à Londres.

Pour la Pâque suivante, Nahum organisa un grand *seder* dans son ancienne maison de Pollockshields — Lotie lui avait démontré que la maison de Newlands était trop petite pour accueillir tout ce monde — ceci afin de marquer l'entrée officielle de Cameron au sein de la famille. Hector, Arabella, Jacob, Gladys étaient également présents. Lomzer fut aussi invité : assis entre Katya et sa sœur, il ressemblait à une bête que l'on allait sacrifier, entre deux cariatides lourdement ornées. Gladys, vêtue d'une robe verte, en était à un stade avancé de sa grossesse et ressemblait à l'une de ces vertes collines du Somerset. Contrairement à certaines femmes à qui la grossesse ne réussit pas, elle avait l'air tout à fait épanouie. Elle avait un joli teint, son regard s'était adouci mais, de peur de gâcher cette douceur, elle avait enlevé ses lunettes, si bien qu'elle avançait en trébuchant. Cameron, coiffé d'une grande calotte en velours qui lui arrivait presque aux oreilles, s'intégra parfaitement à l'événement. Il assista à l'office qui précédait le repas, posa des questions intelligentes et chanta les chants traditionnels comme s'il les connaissait depuis toujours.

« Il en sait plus que moi, dit Vicky fièrement.

— Ça ne doit pas être trop dur, lui répondit Hector.

— J'ai été basé en Palestine plusieurs années, expliqua Cameron, et j'étais souvent invité dans les familles juives pour le *seder*. »

La Pâque commémore l'exode d'Egypte et la fondation de la nation juive. Mais pour Nahum cette fête fut placée cette année-là sous le signe de la réconciliation. Cameron était si aimable qu'il se demanda comment il avait pu le haïr si violemment et si longtemps ; il se rappelait cependant que Cameron avait sans doute trahi sa confiance, bien que sa culpabilité n'ait jamais pu être établie. De toute façon, même s'il n'avait pas participé à la magouille, il avait fait preuve d'une négligence presque criminelle. Tout cela s'était passé il y avait vingt-cinq ans et Nahum avait fait une croix sur ce passé. Il fut heureux de constater que Jacob — que Lotie avait surnommé « Le rabbin » — faisait bon accueil à Cameron. De même, Benny, qui en

temps normal devait prendre son courage à deux mains pour dire
« bonjour » à un inconnu, entama une conversation animée avec lui.
Vicky, qui avait semblé maussade et renfermée lors de ses précéden-
tes visites, rayonnait de joie. Nahum imaginait sans peine ce que son
père aurait pensé de cette union mais ils vivaient maintenant à une
autre époque et dans un autre monde qui suscitait des comportements
différents.

Un mois plus tard, Gladys accoucha d'une fille qu'elle appela
Thelma. Pour la première fois, Nahum devenait donc vraiment
grand-père. Deux ans plus tard, elle accoucha d'un fils, Aaron.
Cameron vint assister à la circoncision et prit Nahum à part pour lui
dire que Vicky était enceinte et que si c'était un garçon, il serait lui
aussi circoncis, « mais pas comme dans ces hôpitaux ; il le sera dans
les règles *kasher* ».

Nahum pensait qu'à chaque fois qu'il goûtait un certain bonheur
personnel, comme lors de ses « années d'or », des événements
extérieurs venaient le contrarier. Les événements de Russie le
tourmentèrent ainsi plusieurs années. Au début, après la révolution
de février 1917, il avait pensé, comme beaucoup d'autres juifs, que les
jours sombres étaient enfin terminés. Vinrent ensuite la révolution
d'Octobre, la guerre civile, les massacres, la famine, la maladie.
Nahum n'avait eu aucune nouvelle de sa sœur durant les années vingt
et, après avoir échoué dans ses propres recherches, il contacta
d'importants communistes écossais — notamment John McLean,
consul honoraire de Russie à Glasgow — à qui il demanda d'interve-
nir à sa place. Ils ne purent rien faire pour lui et des années après il se
prépara à partir pour la Russie. Comme il était né là-bas, on le prévint
que son passeport britannique ne le protégerait en aucune façon s'il
était arrêté. Finalement, à l'époque, Alex partit à sa place. Il put
établir qu'Esther, son mari et sa fille avaient été vus en 1921 à Odessa,
ville qu'ils avaient quittée peu après ; depuis, on n'avait plus jamais
entendu parler d'eux. Nahum espérait qu'ils avaient pu passer en
Pologne ou en Allemagne. Mais pourquoi n'avaient-ils pas essayé de
le contacter ?

Nahum n'avait jamais situé l'Allemagne au même niveau que
l'Angleterre ou l'Amérique néanmoins ce pays symbolisait pour
lui l'abondance et l'ordre. Il lui aurait été d'ailleurs plus facile d'être
patriote durant la guerre si l'ennemi avait été les Russes. Il se
rappelait combien Wachsman l'avait incité à s'installer en Allemagne.
« C'est un pays où l'on croit au travail, disait-il, voilà l'endroit idéal

pour réussir. » Nahum avait également suivi l'ascension d'Hitler sans trop y croire ; les articles de journaux le rassuraient, qui prétendaient que le bon sens allemand finirait par l'emporter. Pourtant, en 1935, il se trouva de nouveau à la tribune d'un meeting de protestation contre les mauvais traitements infligés aux juifs. La salle, les visages, les discours étaient les mêmes qu'autrefois, seul l'oppresseur avait changé et il se sentait un peu désorienté par ce retournement. Lotie vivait tout cela assez mal car elle avait reçu une éducation allemande. Elle avait eu une gouvernante allemande, s'était endormie au son de berceuses allemandes et elle lisait encore des romans et de la poésie allemands : elle se sentait donc plus proche des Allemands que des juifs. « Qu'est-ce qui leur prend aux gens ? » demandait-elle souvent. Un comité d'urgence, semblable à ceux qui avaient été créés pour aider les juifs de Russie, fut mis sur pied pour les juifs allemands. Nahum fut nommé à la commission exécutive. Il fit don de deux cent cinquante guinées et convainquit Lomzer, qui se croyait généreux quand il faisait don d'une demi-couronne, d'en faire autant. Lotie qui s'obstinait à dire qu'elle n'avait pas d'argent — Nahum ne chercha pas à savoir d'où lui venait celui qu'elle possédait — donna cinq cents livres.

Dans le même temps, Sophie inondait la famille de lettres pour les convaincre de venir en Palestine : « Ce qui arrive en Allemagne peut se produire n'importe où, écrivait-elle. Si tu ne viens pas de ton propre gré maintenant, tu seras chassé dans quelques années. » Elle rappela à Nahum qu'il avait été délégué à plusieurs congrès sionistes et que l'on disait de lui qu'il était un « sioniste influent ». « Que vaut ton sionisme si tu ne peux même pas concevoir de t'établir à Sion ? demanda-t-elle. Je sais que tu as monté une affaire qui marche bien et dont tu es fier mais, tu sais, il y a un homme dans notre *moshav* qui possédait un grand magasin à Düsseldorf. Il a fait ses valises et est parti en laissant tout derrière lui. Il est maintenant fermier et il se félicite d'être parti. Certes, tu es trop âgé pour devenir fermier mais tu peux toujours vendre, avant d'être obligé de tout donner. L'histoire sécrète ses propres compensations : lorsque certains endroits du globe se ferment aux juifs, d'autres s'ouvrent. Seulement, les gens ne s'en rendent pas compte et ils restent attachés aux vieilles traditions et aux endroits où ils vivent depuis longtemps. Si ton père n'avait pas failli être ruiné à Volkovysk, tu serais encore en Russie, à condition que tu aies survécu aux guerres et aux famines. Quelle existence crois-tu que tu y mènerais aujourd'hui ? Est-ce que tu vas attendre d'être ruiné avant de faire ce que le bon sens voudrait que tu fasses ? »

Nahum admit que son argumentation avait un certain poids. Il n'avait pas oublié les fenêtres brisées de sa maison — son « pogrom particulier » comme il l'avait appelé — quand il avait été jugé pour commerce avec l'ennemi. Il s'était dit que cela s'était passé durant la guerre, donc une période trouble, mais d'innombrables incidents avaient eu lieu et, en y réfléchissant bien, il en venait à douter qu'un juif puisse jamais se sentir à l'aise en Grande-Bretagne. Lorsqu'il possédait sa compagnie maritime, il avait l'habitude d'aller prendre un café le matin avec Colquhoun dans un salon de thé voisin. Il aimait l'ambiance qui y régnait, les lambris, les odeurs de cuir, de café, de tabac. Lorsque Colquhoun partait, plus personne ne lui parlait et il avait l'impression qu'il fallait avoir son *goy* particulier pour accéder au mode *goyish*. Par ailleurs, il soupçonnait — tout comme Colquhoun — les banques écossaises de lui demander des garanties qu'elles ne réclamaient à personne d'autre. C'est pour cette raison qu'il avait dû rester si longtemps sous la coupe de Kagan. Il lui était arrivé d'inviter chez lui des confrères qui travaillaient dans le même secteur que lui mais il n'avait jamais été invité chez eux en retour. En quarante ans de vie passée en Grande-Bretagne, il ne s'était fait qu'une seule amie non-juive. C'était Jessie ; mais elle était devenue quasiment juive et elle lui écrivit d'ailleurs dans les mêmes termes que Sophie.

Dans l'industrie du cinéma, il évoluait dans un monde juif bien que la plupart des employés fussent des gentils. Il entretenait d'ailleurs de très bons rapports avec eux : il était invité aux mariages ou aux baptêmes et lui faisait de même à leur égard.

S'il était disposé à prendre au sérieux l'argumentation de Sophie, il était trop vieux pour commencer une nouvelle vie ; de plus, beaucoup de gens dépendaient de lui — sans parler de l'argent qu'il donnait ou collectait pour les secours aux réfugiés — et il écrivit à Sophie :

« J'ignore si tu as tort ou raison, bien que j'aie le sentiment que tu pourrais avoir raison. Est-ce que je t'ai jamais dit que j'avais acheté une parcelle de terrain en Palestine ? Je l'ai payée, on m'a délivré un reçu mais personne n'a été capable de me montrer où elle se trouve. Avant la guerre, j'ai souvent pensé à m'y installer et je crois que si j'étais parti à ce moment-là j'aurais pu faire quelque chose mais c'est trop tard. Je suis trop vieux et j'ai mes petites habitudes. Quand la situation s'est dégradée en Russie, père était trop âgé — ou se sentait trop âgé — pour envisager de partir, alors il m'a envoyé à l'étranger.

Je ne t'ai pas envoyée en Palestine mais tu t'y trouves déjà ; Benny parle d'y partir quand il sera reçu à son dernier examen de médecine (il l'a déjà passé cinq fois). Et puis, il y a le pauvre Alex qui repose sur le Mont des Oliviers. Presque la moitié de la famille est donc en Palestine et d'autres suivront peut-être. Qu'est-ce que tu peux demander de plus ? »

Des transports spéciaux avaient été organisés pour évacuer les enfants juifs d'Allemagne et Lotie suggéra qu'ils adoptent l'un de ces enfants.

« J'ignore si nous sommes trop âgés pour avoir des enfants à la maison, dit-elle, mais un jeune enfant ne s'ennuierait-il pas avec deux croulants comme nous ?

— Non, pas si nous retombons en enfance, dit Nahum. Et puis nous avons une chambre de reste. »

Ils ne l'eurent pas longtemps.

Si Nahum avait été moins préoccupé, il aurait peut-être remarqué que le vieux Lomzer se rasait plus fréquemment, qu'il changeait ses cols de chemise tous les jours (au lieu de toutes les semaines ou peut-être tous les mois), que ses chemises n'étaient pas trop défraîchies et que ses pantalons étaient repassés. Un matin, lorsqu'il arriva avec un parapluie impeccable et un chapeau tout neuf, Nahum remarqua enfin le changement.

« Vous allez à un mariage ?

— Quelqu'un vous l'a dit ?

— M'a dit quoi ?

— Que je me marie ?

— Vous ?

— Pourquoi pas ? Vous pensez que vous êtes le seul à pouvoir vous marier ?

— Non, certainement pas. Je suis étonné, c'est tout.

— Qu'est-ce qu'il y a de si étonnant ?

— Rien, c'est juste... juste que vous ne me l'avez jamais laissé deviner.

— Qu'est-ce que vous vouliez que je fasse ? Que j'aille le crier sur tous les toits ?

— Non, non, mais comme je suis votre associé...

— Mon associé dans les affaires. Je donne des conseils pour elles, je n'en demande pas quand je me marie.

— Allons, ne nous disputons pas. Je suis content pour vous.

« — Et si vous ne l'étiez pas, vous croyez peut-être que je ne me marierais pas ?

— Dites-moi juste une chose : qui est la mariée ?

— Votre tante.

— Ma *tante* ?

— Ta tante, donc tu peux m'appeler maintenant oncle. »

En conséquence, la mère de Nahum revint vivre avec eux.

Lotie était très active dans nombre de comités d'assistance juifs ou non-juifs. Un jour, peu avant Noël, Nahum se retrouva assis près d'un homme d'Eglise à l'occasion d'un déjeuner destiné à soutenir l'une des causes de Lotie. Ils en vinrent à parler du destin des juifs allemands et son voisin de table, après avoir prononcé les habituelles formules de politesse, déclara : « Mais, naturellement, on peut se demander dans quelle mesure les juifs n'ont pas provoqué leur propre perte. »

A ces mots, Nahum, qui commençait à somnoler, réagit : « Que voulez-vous dire ?

— Eh bien, allez vous promener du côté de la rue Renfield ou de la rue Sauchihall et regardez les affiches de cinéma. Entrez même dans une salle, si vous l'osez. Qu'allez-vous y découvrir ? Le blasphème, la luxure, la débauche, la saleté. Nous sommes en pays chrétien, théoriquement, mais tout ce que cela symbolise est en train de s'effondrer. Mes amis juifs — je parlais avec un rabbin l'autre jour — ont le même sentiment. Ils sont horrifiés rien que d'y penser. Mais ce n'est pas le pire. A une époque, ces lieux de perdition se trouvaient uniquement au centre des villes ; à présent il y en a partout et on voit leurs lumières clignotantes à tous les coins de rue. Je ne peux rien faire pour empêcher les familles et les enfants d'y aller. Il y a même des écoliers, et pire encore des jeunes filles, qui se rendent en ces lieux deux ou trois fois par semaine et qui manquent l'école pour y aller l'après-midi. Ils polluent l'atmosphère. Ils empoisonnent l'esprit des jeunes. »

Nahum essaya de placer un mot mais ce fut impossible.

L'homme, visage haut en couleurs, mâchoire lourde, dents gâtées et haleine fétide, continua sur sa lancée : « Tous sont juifs : les réalisateurs, les acteurs, les scénaristes, les distributeurs, les producteurs, tous des juifs. Oh ! je n'ai rien contre le cinéma et bien sûr rien contre les juifs. Le cinéma pourrait être un bienfait pour l'humanité. On pourrait l'utiliser pour élever les esprits, affiner les goûts, relever le niveau de l'enseignement ; au lieu de ça, il est utilisé à des fins de débauche. Je ne soutiens pas la cause d'Hitler. Il a commis des actes infâmes, mais on peut lui être reconnaissant d'avoir donné un bon coup de balai dans le milieu du cinéma. En Allemagne, vous pouvez amener votre femme, et même vos enfants, dans n'importe quel cinéma en étant certain qu'ils ne seront pas exposés à des représentations ordurières ou profanes. » Après cela, Nahum renonça à toute idée de dialogue et se leva pour quitter la salle.

Lotie, qu'une grippe avait retenu à la maison, ne put croire ce qu'il lui raconta.

« Il ne pouvait pas savoir que tu étais dans la distribution cinématographique, dit-elle.

— Mais tu ne comprends pas que c'est encore pire. S'il l'avait su, j'aurais au moins admiré sa franchise. Remarque, il avait raison sur certains points. Je ne suis pas très fier de certains films que je passe (et encore, tu devrais voir ceux que je ne passe pas !). Ils ne sont pas tous orduriers, et même s'ils l'étaient, ils ne sont pas pires que certains spectacles de music-hall d'autrefois. Je n'y suis allé qu'une fois et ça m'a suffi. On y entendait des chansons et des histoires cochonnes, sur scène on voyait des acteurs minables et dans la salle la moitié des spectateurs étaient ivres. Au moins au cinéma ils ne sont pas ivres et même un mauvais film peut toujours être instructif. On voit des images du monde, et parfois on peut y découvrir une œuvre dramatique de qualité, un bon jeu d'acteur ou une bonne musique. Oui, on y voit aussi des cochonneries mais ce n'est rien par rapport au music-hall.

— C'est peut-être de cela qu'il se plaignait.

— Et c'est en plus un homme d'Eglise. Je commence à penser que Sophie a raison. »

Il se calma enfin mais il lui parut très significatif d'avoir pu se sentir bouleversé par les stupides propos d'un idiot.

« Un juif russe reste toujours un juif russe, dit Lotie. Il ne se sent jamais en sécurité, même en Amérique, et il est toujours prêt à mal interpréter ce qu'on dit de lui. » Elle prétendait pour sa part se sentir parfaitement à l'aise en Grande-Bretagne, ou plutôt en Ecosse. Elle était amoureuse de cette région, de son peuple, de son histoire, de sa culture. Elle avait même essayé de convaincre les administrateurs de la synagogue de porter des bérets écossais et des kilts lors des grandes occasions. Ils la regardèrent comme si elle était devenue folle, aussi elle ajouta : « Vous mettez bien la redingote et le chapeau haut de forme qui font partie du costume national anglais, alors pourquoi ne porteriez-vous pas le costume national écossais ? Après tout, c'est une synagogue écossaise.

— Et vous voudriez peut-être aussi que nous soufflions dans une cornemuse au lieu de souffler dans le *shofar*[1], lança un petit homme rabougri.

— Ou encore que nous mangions de la panse de brebis farcie au lieu du *tzolent* », dit en ricanant un autre.

Un jour, après des vacances où ils avaient parcouru les Highlands en voiture, elle essaya de convaincre Nahum d'acheter une petite chaumière quelque part dans les collines — « quelque chose de petit, trois ou quatre pièces maximum » — et proposa même de la payer avec son propre argent. Mais Nahum estima qu'il serait indécent d'acheter une seconde maison alors qu'il y avait tant de juifs qui n'avaient pas de toit.

Une autre fois, jour anniversaire de la mort d'Alex, Nahum s'arrêta en rentrant du travail à la synagogue des Gorbals. Lomzer, qu'il raccompagnait chez lui, y entra avec lui. A la fin de l'office, alors qu'ils traversaient la rue pour regagner la voiture ils furent attaqués par cinq ou six jeunes gens qui les rouèrent de coups de pied et de coups de poing ; Lomzer tomba à terre et sa tête heurta le rebord du trottoir. Un attroupement se forma et les jeunes s'enfuirent. L'incident n'avait pas duré plus d'une minute. Lomzer fut transporté d'urgence à l'hôpital, dont il sortit après avoir reçu quelques soins. Nahum n'avait que des contusions mais il se sentit trop secoué pour conduire et rentra à la maison en taxi. Le lendemain matin, lorsqu'il vint récupérer sa voiture, il constata qu'on lui avait volé ses pneus.

Lotie se trouvait en visite chez des amis à Londres. Lorsqu'elle rentra le soir, il lui raconta l'incident.

« Personne n'est venu vous porter secours ? demanda-t-elle.

— Personne.

— Et ils n'ont rien volé ?

— Non, et c'est ce qu'il y a de plus effrayant. Nous n'avons pas été agressés parce qu'on en voulait à notre argent mais parce que nous sommes juifs.

— Les gentils ne sont jamais agressés ?

— Si, à l'occasion de règlements de comptes peut-être. Mais que je sache, ni moi ni Lomzer ne faisons partie d'un gang. Pourquoi ne

---

1. Le *shofar* est une trompette en corne de bélier.

veux-tu pas voir la réalité en face ? C'est très bien que cela me soit arrivé. C'est un avertissement.

— Un avertissement ?

— Oui, pour partir. Nous allons déménager en Palestine. Je sais que les juifs se font attaquer là-bas aussi mais au moins ils sont sur leur propre territoire, ils peuvent résister. »

Lotie ne discuta pas. Elle ne le faisait jamais quand il était énervé et elle était de toute façon persuadée qu'il aurait oublié cela d'ici un jour ou deux. Elle s'inquiéta cependant une semaine après lorsqu'elle l'entendit à nouveau parler de la Palestine, mais aussi du fait qu'il était en train de négocier la vente de sa part dans l'entreprise à Lomzer.

« Tu n'es pas sérieux.

— De toute ma vie, je ne l'ai jamais été autant. Il m'en propose un très bon prix, celui auquel je pensais d'ailleurs. Il l'a accepté immédiatement sans marchander. Je me suis demandé s'il n'avait pas connaissance de quelque chose que j'ignorais ou s'il ne s'était pas un peu ramolli avec l'âge mais il se trouve qu'il approuve mes projets. Il m'a dit qu'il aurait fait la même chose s'il avait été plus jeune.

— Mais chéri, tu n'es plus tout jeune non plus. Tu as plus de soixante ans.

— Oh ! guère plus. Ne fais pas de moi un vieillard.

— Mais j'aime l'Ecosse.

— Tu aimeras la Palestine.

— Au milieu des combats et des émeutes !

— Ils vont faire venir l'armée britannique. Le temps que nous soyons partis, tout sera terminé.

— Mais que feras-tu là-bas ?

— Ce que je fais ici. J'achèterai un cinéma ou j'en ferai construire un. Comme il y a vingt ans, quand je suis reparti de zéro.

— A cette époque-là, tu avais vingt ans de moins.

— Tu n'arrêtes pas de me parler de mon âge comme si j'avais un pied dans la tombe. Je ne me suis jamais senti aussi bien. Je me sens prêt à tout recommencer. Je pourrais refaire du commerce maritime. Je ne dois pas être le seul juif à penser ainsi. S'ils partent tous pour la Palestine, les navires pourront réaliser de bonnes affaires. Je vais me renseigner là-dessus dès demain. J'ai toujours eu envie de renouer avec le commerce maritime. Les cinémas, ce n'est rien quand on s'est occupé de navires.

— Que va devenir ta mère ?

— Je m'en suis déjà occupé. Katya sera contente de s'en charger. Bien sûr, je devrai laisser un peu d'argent pour couvrir ses frais. Elle est maligne et marchande sacrément, notre Katya ; mais tout est arrangé.

— Tu n'as pas peur de ce qu'elle pourrait lui faire ?

— A ma mère ?

— Oui.

— Qu'est-ce donc qu'elle pourrait lui faire à son âge ?

— L'étouffer sous un oreiller.

— Elle n'est pas si méchante que ça. »

Lotie était si peu habituée à un tel enthousiasme et une telle détermination chez son mari qu'elle fut incapable d'argumenter. Quelques jours plus tard, alors qu'ils se trouvaient dans une agence Cook pour préparer l'itinéraire de leur voyage, Lotie aperçut un journal dont la première page rendait compte sur toutes ses colonnes des sérieux combats qui se déroulaient en Palestine. Elle le montra à Nahum.

« Je l'ai lu, dit-il, et j'écoute tous les bulletins d'information à la radio. Je suis inquiet mais je veux savoir ce que deviennent Sophie, Yankelson et les enfants. Si tu veux, j'irai seul.

— Non, dit-elle d'un air triste, je viens avec toi. »

30.

« Chère Sophie,

Prête à accueillir tes visiteurs ?

Tu seras contente — ou peut-être troublée — d'apprendre que tes lettres, ajoutées à deux ou trois incidents locaux, ont persuadé père que la Grande-Bretagne était mûre pour la prise de pouvoir par les nazis et en conséquence il a avancé la date de son installation en Palestine. En ce moment, il doit se trouver en haute mer, à moins qu'il ne soit déjà près de toi (tous ces incidents ont perturbé l'acheminement du courrier ; ta dernière lettre a mis presque un mois avant de m'arriver). Ce voyage n'est qu'une mission d'exploration mais papa semble très décidé à réaliser tous ses projets. Il y a cependant trois événements qui risquent d'en perturber le cours.

Lomzer est sérieusement malade. Il y a quelques mois, il a été blessé à la tête lors d'une agression dans les Gorbals, mais il s'en est remis. Hier, il a été envoyé d'urgence à l'hôpital car il souffrait de violentes douleurs abdominales (je ne serais pas étonnée que la vieille sorcière l'ait empoisonné). S'il ne s'en sort pas, toutes les dispositions complexes que Père a intégrées dans ses projets d'immigration risquent de tomber à l'eau.

Deuxièmement, Michael Mittwoch, son protégé et son homme de confiance, a reçu une proposition de travail d'un réseau de distribution et il doit partir à Londres. N'en dis pas un mot à père s'il te plaît : Michael lui annoncera la nouvelle à son retour. Si Lomzer meurt et si Michael le quitte, alors père ne pourra plus partir, à moins qu'il ne soit prêt à voir éclater sa compagnie.

Enfin, il y a du tirage — ce n'est pas la première fois — dans le ménage d'Hector et d'Arabella. Elle espérait que son premier film parlant ferait d'elle une vedette internationale mais il n'a pas remporté le succès qu'elle espérait. Elle en a rejeté la faute sur les autres acteurs, alors que c'était en fait sa prestation qui était davantage en cause. A la suite de cela, elle a décidé de produire elle-même son nouveau film qui a fait un si grand bide que même père n'en a pas dit un mot. Le résultat, c'est que madame est en train de s'offrir un coûteux caprice dans une clinique de luxe (pas un mot à père car je crois qu'elle est l'unique amour de sa vie et il ne faut pas lui faire de peine).

Père et Lotie sont venus dîner ici avant leur départ et lui se demandait si Hector et Arabella n'allaient pas adopter un ou deux petits réfugiés allemands.

« Cela pourrait renforcer leur couple, a-t-il dit.

— Oui, mais il n'est pas dit que cela aide les enfants », ai-je ajouté.

Père est vraiment décidé à aller s'installer en Palestine. La solution, ce serait peut-être qu'Hector reprenne son affaire à Glasgow et qu'il laisse moisir Arabella là où elle se trouve.

Je t'embrasse ainsi que Yankelson et les jumeaux.

Vicky.

P. S. Tu as probablement entendu dire que j'attendais un enfant. C'était vrai mais j'ai fait une fausse couche, puis une seconde. J'en suis maintenant à ma troisième grossesse et pour que je puisse la mener à terme je dois bouger le moins possible. J'ignore qui ou quoi j'attends, mais si ce n'est pas le Messie, je ne me sentirai guère récompensée de mes souffrances.

P. P. S. Je dois ajouter que Lotie n'avait aucunement l'intention de partir en Palestine ou en quelque autre endroit car elle aime profondément l'Ecosse. Elle porte habituellement des plaids écossais et quand elle mourra j'imagine qu'elle demandera à être enterrée dans un linceul de tartan. (Elle a demandé au rabbin si elle pouvait faire don à la synagogue de châles de prières en tartan ; elle a été très affectée quand on lui a répondu que ce n'était pas possible.) C'est bien sûr une femme très dévouée et elle suivrait son mari au bout du monde s'il le fallait mais elle a une façon bien à elle d'obtenir tout ce qu'elle veut sans élever la voix ni taper du pied. »

Durant toute la traversée de la Grande-Bretagne et de la France,

Nahum fit quantité de projets mais Lotie lui rappela qu'il ne s'agissait que d'un voyage de reconnaissance.

« Je sais, je sais, dit-il, mais je sens déjà que la Palestine va devenir ma nouvelle patrie. Je m'imagine très bien vivre là-bas.

— Et moi, est-ce que tu m'y imagines ?

— Bien sûr. Je te verrai même plus souvent qu'à Glasgow car il n'est pas dit que je monte une affaire. Et d'ailleurs, pourquoi le ferais-je ? J'ai ce qu'il me faut. J'ai toujours voulu étudier mais je n'en ai jamais eu le temps. Il n'est jamais trop tard pour s'instruire. »

Ils avaient réservé des places pour la traversée de Marseille à Haïfa mais par suite d'incidents mécaniques la traversée fut annulée. Ils continuèrent en conséquence jusqu'à Gênes et se trouvaient à un jour de mer, lorsque Nahum fut prévenu par un message radio du décès de Lomzer. Ils débarquèrent à l'escale de Naples et trois jours plus tard ils étaient à Glasgow.

Katya était inconsolable et elle avait considérablement vieilli. Elle s'était desséchée, recroquevillée sur elle-même, était devenue irritable, geignarde et s'apitoyait sur son sort.

« Je n'ai plus aucune raison de vivre, dit-elle en sanglotant, je veux mourir. »

« Est-ce qu'elle était ainsi lorsqu'elle a perdu son second mari ? demanda Lotie.

— Non, pas du tout. Elle était encore assez jeune pour s'en trouver un troisième. Maintenant, je crains qu'il n'y ait plus beaucoup d'espoir pour elle.

— N'importe qui peut perdre un mari, dit Lotie, mais en perdre trois, ça ressemble à de la négligence. »

Nahum trouva sa remarque déplacée. Il éprouvait malgré lui une certaine affection pour Katya — sa généreuse carrure, la sensualité qu'exprimait son corps, la lueur de malice qui brillait dans ses yeux, l'air désobéissant de petite fille obstinée qu'elle avait gardé en vieillissant. Plus il prenait de l'âge et plus il appréciait la stabilité même qu'incarnait Katya. Malgré tous ses revers de fortune, elle était restée telle qu'elle était à Volkovysk. Il se souvenait du jour où elle était arrivée de la ville, jeune mariée ; elle avait été pour lui sa première image de femme. Elle aussi avait changé, d'un seul coup. Il était plus affecté de la voir ainsi que de la mort de son mari, encore qu'il se sentait perdu sans lui.

Il s'était passé la même chose lorsque Colquhoun s'était engagé dans la marine et que Goodkind était mort ; il était chagriné de voir à quel point il dépendait des autres. Lomzer avait eu raison de lui dire qu'il avait eu plus de chance que de flair. Il avait fréquenté Lomzer pendant moins de dix ans mais il se demandait comment il aurait pu se débrouiller sans lui dans un milieu aussi agité que le cinéma. Avant de le connaître, il mesurait le succès de son entreprise au nombre et à la taille de ses salles plutôt qu'en fonction de leur rentabilité. Lomzer lui avait permis d'accroître la valeur de ses avoirs et de consolider son entreprise, qui était devenue florissante.

Ses projets d'émigration reposaient entièrement sur Lomzer. On lui avait fait des propositions de rachat pour l'un ou l'autre de ses cinémas et il était certain qu'un groupe important aurait pu lui proposer un prix intéressant pour l'ensemble de ses salles, mais il ne voulait pas que le fruit de vingt ans de travail soit ainsi absorbé. Du reste, plusieurs membres de la famille de Nahum, parents assez éloignés, travaillaient dans la compagnie et Lomzer leur avait garanti aussi bien leur emploi que leur avancement ; or, une prise de contrôle par un groupe extérieur risquait de menacer leurs carrières.

Nahum ne comprenait pas comment il avait pu ne pas envisager la possibilité du décès de Lomzer alors qu'il élaborait ses plans. Lomzer bien qu'il n'ait jamais su son âge exact, devait avoir dans les quatre-vingts ans quand il l'avait rencontré. Avait-il cru que Lomzer vivrait éternellement ? Non, probablement ; mais il avait supposé qu'il vivrait encore quatre ou cinq ans, le temps que Mittwoch acquière de l'expérience et puisse prendre l'affaire en main.

La mort subite de Lomzer l'obligea à renoncer à ses projets, non point qu'ils fussent devenus caduques, mais parce qu'il estimait — comme Lotie probablement — que cette mort était de mauvais augure ; il se pouvait aussi que ses projets fussent inopportuns. Il continua pourtant d'y penser jusqu'à ce que Mittwoch lui annonce son départ pour Londres.

Le choc surmonté, Nahum l'accusa d'ingratitude et lui demanda s'il pensait que son avancement avait été trop lent.

« Pas du tout. Beaucoup de gens pourraient même dire que ça a été trop rapide mais une grande entreprise offre un plus large champ d'action.

— Oui, mais avec moins de chance d'arriver au sommet. J'ai soixante ans passés, vous savez. Je ne serai pas là éternellement et vous serez la personne toute désignée pour me succéder.

— Oh ! vous n'allez pas nous quitter tout de suite.

— Lomzer le pensait aussi mais personne n'est éternel.

— Peut-être, mais à votre âge vous n'en êtes qu'à la moitié du chemin. En tout cas, j'ai déjà signé mon contrat, loué un appartement et tout préparé pour le déménagement. »

Pour autant que Nahum le sache, Lomzer n'avait plus de famille ; alors, il entreprit de dire le *kaddish* pour lui. Un soir, il attendait à la synagogue qu'un *minyan*[1] se constitue lorsqu'on l'appela au téléphone pour lui annoncer que Katya était tombée gravement malade. Il partit immédiatement en voiture chez elle. Elle était dans le coma et mourut quelques jours plus tard sans avoir repris connaissance.

Nahum fut tellement accablé par la mort de Katya qu'il se demanda si l'on ne devenait pas plus vulnérable en vieillissant. Katya avait symbolisé pour lui les premiers désirs de sa vie d'homme. Sa disparition exprimait aussi celle de ses désirs et il pleurait moins sur elle que sur lui-même. Dans le monde du spectacle — y compris dans une branche aussi anodine que la sienne — les occasions ne manquaient pas d'exercer sa libido, surtout lorsqu'il partait en voyage comme cela arrivait souvent. Il avait vu de vieux satyres décrépis et édentés, qui pouvaient à peine tenir sur leurs jambes squelettiques, escorter de jeunes nymphes douillettes tout juste âgées de vingt ans. Lui-même, après de bons repas, avait parfois cédé à la tentation mais il ne l'aurait plus fait aujourd'hui. Ses appétits avaient disparu et la mort de Katya en attestait symboliquement.

Sa tante avait également incarné pour lui son dernier lien vivant avec la Russie. Certes sa mère était encore vivante, sur un plan médical tout au moins mais elle restait prostrée. Il fallait lui donner à manger et c'était le seul acte qui traduisît son existence. Katya, au contraire, avait débordé de vie et de malice jusqu'à la mort de Lomzer. Il l'avait souvent critiquée et il avait même parfois peur d'elle mais sa présence le réjouissait.

Il y eut plus de monde qu'il ne l'aurait cru à son enterrement car elle était restée en contact avec nombre des immigrants de sa génération. Aussi la cérémonie ressembla quelque peu à une réunion des immigrés arrivés avant 1914 ; certains vieillissants, d'autres vieux, quelques-uns vraiment très vieux.

Le rabbin parla longuement de ses qualités et au moment où il évoqua « sa modestie, sa chasteté et sa vertu — une femme remarquable dont la vie était un exemple pour toutes les jeunes filles

---

1. *Minyan :* groupe de prières composé de dix personnes.

juives », des toux et des raclements de gorge se firent entendre.

Sa mort entraîna des complications juridiques. Nahum et Katya avaient été désignés colégataires des biens de Lomzer mais elle était morte avant qu'ils ne puissent en discuter, si bien qu'il se retrouva également légataire des biens de Katya. Ceci allait lui réserver bien des surprises. Il découvrit d'abord que Lomzer avait eu deux fils d'un mariage précédent, qui vivaient à New York. Il n'en avait jamais parlé et ils étaient brouillés. Malgré cela, il leur avait pardonné et avait laissé à leur disposition une importante somme d'argent. Il avait aussi prévu une confortable rente pour sa veuve qui, elle, pensant probablement qu'elle vivrait éternellement, n'avait pas fait de testament.

Une fois les différents impôts payés, sa fortune fut évaluée à cent cinquante mille livres. De lointains cousins, des beaux-frères, des belles-sœurs, des neveux, des nièces, des demoiselles de modeste condition, des bonshommes gâteux se manifestèrent alors et Nahum se dit qu'une fois tout cela réglé, le peu qui resterait irait aux avocats. La demande la plus étonnante, qui était d'ailleurs fondée, émana de sa propre mère qui s'éveilla d'un seul coup à la vie, soit du fait de la mort de sa sœur, soit qu'elle fût attirée par l'argent, encore que Nahum se demanda quel usage elle pourrait en faire. Ce n'était pas fini. Nahum nageait dans la paperasse et se débattait parmi les avocats lorsque les enfants et petits-enfants de Lomzer réclamèrent la part de leur mère et grand-mère. A la fin, Nahum en vint à se demander s'il n'avait pas droit lui aussi à un petit quelque chose.

Au bout d'un an, tout était presque réglé lorsque Nahum reçut un coup de téléphone de Krochmal lui annonçant qu'un autre héritier s'était manifesté.

« Qui est-ce, cette fois ? demanda-t-il. La mère de Lomzer ?

— Non, mais c'est un proche parent.

— Ne me dites pas qu'il a encore une fille ou autre chose.

— Non, mais sa veuve a un fils.

— Sa veuve ? Quelle veuve ?

— Combien de veuves avait-il ?

— Katya ?

— Oui.

— Un fils ?

— Oui. »

Nahum accusa le coup et se mit à crier :

« Vous ne voulez pas parler de Lazar ? Où est-il ?

— Ici, dans mon bureau.

— Gardez-le-moi, je vais le tuer. »

Nahum tremblait tellement qu'il pouvait à peine tenir son volant correctement. Il lui était difficile de croire que Lazar eût assez d'aplomb pour se montrer à Glasgow. Ce devait être une erreur mais il ne savait pas ce qu'il ferait si ce n'en était pas une. Il pensait ne pas être violent mais il n'avait eu jusqu'alors aucune raison de l'être. Il craignit de perdre son sang-froid : s'il l'étranglait, on ne le condamnerait pas à la pendaison car jamais un meurtre ne serait autant justifiable.

Au lieu d'emprunter le vieil ascenseur branlant de l'immeuble où se trouvait le bureau de Krochmal, il monta les escaliers quatre à quatre jusqu'au dernier étage. Quand il entra dans le bureau, encore tout essoufflé, il fut salué par un personnage corpulent qui avait une légère brioche, une petite barbe bien entretenue, des dents espacées et un long nez maigre. Il s'agissait bien de Lazar, même si son embonpoint l'avait rendu presque méconnaissable.

Il lui tendit une main velue, chargée de lourdes bagues en or. « Reb Nahum, il y a bien longtemps que nous ne nous sommes pas vus. »

Nahum était bien trop essoufflé et surpris pour pouvoir parler. En dix minutes de trajet, sa colère meurtrière avait disparu. Etait-il donc si content de revoir un membre de la famille ? Ou tout simplement, lui fallait-il reprendre son souffle pour arriver à se mettre en colère ? Il ressentit d'abord une certaine curiosité. Il voulait savoir d'où venait Lazar, ce qu'il faisait et où il était allé. Mais il n'avait par ailleurs aucune envie de parler avec lui.

Ils furent rejoints par Krochmal et son fils, qui était maintenant devenu associé à part entière dans le cabinet.

« Est-il bien Lazar Elchonon Hoppinstein, comme il prétend l'être ? demanda le vieux Krochmal.

— Oui, répondit Nahum.

— Est-il bien le fils unique de Katerina Helena Hoppinstein ?

— Oui, oui, c'est lui.

— Alors, le problème est réglé.

— Non, non, pas du tout. Nous avons encore une petite affaire à régler entre nous au sujet d'une compagnie maritime, d'une fortune — et il éleva la voix jusqu'à en crier — et d'un nom. Savez-vous ce que ce porc m'a fait ?

— Oui, malheureusement. Mais tout cela s'est passé il y a vingt ans. Je pense qu'il devrait vous faire — et sincèrement, j'espère qu'il en a l'intention — un versement à titre de dédommagement.

— A titre de dédommagement ? hurla Nahum. A titre de dédommagement ? Et vous croyez que ça suffit à rétablir la réputation d'un homme ? Il a souillé mon nom. On a brisé les carreaux de ma maison. On a brimé mes enfants. Mon meilleur ami ne voulait plus m'adresser la parole. J'avais monté une affaire de réputation internationale. Mes navires traversaient la Baltique et la mer du Nord. Je faisais du commerce en Méditerranée et dans la mer Egée et je projetais de travailler sur l'Atlantique et j'y serais arrivé. J'aurais pu devenir comme la Cunard... »

Lazar le coupa : « Sans vouloir t'offenser, Nahum, je dois te dire que tu aurais fait une autre faillite sans moi.

— Une faillite ? cria Nahum d'une voix perçante. Moi, une faillite ? » Et sans ajouter un mot de plus, il se précipita vers Lazar, lui sauta dessus et le saisit à la gorge. Les secrétaires hurlèrent et coururent se cacher. Un couple assez âgé, qui était sur le point d'entrer dans le bureau, fit demi-tour avec son petit chien. Lazar, pris au dépourvu, tomba sur le divan. Nahum se jeta sur lui, si bien que le divan et ses occupants partirent à la renverse dans un bruit de bois cassé et de tissu déchiré. Krochmal et plusieurs employés se précipitèrent sur eux pour les séparer. Krochmal père perdit ses lunettes dans la mêlée et se mit à les chercher à quatre pattes et à tâtons. Les employés réussirent cependant à séparer les deux cousins et tous restèrent assis, haletants, au milieu des morceaux du divan et des touffes de crin. Une secrétaire, qui osa pointer son nez, les vit calmés ; elle entra sur la pointe des pieds et posa la bouilloire sur le feu.

« Nous prendrons bien tous une tasse de thé, n'est-ce pas ? dit-elle gaiement.

— Comment as-tu pu me faire une chose pareille, à moi qui ai tant fait pour toi ? demanda Nahum alors qu'il raccompagnait Lazar en voiture à son hôtel.

— J'ai paniqué. Je suppose que si j'avais été plus attaché à ma femme, j'aurais pu tenir mais je ne pouvais pas la supporter, pas plus que ses parents. Je pensais partir de toute façon. Tout m'est tombé dessus en même temps et quand j'ai appris que la police faisait des investigations, je me suis sauvé.

— Tu aurais pu laisser un mot pour me disculper au moins.

— Je n'en ai pas eu le temps et cela n'aurait été d'aucun secours. Il n'empêche que si nous n'avions pas fait de contrebande, ton affaire aurait fait faillite.

— J'aurais préféré qu'il en soit ainsi.

— Tu crois peut-être que je n'ai rien perdu ? L'argent que j'avais investi dans la compagnie importe peu. Mais j'avais un métier, une étude qui marchait bien. Tu te souviens combien j'ai travaillé dur pour apprendre l'anglais afin d'entrer à l'université et devenir avocat ? Tout cela n'a servi à rien, j'ai tout perdu.

— Si j'avais pu mettre la main sur toi, je t'aurais fait perdre plus que ton métier.

— Je te comprends.

— Ah oui ? Tu es un vrai gentleman de la vieille école, prêt à se faire pardonner pour les fautes qu'il a commises. Je me demande pourquoi je ne t'ai pas tué dès que je t'ai vu dans le bureau de Krochmal. Le problème, c'est que je ne peux pas me fâcher pendant plus de deux minutes.

— Est-ce que tu me croirais si je te disais que j'ai eu envie de me suicider à certains moments ?

— Qu'est-ce qui t'en a empêché ?

— Ma religion.

— Ta religion ? Ta fichue religion ? Elle ne t'a pas empêché de me voler, de souiller mon nom, de faire du commerce avec l'ennemi pendant que des soldats mouraient sur les champs de bataille. Ta religion ne t'a pas empêché d'abandonner ta femme et de négliger ta mère. Pourquoi t'a-t-elle empêché de faire la seule chose honnête qui était à ta portée ?

— Parce que le suicide ne laisse pas s'écouler le temps de l'expiation.

— Ah ! et c'est ce que tu as fait durant ces vingt dernières années, expier. Tu as un beau costume et des bagues en or. A te voir, on pourrait croire que l'expiation est une affaire qui paye bien. Qu'est-ce que tu as fait depuis vingt ans ?

— Un peu de tout.

— Et où ça ?

— Un peu partout.

— Tu n'as pas une pointe d'accent irlandais ? C'est là que tu es resté ?

— Oui, en partie.

— Tu t'y trouvais en déplacement ou tu t'y cachais ?

— Il y a un peu des deux.

— Et dire que tu aurais pu devenir un avocat riche et respectable. Voilà le résultat de la cupidité. Je n'ai aucune pitié pour toi, je ne te plains pas. Et n'espère pas avoir les cent cinquante mille livres. Sur ce qui restera, tu n'auras pas un sou tant que je serai vivant.

— Puis-je te rappeler que ce n'est pas ton argent ?

— Peut-être mais je suis le seul exécuteur testamentaire.

— L'exécuteur testamentaire ?

— Oui, parfaitement. Tu croyais réussir ton coup, hein ? Tu te souviens de mon père et tu dois te dire que je vais prendre les choses aussi calmement que lui mais mon père n'a jamais été volé par son cousin. Je vais t'emmener quelque part. »

Quelques gouttes de sueur perlèrent sur le front de Lazar. « Où ça ?

— Tu vas voir. » Il appuya sur l'accélérateur et quelques minutes plus tard ils arrivèrent près des maisons en grès rouge de Carmichael Place.

« Tu te souviens de cette maison ?

— Oui, c'est là que tu habitais.

— Pendant la guerre, nous avons été obligés de venir emménager ici et nous étions heureux jusqu'au soir où deux costauds sont venus m'y apporter un mandat d'arrêt. J'ai essayé de te contacter mais tu étais déjà parti, envolé. L'affaire a traîné pendant des mois. J'ai plaidé coupable, que pouvais-je faire d'autre ? J'ai eu une amende de cinquante mille livres mais ce n'était pas le plus important. Quand je suis arrivé près de la maison, il y avait des gens dans la rue, la police et des éclats de verre partout. On avait organisé un pogrom particulier. A cause de toi, mon cher cousin. Tu avais un bon métier, tu étais marié avec une femme riche mais tu voulais t'enrichir encore davantage, alors tu as utilisé mon nom, tu as falsifié des documents, tu as fait du commerce avec l'ennemi et quand le pot aux roses a été découvert, tu t'es enfui en me laissant seul. » Il sortit de sous son siège la manivelle de la voiture. « Pourrais-tu me donner une seule bonne raison pour que je ne te casse pas la tête ?

— Je n'en ai aucune à donner mais tu ne le feras pas.

— Ah ! tu crois que je ne le ferai pas ?

— Non.

— Ne m'y oblige pas.

— Alors, fais-le. »

Nahum regarda la manivelle qu'il tenait à la main et, désespéré, la jeta à terre. « Tu as raison. » Il était au bord des larmes. « Je suis trop faible et je ne suis bon à rien. Tout ce que je sais faire, c'est de gagner un peu d'argent et de développer mes affaires et encore, je ne suis pas très doué en ce domaine. Dans la vie quotidienne, je ne vaux pas mieux. Je n'ai jamais été capable de tenir tête à ma mère, ma sœur, mes femmes, mes enfants, à personne. Même mes secrétaires me malmènent. Il y a de ça des années, quand je me sentais très déprimé, je me remontais le moral en pensant à ce que je te ferais si jamais je te retrouvais. Maintenant tu es là, à côté de moi, en chair et en os, et qu'est-ce que je fais ? Le chauffeur.

— Tu n'es pas faible. Si Krochmal n'était pas intervenu, tu m'aurais tué. »

Nahum se redressa. « C'est vrai. Je l'aurais fait. J'en parlerai à Krochmal.

— De toute façon, si tu étais arrivé à tes fins, cela n'aurait servi à rien. Tout l'argent aurait été pour ma femme.

— Ta femme ? Tu es remarié ? *Mazeltov* ! Pourquoi ne m'as-tu pas invité au mariage ? Je t'aurais fait un cadeau. Vous avez des enfants ?

— Une fille.

— Et où habitent-elles ?

— En Amérique.

— Tu gardes tes distances, n'est-ce pas ? Tu n'as jamais pensé à donner des nouvelles à ta mère ou à ta femme. Elle est morte de chagrin, ta femme. Et son père aussi. Sa mère vit toujours, tu sais. Je pourrais t'emmener la voir. Je n'ai peut-être pas la force de te tuer mais elle n'hésiterait pas à le faire avec son couteau de cuisine.

— Ecoute Nahum, il ne sert à rien de ruminer des faits qui se sont déroulés il y a vingt ans. Comme je l'ai dit à Krochmal, je suis prêt à te dédommager.

— Me dédommager, hein ? Et combien crois-tu que j'accepterais ?

— Nous pouvons en discuter.

— Tu crois ? » Il saisit la cravate de Lazar et l'enroula autour de son poing. « Tu vas renoncer par écrit à tout l'argent de l'héritage de ta mère.

— Pardon, dit Lazar, la cravate est neuve.

— Ta gorge ne l'est pas. » Et il continua d'enrouler la cravate jusqu'à ce que son poing vienne s'appuyer contre la trachée-artère. « Tout l'argent », dit-il les dents serrées.

Lazar ouvrit la bouche pour parler mais ne le put. Son visage devint violet. Il commença à battre des pieds. La sueur dégoulinait sur son front. Puis Nahum relâcha sa prise.

« Je suis injuste vis-à-vis de moi-même. J'aurais pu te tuer avec la manivelle mais je ne suis pas du genre à utiliser ce genre d'instrument. Par contre, j'aurais pu très facilement t'étrangler. Et tu sais pourquoi je ne l'ai pas fait ? » Lazar, qui se tâtait la gorge des deux mains, n'avait pas encore retrouvé sa voix. « Parce que je dis toujours le *kaddish* pour ta mère. Je l'ai dit aussi pour ton beau-père. J'ai parfois l'impression de l'avoir dit pour la moitié de la planète mais si tu ne renonces pas à tout cet argent, je le dirai pour toi. Non, ne me remercie pas, tout le plaisir sera pour moi.

— Ma mère a eu une vie dure.

— Tu n'as pas fait grand-chose pour la lui rendre plus facile.

— J'ai fait ce que je pouvais. Je lui envoyais de l'argent tous les mois.

— Est-ce qu'elle savait que cet argent venait de toi ?

— Je pense qu'elle a dû le deviner mais je n'ai pas osé le lui dire parce qu'elle était, bénie soit-elle, une vraie pipelette. La seule chose dont elle ne parlait pas c'était de l'argent, du sien au moins. Je lui en ai envoyé pendant ces vingt dernières années et j'ai su qu'elle était morte lorsque la banque m'a retourné mon chèque.

— Ta mère était vraiment une femme remarquable.

— Au fait, la tienne est toujours vivante ?

— Si l'on veut. Elle a connu de meilleurs jours, la pauvre. Tu voudrais la voir ? »

Elle était assise, raide comme un bout de bois, dans son fauteuil et avait le visage rouge comme celui d'un chef indien.

« J'ai un visiteur pour toi, dit Nahum. Est-ce que tu le reconnais ? » Elle les regarda l'un après l'autre, impassible. Elle n'avait peut-être même pas reconnu Nahum.

« C'est Lazar, dit-il, le fils de Katya. Il est venu d'Amérique.

— L'Amérique, dit-elle doucement en ouvrant à peine les lèvres.

— Oui, le fils de Katya, Lazar.

— Katya est morte.

— Oui, mais c'est son fils, Lazar.

— Il est mort aussi. Tout le monde est mort. »

Ils dînèrent tranquillement ensemble. Lotie était sortie et le repas avait été préparé par la bonne.

« Tu te souviens du cinquième commandement ? demanda Lazar. " Honore ton père et ta mère afin que tes jours se prolongent. " Je pense qu'on devrait plutôt lire : " de crainte que tes jours se prolongent ". Nous souhaitons tous les deux vivre longtemps mais

377

qui le veut vraiment ? Je me souviens de ta mère, la belle de Volkovysk. On m'a dit qu'elle était la sœur que mon père voulait épouser.

— Ta mère n'était pas mal.

— Elle avait pour elle sa gaieté et ta mère l'élégance. Ma mère a été très déçue quand je suis venu au monde. Elle aurait voulu une fille pour la façonner à son image. Et puis je l'ai déçue car mon père était apparemment un homme très dynamique qui avait reçu une éducation occidentale. Moi, je n'étais pas dynamique et je n'ai commencé à prendre de la valeur à ses yeux que lorsque je suis devenu avocat. Mon métier d'avocat ne m'a jamais rendu heureux, pas plus que mes mariages. Dieu merci, l'argent compte encore pour moi ; je n'aurais autrement aucune raison de vivre. Tu sais, les gens ne devraient jamais quitter leur pays. Malgré les tourments et les peines, c'est en Russie que j'ai connu mon plus grand bonheur. Aujourd'hui, si quelque chose m'apporte un peu de joie c'est que cette chose me rappelle le pays : ce peut être une rangée de bouleaux nus et blancs qui se découpent sur un paysage d'hiver, des canards qui avancent en se dandinant sur un lac gelé, l'odeur de la terre humide par un matin de printemps, la senteur du bois coupé qui a séché. »

Il commença à chanter *Le bouleau,* d'une étonnante voix de ténor remplie de douceur. Nahum chanta avec lui d'une voix de baryton.

Lorsque Lotie rentra, elle les trouva tous les deux en train de pleurer.

31.

Nahum fut préoccupé par les rumeurs qui circulaient au sujet de l'état de santé d'Arabella. D'après Kapulski, elle était épuisée ; Vicky disait plus crûment qu'elle « était complètement timbrée » ; Hector ne disait mot. Lorsque Nahum retourna à Londres, il essaya de la voir.

« Mais pour quelle raison ? dit Hector. C'est très loin, les heures de visite ne sont pas pratiques et, de toute façon, elle sera bientôt de retour à la maison.

— Quand cela ?

— Elle peut arriver n'importe quel jour.

— Tu m'as dit la même chose la dernière fois que je suis venu, il y a plus d'un mois. Tu ne veux pas me dire ce qui se passe ? Je ne suis pas un étranger dans ma famille. »

Hector hésita.

« Alors ?

— Elle a fait une espèce de dépression nerveuse mais avec Ara, c'est toujours un peu plus compliqué. A chaque fois qu'elle a eu de la visite, elle a rechuté. Elle devenait geignarde et larmoyante. Pourquoi n'attends-tu pas qu'elle rentre à Londres ?

— Où se trouve-t-elle ? »

Après lui avoir donné plusieurs réponses évasives, Hector lui donna enfin l'adresse de la maison de repos. Nahum s'y rendit l'après-midi même.

C'était une grande maison située sur les hauteurs des collines du Surrey, au milieu des pins. Arabella était seule quand il l'aperçut. Elle était vêtue d'une robe d'été sans manches et regardait fixement l'eau immobile d'un étang où flottaient des nénuphars. Il s'assit près d'elle et lui passa le bras autour de la taille.

Elle sursauta, l'air inquiet, puis elle sourit tristement lorsqu'elle le reconnut.

« Hector a téléphoné pour dire que tu venais mais je ne t'attendais pas si tôt. » Elle avait des cernes sous les yeux, un teint jaunâtre et les cheveux plaqués. Une douce brise se leva et elle frissonna ; Nahum enleva sa veste et il l'en couvrit. Elle appuya sa tête sur son épaule et commença à pleurer. Il la serra dans ses bras jusqu'à ce qu'elle s'apaise.

« Pourquoi ne m'as-tu pas écrit ou téléphoné pour me dire ce qui te tracassait ? Tu sais très bien que je ferais n'importe quoi pour toi.

— Il n'y avait rien qui me tracassait, dit-elle d'une voix hésitante. Je voulais simplement mourir.

— Mais pourquoi une belle femme talentueuse comme toi, qui a tout pour elle, aurait envie de mourir ?

— J'ai réalisé que je n'étais pas aussi belle ni aussi douée que je le pensais. J'ai quarante ans et c'est un âge trop avancé pour les rôles que je voudrais jouer. Et puis, je n'ai toujours pas eu le grand succès que j'espérais.

— Tu as eu des rôles importants.

— Oui, dans des films mineurs. Kapulski a dit une fois — il parlait d'une autre actrice mais cela peut très bien s'appliquer à mon cas — " si tu n'arrives pas à Hollywood avant tes trente ans, il est trop tard ". Il a raison.

— Tout ça n'est qu'une histoire de chance.

— Peut-être, mais cela ne me rassure guère de penser que je n'en ai pas eu, et ce qu'il y a de pire, c'est que j'ai gêné la carrière d'Hector. Il doit beaucoup voyager mais il craint de quitter Londres à cause de moi. Je lui ai dit de partir, mais il ne l'a pas fait.

— Au fait, Hector pourrait venir travailler à Glasgow. Lomzer est mort, Mittwoch est parti, je n'ai plus personne sur qui je puisse compter. Pourquoi ne viendriez-vous pas tous les deux ?

— Hector ne pourrait plus vivre en province et moi non plus.

— Il ne serait pas forcément obligé de rester en province. Je viens d'acheter une maison au sud de l'Ecosse, à Carlisle, et j'avais envie de lui donner ton nom.

— A Carlisle ? Oh ! non mon chéri, c'est un honneur que je puis attendre encore. Donne-lui plutôt le nom de la reine mère.

— J'ai toujours espéré avoir quelque chose à Londres, dans le

West End peut-être. Si cela se réalisait, rien ne m'empêcherait d'installer mes bureaux à Londres. J'ai plus de soixante ans et dans quelques années, Hector pourrait prendre ma suite. »

Elle hocha la tête et refusa de discuter davantage sur ce sujet.

« Est-ce qu'on t'a proposé des rôles ?

— Rien d'intéressant et rien en Amérique non plus. »

Le lendemain, Nahum alla parler avec Kapulski.

« Il est inutile de me raconter les malheurs d'Arabella, dit Kapulski. Je l'aime, c'est moi qui l'ai découverte, qui l'ai faite et elle est la meilleure — enfin, l'une des meilleures — mais il lui manque quelque chose.

— La chance ?

— Non, elle en a puisqu'elle m'a rencontré. Elle n'a pas... Comment dire ? Elle n'a pas le sens des autres. Si vous lui montrez un scénario, elle ne voit que son propre rôle et ignore tous les autres, si bien qu'elle interprète un monologue. On pouvait procéder ainsi du temps du cinéma muet mais plus maintenant. Et puis, elle a une voix trop aiguë.

— Vous voulez dire que sa carrière est finie ?

— Oh ! non, que diable. Aucune carrière n'est terminée tant qu'on peut la soutenir financièrement.

— Combien faut-il ?

— Disons des milliers de livres plutôt que des centaines.

— Je m'en doute.

— Disons même des dizaines de milliers de livres plutôt que des milliers.

— Et combien de dizaines ?

— Nous pouvons en discuter.

— Alors, allons-y. »

Six semaines après, Arabella fut invitée à Hollywood et deux mois plus tard elle partait sur le *Queen Mary*. Peu avant son départ, il reçut la visite inattendue de sa sœur Caroline. Elle qui d'habitude était une petite femme paisible et souriante se montra cette fois-là presque hystérique.

« Ne la laissez pas partir, supplia-t-elle. Vous ne devez pas, vous ne devez pas la laisser quitter l'Angleterre. Si elle part, elle ne reviendra jamais. Elle ne reviendra jamais, j'en suis sûre, elle ne reviendra jamais. »

Nahum fut un peu surpris par son déchaînement et il essaya de la calmer.

« A quoi bon ces mauvaises pensées ? C'est la chance de sa vie. Elle va devenir vedette. Je l'ai vue la semaine dernière. C'est une autre femme.

— Combien de temps êtes-vous resté avec elle ? Dix minutes ? Une heure ? Je viens de passer une semaine en sa compagnie. Elle a des hauts et des bas : elle est en pleine forme pendant une minute et juste après elle retombe dans la déprime. Elle est loin d'être guérie. Tant qu'elle se trouve ici, je puis au moins aller la voir à Londres assez souvent, et puis il y a Hector. En Amérique, elle va se retrouver toute seule avec ce sinistre Kapulski. Je ne veux pas la laisser partir sur un bateau. Elle pourrait très bien sauter par-dessus bord.

— Vous êtes ridicule. Elle a tout pour être heureuse. Son dernier échec l'avait déprimée — encore que ce ne fût pas un réel échec — mais elle a tout oublié ; ses plus beaux jours sont devant elle. Son talent ne trouvait pas à s'exprimer dans ce petit pays. En Amérique, elle se retrouvera.

— Non, elle s'y perdra, à supposer qu'elle y arrive. Est-ce que vous pouvez au moins me promettre qu'elle ne voyagera pas seule ? Je serais bien partie avec elle mais j'ai les enfants à garder. »

Nahum téléphona à Hector et celui-ci lui dit qu'il n'avait jamais eu l'intention de la laisser voyager seule.

« Je dois de toute façon aller à New York pour mes affaires et quand j'en aurai terminé, j'espère aller passer un mois en Californie avec elle. »

Il fit part de ses bonnes intentions à Caroline.

« Mais êtes-vous certain de partir avec elle ?

— Qu'est-ce que vous voulez dire par " certain " ? J'ai les billets sous les yeux. J'espère que vous viendrez nous dire au revoir à Southampton, ou au moins à la gare. » Ces paroles rassurèrent Caroline qui rentra alors chez elle.

Le jour du départ, Caroline ne put aller à la gare mais Nahum qui se trouvait à Londres alla leur souhaiter un bon voyage. En arrivant à la gare, il comprit que les craintes de Caroline avaient été fondées : Arabella se trouvait dans le train mais sans Hector à ses côtés et elle tremblait d'énervement. Le téléphone les avait réveillés tôt le matin et Hector avait dû partir en vitesse en lui disant qu'il ne serait peut-être pas à l'heure pour le train mais qu'il serait certainement à Southampton.

« Ce n'est pas ce qui m'inquiète, dit-elle. Il a déjà reçu ce genre de coup de fil mais quand j'ai téléphoné au bureau ce matin, ça ne répondait pas. J'ai ensuite téléphoné à Vicky qui était elle aussi très inquiète. Eddy est parti au beau milieu de la nuit sans laisser un mot et elle n'a aucune idée de l'endroit où il se trouve. »

A ce moment, le train siffla et Nahum lui demanda de retarder son voyage.

« Je pars, dit-elle d'une voix sinistre mais déterminée. Ils commencent à tourner le film dans quatre semaines et je partirai par ce train, même si c'est la dernière chose que je doive faire. » Elle lui donna un long et langoureux baiser. Le train commença à démarrer et en sautant du wagon Nahum glissa et se blessa légèrement en tombant. Il se remit sur pied immédiatement mais Arabella était déjà hors de vue. Il courut jusqu'à la cabine téléphonique la plus proche et essaya de joindre Vicky. La ligne était occupée. Il fit une nouvelle tentative quelques minutes plus tard mais c'était toujours occupé. Il sauta dans un taxi qui le conduisit chez elle. La porte de l'appartement était fermée à clef. Le concierge lui dit qu'elle était partie il y avait environ une heure.

« Avait-elle des bagages ?

— Non, il ne me semble pas. Elle ne sera pas longue. »

Il en était à se demander ce qu'il allait faire lorsqu'une voiture s'arrêta devant l'immeuble ; en descendirent un journaliste et un photographe. L'endroit grouilla bientôt de reporters qui graissaient la patte du concierge pour obtenir des renseignements sur la famille Cameron. Lorsque l'un d'entre eux crut comprendre que Nahum pouvait peut-être les renseigner davantage, ils se tournèrent tous vers lui. Il partit en courant, suivi par une meute de photographes et de journalistes ; il trouva refuge dans un taxi. En arrivant à l'hôtel, il écouta les informations et apprit la raison de toute cette agitation. On avait découvert l'existence d'un gang international qui se livrait au trafic d'armes. Huit hommes avaient été arrêtés, on en recherchait quatre autres et parmi eux il y avait Cameron et Hector. Voilà ce qu'était leur affaire de machines-outils, pensa-t-il. Mais à ce moment, ce fut surtout pour Arabella qu'il se fit du souci. Il dévala les escaliers quatre à quatre et lui envoya un télégramme : RETARDE TON DÉPART STOP JE PARS IMMÉDIATEMENT POUR SOUTHAMPTON RENDEZ-VOUS POLYGON HOTEL.

Le premier train pour Southampton ne partait que dans plusieurs heures, aussi il loua une voiture avec chauffeur. A peine était-il installé qu'il s'endormit sur la banquette arrière. S'il était resté éveillé, il aurait probablement remarqué que le chauffeur conduisait vraiment mal. Il se réveilla le lendemain matin à l'hôpital. Son chauffeur, qui était ivre, avait percuté un arbre. Nahum n'était que commotionné ; quand il retrouva ses esprits il téléphona au Polygon Hotel pour savoir si quelqu'un l'avait demandé. On lui avait seulement laissé un message ainsi libellé : AU DIABLE HECTOR PARS COMME PRÉVU BAISERS ARA.

Il avait une affaire pressante à régler à Londres et il espérait quitter l'hôpital ce jour même mais on le retint pour lui faire un bilan général. Il n'arriva donc à Londres que deux jours plus tard. Les journaux du soir avaient sorti une édition spéciale consacrée à la conférence de Munich. Il en acheta un à la gare mais ne commença à le lire qu'une fois arrivé à l'hôtel. Il n'en n'apprit pas davantage qu'à la radio et il le laissa. Peu après, alors qu'il se déshabillait, son regard fut attiré par une « dernière minute » au dos du journal. Il se pencha pour lire : « VEDETTE BRITANNIQUE VICTIME DE LA MER. La vedette de cinéma Arabella Raeburn a disparu du *Queen Mary*. On craint qu'elle ne se soit noyée. Les recherches continuent. »

Curieusement, cette dernière catastrophe lui sembla la moins douloureuse. Un moment, il se prit à espérer qu'Arabella s'était cachée quelque part sur le navire et qu'on allait la retrouver, ou bien que si elle était tombée à la mer, un navire l'avait recueillie. Mais lorsqu'il dut renoncer à ses espoirs, il ne ressentit pas la même douleur que pour la mort de Miri ou d'Alex, sans doute parce qu'elle ne lui était jamais apparue comme un personnage vraiment réel. Telle une luciole, elle avait éclairé un coin de son univers puis elle avait disparu. Sa réaction s'expliquait aussi du fait des autres événements. En l'espace de quelques jours, il avait en effet non seulement perdu Arabella mais également un fils, un gendre et une fille. Il espérait, il supposait, qu'ils n'avaient pas disparu pour toujours. La police les recherchait sur les quatre continents. Les reverrait-ils jamais un jour ?

Au début, il rejeta la responsabilité de tout ce qui était arrivé, y compris la mort d'Arabella, sur Cameron. L'homme qui avait failli le ruiner s'en était maintenant pris à sa famille. Il se reprocha de ne pas l'avoir étranglé quand il l'avait revu au mariage d'Hector, ou du moins quand il avait appris sa relation avec Vicky. Il en vint à penser que Cameron était la créature d'un dieu obscur, envoyée sur terre pour le punir de son arrogance.

Les rumeurs de guerre se précisaient. On distribua des masques à gaz et l'on fit creuser des abris antiaériens dans les jardins. Des circulaires furent adressées aux propriétaires de cinéma, pour les aviser des dispositifs à prévoir contre les attaques aériennes et des mesures à prendre en cas de « black-out ». Ce mot était sur les lèvres de tout le monde mais il avait le sentiment qu'en ce qui concernait sa propre vie, les lumières avaient déjà été éteintes.

Lotie essaya de lui remonter le moral en lui parlant de Jacob et de ses enfants, de Benny, qui après neuf ans d'études (elles duraient normalement six ans) était sur le point de devenir médecin, de Sophie et de ses jumeaux. Mais il semblait inconsolable.

Et puis, un matin, il reçut un télégramme en provenance du Mexique. Il ne portait aucune adresse et il n'y avait que ce message : DÉSOLÉE POUR LE SILENCE ALLONS BIEN TE CONTACTERONS DÈS QUE POSSIBLE NE T'INQUIÈTE PAS BAISERS VICKY.

La guerre éclata trois semaines plus tard.

32.

Au début, Nahum ne put le croire. « Après tout ce qu'ils ont souffert la dernière fois, ils pourraient au moins laisser passer quelques générations avant de recommencer à s'entretuer, dit-il à Lotie. Nous nous retrouvons au point de départ. »

L'effet immédiat de cette seconde guerre fut, comme pour la première, de priver Nahum de la quasi-totalité de son personnel. Et s'il n'avait pu dénicher deux réfugiés allemands qui parlaient un peu l'anglais et avaient une certaine expérience du cinéma, il aurait certainement connu de graves difficultés. Il avait pu remplacer une partie de son personnel masculin par des femmes mais ce ne fut pas très facile car les salaires qu'il offrait étaient de loin inférieurs à ceux des industries de guerre. La fréquentation de ses salles augmenta, notamment pour celles qui étaient situées à proximité d'installations militaires.

Jacob fut appelé sous les drapeaux peu après le début de la guerre. Nahum espérait qu'il aurait la possibilité de devenir officier comme ses demi-frères l'avaient été durant le précédent conflit puisqu'il avait fréquenté Clifton et Cambridge, mais on ne lui donna que le grade de sergent et il fut versé dans le Corps chargé des questions d'enseignement. Benny obtint enfin son diplôme de médecin en 1940 ; Nahum pensait que sa petite taille et sa mauvaise vue lui permettraient d'échapper aux obligations militaires mais il revint à la maison peu de temps après avec un brillant uniforme de capitaine du Corps Médical. Nahum était fier de son fils et il commença à le considérer d'un autre œil. Il avait pensé, comme Sophie l'avait dit, qu'une famille de six enfants pouvait bien compter parmi les siens un incapable mais en fait ce garçon était une constante source d'étonnement. Il n'avait jamais songé qu'il irait à l'université, pas plus qu'il n'avait songé le voir devenir médecin.

« Ce doit être un bon médecin si l'on pense au temps qu'il a mis pour le devenir », dit Lotie.

Nahum manquant de personnel, Lotie vint travailler comme ouvreuse. Le premier soir on lui fit, à son grand plaisir, trois propositions malhonnêtes dont l'une « émanait d'un écolier. Je sais qu'il fait noir dans les cinémas, mais ce n'est pas si mal pour une femme qui a près de soixante ans ».

La tournure que prit la guerre au printemps 1940 — avec l'invasion de la Norvège, de la Belgique, l'épisode de Dunkerque, la défaite de la France — désespéra Nahum.

« Rien ne peut les empêcher de venir ici, dit-il. Que représente la traversée de la Manche ? Une traversée de deux heures ?

— La dernière guerre que l'Angleterre a perdue, c'était la guerre d'indépendance américaine », dit Lotie. Mais cela ne suffit pas à le rassurer.

« Quand je voulais partir en Palestine, j'avais le pressentiment de ce qui allait arriver. J'aurais dû agir à ce moment-là. Dieu merci, Sophie et Yankelson sont là-bas.

— Si la Grande-Bretagne perd la guerre, la Palestine ou votre Etat juif n'aura pas grand avenir devant lui », dit Lotie. Son calme surprenait parfois Nahum, qui avait pensé au début qu'elle ne comprenait pas très bien le cours des évènements.

La guerre n'avait pas encore entraîné de graves pénuries mais des membres de la famille de Lotie, qui pensaient que le pays était au bord de la famine, commencèrent à lui envoyer d'Amérique des colis de nourriture. Un jour, Nahum eut également la surprise d'en recevoir un. C'était de Vicky. Comme toujours il n'y avait aucune mention d'adresse ; seul un petit mot, qui disait : « Tout va bien pour tout le monde. »

La guerre se prolongeant, et bien qu'on ne pût noter aucune amélioration de la situation — excepté des victoires au Moyen Orient et en Afrique de l'Est — un curieux sentiment d'euphorie gagna Nahum. Il avait été pro-anglais durant le conflit précédent mais son enthousiasme avait été modéré par l'alliance avec la Russie ; il s'était même réjoui, malgré lui, des terribles défaites subies par les troupes tsaristes sur le front oriental. Maintenant, il pouvait prendre parti sans réserve. Il avait deux fils sous les drapeaux et durant la Bataille d'Angleterre sa femme rejoignit les Femmes Volontaires. Il participait parfois à des piquets d'incendie et mettait souvent ses salles de cinéma à la disposition des œuvres de charité. Pour la première fois de sa vie, il se sentit complètement intégré à son milieu. Il vivait depuis cinquante ans dans ce pays et il fallait une guerre mondiale pour qu'il se sente britannique. Les sympathies, les craintes, les efforts communs contribuèrent à resserrer ses liens avec sa femme, et le soir Nahum s'asseyait parfois au coin du feu avec Lotie sur les genoux, ses bras autour de son cou ; on aurait dit un jeune couple d'amoureux.

Les raids aériens, ou plutôt leur attente, stimulaient également leur relation. Peu de temps avant le début des hostilités, ils avaient fait creuser un abri dans le jardin mais Lotie déclara qu'elle ne dormirait jamais là-dedans. Ils en achetèrent donc un autre qui consistait en une structure métallique très résistante et sous laquelle il pouvait mettre un matelas à deux places. Ils le placèrent dans la salle à manger et ils s'y glissaient à quatre pattes tous les soirs.

Un soir, alors qu'ils se préparaient à aller se coucher, les sirènes mugirent. Nahum se précipita à l'étage pour descendre sa mère dans l'abri mais, comme elle dormait il la laissa dans son lit.

« Hitler peut-il lui faire plus de mal que le temps qui passe ? », dit Lotie.

Lors des raids précédents, c'étaient les quais, les chantiers navals, les usines aéronautiques, tous lieux qui se trouvaient loin de chez eux, qui avaient été bombardés. Cette fois, les bombes semblaient tomber plus près. Les vitres tremblaient et la maison vibrait. Nahum supposa que l'objectif visé devait être une importante usine de mécanique située à environ un kilomètre et demi de la maison. Ils entendirent le vrombissement des avions, le tonnerre des canons de la D.C.A., l'explosion des bombes et par-dessus tout le fracas des bâtiments qui s'écroulaient. Dehors, des voix excitées et le rugissement des camions de pompiers se firent entendre.

« Ils ne plaisantent pas ce soir, dit Nahum.

— J'aimerais sortir pour voir ce qui se passe, dit Lotie.

— Tu veux te faire tuer ? »

Soudain, il y eut une énorme explosion, un bruit de verre brisé, une odeur de poussière et de plâtre et la lumière s'éteignit. Nahum prit la main de Lotie.

« Ça va ?

— Oui, et toi ?

— Mon Dieu, celle-là n'est pas tombée loin. » Il tendit la main pour prendre sa torche, sortit en rampant de l'abri mais lorsqu'il voulut se mettre debout, ses jambes fléchirent. Il dut s'agripper à une chaise.

« Mais qu'est-ce qui m'arrive ?

— C'est le choc probablement, dit Lotie qui sortit alors le thermos posé près de son lit. Viens prendre un peu de thé. »

Il en but une gorgée ; tout d'un coup, il se souvint de sa mère et monta les escaliers à toute allure. Elle était assise dans l'obscurité et jacassait en russe.

« C'est toi, Yechiel ? Qu'est-ce qui se passe ? Quel est tout ce bruit ? Où suis-je ? Il fait très froid. »

Nahum lui prit la main, l'aida à enfiler sa robe de chambre et la fit descendre à la cuisine où Lotie avait allumé des bougies. Elle était en train de colmater une fenêtre pour empêcher l'air froid de la nuit d'entrer.

« Qui c'est ? demanda sa mère.

— Lotie, maman.

— Lotie ? Lotie qui ?

— Lotie Raeburn, ma femme.

— Et toi, qui es-tu ?

— Nahum.

— Nahum, dis-tu ? Je connais ce nom.

— Assieds-toi, nous allons te faire une tasse de thé.

— Où sont les autres ? Où est Yechiel ? Où est Katya ? Pourquoi fait-il si noir ? Il n'y a pas de lumière dans cette maison. J'ai très froid. Qu'est-ce qui se passe ? »

La lumière fut rétablie le lendemain matin, les fenêtres furent réparées deux ou trois jours plus tard et la vie reprit son cours normal. Ou du moins à peu près car l'explosion avait ramené Mme Rabinovitz dans le camp des vivants. Depuis quatre ou cinq ans, elle s'était complètement coupée de la réalité et se contentait de boire et manger ou de bouger un peu s'il le fallait. Maintenant qu'elle avait retrouvé sa langue et le maniement du russe elle se mit au yiddish et à l'anglais. Elle parlait sans arrêt, mélangeant les langues, comme si elle voulait rattraper des années de silence. Par contre, elle n'avait pas retrouvé sa mémoire : elle confondait Lotie avec sa fille ou, plus étonnant encore, avec sa sœur ou la bonne et elle voulait l'envoyer faire des courses. On avait distribué à la population des protège-tympans et Lotie prit l'habitude de les mettre lorsque sa belle-mère était dans les parages. La vieille femme aimait traîner dans la cuisine et un jour elle faillit asphyxier toute la maisonnée : elle avait ouvert le gaz, était partie chercher une allumette et avait oublié de fermer le robinet. Une autre fois, elle brûla toute la ration de viande de la famille en la laissant carboniser dans une poêle ; elle ne s'en souvint que lorsque la cuisinière s'enflamma. Un autre jour, Lotie, affolée, téléphona au bureau de Nahum pour lui dire de rentrer immédiatement s'il ne voulait pas que sa mère se fasse égorger.

« Elle l'a encore fait, dit-elle, cette fois avec une casserole de lait. C'est la deuxième fois cette semaine que je dois utiliser l'extincteur dans la cuisine. Elle représente une plus grande menace que la Luftwaffe. »

Elle mourut quelques jours plus tard dans son sommeil.

Lorsqu'il se retrouva à la synagogue pour dire le *kaddish,* une fois de plus, Nahum remarqua qu'il était parmi les plus vieux. Un rabbin au regard triste, qui était arrivé à Glasgow peu avant la guerre et n'avait pas appris l'anglais, faisait un petit exposé tous les soirs sur le Talmud. Nahum, qui auparavant n'avait jamais eu le temps d'y assister, vint dorénavant l'écouter. Il fut étonné de découvrir que cinquante ans après, le peu qu'il avait appris à la *Yeshiva* lui revenait à l'esprit et que l'heure qu'il passait à se balancer d'avant en arrière le rendait heureux. Il participait à la discussion et il était capable d'argumenter en recherchant les citations qui confortaient sa thèse. A Glasgow, l'idée d'érudition juive était associée à celle de pauvreté. Aussi, le spectacle de cet homme qui avait vécu cinquante ans dans ce pays, qui parlait l'anglais, qui fréquentait des hommes puissants, qui possédait dix salles de cinéma et était marié à une élégante Américaine, mais qui pouvait apprécier le Talmud, impressionna tous les fidèles de la synagogue. On parlait de lui avec respect et on l'appelait Reb Nahum, un titre que l'on n'accordait généralement qu'aux grands érudits. Ce qui n'empêchait pas Lotie de répéter qu'un homme qui passait autant de temps à la synagogue ne devait pas beaucoup aimer sa femme.

La mort de sa mère avait laissé un grand vide dans la maison et les soirs où Nahum était appelé au-dehors, Lotie avait peur de rester seule.

« Ce ne sont pas seulement les bombes qui me font peur, dit-elle. C'est le fantôme de ta mère. J'ai parfois l'impression qu'elle hante cette maison.

— J'ignorais que les Américains croyaient aux fantômes, dit-il. Je pensais que c'était une invention des Anglais. »

Quelques semaines plus tard, un événement se produisit qui fit penser à Nahum qu'il voyait, lui aussi, des fantômes. Peu avant la guerre, Jacob était allé rendre visite à un vieux camarade de classe qui était maître d'étude dans un pensionnat des Midlands. Il y fit la connaissance du jardinier, un dénommé Eric, et de sa femme Trude qui était domestique. Tous deux étaient des juifs allemands réfugiés qui avaient été assez riches jusqu'à l'arrivée d'Hitler.

Jacob se retrouva basé par hasard près du pensionnat au début de la guerre et il retourna les voir. La femme ne savait plus à quel saint se vouer. Son mari, beaucoup plus âgé qu'elle, avait été emprisonné sous prétexte qu'il était sujet d'un pays ennemi. Jacob en fut abasourdi et écrivit à son père : « Sait-on que ces gens se sont enfuis d'Allemagne pour sauver leur vie ? A supposer qu'il ait vraiment voulu aider les Allemands, il n'aurait pas pu le faire tant il est vieux et usé. Il a du diabète et est profondément déprimé. Quand il a appris qu'il allait être interné, il a cru qu'on l'envoyait dans une sorte de Dachau britannique (encore que les conditions de détention sur l'île de Man ne semblent pas si agréables que cela) ; il a voulu se pendre et sans un professeur qui passait là par hasard ce serait fait. En ce moment, il est trop déprimé pour voir du monde ou écrire et d'après sa femme il veut seulement qu'on le laisse mourir. Nous avons écrit à des députés et nous essayons de faire tout ce qui est en notre pouvoir mais je voulais te demander si tu ne pouvais pas faire quelque chose de ton côté. Il me semble que toi et Lotie avez rencontré le ministre de l'Intérieur lors d'un gala de charité et il me semble aussi que tu t'entends bien avec Lord Provost, de Glasgow. Pourrais-tu leur écrire ? Une lettre d'un rabbin pourrait être également utile car, comme tu le sais, les Anglais ont beaucoup de respect pour le clergé. Il s'appelle Eric ou Erich Hauptmann, il a soixante-quatre ans, il vient de Francfort-sur-le-Main et l'adresse de sa maison en Angleterre est : Milton House, Beresford, Staffs. »

Nahum fut surpris de ce que Jacob le prenne pour un homme influent. Il pensait l'avoir été du temps où il s'occupait d'affaires maritimes mais il ne croyait plus l'être depuis qu'il était propriétaire de salles de cinémas. Il déploya cependant beaucoup d'énergie et fut heureux de constater combien il pouvait être utile.

Trude lui écrivit quelques mois plus tard : « Erich a été libéré mercredi. J'ai essayé d'aller le chercher à Liverpool mais comme c'est une zone interdite, je n'ai pu me rendre que jusqu'à Crewe où nous nous sommes retrouvés. Il n'avait pas l'air en forme mais quand il m'a vue ça a été mieux. Il est maintenant au lit en train de boire une bonne tasse de thé anglais. Il va avoir soixante-cinq ans demain. Sa sœur doit venir d'Irlande pour l'occasion ainsi que deux ou trois amis. J'ai également écrit à votre fils et j'espère qu'il pourra se joindre à nous. »

Jacob se joignit en effet à eux mais l'événement fut moins gai que prévu.

« Notre aide est arrivée trop tard, écrivit Jacob. Hauptmann avait été libéré mercredi dernier mais il est mort deux jours plus tard au cours d'une petite fête que sa femme avait organisée pour célébrer son soixante-cinquième anniversaire. Je suis allé aux obsèques hier. Il n'y avait pas grand monde et c'était plutôt triste. Après la cérémonie, nous sommes allés prendre une tasse de thé dans une maison voisine. La veuve, qui avait fait preuve d'un remarquable sang-froid durant le service — elle est assez séduisante en noir — m'a raconté toute son histoire. C'est digne d'un roman et un jour je pourrais bien l'écrire. Elle a une belle-sœur âgée en Irlande, deux ou trois connaissances à Londres, mais à part ça, elle semble être toute seule. J'espère la voir lors de ma prochaine permission mais les fêtes de Noël approchent et je voulais savoir si tu pouvais l'inviter chez toi à Glasgow pour une semaine environ. Je ne sais pas si elle a les moyens de se payer le voyage, aussi tu pourrais lui adresser un billet en même temps que ton invitation. »

Nahum étant parti pour affaires, Lotie alla chercher Trude à la gare. Lorsqu'il rentra, elles prenaient le thé dans le salon. Quand Lotie se leva pour faire les présentations, Nahum resta bouche bée comme s'il avait vu un fantôme. La jeune femme qui se tenait devant lui était la réplique exacte de sa mère du temps de sa jeunesse.

Il ne la salua même pas et courut chercher l'album de photos dont il tourna les pages en tremblant.

« Avez-vous déjà vu cette femme ? » demanda-t-il.

L'invitée se leva, stupéfaite.

« C'est grand-mère, dit-elle. Je ne l'ai jamais rencontrée mais ma mère avait toujours sa photo sur elle. »

Nahum referma l'album et leva les mains au ciel.

« Je ne peux pas y croire. On dirait du cinéma. Est-ce que ton père s'appelait Arnstein ?

— Non, c'était mon beau-père. Mon père s'appelait Simyon Petrovitch mais je n'ai aucun souvenir de lui. »

Elle raconta ensuite toute son histoire : Comment elle avait failli périr dans l'incendie qui avait ravagé leur hôtel à New York ; comment, son père ayant été libéré sous caution, ils s'étaient enfuis au

Canada et de là, grâce à des amis communistes, étaient partis pour la Russie peu après la révolution. Arnstein devint membre d'un soviet local en Ukraine mais lorsque les Blancs envahirent la région, ils partirent vers le sud en direction d'Odessa où ils trouvèrent un abri et de la nourriture. Mais la guerre se poursuivant, la faim et le désordre gagnèrent la région. Ils furent sauvés comme des milliers d'autres par un organisme juif international de secours ; c'est à cette occasion qu'elle rencontra son futur mari qui travaillait dans cet organisme. Il avait vingt ans de plus qu'elle mais il l'attirait car il incarnait la perspective de repas réguliers. Ils se marièrent et allèrent vivre en Allemagne. Elle perdit alors tout contact avec ses parents et les autres.

« J'ai bien sûr essayé de contacter ma mère en écrivant à des gens qui la connaissaient ou qui auraient pu savoir où elle se trouvait. J'ai même voulu me rendre en Russie mais on m'a prévenue qu'il était possible que je ne puisse pas ressortir du pays.

— C'est exactement ce qu'ils m'ont dit, fit remarquer Nahum. Quand as-tu vu ta mère pour la dernière fois ?

— Il y a vingt ans, presque jour pour jour.

— Et tu n'as eu aucune nouvelle depuis ?

— Non, aucune.

— Je suis surpris qu'elle n'ait pas essayé de te joindre.

— Moi, ça ne m'étonne pas. Elle était très superstitieuse.

— Ta mère ?

— Oh oui alors !

— J'avais l'impression qu'elle ne croyait à rien.

— Elle pensait qu'elle portait malheur à tous les gens qu'elle connaissait : à ses parents, à mon père, à ses amis, bref à tout le monde, sauf à Arnstein qui était un malheur à lui tout seul. Lors de mon départ, elle m'a dit qu'elle ne m'écrirait jamais. Elle voulait que je connaisse une nouvelle vie et elle pensait que je me débrouillerais mieux sans elle. Elle désirait que je l'oublie.

— C'est peut-être pour cette raison qu'elle ne m'a pas contacté.

— J'en suis certaine.

— Mais pourquoi n'as-tu pas essayé de me joindre quand les choses ont commencé à mal tourner en Allemagne ?

— Vu ce que j'avais vécu avant, la situation ne m'a pas semblé particulièrement alarmante.

— Mais est-ce que tu savais que tu avais un oncle à Glasgow ?

— Bien sûr que je le savais. Je me souvenais t'avoir vu à New York et j'ai donné ton nom aux gens qui s'occupent des réfugiés ici. Je leur ai dit que tu étais armateur, ils ont fait des recherches et m'ont répondu que tu avais subi des « événements malheureux » comme ils m'ont dit, durant la dernière guerre. Ce qui m'a fait de nouveau penser au mauvais œil de ma mère. En tout cas, je ne tenais pas spécialement à rencontrer de la famille car partout où nous allions, nous ne rencontrions que des gens qui avaient des ennuis et je n'avais aucune envie de leur en apporter davantage. Et puis, quand j'ai trouvé ce travail à Beresford, j'étais si contente que je ne voulais plus bouger ; j'aurais voulu dire la même chose du pauvre vieil Erich. Quand je pense à lui, je me demande si je n'ai pas hérité des vertus de porte-malheur de ma mère. Il était comptable et ses affaires marchaient bien ; lorsque les nazis sont arrivés au pouvoir, sa clientèle a diminué et il a alors travaillé pour le *Judenrat*[1] mais cela n'a pas duré longtemps. Ceux qui s'occupent des réfugiés ici m'ont trouvé un travail de domestique-cuisinière dans un pensionnat, ce qui me convenait bien. Par contre, pour Erich ils lui ont trouvé un poste d'homme à tout faire. Il ne savait pas ce que cette expression signifiait et quand je lui ai expliqué il a voulu sauter par la fenêtre. Il n'avait jamais touché un outil de sa vie et il disait que ce n'était pas maintenant qu'il allait commencer. Puis il s'est résigné. Il a commencé à enfoncer des clous un peu partout, sans trop de bonheur d'ailleurs. Nous avons alors décidé d'intervertir nos emplois (sans prévenir l'administration du pensionnat) : lui serait le cuisinier et moi l'homme à tout faire. Il a aussi fait le jardinier et ça ne marchait pas si mal jusqu'à ce qu'on l'arrête. »

Ses yeux étaient pleins de larmes et Nahum la réconforta en posant une main sur la sienne.

« En tout cas, tes ennuis sont terminés. Tu ne peux pas savoir à quel point je suis content d'avoir retrouvé une survivante de la famille. Je pensais ne plus jamais te revoir. Maintenant que tu es là, je me prends à espérer que nous retrouverons peut-être ta mère un jour. »

Il se souvint d'une citation du Talmud qui disait que Dieu donne un remède pour chacune des maladies (ce à quoi Shyke rétorquait : « Qu'Il garde Ses maladies et Ses remèdes »). D'avoir retrouvé sa nièce le consolait d'une certaine façon d'avoir perdu sa fille. Elle avait

---

1. *Judenrat* : le « gouvernement », la « municipalité » des juifs.

un peu plus de quarante ans et malgré tout ce qu'elle avait vécu, elle faisait plus jeune ; en la regardant, il croyait revoir sa mère vivante, et son teint clair, ses cheveux roux, ses yeux gris verts lui faisaient penser aux paysannes de Volkovysk.

Elle avait insisté pour retourner à Beresford car elle ne pouvait partir sans prévenir. Elle revint au début de l'année en tenant à la main une petite valise renfermant tout ce qu'elle possédait.

Un mois plus tard, ce fut Pâques. Jacob et Benny avaient obtenu une permission et, pour la première fois depuis le début de la guerre, Nahum put réunir presque toute la famille pour le *seder*. Edgar, le frère de Lotie, qui se trouvait à Londres en tant que membre d'une délégation du gouvernement américain (il resta très discret sur le but de sa mission qui consistait en fait à négocier un contrat pour la fourniture d'œufs en poudre), vint à Glasgow pour l'occasion.

Le repas fut austère car les effets de la pénurie commençaient à se faire sentir mais ce fut pourtant l'un des plus mémorables *seder* de sa vie. A un bout de la table, Benny, qui avait été affecté au centre des maladies vénériennes dans l'armée, parlait du stade tertiaire de la syphilis avec la femme de Jacob, Gladys. En face de lui, Jacob décrivait à une Lotie qui ne se montrait guère passionnée les problèmes qui se posaient lorsque l'on tentait d'éduquer une armée quasiment analphabète.

« L'éducation scolaire est maintenant obligatoire depuis soixante-dix ans et ça n'a avancé personne. Tous ces gens auraient mieux fait d'aller travailler dans les mines, au moins cela nous ferait un peu plus de charbon », lui déclara-t-il.

Edgar — qui donnait l'impression d'avoir cinquante ans alors que Nahum pensait qu'il devait approcher les soixante-dix — conversait chaleureusement avec Trude, une main posée sur son genou et l'autre sur le dossier de sa chaise. Nahum s'occupait surtout de ses deux petits-enfants et des beaux-parents de Jacob. Il se sentait presque coupable de la joie qu'il ressentait en regardant toute cette assemblée.

Vers la fin de la soirée, il frappa sur la table avec une fourchette et demanda un peu de silence ; puis il se leva.

« Je sais qu'il n'est pas habituel de faire des discours pendant un *seder*, dit-il, mais j'espère que vous voudrez bien m'excuser si je dis quelques mots.

— Nous ne vous excuserons pas, lança Edgar.

— C'est un rabbin manqué, fit remarquer Lotie. Dès qu'il y a plus de dix personnes à table, il ne peut pas s'empêcher de faire un discours.

— Je ne serai pas long, juste un mot ou deux, les rassura Nahum.

— Vous en avez déjà dit trois ou quatre, dit Edgar, mais continuez je vous prie. »

A ce moment précis, on sonna à la porte.

« Ce doit être quelqu'un de la défense passive qui vient nous signaler qu'on voit de la lumière filtrer de chez nous », dit Lotie.

Celui qui alla ouvrir la porte aperçut une grande silhouette vêtue d'un long manteau. La nuit était froide et brumeuse ; l'obscurité ne permettait pas de distinguer les traits du personnage.

« Joyeux Noël », dit-il en entrant. Il avait le visage rouge, une moustache grise bien fournie et portait un uniforme de capitaine de l'armée canadienne.

C'était Hector.

33.

« Chère Sophie,
Salut !
Je n'ai pas eu de tes nouvelles depuis près de trois ans et tu n'as pas eu des miennes depuis plus de quatre. Je me montre peut-être présomptueuse en croyant que tu souhaites entendre parler de tout ce qui est arrivé mais, comme tu peux l'imaginer, j'avais de bonnes raisons de me taire.

Tu ne me croiras peut-être pas mais je n'avais aucune idée de ce qu'Hector et Eddy fabriquaient — au risque de passer pour naïve et innocente, ce que je ne suis pas — et je ne suis même pas trop sûre de le savoir encore maintenant. Si j'avais eu toute ma tête, j'aurais pu constater que leurs gains ne correspondaient pas du tout au prétendu niveau de leurs affaires. Si je n'avais pas toute ma tête c'est parce que je ne songeais qu'à mettre au monde un enfant.

Comme j'ai déjà dû te le dire, je n'avais aucune peine à les mettre en route mais je n'arrivais pas à les garder. J'ai fait je ne sais combien de fausses couches ; cependant, il y a trois ans, j'ai enfin senti un petit être prendre vie en moi. Je devais bouger le moins possible, et c'était un vrai supplice mais j'étais prête à l'endurer. Un matin, très tôt, le téléphone a sonné. Je ne sais pas qui a appelé et je n'ai entendu qu'une voix complètement catastrophée. Eddy s'est habillé en vitesse et a quitté la maison en courant. Il m'a appelée trois heures plus tard pour me dire qu'une voiture était en route pour venir me chercher et que je devais être prête dans dix minutes. J'ai dit que je n'en ferais rien et que je comptais bien rester à la maison. Il m'a répondu : « Et moi je te dis que tu monteras dans cette fichue voiture », puis il a raccroché. Il avait une voix tellement menaçante que pour la première fois de ma vie, j'ai eu peur. Dix minutes plus tard j'étais dans la voiture où j'ai immédiatement commencé à saigner un peu. Nous avons pris le bateau jusqu'à Dieppe le jour même et le lendemain matin nous sommes montés à bord d'un caboteur grec. J'ai fait une fausse couche pendant la nuit et j'étais si malade et déprimée que lorsque j'ai repris quelques forces j'ai essayé de sauter par-dessus bord. Je me suis dit plus tard que j'avais dû faire ma tentative à peu près au même moment que la pauvre Ara, seulement moi, j'ai eu Eddy et Hector pour me retenir et elle n'a eu personne. Nous avons fait escale à Tanger où Hector a appris la nouvelle du décès d'Ara. Il a vieilli en une nuit. Avant, qu'il soit en uniforme ou en civil, il avait toujours une allure martiale ; après, il a commencé à se voûter et à tenir la tête penchée sur le côté. Je ne savais pas qu'il tenait à Arabella à ce point. Bien sûr, père l'aimait et je n'ose penser à l'effet qu'a produit cette nouvelle sur lui, mais j'ai toujours cru qu'Hector l'avait épousée par devoir, pour faire en somme ce qu'on attendait de lui. J'ai eu tort. Quant à moi, je pensais aimer Eddy mais après ma dernière fausse couche, j'ai commencé à le détester. J'ai voulu le quitter des centaines de fois mais je ne l'ai pas fait, en partie parce que j'ai peur de lui et aussi parce que je ne voulais pas impliquer Hector dans nos affaires. En attendant, je ne le laissais plus m'approcher.

Après Tanger, nous sommes allés au Mexique où j'ai certainement vécu l'année la plus sombre de mon existence. Nous vivions là-bas dans un hôtel infect, sur la côte du Pacifique. Il faisait une chaleur torride ; en plus des tempêtes de sable, il y avait partout de la crasse, des mouches et des moustiques. Nous n'avions personne à qui parler et nous n'avions rien à faire. Eddy et Hector jouaient presque toute la journée aux cartes. Hector, qui en temps normal n'est pas très bavard, parlait encore moins sauf en fin de soirée. Il dormait très mal. J'entrais dans sa chambre, m'allongeais sur son lit, posais ma joue contre la sienne, il passait un bras autour de moi et nous parlions ainsi durant des heures.

Il ne m'a jamais dit pourquoi lui et Eddy avaient dû s'enfuir mais je ne le lui ai jamais demandé non plus. Nous parlions surtout de père, qu'il adore, et des soucis que nous lui avions causés tous les deux. Pour arranger le tout, j'ai attrapé le paludisme. Un médecin juif allemand, qui était arrivé en ville le mois précédent, m'a sauvé la vie mais j'en ai gardé des séquelles puisque j'ai des crises une fois par an. Je considère que cette année passée au Mexique a été mon purgatoire et si je n'ai pas été la véritable « fille d'Israël » que père espérait, je pense avoir payé pour mes péchés, les intérêts compris.

Lorsque la guerre a éclaté, nous avons franchi la frontière américaine ; nous avons traversé le pays comme des voleurs et nous nous sommes arrêtés à Buffalo, près de la frontière canadienne. Nous y avons séjourné quelque temps en menant une vie presque normale. Mon hostilité à l'encontre d'Eddy s'est tassée. Il y a six mois, lui et Hector se sont engagés dans l'armée canadienne. J'ignore si on leur a demandé leurs antécédents mais toujours est-il qu'ils ont été promus officiers. Eddy est venu en permission il y a quelques jours avant d'embarquer. Ils ont été affectés outre-mer, je ne sais pas où précisément.

Je travaille dans une bibliothèque, j'envoie des colis en Grande-Bretagne, je me suis fait plusieurs amis et pour la première fois depuis des années, je ne suis pas malheureuse, même si Glasgow me manque un peu.

Voilà mon histoire. Et toi, qu'est-ce que tu es devenue ? Comment va Yankelson ? Et les jumeaux ? Ils doivent être de jeunes hommes maintenant.

Ecris-moi s'il te plaît.

Baisers,
Vicky. »

34.

Nahum se demandait souvent quel accueil il ferait à Hector s'il le revoyait un jour. Il n'hésita pas : il le reçut à bras ouverts. Son arrivée inattendue perturba quelque peu la joyeuse ambiance de la soirée. Hector apportait avec lui les souvenirs d'un passé turbulent et de plus, il paraissait avoir bu. Il parlait fort et bredouillait. Il étreignit Nahum avec une ardeur inhabituelle. Il embrassa Lotie sur la bouche et sur le cou. Il embrassa même Gladys mais quand il aperçut Trude, il s'arrêta net comme s'il était dégrisé.

« Est-ce que je ne vous connais pas ? dit-il.

— Non, non, je ne pense pas.

— C'est ta cousine, la fille de ma sœur, précisa Nahum.

— Celle de Russie ?

— De Russie, d'Amérique, d'Allemagne ; elle va rester ici maintenant. Mais dis-moi, qu'est-ce que tu fais en uniforme ? Comment se fait-il que tu te trouves ici ?

— Je suis venu pour gagner la guerre.

— Mais pourquoi es-tu dans l'armée canadienne et non pas dans l'armée britannique ?

— Ils sont moins difficiles pour le recrutement chez les Canadiens. »

Nahum lui demanda des nouvelles de Vicky et il fut rassuré d'apprendre qu'elle était heureuse et en bonne santé. Il aurait aimé lui poser encore des milliers de questions mais ce n'était pas le moment, d'autant plus que les beaux-parents de Jacob se trouvaient là et que le *seder* n'était pas tout à fait terminé.

Au moment où Nahum s'apprêtait à aller au lit, Lotie lui dit : « Tu as vu les regards que Trude lançait à Hector ? Il n'était pas difficile de deviner ses sentiments. Cela m'a rappelé la première fois où je t'ai vu.

— Je n'aimerais pas qu'ils se marient, dit Nahum.

— C'est typique de toi, ça. Ils se voient pour la première fois et tu parles de mariage.

— Ce que je veux dire, c'est que je n'aime pas les mariages consanguins. Je n'ai jamais vu un mariage entre cousins réussir, qu'il s'agisse du couple ou des enfants.

— Ils n'ont aucun lien de sang.

— Je sais mais je préférerais que tous les deux ne se marient pas avec des membres de la famille. Nous devons nous ouvrir sur l'extérieur au lieu de rester entre nous. »

Hector devait partir le lendemain mais il revint quelques semaines plus tard et il passa la plupart de son temps avec Trude. Il resta environ une semaine et après son départ Lotie constata qu'il n'avait guère utilisé son lit.

« Ou ils sont allés danser toutes les nuits, ou ils n'ont pas été sages, fit-elle remarquer.

— Il y a une guerre en ce moment », lui répondit Nahum.

Bien qu'il ait trois enfants sous les drapeaux, Nahum pensait qu'il ne participait pas suffisamment à l'effort de guerre. Il proposa ses services à la police, aux pompiers, à la défense passive, mais on lui fit savoir qu'il était trop vieux. Il aurait accepté le principe de ce refus s'il n'avait vu des vieillards aux cheveux blancs, ayant au moins dix ans de plus que lui, porter des uniformes. Il se demanda si cette fin de non-recevoir n'était pas liée au fait qu'il était étranger et russe de surcroît. Il protesta en disant que, bien qu'étant né et ayant grandi en Russie, il considérait ce pays comme l'ennemi des juifs et du monde entier. Tout cela changea en juin 1941, lorsque Hitler envahit l'Union Soviétique qui devint dès lors une alliée.

Nahum passait une bonne partie de son temps à écouter tous les bulletins d'information qu'il pouvait capter. Le dimanche soir, ces bulletins étaient précédés des hymnes nationaux de tous les pays alliés de la Grande-Bretagne. La diffusion de ces hymnes devait être destinée à rassurer les Britanniques en leur montrant que leur pays n'était pas seul, mais en entendant ceux de Pologne, de Norvège, de Belgique, de Hollande, de Yougoslavie, de Grèce — tous pays envahis par les Allemands — il se disait que cela ressemblait davantage à une célébration des victoires allemandes ; et plus les troupes d'Hitler progressaient, plus le nombre des alliés augmentait.

Son attitude changea lors de l'invasion de la Russie. « On peut blesser la Russie, dit-il, mais on ne peut pas la tuer. » Il se sentait singulièrement troublé lorsqu'il entendait l'hymne russe et il se découvrit un patriotisme qu'il ne se connaissait pas. Il se mit à évoquer son enfance à Volkovysk — et les plaines, les lacs, les forêts — ainsi que la force, la chaleur du tempérament russe et l'opiniâtreté, le stoïcisme du paysan russe. « Les Allemands ne pourront jamais remporter une victoire définitive sur ces hommes-là », disait-il.

L'entrée de la Russie dans le conflit eut des répercussions sur la vie de la communauté juive. Les synagogues étaient de moins en moins fréquentées. On les éclairait et les chauffait faiblement afin d'économiser le fuel ; on avait envoyé les enfants à la campagne ou au bord de la mer, les jeunes hommes étaient sous les drapeaux. Seule une poignée de vieux continuaient de fréquenter la synagogue mais tout en eux exprimait l'inquiétude. Lorsque la Russie se mobilisa, ils semblèrent retrouver leur jeunesse. Tous ceux qui y avaient vécu se transformèrent en stratèges.

« Est-ce que vous savez combien la Russie est grande ? Vous pouvez voyager une semaine sans arriver nulle part... Un tank n'est pas un cheval, vous savez, on ne peut pas lui en demander plus quand il n'y a plus d'essence... Les Allemands avancent bien pour le moment mais Staline leur donne de la corde pour mieux les pendre... Attendez un peu qu'il leur envoie les cosaques... Ils ne pourront jamais traverser le Dniepr... le Don... la Bérésina... la Volga. Les tanks ne flottent pas... Quand ils se seront bien enfoncés dans le pays, ils ne pourront plus s'approvisionner, ils mourront de faim... Faites confiance à Staline, il sait ce qu'il fait... C'est un Géorgien et ceux-là ont toujours été connus pour leur ruse. »

Quelqu'un avait entendu dire que l'un des maréchaux russes était juif.

« C'est Timoshenko, je crois.

— Mais non, c'est Rokossovsky.

— Ça ne peut pas être lui.

— Pourquoi ?

— Il sert dans la cavalerie.

— Et alors ?

— Un juif dans la cavalerie c'est bien possible, j'y avais un oncle ; mais un maréchal de cavalerie ? Impossible.

— Tout est possible depuis la révolution. Et puis, Rokossovsky c'est un nom juif.

— Oui, mais ils ont tous des noms juifs. Ils ne peuvent pas tous l'être. »

Mme Winston Churchill lança un appel pour créer un fonds d'aide à la Russie et Lotie alla immédiatement donner un coup de main à la section de Glasgow. Elle fit un don de cinq cents livres, bien qu'elle se plaignît des restrictions et de ce que la hausse des prix entamait ses petites économies. Nahum organisa des projections destinées à soutenir l'action de ce fonds et il consacra l'une de ses salles uniquement aux films russes. Ils n'étaient pas tous d'une grande qualité et il y avait peu de spectateurs — sauf les premiers soirs où la salle était remplie d'exilés juifs qui se lamentaient lorsqu'ils apercevaient un coin de leur cher pays — mais Nahum estimait que c'était sa façon à lui de contribuer à l'effort de guerre.

Lorsque l'Amérique entra en guerre à la fin de l'année, tout le monde à la synagogue pensa que le conflit serait terminé dans quelques mois, si ce n'est quelques semaines. Cette opinion fut cependant remise en question lors de la progression des Japonais en Asie, notamment aux Philippines et dans les Indes néerlandaises.

« Ils leur donnent de la corde pour mieux les pendre, dit une voix ironique.

— Ils attendent qu'ils se rapprochent de l'Inde pour leur sauter dessus.

— Même si les Japonais ont pris la Birmanie, cela n'a aucune importance, nous n'avons pas besoin de la Birmanie.

— Ils les laissent faire là-bas car ils préparent un débarquement en Europe. Ce qui se passe en Asie est secondaire, c'est l'Europe qui compte. »

On vit bientôt apparaître des troupes américaines à Glasgow. Lotie leur ouvrit sa maison, qui devint alors une sorte de club pour officiers américains bien que l'on pût parfois y rencontrer également des sous-officiers et de simples soldats.

Trude était toujours au centre de leurs préoccupations. Nahum lui avait offert un travail de caissière dans l'une de ses salles mais elle ne savait pas compter, du moins elle le prétendait. Elle trouva un travail d'aide soignante dans un hôpital voisin. Elle rentrait le soir, le visage blanc, les cheveux plaqués sur la tête et elle avait toujours l'air d'être à deux doigts de l'évanouissement. Il suffisait qu'elle se plonge dans un bain durant dix minutes pour retrouver la forme. Par contre, ils n'arrivaient pas à la convaincre de sortir.

« Pourquoi ne sort-elle pas ? demanda Nahum. Elle devrait se distraire, surtout quand on sait ce qu'elle a vécu.

— Elle a pris fait et cause pour Hector.

— Je ne pense pas qu'il lui porte les mêmes sentiments. Pourquoi ne sortirait-elle pas avec l'un de ces beaux jeunes gens qui viennent à la maison ?

— C'est peut-être pour moi qu'ils viennent », dit Lotie. C'était en effet souvent le cas, car, malgré ses soixante ans, elle était restée séduisante. Elle avait quelques rides sur le visage mais elle savait les dissimuler. Ses yeux étaient brillants, son corps souple, ses jambes bien galbées. Seule sa gorge, dont la peau était rouge et sèche, indiquait son âge mais pour le reste elle était toujours agréable à regarder.

Un soir, en rentrant, Nahum vit une jeep garée devant la maison ; il fut salué par un nuage de fumée de cigare et une puissante voix américaine.

Lotie offrait le thé à un lieutenant-colonel qu'il reconnut. C'était Kapulski. Il se leva aussitôt et vint vers Nahum la main tendue.

« Je savais que vous aviez une ravissante fille et une ravissante belle-fille mais vous ne m'avez jamais dit que vous aviez une aussi jolie et charmante épouse.

— Je parie qu'il t'a proposé de faire du cinéma, dit Nahum à Lotie.

— Exactement.

— Elle a un don naturel. Ce qui manque à Hollywood, ce sont des actrices de premier ordre comme elle. »

Il demanda s'il pouvait emmener Lotie dîner dehors.

« Vous feriez mieux de le lui demander, dit Nahum, c'est une grande fille maintenant. » Nahum pensa qu'elle allait refuser, mais elle accepta avec enthousiasme et monta les escaliers rapidement pour regarder s'il lui restait quelque chose dans sa garde-robe qui vaille la peine d'être mis. Nahum les regarda partir : elle ne paraissait pas tout à fait à sa place dans la jeep délabrée de Kapulski.

Nahum rentra dans la cuisine pour se faire un œuf sur le plat et il pensa à ce qu'étaient devenues les femmes de sa famille. Contrairement aux autres femmes qui, à son âge, devenaient de vieilles *babouchkas* toutes ridées, drapées dans leurs châles et leurs remords, Lotie semblait vivre une seconde jeunesse. Il était fier de son physique et il lui était agréable de penser que d'autres hommes la trouvaient attirante. Elle était déjà sortie avec des officiers américains

— des hommes convenables et posés — mais Kapulski ne possédait pas leurs qualités et il se demanda si, cette fois, ils en resteraient au stade de la relation innocente.

C'était une pensée ridicule mais il ne pouvait s'en débarrasser. Ce qui le tracassait, ce n'était pas que sa femme le trompe, c'était qu'elle puisse le tromper avec un personnage comme Kapulski.

Alors qu'il mangeait, il entendit la porte d'entrée s'ouvrir et Trude fit son apparition.

« Tu es en retard, dit Nahum.

— C'est le soir où je finis tard. Est-ce que Lotie est au lit ?

— Lotie au lit ? Tu ne connais pas ma femme. Elle est partie avec un soldat américain. »

Elle le regarda, stupéfaite : « Non, elle n'a pas fait *ça !*

— Ne me dis pas que tu m'as cru.

— Je ne sais pas quand je dois te croire. Je ne me ferai jamais à l'humour anglais. »

Nahum fut perturbé à l'idée qu'elle aurait pu le croire, ne serait-ce qu'une minute.

« Tu ne devrais pas plaisanter avec ça, continua-t-elle. Les Américaines ne semblent pas vieillir. Tu vis pour tes enfants et tes petits-enfants mais n'oublie pas que ce ne sont pas les siens. Elle est encore assez jeune pour vivre sa vie. Les soldats américains ont l'air de préférer les femmes mûres. Leurs mères leur manquent peut-être.

— Ce n'est pas le cas de l'officier avec qui elle est sortie. Il n'a jamais dû avoir de mère, on a dû le trouver sous un caillou.

— Pourquoi est-ce que tu ne la sors pas de temps en temps ?

— La sortir ? Ma chère enfant, il y a une guerre en ce moment.

— Raison de plus. »

Il pensa qu'elle avait raison et quelques semaines après, il sortit en compagnie de Lotie, Trude et Benny qui avait eu une permission avant de partir pour l'étranger. Ce ne fut pas une soirée particulièrement gaie. Benny ne savait pas exactement où il allait atterrir mais il supposait que ce devait être dans la région des tropiques car on lui avait fait toutes sortes de vaccins — de la fièvre jaune à la peste noire — dont il commençait à sentir la réaction. Il transpirait abondamment mais il dit en souriant faiblement : « Si on peut survivre aux vaccins, on peut survivre à beaucoup de choses. » Lorsqu'il se leva pour aller aux toilettes il vacilla sur ses jambes comme s'il allait s'évanouir. Ils firent appeler un taxi pour le ramener à la maison.

Il passa la journée du lendemain au lit. Trude le soigna et lorsqu'il voulut se lever le surlendemain pour partir, elle et Gladys insistèrent pour qu'il retarde son départ. Nahum le supplia de les écouter : « Gladys est médecin, elle sait de quoi elle parle.

— Moi aussi je suis une espèce de médecin, lui rappela-t-il, et mon diagnostic c'est que je survivrai.

— Ne fais pas l'idiot, dit Gladys. Tu as un pouls rapide, retourne au lit.

— C'est parce que tu me tiens la main. Maintenant, si vous voulez bien m'excuser. » Quelques minutes après, il était parti.

En le voyant partir, Nahum eut le sombre pressentiment qu'un malheur allait arriver. Il n'avait pas connu les mêmes angoisses pendant cette guerre — sauf après Dunkerque, lorsque planait une menace d'invasion — que pendant la première. Il ne s'agissait pas cette fois de la boucherie de 1914 et aucun de ses enfants n'avait été envoyé à l'étranger jusqu'alors. Mais avec le départ de Benny, il eut l'impression de se retrouver au cœur de la Première Guerre mondiale. Certes, il savait que Benny n'aurait pas à affronter les mêmes dangers que ceux qu'Hector avait connus dans les Flandres mais ce dernier était bâti pour faire face au danger alors que Benny semblait si jeune, si petit, si vulnérable que l'idée de le savoir soldat en devenait presque comique. En tout cas, du jour où il partit, Nahum s'attendit au pire. Quand il passait en revue sa vie, il se disait que ses périodes de bonheur succédaient par cycles de trois ou quatre ans à des périodes de malheur. Malgré la guerre, il avait jusqu'alors vécu trois bonnes années de suite et il envisageait l'avenir immédiat avec appréhension. Il essaya d'éloigner ces mauvaises pensées et se souvint d'un vieux proverbe que son père citait souvent : « Si tu te prépares trop bien au pire, tu le provoques parfois. »

Vers la fin de l'été il devait se rendre à Londres pour affaires ; il écrivit à Hector, qui était basé quelque part dans le Sud, pour l'inviter à dîner au Savoy. Hector lui répondit qu'il espérait avoir une permission le temps d'une soirée, sinon il déserterait.

Le train de Nahum prit du retard à cause de travaux sur la voie. Lorsqu'il arriva au Savoy, il craignit qu'Hector ne soit déjà reparti mais on lui dit que personne ne l'avait demandé. Il attendit un moment puis passa à table vers dix heures. Le journal du soir était posé contre un vase de fleurs.

Il y avait eu un important débarquement des forces alliées sur la côte française à Dieppe au début de la semaine. Lorsqu'il apprit la nouvelle, il crut que l'on avait enfin ouvert le « deuxième front » mais il semblait que cette opération était plus limitée. Il apparut même par la suite que cela n'avait pas marché comme prévu et les journaux s'interrogèrent sur les causes de cet échec.

Il ne vint toutefois pas à l'esprit de Nahum que les nouvelles qu'il était en train de lire allaient le concerner d'une façon dramatique.

35.

Lotie se faisait toujours du souci lorsque Nahum allait à Londres ; depuis les bombardements aériens, elle considérait que cette ville était zone de guerre, aussi lui téléphonait-il toujours en fin de soirée pour la rassurer.

Ce soir-là, les lignes étaient très encombrées et il ne put obtenir Glasgow qu'aux environs de minuit. Mais Lotie ne répondit pas ; il fit une nouvelle tentative une demi-heure après : toujours aucune réponse. Du coup, c'est lui qui commença à s'inquiéter.

Le lendemain, il ne put se libérer de toute la matinée à cause de diverses réunions. Il essaya d'appeler l'après-midi, toujours sans succès. Le soir, Trude lui répondit enfin et dès qu'il entendit sa voix — elle avait seulement dit : « C'est toi, Nahum » — il comprit qu'un malheur était arrivé.

« J'ai de mauvaises nouvelles à t'annoncer. » Elle s'arrêta durant ce qui lui sembla une éternité. « Hector a été fait prisonnier.

— Hector ? Je croyais qu'il était à Londres. Je devais dîner avec lui hier soir.

— Non, non, il a participé au débarquement de Dieppe et c'est là qu'il a été fait prisonnier.

— Est-ce qu'il va bien ? Il n'a pas été blessé ?

— On nous a seulement dit qu'il a été fait prisonnier », puis elle hésita de nouveau comme si elle avait encore quelque chose de pire à annoncer, « et ton gendre...

— Mon gendre ?

— Le commandant Edward Cameron.

— Il a également participé au débarquement ?

— Probablement. Il a été grièvement blessé et a succombé à ses blessures. »

Nahum fut abasourdi. Lors du retour d'Hector, il avait soupçonné que Cameron ne devait pas être loin mais il n'avait pas osé le demander, comme s'il craignait de polluer l'atmosphère en prononçant son nom. La mort de cet homme qui avait été à l'origine de tant de ses malheurs aurait dû le réjouir et pourtant il ressentait une immense douleur.

Nahum ne comprit pas ses propres réactions. Souffrait-il parce qu'il ne pouvait dissocier la nouvelle concernant Cameron de celle concernant Hector ou bien parce qu'il pensait à la douleur de Vicky ? Sa chambre d'hôtel n'était pas un lieu propice à la réflexion. Il voulait en savoir plus, parler avec Trude, avec Lotie.

Il regarda sa montre. Il y avait un train pour Glasgow qui partait dans quarante minutes. Il fit sa valise à toute allure et se précipita dans la rue pour chercher un taxi. Lorsqu'il en eut trouvé un, il dut pourtant en descendre rapidement à cause des embouteillages ; il courut près d'un kilomètre avec sa valise à la main et attrapa le train au vol. Les wagons étaient pleins à craquer ; il se fraya un chemin dans les couloirs remplis de militaires sans même réussir à trouver une place dans les toilettes. Il finit par s'installer dans un coin du fourgon de queue, s'assit sur sa valise et déplia son journal. Il avait à peine commencé à lire que les mots se mirent à danser sous ses yeux, des gouttelettes de sueur perlèrent sur son front et il s'évanouit.

Il se réveilla dans un lit d'hôpital. Lotie se trouvait à côté de lui, un bouquet de fleurs à la main.

« Où suis-je ? demanda-t-il.

— A Tring, dit-elle.

— Où ça ?

— A Tring. Un charmant petit endroit. J'y suis venue la première fois alors que j'étais enfant. Les Rothschild ont une maison dans les environs, ou du moins ils en avaient une.

— Qu'est-ce que je fais ici ?

— Tu te reposes. Je ne sais pas ce que tu as fait à Londres mais tu as été victime de ton épuisement. »

Alors il se souvint. « Hector, Vicky...

— Tout ira bien pour Hector. J'étais aussi inquiète quand j'ai appris qu'il était tombé aux mains des Allemands mais j'en ai parlé avec un voisin dont le fils a été capturé à Dunkerque. Ils traitent correctement les prisonniers de guerre, qu'ils soient juifs ou non.

Quant à Vicky, je lui ai envoyé un télégramme pour lui proposer de venir à Glasgow. J'ai également demandé à Edgar — qui vit dans le Vermont comme tu sais — d'aller lui rendre visite, ce qu'il a fait et en plus il l'a ramenée chez lui. Elle est enceinte de sept mois.

— Vicky ? Enceinte ?

— Tout ira bien pour elle, comme pour toi d'ailleurs, si tu acceptes de te reposer correctement.

— Et Trude, comment a-t-elle pris la nouvelle ? Elle paraissait très calme au téléphone.

— Elle est toujours très calme. Elle en a très peu parlé mais j'imaginais ce qu'elle pouvait ressentir. Je lui ai dit : " Il ne faut pas avoir honte de pleurer. Laisse-toi aller. " Elle m'a répondu : " Je m'y attendais. Il est vivant, c'est le principal." »

Après deux jours de lit, Nahum se sentait nerveux et pas tout à fait reposé. Lotie l'obligea à rester une semaine de plus à l'hôpital. Lorsqu'il revint à Glasgow, elle lui interdit de reprendre le travail pendant une autre semaine.

« Tu n'es ni une épouse ni une infirmière, protesta-t-il, tu es une véritable gardienne de prison. »

Il essaya de retrouver son rythme normal mais il se sentait inquiet et repensait à ce vieil adage qui dit qu'un malheur ne vient jamais seul. Un jour, il reçut un télégramme en provenance d'Amérique. Il avait peur de l'ouvrir et demanda à Lotie de le faire à sa place. Vicky avait accouché d'un garçon de huit livres ; la mère et l'enfant se portaient bien.

« Alors, tu es content ? demanda Lotie. Peut-être souhaitais-tu des jumeaux ? »

Nahum était impatient de voir Vicky et son enfant ; il songea à se rendre en Amérique.

« Tu es fou, lui dit Lotie. Même si tu arrivais à trouver un bateau, tu risquerais de te faire couler. »

Une semaine plus tard, Nahum tomba de nouveau malade et on dut le ramener du travail en taxi. Il avait une forte fièvre, un pouls très rapide et un teint blafard.

Son médecin l'examina longuement et haussa les épaules.

« Je peux vous dire ce que vous n'avez pas mais pour le reste, Dieu seul le sait. Je puis demander à un confrère de venir vous voir mais je ne pense pas qu'il puisse établir un diagnostic. » Lorsque l'autre médecin arriva, le pouls et la température de Nahum étaient presque revenus à la normale.

« J'ai l'impression, dit-il, que vous avez gardé une grippe trop longtemps sans la soigner. Si cela se reproduit, nous devrons vous hospitaliser pour vous faire des examens plus approfondis. »

Le phénomène se répéta quelques semaines plus tard et il fallut l'envoyer d'urgence à l'hôpital. Il avait des vertiges et des sensations de chaleur ou de froid intenses.

« Tu sais, dit-il à Lotie, je crois que je suis en train de mourir.

— Allons, Nahum chéri, ne dis pas de bêtises.

— Qu'est-ce qui te fait croire que je dis des bêtises ?

— Tu n'es pas en train de mourir.

— Je suis mieux placé que toi pour le savoir. C'est toujours comme ça, ce que je dis ne compte pas. Je lui dis que je suis en train de mourir et elle me répond que je dis des bêtises.

— D'accord, chéri, c'est comme tu veux, tu es en train de mourir.

— Cela n'a pas l'air de t'inquiéter, mais de toute façon pourquoi le devrais-tu ? Je laisse une fortune derrière moi et tu disposes encore de ton argent. Tu te remarieras avec l'un de ces Américains du genre Kapulski par exemple. » Puis il regarda autour de lui. « Où sont les autres ?

— Quels autres ?

— Personne ne veut venir me voir ?

— Nahum chéri, tu es entré à l'hôpital ce matin.

— Est-ce que Trude sait que je suis ici ?

— Oui, et elle viendra tout à l'heure.

— As-tu prévenu Sophie et Vicky ?

— Non.

— Qu'attends-tu pour le faire, que je sois dans ma tombe ? »

Il voulut refaire son testament et il fit demander au jeune Krochmal de venir le voir ; seulement, celui-ci était à l'armée et ce fut un vieux clerc qui vint à sa place. Nahum l'envoya paître.

« Si je paie pour avoir Krochmal, c'est lui que je veux voir. S'il ne peut pas venir, je peux très bien me passer de lui pour mourir. »

Il se trouva que Krochmal arriva en permission le lendemain. Il vint donc lui rendre visite. Il portait un bel uniforme d'officier et de grosses lunettes sur le nez. Nahum le considéra avec dédain.

« Vous êtes officier vous aussi ? Tout le monde a l'air d'être officier. Il n'y a donc pas de simples soldats dans l'armée britannique ? Elle va finir par ressembler à l'armée polonaise.

— C'est de cela que vous vouliez me parler ?

— Je veux faire mon testament.

— Vous l'avez déjà fait.

— Je veux le refaire.

— Vous l'avez déjà refait.

— Je veux le recommencer, ça vous gêne ? Vous m'écoutez ?

— Oui.

— Je lègue à ma femme la moitié de mes biens.

— Si elle vous survit.

— Qu'est-ce que vous voulez dire par là ?

— Les femmes ne partent pas toujours les dernières.

— Vous l'avez vue ? Elle en a encore pour trente ans.

— Vous pourriez tenir encore quarante ans.

— Quarante ans, hein ? Heureusement que vous n'êtes pas médecin, Krochmal.

— Vous disiez donc que vous léguiez la moitié de vos biens à votre épouse.

— Oui, la moitié. Vous savez qu'elle a aussi de l'argent.

— Je l'ignorais.

— Je pense qu'elle en a. Savez-vous qui était son père ?

— Oui, mais il est mort, de même que son affaire.

— Vous voulez dire qu'elle n'a peut-être plus rien ?

— C'est à vous de le savoir.

— Nous ne parlons jamais d'argent entre nous. Bon, je lui en lègue la moitié... Mais si elle se remarie ? Il est sûr qu'une belle femme comme elle trouvera rapidement à se remarier. Pourquoi devrais-je enrichir un Américain qui a déjà les moyens, un Kapulski par exemple ? »

Krochmal referma d'un coup sec son carnet de notes et se leva. « Je reviendrai demain, quand vous vous sentirez mieux.

— Je serai peut-être mort demain.

— Nous tous aussi. »

Le lendemain après-midi, il faisait un petit somme lorsque, en ouvrant les yeux, il aperçut Gladys. Il les referma aussitôt mais quand il les ouvrit de nouveau, elle était toujours là.

« Je suis désolée de ne pas être venue avant mais les enfants étaient mal fichus et j'ai eu à faire. Alors, qu'est-ce qui se passe ?

— Vous me le demandez à moi ? C'est vous le médecin.

— J'ai consulté votre dossier. Ce n'est pas très clair. Vos symptômes sont contradictoires.

— Ah bon, parce que d'habitude ils doivent se mettre d'accord entre eux ?

412

— Non, mais si l'on considère l'ensemble de vos symptômes, vous devriez être mort. Est-ce que je peux vous examiner ?

— Vous m'examinez déjà.

— Je veux parler d'un examen fait dans les règles.

— Comment cela, dans les règles ? »

Elle ne dit rien, retroussa ses manches et déplia un paravent autour de son lit. Lorsqu'elle voulut enlever les couvertures, il tenta de l'en empêcher mais elle finit par l'emporter. Son pyjama était déboutonné et instinctivement il mit ses mains sur son sexe comme s'il craignait d'être violé. Elle l'obligea à enlever son pyjama et commença à tâter ses testicules, ce qui eut pour effet de produire chez lui une érection digne d'un Turc. Il craignit — et il espéra à la fois — qu'elle ne le chevauchât. Il ne se serait jamais cru capable de penser à sa belle-fille en ces termes.

« Quel âge avez-vous ? lui demanda-t-elle.

— Soixante-sept ans », répondit-il d'un air légèrement désinvolte, espérant qu'elle allait peut-être le féliciter pour sa vigueur (il pensait qu'elle devait être flattée). Au lieu de quoi elle lui demanda :

« Combien de fois par jour allez-vous aux toilettes ?

— Qu'est-ce que vous voulez dire ?

— Combien de fois urinez-vous ?

— Je ne compte pas. Vous le faites, vous ?

— Est-ce que vous êtes obligé de vous lever la nuit ?

— Oui.

— Combien de fois ?

— Deux ou trois fois. »

Elle enfila une paire de gants en caoutchouc et le fit s'allonger sur le ventre. Il ne vit pas ce qu'elle fabriqua ensuite mais il eut l'impression qu'elle lui faisait un toucher rectal. Elle lui fit subir diverses autres humiliations avant de redescendre ses manches.

« Eh bien, dit-il en essayant de rassembler le peu de dignité qu'il lui restait, est-ce que je vivrai ?

— Vous pouvez vivre, vous pouvez mourir », répondit-elle.

Elle revint le lendemain matin en compagnie de Lotie. Les médecins avaient discuté de son cas et il ressortait de l'avis général qu'il avait repris son travail trop vite, qu'il devait moins manger et marcher davantage.

« Il leur a fallu une semaine pour trouver ça ?

— Ils doivent procéder par élimination, dit Lotie.

— Oui, et quelquefois, c'est le patient qu'ils éliminent », ajouta Gladys.

Lorsqu'il quitta l'hôpital, il partit à la montagne avec Lotie. C'était l'hiver. L'air était vif et le ciel clair. Ils firent de longues balades, bras dessus, bras dessous, comme deux amoureux.

« Si les gens nous voyaient, ils rigoleraient, dit-il.

— Oublie les gens. »

Ils s'arrêtèrent. On n'entendait pas un seul bruit à l'exception d'un tracteur au loin.

« On ne dirait pas qu'il y a une guerre et que des gens sont en train de se faire tuer. » La voix de Nahum se brisa et des larmes lui vinrent aux yeux. « Pauvre Cameron. »

Lotie sécha ses larmes et ils s'assirent sur un tas de bois.

« Il y a quelque chose que je n'ai jamais compris au sujet de Cameron, dit-elle. D'après ce que tu m'as dit, il devait avoir dans les cinquante ans. Ce n'est pas un peu vieux pour être soldat ?

— Je pourrais te montrer des généraux qui ont quatre-vingts ans.

— Oui, mais il n'était qu'officier subalterne. Je ne pensais pas qu'ils envoyaient des hommes de cet âge-là au front.

— Il a dû falsifier ses papiers. Tout cela est d'une triste ironie. Il a toujours tout falsifié et en agissant ainsi encore une fois il a contribué à sa propre mort. Mais j'en suis bouleversé. Cet homme est mort en héros et il était le père de mon petit-fils. Et je ne peux m'empêcher de penser à ce que Vicky va devenir. Elle a déjà tant souffert.

— Elle n'a souffert que pour ce qu'elle a fait.

— C'est vrai mais ce n'est qu'une maigre consolation.

— Tu ne crois pas qu'il serait temps de penser un peu à toi et à nous ?

— A nous ?

— A toi et moi. Il serait temps d'y penser avant qu'il ne soit trop tard. »

Il y avait quelque chose d'inquiétant dans sa voix lorsqu'elle avait dit « trop tard ». Il lui demanda si Gladys lui avait donné des informations qu'il ignorait. Elle regarda le sol un moment avant de lui répondre.

« Oui. Les médecins n'ont pas localisé la source du mal. Ils pensent qu'il va se manifester de nouveau avec une fréquence et une intensité croissantes. Le seul remède qu'ils puissent t'indiquer, c'est le repos. Je pense que tu devrais prendre ta retraite.

— Ma retraite ? Et puis quoi encore ? Mon affaire marche déjà avec des écoliers et des vieilles femmes. Si je prends ma retraite maintenant, tout s'écroulera. Il faut que je puisse tenir au moins jusqu'à la fin de la guerre.

— Qui sait quand la guerre se terminera ? Tu devrais vendre ta part, si c'est possible.

— En pleine guerre ? Et qu'est-ce que je deviendrais, moi ?

— Tu ne disais pas cela il y a cinq ou dix ans quand tu rentrais bien vite à la maison parce que tu ne pouvais pas supporter que nous soyons séparés. Tu as changé.

— Non. Les gens ne changent pas. Ils flétrissent un peu, ils mûrissent mais ils ne changent pas.

— J'aurais dû me tuer depuis longtemps si j'avais pensé ainsi. Tu te souviens de notre première rencontre ? Je ne pouvais jamais réfléchir parce que je parlais tout le temps. Des années après, j'en avais encore le frisson rien que de penser à ce que j'avais dit ou fait à une époque où je n'étais pourtant plus une enfant. Mon éducation m'a peut-être empêchée d'atteindre ma maturité avant, mais depuis j'ai changé. Et toi aussi : tu es plus réfléchi, plus résolu, plus sûr de toi. Mais tu es également devenu moins affectueux. Tu t'absentes plus souvent et plus longtemps. Est-ce que tu t'es lassé de moi ? Tu n'aimes plus rester en ma compagnie en ce moment ? »

Il la serra contre lui et ils restèrent assis, joue contre joue. « Bien sûr que si.

— Nous ne revivrons pas de tels moments de sitôt si tu ne prends pas ta retraite.

— Mais Lotie, mon amour, j'ai Vicky et Trude à charge.

— Elles se marieront toutes les deux et Vicky recevra certainement une bonne pension. L'armée canadienne n'est pas l'armée britannique. De toute façon, Edgar s'occupera d'elle.

— Pourquoi Edgar devrait-il s'occuper de ma fille ?

— Il n'est pas obligé, mais tu le connais.

— Non, je ne le connais pas. »

Elle soupira et dit à mi-voix : « Ce n'est peut-être pas plus mal. »

36.

« Chère Sophie,

Excuse-moi d'avoir tardé à t'écrire. Il m'a fallu quelque temps pour me reprendre en main.

C'est étonnant ce que l'on peut supporter quand il le faut ; cependant, je n'aurais jamais cru que cela puisse aider d'être enceinte.

Un vieil aumônier de l'armée était venu m'apprendre la nouvelle. Quand il a vu mon état, il n'a pu rien dire mais j'avais compris. Il a éclaté en sanglots ; j'ai réagi moins spectaculairement que lui car à ce moment j'étais convaincue que la vie qui se développait en moi m'appartenait pour toujours et je pense que tu comprendras ma pensée si je te dis que cette vie m'a fait ressentir la mort d'Eddy comme une étape.

Edgar (le frère de Lotie) est arrivé le jour même et m'a emmenée chez lui ; j'étais trop sonnée pour protester. Je ne sais pas très bien comment il gagne sa vie mais en tout cas, il a l'air de bien la gagner. Il possède une très grande ferme dans le Vermont qui est gérée par sa femme, une ancienne grande duchesse si j'ai bien compris. Elle a encore quelques beaux restes mais elle me fait penser à un vieux manoir qui aurait vécu des jours difficiles. Elle porte des bottes, se balade dans l'exploitation avec un bloc-notes sous le bras et un crayon sur l'oreille ; elle ne parle que de frisonnes, de vêlage et de production laitières. Ils ont plus de quatre cents têtes de bétail et deux fils : l'un est dans l'armée de terre, l'autre dans la marine.

Edgar est grand, a des cheveux blancs et l'air distingué mais je ne me souvenais pas qu'il fût aussi corpulent. Il a joué le rôle du bon Samaritain pour moi : il a presque fait venir à demeure un docteur en obstétrique pour me soigner et quand il est apparu que la naissance serait peut-être difficile, il s'est chargé de me faire transporter à l'hôpital, où mon petit garçon, qui pesait huit livres, est né par césarienne. Je l'ai baptisé Edward Charles et il a été circoncis à l'hôpital (comme le sont je crois la plupart des garçons américains). Père m'a écrit pour m'assurer qu'aux yeux de la loi juive, l'identité du père est sans conséquence ; l'enfant est donc « à cent pour cent juif ». Je pense qu'il doit espérer le voir devenir rabbin pour expier ses fautes et ceux de sa mère.

J'avais à peine accouché que mon bon Samaritain a proposé de m'en faire un autre. Pour lui, ce doit être une façon de garder le moral sur le front des affaires domestiques. Un matin, en m'apportant le petit déjeuner au lit, il m'a parlé de toutes ses conquêtes ; à côté de lui Don Giovanni a l'air d'un trappiste. Lorsqu'il en est arrivé au point culminant de son récit, il a enlevé sa robe de chambre mais j'ai dit non, pas avec les cornflakes et j'ai réussi à le repousser avec ma fourchette. En d'autres occasions, je me suis retrouvée moins bien armée, alors je n'ai pas pu toujours le tenir à distance — de toute façon, nous avons tous des devoirs à remplir envers les vieux. L'intérêt de sa femme pour son comportement ne dépasse pas le stade de la curiosité. Un matin, nous étions en train de prendre notre café dans la cuisine lorsqu'elle m'a demandé sur un ton anodin si « le vieux satyre » n'avait pas encore essayé de me violer. La question m'a tellement surprise que j'ai dit tout bonnement la vérité et elle m'a répondu : « Ça ne m'étonne pas, mais on aurait pu penser qu'il attendrait que votre utérus soit de nouveau en place. Il les essaye toutes, vous savez, les jeunes, les vieilles, les noires et les blanches. Quelquefois, il lui arrive même de retrouver le chemin de mon lit mais bien sûr je le jette dehors. »

Je pense que j'aurais pu continuer à affronter Edgar mais en Amérique toutes les femmes seules sont considérées comme des proies faciles. Je ne pouvais pas mettre le pied dans la rue sans me faire tripoter, ce qui devient ennuyeux à la longue. Je ne suis pas non plus du genre à apprécier les joies de la vie rustique. J'ai commencé à regretter Glasgow. Quand j'en ai parlé à Edgar, il n'arrivait pas à me croire et il m'a dit : « Londres, Paris, je comprends. Mais Glasgow ? C'est comme si on avait la nostalgie de Scranton[1]. Diable, ce n'est pas si mal ici. » Quand il a compris que j'étais sincère, il a cru que j'étais

1. Scranton : ville minière de Pennsylvanie.

devenue folle. Ne savais-je pas que c'était la guerre en ce moment ? La traversée de l'Atlantique était extrêmement dangereuse car les flots grouillaient de sous-marins allemands. Il m'a dit aussi que je n'avais pas le droit de risquer ma vie et encore moins celle de l'enfant. En guise de compromis, il m'a trouvé un appartement à New York.

J'y ai reçu la visite d'un personnage à l'air sinistre qui avait un long nez, une petite barbe et l'accent de Glasgow. Il ne s'est pas présenté mais a prétendu être un ami de la famille. Il m'a demandé si on s'occupait de moi et je lui ai répondu que oui. Il m'a posé toutes sortes de questions sur Hector qu'il avait rencontré en Egypte et il m'a dit que c'était un héros. Il voulait connaître son adresse mais je n'ai pas pu la lui donner ; j'ai hésité à lui donner celle de père. Il avait environ soixante-cinq ou soixante-dix ans, avait l'air très riche mais semblait avoir eu sa part de malheurs. J'ai l'impression de l'avoir déjà vu. Tu ne vois pas qui c'est ?

Je me suis fait quelques amis et parmi eux un jeune commandant — avocat dans le civil — qui veut m'épouser. J'avoue hésiter, d'abord parce que je ne le connais que depuis un mois, ensuite parce qu'il doit partir à l'étranger, enfin parce qu'il est déjà marié.

La vie est vraiment compliquée, mais peut-être est-ce moi qui la complique.

Baisers,
Vicky. »

Un dimanche après-midi, Nahum et Lotie reçurent la visite d'un commandant américain qui prétendit s'appeler Irving Krup et qui leur transmit les salutations d'Edgar et de Vicky.

Nahum lui posa beaucoup de questions sur Vicky.

« Elle est magnifique », dit Krup. Ce n'était pas précisément ce que Nahum voulait entendre.

« Est-ce qu'elle se débrouille bien toute seule ?

— A merveille.

— Et le bébé ?

— Une merveille. »

Lorsqu'il fut reparti, Nahum dit à Lotie : « Pour un officier, il n'était pas très loquace.

— Ce n'est pas seulement un officier, c'est aussi un avocat : ces gens-là se font payer chacun de leurs mots et je suppose qu'il ne voulait pas en prononcer trop sans percevoir d'honoraires. »

Il revint dîner la semaine suivante ; il avait dû trop entendre parler de pénurie, si bien qu'il avait apporté presque tout son repas ainsi qu'une bouteille de whisky. L'alcool lui ayant sans doute délié la langue, il demanda à Nahum au cours de la soirée s'il pouvait l'appeler par son prénom « car si tout se passe comme je l'espère, j'ai de fortes chances de devenir votre gendre. »

Nahum regarda Lotie d'un air surpris. Elle paraissait moins étonnée et il se demanda si elle ne savait pas quelque chose qu'il ignorait.

« Vicky ne m'en a jamais parlé dans ses lettres, dit-il, mais il est vrai qu'elle ne m'écrit pas très souvent.

— Ou alors elle ne te dit pas grand-chose, ajouta Lotie.

— Tout cela est très récent, dit Krup. Je lui ai fait ma demande juste avant mon départ. Elle n'a dit ni oui ni non mais diable, je ferais un bien mauvais avocat si je ne suis pas capable de convaincre une femme de m'épouser. »

Il était grand, bien bâti, avait des cheveux bruns qui grisonnaient sur les tempes, un teint olivâtre et des yeux noirs. Il rappelait à Nahum un petit peu Mittwoch bien qu'il eût l'air plus distingué et plus accompli.

Lotie lui demanda ce qu'il pensait de leur visiteur.

« C'est un bel homme, et il lui semble assez attaché.

— Toi par contre, tu n'as pas l'air de lui être très attaché. Tu ne veux pas que Vicky se marie ?

— Bien sûr que si.

— Mais tu n'as pas l'air très content.

— Il est américain.

— Et alors ? Tu as des préjugés, tu sais. Tu es anti-américain comme d'autres sont antisémites.

— Je n'ai pas de préjugés. J'aime les Américains, ils sont ouverts, aimables et francs, mais ils me déçoivent. Tu te souviens de tout le tralala qu'on a fait sur l'arrivée des Américains ? Nous attendions des héros, des géants, des types à la Gary Cooper et qu'est-ce que nous avons vu arriver ? Des canailles indisciplinées, débraillées, apathiques, qui mâchaient du chewing-gum. Ils ne ressemblent pas à des combattants, ces Américains.

— Ne penserais-tu pas cela parce qu'ils sont rapides avec les femmes ?

— Cela n'a rien à voir.

— Tous les soldats ne sont-ils pas intéressés par les femmes ?

— Tous les hommes ne le sont-ils pas ? Le problème avec les Américains, c'est qu'ils n'ont pas l'air de s'intéresser à autre chose.

— Non, mon chéri, tous les soldats recherchent la même chose, seulement les Américains se débrouillent mieux. Tu es jaloux, c'est tout. A chaque fois que tu vois un Américain sortir avec une femme, tu les imagines déjà au lit ; tous les Américains ne sont pas des violeurs et Irving n'en n'est certainement pas un. Il y a autre chose que je ne comprends pas. Tu aurais été très heureux que Trude épouse un Américain, alors pourquoi te montres-tu si récalcitrant pour Vicky ? Tu veux que je te dise pourquoi ? Tu penses que les Américains sont assez bien pour ta nièce mais pas assez pour ta fille.

— C'est parce que Trude n'aura probablement jamais d'enfant. Or Vicky en a déjà un et j'aimerais qu'il reçoive une éducation juive. Si elle se mariait avec quelqu'un d'ici, je pourrais veiller sur lui, mais en Amérique ? Et puis, tous les Américains que j'ai rencontrés étaient païens. Que deviendrait un garçon élevé dans un tel pays ? »

Nahum était lui-même un peu surpris de la froideur qu'il affichait à l'égard de Krup. Il n'avait pourtant jamais pensé que Vicky resterait seule bien longtemps. Sur ce plan, il se faisait beaucoup plus de soucis pour Trude.

Au début de la quatrième année de guerre, Nahum, comme beaucoup d'autres, pensait que ce serait la dernière car les alliés progressaient sur tous les fronts, mais leurs victoires ne lui apportaient que peu de joie car il devenait évident qu'en ce qui concernait les juifs d'Europe, la guerre était déjà perdue.

Il restait l'oreille collée à la radio tous les soirs. Plus il entendait parler de faits horribles, plus il lui devenait difficile de les assimiler. Un jour, il reçut une lettre de Yankelson, qui avait eu lui-même des nouvelles par un parent lointain qui s'était enfui de Volkovysk lors de l'avance allemande. Il y était revenu avec l'armée russe pour constater que toute la communauté juive avait été exterminée. Sur les cinq mille juifs qui y vivaient avant guerre, il n'en restait que quelques douzaines. Son oncle Sender, dont son père disait qu'il était « le cerveau de la famille », mais qui n'avait jamais réussi à gagner sa vie correctement, avait eu de la « chance » selon les propres termes de Yankelson. Il était mort, ainsi que sa femme et leurs deux petits-enfants lors du terrible bombardement de juin 1941, qui fit par ailleurs des centaines de victimes. Les Allemands entrèrent dans la ville quelques jours plus tard et emmurèrent les juifs dans un ghetto. L'année suivante, ils en emmenèrent deux mille qu'ils abattirent à la mitraillette dans la forêt voisine, « celle-là même où ton père avait sa *dacha* », écrivait Yankelson. Beaucoup d'autres moururent de froid et de faim et le reste fut déporté à Treblinka ou à Auschwitz.

« La seule consolation, continuait-il, c'est qu'à Volkovysk ils ont résisté. Un mouvement juif clandestin a contacté les résistants. Ils ont abattu quelques Allemands et des collaborateurs. Ils n'étaient pas très nombreux mais leur existence même a dû donner à plusieurs l'espoir de survivre. Le Volkovysk que toi et moi connaissions n'existe plus, tout n'est que ruines. Il s'est malheureusement passé la même chose à peu près partout. Quand nous avons appris la nouvelle, Sophie m'a dit : « Ce sont toujours les mêmes histoires atroces de guerre. Nous en avons entendu de semblables durant la première guerre. Il ne faut pas les croire. » Moi, je pensais que les Allemands ne pouvaient pas être si cruels mais j'ai rencontré des gens qui se sont rendus sur les lieux et qui ont tout vu : ça dépasse de loin ce que toi ou moi pourrions imaginer. »

Nahum se souvenait de la façon dont ils s'asseyaient sur de petits tabourets à la synagogue pendant le jeûne de la fête d'*Ab*[1]. Ils se lamentaient à voix basse sur la chute de Jérusalem et la destruction du Temple. Il se demandait parfois comment ils pouvaient être tous émus par un événement qui s'était produit il y avait environ deux mille ans. Les émotions qui accompagnaient ce jeûne semblaient maintenant effectivement bien insignifiantes.

La lettre de Yankelson le rapprocha encore davantage de Trude. Elle était la dernière survivante d'un monde disparu et le symbole que la vie continuait malgré tous ces événements. Il eut pourtant l'impression qu'au même moment elle s'éloignait de lui. Elle était devenue morose et renfermée ; un soir, alors qu'il lui demandait timidement si quelque chose n'allait pas, elle répondit sur un ton furieux :

« Non, il n'y a rien ! Pourquoi ça devrait-il aller mal ? »

C'était la première fois que Nahum l'entendait élever la voix et il eut l'impression de découvrir une autre personne. Cette scène le peina profondément mais il n'en parla pas à Lotie.

Quelques jours plus tard, ils dînaient tous les deux en compagnie de Gladys lorsque Nahum dit qu'il craignait que sa nièce ne soit à deux doigts de faire une dépression nerveuse.

---

1. La fête d'Ab commémore la destruction du premier temple en 586 av. J.-C. et celle du second en 70 de notre ère.

« Ça ne m'étonnerait pas du tout, dit Gladys. Je lui donne encore une semaine.

— Pourquoi ? Que savez-vous que j'ignore ?

— J'imagine que je dois savoir sur elle tout ce que vous ignorez. Savez-vous qu'elle travaille dans le même hôpital que moi ? Evidemment, nous n'y faisons pas les mêmes choses. Elle est aide-soignante.

— Qu'est-ce que vous voulez dire par aide-soignante ? Elle est infirmière.

— Infirmière auxiliaire, ce qui est un euphémisme pour désigner l'aide-soignante, encore qu'il n'y ait aucune honte à exercer ce métier. L'hôpital pourrait marcher sans chirurgiens mais pas sans aides-soignantes. Mais ce n'est pas le problème. La pauvre est en train de vivre une déception sentimentale.

— Pourquoi une déception ? Avec qui ? Comment ? »

Lotie intervint à ce moment : « L'un des chirurgiens voudrait qu'elle vienne habiter chez lui mais elle a refusé jusqu'à présent, sans doute à cause des sentiments que tu lui portes.

— Mes sentiments ? Et ceux d'Hector alors ?

— Il a été fait prisonnier il y a plus d'un an et je pense qu'au fil du temps elle doit commencer à accepter ce que la vie lui offre.

— Mais elle lui écrit tous les soirs.

— Elle peut très bien être toujours amoureuse et avoir une aventure, ce qui la rend vraiment malheureuse.

— Est-il juif ?

— Oui, mais il n'est pas célibataire », dit Gladys.

Lorsqu'il entendit cela, Nahum commença à se balancer d'avant en arrière comme il le faisait parfois lorsqu'il était chagriné. « Elle fait exactement comme sa mère, dit-il. On dirait que nous ne pouvons pas mener nos vies comme nous l'entendons et que nous sommes condamnés à jouer un rôle qui nous a été assigné. Elle fait exactement comme sa mère. Elle était incapable de construire une relation saine.

— J'en sais très peu sur sa mère, s'exclama Lotie mais je sais que Trude a été mariée pendant vingt ans avec un homme qu'elle n'a jamais vraiment aimé et qu'elle a peut-être même détesté. Maintenant qu'elle a rencontré un être qu'elle aime — et qui l'aime certainement aussi — elle se sent incapable d'agir, par égard pour son oncle. Cette femme est une sainte. Pire, elle est folle.

— Mais cet homme *est* marié, dit Gladys.

— Je le sais, mais une femme qui a vécu de terribles épreuves a le droit de vivre son bonheur quand elle le trouve.

— Personne ne la condamne, dit Nahum.

— Moi, si, dit Gladys. Vous trouverez que c'est peut-être démodé mais moi je crois aux liens sacrés du mariage.

— J'y crois aussi, ajouta Nahum, mais nous vivons une époque trouble.

— Oui, trouble à cause de l'effondrement des valeurs.

— Voulez-vous me laisser terminer, je vous prie ? Je ne la condamne pas. Je pense qu'elle mérite d'être heureuse mais en ce moment elle est très malheureuse.

— Elle ne le serait pas si elle vivait avec lui, dit Lotie.

— Je me demande comment vous réagiriez si c'était votre mari », fit remarquer Gladys.

Lotie lança un regard amusé dans la direction de Nahum et qui semblait dire : « Lui ? Il peut déjà à peine satisfaire une femme, alors avec deux... »

« S'il aime Trude, il ne pourrait pas divorcer pour l'épouser ? demanda Nahum.

— Je connais sa femme, elle ne le laissera pas faire », dit Gladys.

Quelques semaines plus tard, Nahum dut entrer à l'hôpital pour y subir une intervention chirurgicale. Les funestes pronostics de Gladys concernant la périodicité de ses crises ne s'étaient pas concrétisés mais il souffrait maintenant d'une hypertrophie prostatique. Il essaya de retarder au maximum l'intervention car Shyke, qui avait été opéré pour la même raison, l'avait prévenu : « Une fois qu'ils t'ont ouvert, tu n'es plus le même homme après » ; mais Lotie le prévint que s'il retardait encore l'opération, elle le chloroformerait durant son sommeil et le livrerait pieds et poings liés aux chirurgiens. Il accepta finalement d'entrer à l'hôpital.

Par un singulier hasard il s'avéra que le chirurgien qui devait opérer Nahum était l'amant de Trude. Il était mince, avait des cheveux grisonnants, des sourcils noirs, un nez rouge et des yeux larmoyants.

« Alors c'est vous le Casanova ? » pensa Nahum. Il devait avoir dans les soixante-dix ans et Nahum songea juste avant que l'anesthésie ne produise son effet : « Si ce cabot vit encore, je vivrai moi aussi. »

L'intervention se déroula dans des conditions normales mais sa convalescence fut plus longue que prévue. Il resta deux semaines à l'hôpital et après cela dut encore rester quatre semaines au lit. Lorsqu'il se leva enfin, il avait les jambes en coton.

La vieille Mme Mittwoch mourut à cette époque et Nahum, contre l'avis des médecins, se rendit à l'enterrement. Son fils Michael y assistait et cette présence rassura étrangement Nahum, peut-être parce qu'elle suggérait que la vie existait toujours sur terre. Il était officier parachutiste et il était venu de France par avion.

« Etes-vous marié ? lui demanda Nahum.

— Non.

— C'est étonnant pour un beau jeune homme comme vous.

— Je ne suis plus si jeune. Comment va Vicky ?

— Oh ! ne m'en parlez pas. Elle en a vécu des choses ! Elle vit en Amérique, vous savez.

— Je sais. Je connaissais son mari.

— Vous connaissiez Cameron ?

— Nous nous sommes connus à l'armée.

— C'était un héros.

— C'est ce que j'ai cru comprendre. »

Nahum l'invita à dîner pour le lendemain soir ; il souhaitait le présenter à Trude. Celle-ci s'était excusée pour son coup de colère et durant toute sa convalescence elle passa de longues heures à ses côtés à lui raconter son enfance en Russie. Quand il essayait de faire glisser la conversation sur le présent, elle changeait de sujet. Nahum estima qu'ils avaient retrouvé le ton chaleureux de leur relation passée. Cependant, le soir du dîner, Trude téléphona de l'hôpital pour prévenir qu'elle serait en retard car il y avait une urgence. Nahum prolongea le repas tant qu'il le put. Après le café, à chaque fois que le jeune homme manifestait son intention de partir, Nahum l'entraînait sur un nouveau sujet de discussion pour le retenir. A minuit sonnant, comme Trude ne donnait aucun signe de vie, Nahum renonça.

Le lendemain, Trude annonça qu'elle allait quitter Glasgow pour aller travailler dans un autre hôpital à la campagne. Nahum se sentit trop malade et malheureux pour répondre, et il monta se coucher.

La fin de la guerre était imminente depuis plusieurs mois et Nahum avait rêvé d'une grande fête familiale pour célébrer la victoire. Mais, lorsque la guerre se termina, sa famille était dispersée aux quatre coins de la planète. De plus, son ancienne maladie, toujours aussi indéfinissable, était réapparue.

« C'est un avertissement, dit Lotie. Tu as presque soixante-dix ans et tu as le droit de prendre ta retraite. Les garçons vont bientôt rentrer, Jacob pourrait reprendre l'affaire en main, ou Hector...

— Et au fait, que devient cet Irving ? »

— Quel Irving ?

— Le jeune homme de Vicky, celui qui voulait l'épouser.

— Il y a eu des complications.

— De quel genre ? Tu vas me dire qu'il est marié lui aussi.

— Comment as-tu deviné ? »

Il la regarda d'un air hébété. « Qu'est-ce qui se passe dans ce monde ? Il n'y a plus de célibataires ? »

Désespéré, il s'enfonça sous ses couvertures et lorsque Gladys vint le voir, il lui dit : « Laissez-moi tranquille. Plus je vieillis et plus je souffre. J'ai des enfants et des petits-enfants. J'ai fait ce que j'avais à faire. Maintenant, laissez-moi seul, laissez-moi mourir. J'en ai le droit à mon âge. »

Pendant un certain temps, il donna en effet l'impression d'être à l'agonie. Lotie se demanda si elle ne devrait pas télégraphier à Sophie et Vicky de venir, ainsi qu'à Jacob et Benny qui étaient encore sous les drapeaux. Et puis un télégramme arriva, annonçant la venue d'Hector. Cette nouvelle revigora Nahum. Le nom même d'Hector évoquait pour lui ses années d'or — la villa à Menton, les douces soirées, les jardins odorants, la mer d'azur, Kagan, Wachsman, la brise tiède, les rires lointains, Alex, Arabella. A chaque fois qu'il pensait à Arabella, et cela arrivait souvent, il se demandait si elle avait réellement existé. Maintenant qu'Hector allait rentrer, son souvenir d'Arabella se précisa et il pouvait presque l'entendre chanter les lieder de Schubert qu'elle fredonnait à Menton.

Mais lorsque Hector se matérialisa enfin, Nahum en eut un coup au cœur. Hector n'était plus que l'ombre de lui-même. Tout était gris sur lui : ses cheveux, sa moustache, son teint, ses yeux et même son costume, trop grand et mal coupé.

« Qu'est-ce que tu fais au lit ? demanda-t-il.

— J'agonise, répondit Nahum.

— A l'entendre, on croirait que c'est une occupation, fit remarquer Lotie. C'est le contrecoup de la guerre, mais maintenant que tu es là, il devrait aller mieux. »

C'était loin d'être le cas et il ne montrait au contraire aucun signe de guérison. C'est alors qu'arriva une lettre de Benny annonçant ses fiançailles, puis un télégramme de Vicky disant qu'elle revenait à la maison.

37.

« Chère Sophie,

Je suis partie il y a sept ans et tu pourrais croire, tout comme je l'ai cru, que ce n'était pas très long. Pourtant, je suis revenue dans un monde complètement différent. La Grande-Bretagne a peut-être gagné la guerre mais l'ambiance générale est à la grisaille et à la lassitude. On peut imaginer ce que cela aurait donné si le pays avait perdu la guerre. Il règne une pénurie générale et tous les produits sont rationnés. La seule touche de gaieté vient des fleurs sauvages qui poussent sur les zones bombardées.

J'ai été frappée par l'aspect physique de père. Tu te souviens probablement qu'il était toujours élégamment vêtu et qu'il faisait distingué. Maintenant, il fait plutôt passe-muraille, ce qui n'est pas difficile dans cette Grande-Bretagne de l'après-guerre : on pourrait penser que c'est une marque de patriotisme alors que c'est plutôt dû au fait que Lotie, toujours aussi élégante, lui fauche ses tickets de vêtements. Avec sa petite barbe d'un blanc argenté, il ressemble à un personnage de Tchekhov. Il parle de plus en plus yiddish, surtout quand il s'adresse à des gentils. Par contre, son anglais laisse à désirer et il commence à s'exprimer comme son ancien associé, le vieux Lomzer.

Si j'ai été frappée par l'aspect physique de père, j'ai été attristée par celui d'Hector. J'ai failli fondre en larmes en le voyant. Il dit qu'on l'a assez bien traité dans son camp de prisonniers — sauf lorsqu'il a tenté de s'évader avec des camarades — mais je pense que ça a dû être l'enfer pour lui. Ce n'est plus l'Hector que nous avons connu et aimé. Je pensais autrefois que je n'aimais pas Ara parce qu'elle était hystérique, prétentieuse et capricieuse mais je me rends compte maintenant que j'étais jalouse d'elle ; je pensais aussi qu'elle **ne** convenait pas à Hector. Le camp de prisonniers ne l'a pas arrangé mais je crois qu'il avait déjà commencé à dépérir quand il était avec elle. Le pauvre Hector. Tu comprendras encore mieux où il en est lorsque je t'aurai dit qu'il veut bien s'associer avec père dans son affaire de cinéma.

L'événement du jour, ce sont les fiançailles du minus avec une héritière égyptienne issue d'une vieille famille juive. Il nous a fait parvenir des photos de sa future femme : elle a les cheveux noirs, un visage agréable à regarder et elle semble plus âgée et plus grande que lui. Ils vivent actuellement dans un palais. Ils pensent se marier dans six mois et père a l'intention de faire venir tout le monde en Egypte — y compris toi et moi — pour l'occasion ; il a déjà réservé un étage du Shepheards's Hotel.

Tu ne connais pas Trude, et il est probable que vous ne vous rencontrerez jamais maintenant. Elle vit dans le péché avec un vieux chirurgien et se cache de la famille.

Tu ne connais pas la femme de Jacob, Gladys, mais tu vas certainement la voir. Elle est très intelligente et c'est un des espoirs de sa profession. Elle a du mordant et de l'opiniâtreté. A première vue, elle ne me plaisait guère mais à présent elle m'est devenue franchement antipathique. Jacob n'a pas encore été démobilisé. Il semble prendre son temps pour revenir au sein de la famille mais quand on sait vers quel sein il doit revenir, on ne peut vraiment pas le lui reprocher.

Lotie est toujours la reine qu'elle a été mais elle s'impatiente parfois avec père. Ces Américains restent éternellement jeunes. Nous nous entendons très bien mais elle me vexe lorsqu'elle me traite comme quelqu'un de son âge. Je sais que j'en ai l'apparence extérieure mais elle n'a pas besoin d'insister.

Tu m'as demandé des nouvelles d'Irving ; j'aurais préféré que tu n'en demandes pas. J'appréciais assez de l'avoir à mes côtés mais quand il est parti, il ne m'a pas beaucoup manqué. Il m'a téléphoné il y a environ six semaines pour m'annoncer son divorce. Je lui ai répondu que j'étais bien contente pour lui et sa femme ; j'ai ajouté que je retournais chez mon père et il m'a dit : " Tu ne peux pas faire cela. " J'ai répondu que si et je l'ai fait. Il a menacé de venir me chercher, et j'espérais presque qu'il le ferait, mais j'attends toujours. Dommage. Je suis compliquée, n'est-ce pas ?

Bien à toi,
Vicky. »

La perspective du mariage de Benny avait aidé Nahum à retrouver ses moyens intellectuels. Jusqu'alors, du fait de sa maladie probablement, il n'arrivait pas à se concentrer, à regrouper ses pensées ou à penser à l'avenir. Tout était devenu clair d'un seul coup. Hector travaillait avec lui et faisait preuve d'un certain enthousiasme. La guerre avait balayé l'histoire du trafic d'armes. Il apprenait rapidement le métier et, dans un an au plus, il pourrait reprendre toute l'affaire en main. Il avait aussi toujours voulu ouvrir un cinéma à Londres, dans ou à proximité du West End : il le fit construire. Après cela, il pensa que son travail était terminé, qu'il pouvait passer la main et se retirer du monde des affaires.

Se posa dès lors le problème du lieu où il allait vivre sa retraite. Lotie suggéra qu'ils aillent s'installer dans le sud de la France, il lui opposa l'argument du prix. Elle répondit à cela qu'elle avait toujours « un dollar ou deux à l'abri » mais l'argent n'était en fait qu'un obstacle secondaire. Jacob et sa famille vivaient déjà à Glasgow, Benny projetait de venir s'y installer et Nahum espérait que si Vicky se mariait elle viendrait également s'y établir. Il aurait voulu résider pas trop loin d'eux. Par ailleurs, il n'avait pas complètement abandonné ses projets d'installation en Palestine. Lotie n'était guère enthousiasmée par cette idée. « Il y a davantage de soleil qu'à Glasgow mais au rythme où vont les choses, je ne sais pas si la Palestine existera encore quand tu prendras ta retraite. » Il ne se passait pas un jour où l'on n'entendît parler d'embuscades, d'attaques, de morts, d'explosions. Le pays semblait au bord de la guerre civile.

« Cela ne peut continuer éternellement, dit Nahum. La situation va se calmer.

— A mon avis, nous serons morts et enterrés avant que le calme ne revienne », lui répondit Lotie.

Ils décidèrent de laisser le problème en suspens jusqu'après le mariage. Shyke leur fit savoir qu'il espérait y assister et il suggéra qu'après la cérémonie ils se retrouvent tous en Palestine pour en discuter.

« Ne croyez pas ce que vous lisez dans les journaux, ajoutait-il, les choses paraissent toujours pires vues de loin. »

Nahum avait espéré que ce mariage aurait été le prétexte d'une grande réunion de famille. Malheureusement, l'hiver fut un des plus longs et des plus rigoureux que l'on ait vus de mémoire d'homme et plusieurs de ses cinémas furent endommagés. Il n'était pas facile de se procurer le matériel et les autorisations nécessaires pour effectuer les réparations, aussi Hector dut rester à Glasgow et s'en occuper. Gladys ne voulait pas enlever ses enfants de l'école pour deux ou trois semaines, Jacob ne voulait pas laisser Gladys seule avec eux et Nahum se demanda si Benny allait trouver une excuse pour ne pas venir. Vicky confia son enfant à Gladys et ils partirent à quatre pour Le Caire. Ils traversèrent la France en train puis prirent le bateau à Marseille.

Pendant leur premier jour en mer, Nahum appréhenda de recevoir un message — comme lors de leur premier voyage en Méditerranée — leur demandant de revenir à la maison. Mais ils arrivèrent au Caire sans incident. Deux télégrammes l'attendaient cependant à l'hôtel qui lui annonçaient qu'aucun de ses invités de Palestine ne pourrait faire le voyage.

Les événements de Palestine jetèrent une ombre sur ce mariage. Nombre d'invités s'inquiétaient non seulement de l'avenir de la Palestine mais également des conséquences sur l'Egypte que pourrait avoir un conflit entre Arabes et juifs. Benny, son épouse et leurs parents respectifs souriaient à s'en tordre les mâchoires mais autour d'eux on ne voyait que des visages angoissés et l'on n'entendait que des voix inquiètes. Il y eut des discours et un orchestre, mais, comme dit Vicky, « ça ressemblait au dernier soir du *Titanic* ». Le lendemain matin au petit déjeuner, Lotie dit à Nahum : « Si je comprends bien, nous n'allons pas en Palestine ? »

Nahum posa une main qui se voulait réconfortante sur la sienne. « Je comprends ce que tu ressens mais puisque je suis venu jusqu'ici, je pense que je dois continuer, même si c'est la dernière chose que je ferai.

— Si tu continues, ce sera en effet la dernière, dit-elle.

— Pourquoi toi et Vicky n'iriez-vous pas faire du tourisme ? Vous pourriez visiter les pyramides ou descendre le Nil pendant que j'irai en Palestine voir Sophie et Shyke. Je ne serai absent que quelques jours et puis nous rentrerons ensemble.

— Je me demande ce que tu me dirais si je te laissais vraiment continuer tout seul.

— Je te dirais que tu agis sensément.

— Si tu te comportes comme un fou, pourquoi devrions-nous être raisonnables ? demanda Vicky.

— Ne me dis pas que tu viens aussi ?

— Crois-tu que je serais venue jusqu'ici pour ne pas voir Sophie ?

— Et ton fils ?

— Il est en bonnes mains.

— Et s'il nous arrivait quelque chose ?

— Il est toujours en bonnes mains.

— C'est de la folie. »

Ils se mirent donc en route tous les trois. Le train fut arrêté à la frontière : les passagers et les bagages furent fouillés par des policiers palestiniens. Ils furent de nouveau fouillés à Beth Shemen, près de Jérusalem. La ville de Jérusalem elle-même ressemblait à une zone de guerre : des voitures blindées patrouillaient dans les rues et l'on voyait partout des forces militaires et de police.

Jessie était venue les chercher à la gare. Ses cheveux étaient argentés, sa peau légèrement ridée mais elle avait un regard vif, et rien, dans ses manières ou sa voix, ne laissait deviner son âge.

Elle se précipita vers Nahum lorsqu'il descendit du train, hésita en voyant Lotie, puis l'étreignit chaleureusement.

« Où est Shyke ? demanda Nahum. Pourquoi n'êtes-vous pas venus au mariage ?

— Nous sommes en état de guerre, répondit-elle. Ces sacrés juifs se révoltent contre l'Empire britannique. »

Dans la voiture, elle leur résuma les derniers événements : en l'entendant, Lotie se serra encore davantage contre Nahum. « Mais tout cela n'est qu'un avant-propos, dit-elle gaiement. Pacha attend Armageddon.

— Pacha ? Qui est-ce ?

— Shyke, bien sûr.

— Pourquoi l'appelles-tu ainsi ?

— Attends de le voir et tu comprendras. »

Shyke avait pris les habitudes du pays. Il avait énormément grossi, se reposait sur une ottomane, vêtu d'une djellaba, et ressemblait à un potentat oriental.

Il habitait une spacieuse villa mauresque à Katamon, un quartier de la nouvelle ville principalement occupé par des Arabes chrétiens. La maison, dont les volets étaient fermés à cause de la chaleur torride, baignait dans la pénombre ; un domestique noir apporta du café dans un *hafinjan*[1] de cuivre.

Nahum eut l'impression d'avoir fait irruption dans un décor de cinéma.

« Qu'est-il arrivé au jeune homme de Volkovysk ? demanda-t-il.

— Il lui est arrivé ce qui devrait arriver à tous les gens qui viennent s'installer ici, dit Shyke. Ils devraient se débarrasser de cette poussière sanglante qui colle à leurs semelles depuis l'Europe. Ils devraient s'adapter à leur nouvel environnement au lieu d'essayer de préserver des petits bouts de Russie, de Pologne ou, Dieu nous en garde, d'Allemagne. Ici, il y a des Arabes musulmans, des Arabes chrétiens et si les juifs ne se transforment pas en juifs arabes, ils n'auront aucun avenir dans ce coin du monde. Tu as devant toi un juif arabe.

— Ce n'est pas spécialement agréable à regarder, dit Jessie.

— Tu veux dire que si les juifs s'assimilent, ils vivront en paix ? demanda Nahum. Ils n'ont pourtant jamais pu avoir la paix, même en Europe. Nous avons dû nous battre pendant deux mille ans pour rester juifs et maintenant tu prétends que nous devrions oublier tout cela lorsque nous revenons sur notre terre.

— Nous avons essayé de nous assimiler en Europe mais nous avons échoué. Torquemada, Hitler ne nous ont laissé aucune chance. Les premiers juifs qu'Hitler a persécutés n'étaient pas des hassidim mais des Allemands assimilés. Pour devenir européen, un juif devait se conformer à un moule pour lequel il n'était pas fait. Mais s'assimiler ici, c'est renouer avec ses origines. Tu peux dire de lui qu'il n'est pas arabe mais palestinien ; en tout cas, il doit cesser d'être européen.

— Et tu crois que cela va contribuer à la paix ?

— Non, il est déjà trop tard. Une guerre a déjà commencé, depuis trente ans quasiment. Cela ne pourra qu'empirer et on peut prévoir d'horribles massacres.

— Tu parles de la mort comme un Anglais parle du temps qu'il fait, dit Lotie.

— C'est inévitable. Toutes les jeunes nations naissent dans les douleurs de l'enfantement. Ça ira mieux d'ici une génération ou deux, du moins ni nous n'essayons pas de maintenir nos prétentions européennes. Dans le cas contraire, nous serons rejetés comme les Croisés.

---

1. *Hafinjan* : cafetière.

— Eh bien, dit Lotie à Nahum, tu as toujours envie de venir t'installer ici pour ta retraite ?

— La retraite, voilà un mot singulier, dit Shyke. Les Anglais ont dû l'inventer. Au pays, on ne prenait sa retraite qu'à la mort, alors qu'en Angleterre j'ai rencontré des médecins en retraite, des politiciens en retraite, des soldats en retraite. Dans ce pays, cela n'existe pas. Quand tu m'as écrit, je pensais que tu voulais t'installer ici pour commencer une nouvelle vie.

— A soixante-douze ans ? demanda Lotie.

— L'âge n'a rien à voir là-dedans, surtout si vous avez des enfants. » Soudain, ils entendirent une violente explosion. La maison trembla. Les fenêtres vibrèrent et des gravats de plâtre se détachèrent du plafond. Nahum et Lotie se regardèrent, inquiets. Shyke sauta de son ottomane, ouvrit rapidement les volets et se précipita sur le balcon. Un nuage de fumée et de poussière s'élevait d'un immeuble situé à environ un kilomètre.

« Cela me rappelle les bombardements de Londres, dit Nahum. Mais là-bas nous avions des abris antiaériens.

— Nous en avons un, dit Jessie, seulement il s'en sert pour cultiver des champignons.

— Au fait, qu'est-ce que je disais ? demanda Shyke.

— Que c'était un endroit idéal pour commencer une nouvelle vie, lança Lotie. Il me semblerait plutôt qu'il est propice à une nouvelle mort. Je suis peut-être naïve mais j'ai l'impression que des gens de nos âges ne pourraient que gêner les autres en de pareils moments. »

Shyke posa une main sur son genou : « J'ignore votre âge, ma chère. Moi, je ne suis pas très en forme — ma femme pourra vous le confirmer — mais rien qu'à vous voir, je me sens déjà mieux.

— Qu'est-ce qu'il a eu ? demanda Nahum.

— Une crise cardiaque, répondit Jessie.

— Une crise cardiaque ?

— Oh ! elle exagère.

— D'accord, il n'a pas eu de crise cardiaque. Disons que son cœur a simplement cessé de battre. »

Shyke changea rapidement de sujet de conversation. « Où est Hector ? Il n'est pas venu avec vous au mariage ?

— Hélas, non. Il fallait que quelqu'un reste pour s'occuper de l'affaire.

— Il travaille donc avec toi ?

— Cela t'étonne ? Je ne dirige pas une petite affaire, tu sais. Je possède dix salles de cinéma et je négocie l'achat d'une onzième à Londres.

— Je sais que tu es un homme très riche.

— Non, pas tout à fait.

— Disons que tu es à l'aise.

— C'est cela.

— Je n'imaginais pas Hector travaillant dans l'exploitation ciné-matographique.

— Tu sais qu'il était déjà dans les affaires avant ? Seulement je n'aimerais pas trop t'en parler.

— J'étais au courant puisque c'est moi qui l'ai aidé à monter son affaire. »

Nahum faillit s'étrangler en buvant son café.

« *Tu* l'as aidé ?

— Il ne te l'a pas dit ?

— On ne me dit jamais rien. On doit penser que je suis trop stupide pour me confier des choses importantes.

— Je ne sais pas si je fais bien de te le dire car en principe toute cette affaire devrait rester secrète mais d'un autre côté, si je ne te la raconte pas, qui le fera ? Et puis, qui sait s'il me reste encore longtemps à vivre ? Tout a commencé dans les années vingt, durant les émeutes. Tu te souviens que nous nous sommes vus pendant la première guerre alors que j'étais avec Jabotinsky. Nous tentions de mettre sur pied une Légion Juive et nous avions réussi. Seulement, lorsqu'est venue l'heure pour la Légion d'entrer en action, il était trop tard puisque la guerre touchait presque à sa fin. Cependant, la Légion n'a pas été dissoute. En 1921, on a créé la Force pour la Défense de la Palestine, composée de bataillons juifs et arabes. Un Australien du nom de Margolin — un bon soldat et un bon juif — devait commander le bataillon juif et tenter si possible d'y intégrer ce qui restait de la Légion Juive. Mais, avant même qu'il n'ait été nommé, les émeutes arabes ont éclaté et les juifs qui se trouvaient dans les régions les plus isolées ont du coup été menacés. Margolin a aussitôt rassemblé tous les légionnaires et ex-légionnaires et a pu se procurer des armes et des munitions sans passer par les formalités habituelles. L'armée britannique est intervenue mais ses forces étaient disper-sées ; il y a eu des soulèvements à Jaffa, à Rehovoth, à Petah Tiqvah et, sans les troupes de Margolin, il aurait pu se produire des massacres, je dis bien des massacres. Les autorités militaires n'ont pas été très satisfaites de la façon dont il a pris les choses en main et elles ont voulu savoir comment il avait réussi à se procurer des armes et des munitions. La légion, ou ce qui en restait, fut démobilisée, Margolin démissionna et retourna en Australie. Ils n'ont jamais pu comprendre comment un train qui devait se rendre à Jérusalem s'est retrouvé à Haderah. Hector a été suspecté mais on n'a pas réussi à établir sa culpabilité. Il a cependant suivi l'exemple de Margolin et s'est retiré.

— Mais tout cela s'est passé au début des années vingt.

— Oui, mais le rôle d'Hector n'a été dévoilé que quelques années plus tard, lors du procès d'un autre protagoniste.

— Hector n'était-il pas en Egypte à ce moment-là ?

— Il aurait dû s'y trouver mais comme il dépendait du même commandement, il ne lui était pas difficile de se déplacer. Et puis, il avait Cameron à Ramla.

— Cameron ? C'est à cette époque qu'ils se sont rencontrés ?

— Ils étaient de véritables frères. Je ne sais que penser de Cameron — j'ignore s'il a agi pour de l'argent ou pour notre cause — mais je puis te dire qu'il a plus fait pour Sion qu'aucun congrès de soi-disant Sionistes. J'ai failli me trouver mal lorsque j'ai appris sa mort. Je ne m'en suis d'ailleurs pas remis.

— Sans l'action d'Eddy, Hector aurait été traduit en cour martiale, dit Vicky.

— Est-ce qu'Eddy t'en a parlé ? demanda Shyke.

— Non, mais Hector me l'a dit.

— Je n'en suis pas si sûr. Trop de gens, et certains très haut placés, y étaient impliqués.

— Oui, mais c'est Eddy qui les a impliqués. Il a arrosé plein de gens.

— Je le crois aussi. Il savait être effronté comme un juif et rusé comme un Ecossais. De toute façon, lorsque la situation s'est calmée, je n'ignorais pas que les troubles reprendraient à une échelle encore plus grande. Les Arabes pouvaient facilement se procurer des armes et nous avons pensé que le meilleur moyen pour les juifs d'en obtenir, c'était de les fabriquer. C'est ainsi que nous avons lancé l'affaire des machines-outils. Je n'avais aucune envie d'y mêler l'organisation Sioniste ou tout autre organisme officiel au cas où nous aurions été découverts. A ce moment-là, je dirigeais une petite banque qui a financé la combine. J'ai embauché Eddy, qui a à son tour embauché Hector. Ils faisaient une parfaite équipe tant ils étaient efficaces, entreprenants et discrets. Toi, tu les as gênés quand tu as voulu fourrer ton nez un peu partout.

— Je voulais savoir ce qu'ils faisaient, répliqua Nahum.

— Ce n'était pas ton argent qu'ils dépensaient, tu n'avais pas à t'en mêler.

— Pourquoi cela a-t-il mal tourné ?

— Leur ambition les a perdus. Il y avait dans le monde des tas de groupes armés qui étaient prêts à payer pour obtenir des armes. Ils ont malheureusement trop élargi leur clientèle et mis trop de gens dans la confidence, si bien qu'ils ont été découverts.

— Et toi, comment se fait-il que l'on ne t'ait jamais découvert ? demanda Vicky.

— J'avais un excellent intermédiaire qui a tout organisé du côté des Américains. Il avait des contacts partout, même au sein du FBI.

— Qui était-ce ? demanda Nahum.

— Je ne sais pas si je devrais te le dire mais il serait dommage que tu ne le saches pas. Presque toute l'affaire a été montée par des gens de Volkovysk.

— Alors, qui était-ce ?

— Ton cousin.

— Lazar ?

— Et pourquoi pas ?

— Comment l'as-tu contacté ?

— C'est lui qui m'a contacté. Quand quelqu'un de Volkovysk devient banquier et gagne un peu d'argent, les gens du pays ont vite fait de l'apprendre. Je n'étais peut-être pas Wachsman mais j'étais quand même quelqu'un. Il est venu me voir un jour en me proposant une affaire.

— Est-ce que tu savais ce qu'il m'avait fait ?

— Non, mais j'ai découvert par la suite qu'il avait de petits antécédents.

— De *petits* antécédents ?

— Bon, disons un peu plus mais pour moi cela m'était utile.

— Il l'a fait pour de l'argent, je puis te le certifier.

— Les gens qui travaillent pour de l'argent sont dignes de confiance car tu sais ce qu'ils vont te coûter. Ce sont les gens qui ont une conscience qui sont les plus ennuyeux. Lazar était calme, circonspect, efficace et contrairement aux autres, il a pu s'échapper.

— Il faisait partie de ceux qui y parviennent toujours, dit Nahum. Mais commence depuis le début. Comment l'affaire était-elle organisée ?

— Laisse-le. C'est de l'histoire ancienne, coupa Jessie d'une voix autoritaire. Il devrait être couché depuis bien longtemps. » Et elle le conduisit au lit tel un prisonnier à qui l'on fait rejoindre sa cellule. « Il est terrible, dit-elle plus tard. Il n'aurait pas dû se lever. Il a failli mourir il y a trois semaines ; il aurait fallu qu'il aille à Chypre se reposer mais il n'a pas voulu en entendre parler. J'ai l'impression que le son du canon le stimule. Avez-vous remarqué combien ses yeux ont brillé au moment de l'explosion ? »

Nahum passa une nuit agitée ; l'air était lourd et chaud. A chaque fois qu'il allait s'endormir, il était réveillé par le bruit d'une explosion lointaine ou la plainte des sirènes des voitures de police.

« Tu peux vraiment t'imaginer passant ta retraite ici ? » lui demanda Lotie.

Il se leva tôt le lendemain matin, d'une part parce qu'il ne pouvait dormir, d'autre part parce qu'il avait à régler au siège central de l'organisation Sioniste une question qui était restée en suspens jusqu'alors.

Au début du siècle, il avait acheté quatre acres de terre à Ashkelon. Comme preuve de son achat, il ne possédait qu'un reçu tout fripé. Lorsqu'il arriva devant l'immeuble, il constata qu'il était entouré de sacs de sable et de fil de fer barbelé : cela ressemblait à un avant-poste militaire. Nahum pensa alors que son affaire était bien peu de chose en regard des événements et il déchira son reçu dont les morceaux s'éparpillèrent au vent.

Lorsqu'il rentra, Shyke était en train d'apporter le petit déjeuner de Lotie et Vicky sur la terrasse.

« Est-ce que tu te vois prendre ainsi ton petit déjeuner au mois de mars en Ecosse ? Cela vaut la peine de s'installer ici rien que pour le soleil.

— Tu sais, il existe d'autres endroits dans le monde où le soleil brille, dit Lotie.

— Oui, mais tu ne peux pas dire qu'ils t'appartiennent, répondit Shyke.

— Il n'est pas besoin de posséder un lieu pour y être heureux. J'ai vécu en Pennsylvanie, dans le Vermont, en Ecosse et mon bonheur, ou mon malheur, y a toujours dépendu des gens. Ici, je me sens nerveuse. Je n'ai aucune envie de rester dans une région où les gens s'entretuent.

— Il a fallu verser beaucoup de sang avant que l'Amérique ne devienne ce qu'elle est. Notre pays est en train de naître et pour des gens comme Nahum et moi c'est le seul endroit où nous ayions sous nos pieds de la terre ferme. Partout ailleurs, il n'y a que des sables mouvants. »

Soudain, il y eut une violente explosion, semblable à un coup de tonnerre.

Lotie perdit cette fois son sang-froid. Elle dit qu'elle prendrait l'avion en partance pour Rome le lendemain matin.

« Je t'accompagnerai à l'aéroport, dit Nahum. Mais je ne peux pas partir sans être allé voir Sophie et les enfants. »

Ils se rendirent chez Sophie l'après-midi même et arrivèrent au *moshav* à la nuit tombante.

Elle ne fut pas particulièrement heureuse de les voir.

« C'est bien le moment de venir quand tout est prêt à sauter !

— C'est exactement ce que je ne cesse de lui répéter », dit Lotie.

Les jumeaux étaient absents. Sophie ne les avait pas vus depuis une semaine et commençait à se faire sérieusement du souci. Elle dit que Yankelson se trouvait en Europe mais qu'elle ignorait l'endroit où il était et ce qu'il faisait.

« Cela me plairait de rester ici, dit Vicky.

— Ta présence ne serait pas inutile car il n'y a plus beaucoup d'hommes valides, fit remarquer Sophie.

— Ne l'encourage pas, elle serait capable de le faire », répondit Nahum.

Il aurait pourtant aimé rester quelques jours de plus. Il n'avait pas vu les jumeaux depuis dix-sept ans. Il était question qu'ils rentrent à la maison pour le week-end et il aurait souhaité les revoir, ne serait-ce qu'un instant. Mais Lotie semblait si tendue et malheureuse qu'il renonça.

Il tenta de lui remonter le moral en suggérant qu'ils fassent une croisière pour rentrer.

« Non, je veux prendre l'avion et je ne veux pas rester ici une minute de plus. »

Ils prirent l'avion le lendemain.

Nahum espérait qu'elle se détendrait une fois à bord mais il la sentait toujours triste et malheureuse. Ils volaient depuis une heure lorsque la tête de Lotie bascula brutalement en arrière et elle s'évanouit. Vicky appela l'hôtesse qui lui fit respirer de l'oxygène. Cela la ranima mais elle était toujours pâle et tremblante lorsque l'avion se posa à Athènes. Une ambulance attendait sur la piste d'atterrissage mais lorsqu'ils arrivèrent à l'hôpital, elle était morte.

38.

« Chère Sophie,

Si tout se passe bien, je serai près de toi avant que cette lettre ne te parvienne mais pour l'instant tout va mal et si je t'écris c'est pour tenter de garder la tête froide.

De toutes les races, les Grecs sont les plus pédants et les plus incompétents. Gladys, qui est arrivée ce matin, dit qu'il est clair comme de l'eau de roche que la pauvre Lotie a succombé à une hémorragie cérébrale. Cependant, comme un autre passager est mort de la même façon au début de la semaine, les autorités sanitaires craignent une épidémie et ont donc décidé de faire son autopsie. Il est bien plus difficile de faire sortir un mort de ce pays qu'un vivant et il paraît peu probable que nous puissions arriver avant dimanche en Palestine. J'ai contacté Shyke et nous avons décidé pour le moment que l'enterrement aurait lieu lundi matin au Mont des Oliviers.

J'ai toujours trouvé Lotie séduisante et élégante mais je n'avais jamais pensé qu'elle était belle avant de la voir à la morgue. Elle ressemblait à une statue de marbre que j'ai vue une fois sur un sarcophage à Rome.

Père n'a pas cessé de parler — en yiddish, en russe, en anglais — depuis que nous avons atterri. Je pense que c'est sa façon à lui de se préserver. Il n'a pas pleuré et je crains qu'il n'ait pas encore réalisé ce qui est arrivé. Comme cela se produit souvent dans les familles, père était malade et c'est Lotie qui est morte. Sa décision d'enterrer Lotie à Jérusalem m'a surprise car si nous sommes partis si vite c'est parce que Lotie n'en pouvait plus de rester. Père avait réservé un emplacement pour lui et un autre pour Lotie près de la tombe d'Alex peu après qu'ils se soient mariés (était-elle au courant?). Son frère

Edgar et sa femme se trouvent ici et ils ont été tout aussi étonnés que moi des dispositions prises. Il se trouvait à Rome lorsqu'il a reçu le télégramme. Il est très bouleversé. Je pense qu'Hector et les autres se sont directement rendus en Palestine.

La mort de la pauvre Lotie aura permis de régler un problème. Père va maintenant se retirer en Palestine. Il ne cesse de parler de la propriété qu'il possède près d'Ashkelon mais je crois qu'il serait bien mieux à Jérusalem. J'ai l'intention de m'installer avec lui et lorsque j'arriverai la semaine prochaine je chercherai une maison convenable, à supposer que Jérusalem soit encore debout après toutes ces émeutes. Dans l'état où je me trouve, je ne m'en soucie pas vraiment. Lotie n'était que ma belle-mère mais elle a été plus qu'une sœur pour moi. Durant les quatre années de mon exil, c'est elle qui m'a manqué le plus. Je dois dire que j'ai été très reconnaissante à père d'avoir su séduire et garder près de lui une femme si vive, intelligente et chaleureuse. Je veux m'installer en Palestine non seulement parce que je crois que père a besoin de moi mais aussi parce que je ne peux concevoir de retourner à Glasgow sans Lotie.

Je ne sais pas comment va réagir père lorsqu'il réalisera ce qui est arrivé. Il se peut qu'il le prenne philosophiquement en se disant qu'après tout il a vécu une belle vie. Certes, il y a eu les morts d'Alex et d'Arabella. Quant à moi, je l'ai déçu, de même qu'Hector à un moindre degré ; je lui ai donné cependant un petit-fils et Hector va prendre la suite de son affaire. Sur un plan plus positif, il vous a eus, toi, Yankelson et les jumeaux ; de plus, Jacob et Benny lui ont apporté quelque réconfort. Et même Gladys, qu'il est plus facile d'admirer que d'aimer, peut se montrer vaguement humaine : c'est seulement depuis son arrivée que nous avons pu venir à bout de toutes les histoires de paperasserie.

Je ne suis pas certaine que père ait raison de se retirer des affaires. Lorsqu'il avait pris cette décision, Lotie était encore vivante mais que va-t-il faire tout seul ? Il a souvent parlé de reprendre ses études — celle du Talmud probablement — mais peut-on vraiment étudier à soixante-douze ans ? Le mieux serait qu'il achète ou fasse construire un cinéma à Jérusalem ; cependant, il n'arrête pas de parler de la Goodkind-Raeburn et j'ai l'impression qu'il voudrait à nouveau se lancer dans la marine marchande.

Nous aurons beaucoup à nous dire lorsque je te verrai.

Bien à toi,
Vicky. »

Ce fut une triste journée. Le ciel était sombre et gris — « comme s'il était en deuil », fit remarquer Vicky — et le vent qui soufflait sur ce versant de la colline soulevait des nuages de poussière.

Nahum resta singulièrement calme durant les funérailles, peut-être parce que la réunion de famille qu'il avait souhaitée pour le mariage de Benny se tenait enfin à l'occasion de l'enterrement de Lotie. Tout le monde était là : Sophie et Yankelson escortés de leurs deux grands fils ; Jacob, Gladys et son père (sa mère était restée s'occuper des enfants) ; Benny, sa femme Yvonne et son père ; Hector, Vicky et l'inattendue Trude ; Edgar et sa femme ; Shyke et Jessie ; enfin, un grand homme aux cheveux gris que Nahum ne reconnut que lorsqu'il se présenta : Richard Kagan. Shyke, qui avait désobéi aux injonctions de son médecin et de sa femme, s'appuyait lourdement sur une canne. Après la cérémonie, il dit à Nahum : « Tu sais, je ferais mieux de m'arrêter ici vu mon état. »

Ils commençaient à descendre la colline lorsque Nahum se souvint de son grand-père ; il conduisit le cortège jusqu'à sa tombe et lut l'inscription sur la pierre tombale.

« Vous savez, dit-il, quand je lis le nom qui est inscrit sur cette pierre, je pense que c'est de moi qu'il s'agit et je ne sais si je suis mort ou vivant. »

Pour ne pas être en reste, Shyke se souvint que lui aussi avait un grand-père *et* un arrière-grand-père enterrés dans ce cimetière. Ils durent tous accomplir un autre pèlerinage.

Ils retournèrent ensuite chez Shyke où Jessie avait préparé une collation. Nahum était au centre de toutes les conversations. Tout le monde semblait se le disputer. Gladys voulait qu'il vienne vivre chez eux de même que Sophie ; quant à Trude, elle proposa de tenir sa maison quel que soit le lieu de résidence qu'il choisisse. Vicky lui fit remarquer que le problème avait déjà été résolu : toute la semaine, elle rechercha en compagnie de Jessie une maison dans Jérusalem. Elles finirent par trouver une petite villa entourée d'un jardin, située à proximité du centre ville. Du fait de la tension qui régnait dans le pays et particulièrement à Jérusalem, le prix n'en n'était pas très élevé. Vicky, qui avait le sens des affaires, estima que c'était une bonne occasion et versa les arrhes.

« Si tu n'en veux pas, dit-elle à Nahum, je l'achèterai pour moi. » Dans l'immédiat, Nahum avait l'intention de retourner à Glasgow afin de remettre ses affaires en ordre ; il voulait également assister à la *bar mitzvah* du fils de Jacob, Aaron, qui aurait treize ans à la fin de l'année ; Hector, de son côté, négociait l'achat d'un cinéma londonien qu'ils avaient l'intention de moderniser ; ils voulaient l'appeler *Charlotte* en souvenir de Lotie et Nahum pensait qu'il devrait rester en Angleterre jusqu'au jour de l'inauguration.

Sa malheureuse expérience aérienne jusqu'à Athènes lui faisait redouter un autre voyage en avion, aussi décida-t-il de prendre le bateau en compagnie de Vicky. C'est en ouvrant la porte de sa maison à Glasgow qu'il comprit brutalement toute la tragédie qui venait de se se jouer — comme s'il n'avait jamais été convaincu de la mort de Lotie et qu'il s'attendait à ce qu'elle vienne l'accueillir sur le seuil de la porte. Alors, il s'assit sur les marches et pleura. Vicky vint près de lui, posa sa tête sur son épaule et éclata en sanglots.

Il retourna au bureau le lendemain matin et reprit le travail comme s'il ne s'était rien passé. Lorsque Vicky vint le voir avec des papiers concernant la villa de Jérusalem, il ne put comprendre ce dont elle parlait.

« Quelle villa ? Où cela ?

— Tu ne te souviens pas, j'ai... » Mais à l'évidence il ne s'en souvenait pas. Vicky pensa que le mieux à faire pour le moment était de lui occuper l'esprit en laissant tomber le problème de la retraite ; et finalement, elle acheta la maison pour elle.

Benny avait acquis une assez grande maison située à quelques rues de chez eux mais comme il fallait d'abord la réparer, lui et Yvonne vinrent s'installer chez Nahum.

Leur présence ainsi que celle d'Edward, le fils de Vicky, lui fit énormément de bien. Vicky organisa une fête pour les cinq ans de son fils : toute la famille fut invitée et Nahum rayonnait, d'autant plus qu'Yvonne ne pouvait cacher le fait qu'elle allait bientôt lui donner un autre petit enfant. Trois semaines plus tard, elle accoucha d'une fille qu'ils appelèrent Lotie.

« Là où il y a des enfants et des petits-enfants, la mort n'existe pas », dit Nahum, citant le Talmud.

Sa vigueur étonnait Vicky. Elle craignait de le voir devenir sénile avant de mourir mais il semblait tout au contraire avoir signé un nouveau bail pour la vie.

« Ecoute, dit-il, j'ai presque soixante-treize ans et durant cinquante ans j'ai vécu seul. Alors, il ne m'est pas bien difficile de supporter ma propre compagnie. »

Le lendemain, il dut se rendre à Londres avec Hector pour affaires.

Ils avaient pensé pouvoir signer le contrat pour le cinéma de Londres, mais au dernier moment les vendeurs avaient présenté de nouvelles exigences qu'ils ne pouvaient accepter. Les avocats devaient en débattre entre eux, ce qui fit qu'ils eurent une journée de liberté. Nahum décida d'aller rendre visite au vieux Kagan. Quand il avait demandé de ses nouvelles à Richard à Jérusalem, celui-ci lui avait répondu : « Il est au plus mal. Il parle souvent de vous et je crois qu'il serait heureux de vous voir. »

Nahum sentit une certaine nostalgie le gagner lorsqu'à la gare de Liverpool Street il s'installa dans un wagon de première classe. Il se souvint de ses rencontres avec Kagan lorsqu'il avait essayé d'obtenir des prêts pour son premier navire ; il se souvint aussi de ce voyage qu'il avait fait — en partant de la même gare et peut-être dans le même wagon — pour assister au mariage de Matilda Kagan, où il avait vu Lotie pour la première fois. Nahum sortit de sa rêverie lorsqu'il aperçut la propriété de Kagan. Les allées étaient envahies d'herbe. Les terres du parc autrefois si bien entretenues étaient à l'abandon. Les arbres étaient envahis de lierre. La maison, dont Nahum avait gardé le souvenir d'un resplendissant château, tombait en ruine ; des chats faméliques erraient dans l'ombre et il régnait une odeur de moisi comme dans les musées abandonnés. Un serviteur décrépit, à la démarche lente et aux jambes arquées, le conduisit, tel un crabe, près du vieux Kagan. Ce dernier se tenait assis dans un fauteuil placé devant un feu crépitant ; il avait une couverture sur les jambes et paraissait encore plus mal en point que la maison. De sa magnifique barbe, il ne restait plus que quelques poils épars sur un menton écorché. Ses yeux étaient rouges et gonflés ; il ressemblait presque à l'un de ces vieux *schnorrers* que Nahum voyait hanter les synagogues lorsqu'il était enfant.

« Raeburn, oui, je me suis souvenu de vous dès que vous êtes entré, croassa le vieil homme. Vous avez été dans la marine marchande, c'est ça ?

— Oui, autrefois, dit Nahum.

— Retraité, je suppose. Vous avez passé l'affaire à vos enfants. Grosse erreur. Mon fils s'occupe de la banque maintenant. Il a fait une belle guerre, mais il ne fait pas un bon banquier. » Puis il montra Hector du doigt.

« Qui est ce jeune homme ?

— Mon fils.

— Votre fils ? Ah oui, il a épousé une Althouse. J'ai encore de la mémoire, hein ?

— Non, c'est moi qui en ai épousé une.

— Ah oui, bien sûr, vous avez épousé ma belle-fille. Nous sommes presque parents. Sale temps, hein ? Je n'ai jamais chaud. Vous avez déjeuné ?

— Nous avons pris un copieux petit déjeuner, dit Nahum. Nous n'avons pas faim.

— Moi, si. Voyons si je peux avoir quelque chose. » Il appuya sur une sonnette à laquelle personne ne répondit.

« Ma femme est morte, vous savez.

— Je suis désolé de l'apprendre.

— Quoi ?

— Je suis désolé de l'apprendre.

— Vous êtes déboussolé ? Nous le sommes tous. C'est gentil à vous d'être venu. Je n'ai pas beaucoup de compagnie en ce moment. Ma femme est morte, vous savez.

— Je suis désolé de l'apprendre.

— Quoi ?

— Je suis désolé de l'apprendre.

— Personne n'est éternel, même si elle a fait la tentative de le devenir. Elle était un peu plus âgée que moi. Elle se trouvait dans le fauteuil où vous êtes assis lorsqu'elle s'est brutalement écroulée. Elle était bien, ma femme. Vous la connaissiez ?

— Je l'ai rencontrée une ou deux fois.

— Elle était bien, elle venait d'une bonne famille. Les enfants me ressemblent, grâce à Dieu, mais ils ne sont pas très bons pour la banque. Ma fille a épousé un Américain, vous savez.

— Oui, c'est mon beau-frère.

— Ah oui. Nous sommes presque parents. Quand j'y pense, j'ai des liens avec presque tout le monde. Ma femme avait une grande famille mais bien sûr ils sont presque tous morts. C'était une très vieille famille. Vous avez déjeuné ? »

Nahum et Hector échangèrent un regard et se levèrent.

« Vous ne partez pas déjà, vous venez d'arriver.

— Nous sommes un peu pressés, dit Nahum.

— Tous les gens sont pressés, du moins c'est ce qu'ils prétendent quand ils viennent me voir. C'est drôle. Quand j'étais plus jeune les gens semblaient disposer de plus de temps. Vous fumez ?

— Oui.

— Des cigares ?

— Non.

— Dommage, j'aurais bien fumé un bon cigare. »

Sur le chemin de la gare, Nahum dit à Hector : « A quarante ans j'avais l'horrible pressentiment que je mourrais jeune et maintenant le même pressentiment me dit que je vivrai très vieux. Nous récitons des tas de prières pour vivre longtemps mais qui le souhaite vraiment ? A partir d'aujourd'hui, je vais prier pour ne pas rester trop longtemps sur terre.

— Fais attention, dit Hector, on ne sait jamais avec Dieu. Il pourrait t'entendre.

— Ta mère le disait aussi.

— Je sais, et c'est pour cela que je ne prie jamais. »

Ce soir-là, ils dînèrent à l'hôtel en compagnie de Michael Mittwoch qui leur demanda s'ils étaient parvenus à un accord.

« Presque, dit Hector. Seulement ils n'arrêtent pas de poser de nouvelles exigences. Bon Dieu, je me demande s'ils savent à qui ils ont affaire.

— Le cinéma n'est plus une affaire rentable, lança Mittwoch.

— Connaissez-vous nos recettes ? demanda Nahum.

— Elles sont peut-être importantes en ce moment mais je puis vous dire que toute l'industrie cinématographique est menacée. D'ici vingt ans, tout le monde aura son cinéma privé chez soi.

— Je ne me soucie pas de ce qui arrivera dans vingt ans, rétorqua Nahum.

— On commencera à en sentir les effets d'ici dix ou peut-être même cinq ans. Je vous dis ce que j'essaie de faire comprendre à mes collègues. Pour ma part, je quitte ce milieu.

— Et pour faire quoi ?

— J'approche de la quarantaine et j'ai l'impression de piétiner. Il se peut que j'aille en Palestine. Un vieux copain de régiment m'a fait une proposition intéressante.

— Parle-lui de moi, dit Hector. S'il peut employer de vieux soldats, il ne refusera peut-être pas un vieux cheval.

— Et qui gardera la boutique ? » fit remarquer Nahum.

Durant la nuit, peut-être parce qu'il avait trop mangé ou trop bu, Nahum fut malade et l'on dut appeler un médecin. Il se sentit mieux le lendemain matin mais Hector annula leur rendez-vous et ils repartirent sans plus tarder pour Glasgow. Lorsqu'ils arrivèrent à la maison, Hector insista pour que Nahum aille aussitôt au lit.

« D'accord, mais à condition que tu ne fasses pas venir Gladys.

— Qu'est-ce que tu lui reproches ? C'est un bon médecin.

— Possible, mais elle me fait peur. »

La *bar mitzvah* eut lieu trois semaines plus tard. Nahum, qui se sentait tout à fait rétabli, revêtit sa redingote, son pantalon rayé et son chapeau haut de forme. En enfilant ses vêtements, il constata à quel point il avait maigri. Vicky lui laissa entendre qu'il serait mieux en smoking mais Nahum pensa que ce genre de costume ne serait pas à la hauteur de l'événement et il garda ses plus beaux vêtements. Son petit-fils avait une belle voix et il récita très bien un extrait de la Torah.

La synagogue était presque remplie. Nahum était entouré de parents, d'amis, de relations qu'il avait nouées au cours des différentes étapes de sa vie, de la famille de sa belle-fille et de leurs amis — des professeurs qui portaient des costumes froissés et des chapeaux informes, des médecins en costumes de laine taillés sur mesure et qui sentaient l'éther et la brillantine. Dans la galerie des dames se tenait une impressionnante assemblée de belles femmes : Vicky, les cheveux courts, portait un ensemble noir et un petit chapeau de la même couleur orné d'une voilette qui lui couvrait les yeux ; Trude, moins élégante mais tout aussi jolie, avait l'air de sortir d'une garden-party avec son grand chapeau de paille ; la femme de Benny, Yvonne, avec ses grands yeux noirs et son teint diaphane, apportait une note d'exotisme ; elle était vêtue d'un tailleur de velours et d'une toque de fourrure ; la grand-mère, toute de pourpre, faisait penser à un soleil couchant qui se serait arrêté dans sa course. Même Gladys, qui plissait les yeux parce qu'elle avait enlevé ses lunettes, paraissait presque belle.

Nahum soupira d'aise et se dit en lui-même : « Je mourrais heureux si je mourais maintenant. »

Lors de la réception qui suivit, Nahum fut abordé par un vieux rabbin qui lui demanda depuis combien de temps il était veuf.

« Depuis presque huit mois.

— C'est long. Vous êtes toujours un riche et bel homme. Vous devriez penser à prendre femme. Vous vous souvenez de M. Black ? Il avait trois filles, toutes des beautés, surtout la cadette. Son premier mari était un Dacosta : il lui a laissé une belle fortune. Son second, un Kuntzler, lui en a encore laissé davantage. Elle n'est plus toute jeune mais elle ne fait pas son âge et je pensais…

— C'est gentil à vous mais pour l'instant, j'ai autre chose en tête.

— Puis-je lui dire que vous y penserez ?

— Vous pouvez lui dire que je songerai à y réfléchir, cependant nous avons été mariés deux fois chacun et je pense que c'est peut-être suffisant, du moins pour le moment. Peut-être lorsque je serai plus vieux. »

De nombreux médecins assistaient à la réception et l'un d'eux demanda à Nahum ce qu'il s'était fait à la lèvre.

« Une bêtise. J'aime les brosses à dents dures et hier soir, alors que j'en utilisais une, elle a glissé et je me suis écorché la lèvre.

— Vous devriez la faire examiner. Elle commence à enfler. »

Au cours de la soirée on dansa et tandis que Nahum esquissait avec Gladys ce qu'il croyait un tango, elle lui demanda ce qu'il avait à la lèvre et il lui raconta son histoire.

« Ce n'est pas très beau. Dès que c'est terminé, je vous emmène à l'hôpital.

— Pour une égratignure ? Vous plaisantez. » Et il s'enfuit avant la dernière danse ; il allait le regretter. Sa lèvre le tint éveillé une bonne partie de la nuit et le matin elle était devenue violette. Lorsque Gladys le vit, elle le conduisit directement à l'hôpital. On lui fit une anesthésie locale pour percer l'abcès. Nahum se sentit un peu faible mais néanmoins capable de retourner à la maison.

« Il n'en est pas question, dit Gladys. Vous resterez ici. »

Vicky vint le voir en fin de journée pour lui apporter des pyjamas, une robe de chambre, ses pantoufles, une trousse de toilette et de la lecture.

« Mon Dieu, dit-il, combien de temps crois-tu que je vais rester ici ?

— D'après Gladys, encore un jour ou deux.

— Pour une lèvre qui saigne ?

— Ne me le demande pas, je ne suis pas médecin. »

Quantité de médecins vinrent l'examiner les jours suivants et à la fin de la semaine il était toujours à l'hôpital. Lorsque Gladys vint le voir, il la saisit par le bras.

« Je veux savoir ce qui se passe. Pourquoi me retient-on ici ? Je me porte très bien. Je vais appeler mon avocat.

— Nous faisons des examens, dit-elle.

— C'est ce qu'ils m'ont dit au début de la semaine. Combien il faut de temps pour faire ça ? Qu'est-ce que vous recherchez ?

— Pour être franche, je dirai que nous naviguons à l'aveuglette. »

Le lendemain matin, alors qu'il se brossait les dents — il faisait attention et utilisait une brosse souple — il sentit dans sa bouche le goût du sang et il vit que la mousse du dentifrice était devenue rouge. Il se rinça la bouche et examina attentivement ses dents dans la glace ; il remarqua que ses gencives étaient d'un rouge noirâtre. Il n'osa pas le signaler aux infirmières et aux médecins malgré son inquiétude. Il ne se brossa pas les dents ce soir-là. Le lendemain matin, lorsqu'il ouvrit les yeux, il aperçut deux médecins penchés sur lui et qui regardaient de près sa bouche. Il avait l'impression d'avoir une prothèse dentaire sous la lèvre et pouvait difficilement fermer la bouche.

Gladys arriva environ une demi-heure plus tard, légèrement essoufflée, mais, pour la première fois de sa vie, il fut heureux de la voir.

« Nous sommes dans un triste état, n'est-ce pas ? » lui dit-elle.

On lui administra des médicaments pour faire disparaître la tumescence mais ils produisirent des effets secondaires : il se sentait assommé et nauséeux ; il remarqua par ailleurs qu'à chaque fois qu'il passait la main dans sa barbe, des touffes de poils tombaient. Son oreiller en était couvert. Quand Benny vint lui rendre visite, il était au bord des larmes.

« Je ne sais pas ce qui m'arrive et personne ne me dit rien.

— Sincèrement, je ne pense pas qu'ils puissent te dire quelque chose mais tu es entre les mains des meilleurs médecins. »

Ses gencives enflèrent de nouveau et Gladys lui annonça qu'il devait subir « une autre petite opération ».

« Je n'aime pas ces petites opérations, marmonna-t-il. Pourquoi ne m'opèrent-ils pas une fois pour toutes ?

— Cette fois-ci, ce ne sera malheureusement pas une petite intervention. Je crains que vous n'y perdiez toutes vos belles dents.

— Mes dents ? Elles sont saines.

— Pas tant que cela ; elles sont à l'origine d'un empoisonnement de votre sang. »

En l'entendant, Nahum fut gagné par un immense désespoir. Il avait toujours pris grand soin de ses dents et avait été assez fier d'avoir pu les garder jusqu'à son âge.

« Ecoutez, dit-il, pourquoi ne m'endorment-ils pas et qu'on en finisse ? A quoi bon tout ce remue-ménage ? J'ai eu une belle vie, mes enfants et mes petits-enfants sont en de bonnes mains, alors à quoi bon tout cela ?

— Parce que vos organes sont en bon état et que si nous

réussissons à surmonter ce petit incident, vous pouvez encore vivre au moins dix ans. »

Nahum était trop épuisé pour protester et une heure plus tard on le transporta en salle d'opération.

Il ignora combien de temps il était resté sous anesthésie mais lorsqu'il ouvrit les yeux il eut vaguement conscience de silhouettes à côté du lit et de voix étouffées, puis il ferma de nouveau les paupières. Il avait l'impresssion d'avoir la bouche à vif ; il se laissa tomber sur l'oreiller et s'endormit.

Lorsqu'il se réveilla, l'étage était plongé dans l'obscurité ; seule une veilleuse brillait au-dessus du bureau de l'infirmière. Il voulut se lever pour aller aux toilettes mais ses jambes se dérobèrent sous lui et il entraîna dans sa chute un paravent qui se déchira sous son poids. Le bruit alerta l'infirmière qui l'aida à se recoucher et lui apporta un bassin. Lomzer lui avait dit un jour : « Quand ils apportent le bassin, c'est le début de la fin. »

Pourtant, le lendemain, il put se rendre seul aux toilettes. Lorsqu'il se regarda dans la glace, il ne put se reconnaître : il voyait l'image d'un vieil homme qui avait un visage ridé, des joues flasques, une bouche déformée et seulement quelques poils sur le menton. Quand il finit par admettre que c'était bien lui, il disposa le paravent autour de son lit, dit à l'infirmière qu'il ne voulait voir personne et il se remit au lit pour mourir.

Il refusa de toucher la nourriture qu'on lui apporta.

« Donnez-la aux vivants », dit-il. Pendant un moment, il oscilla entre conscience et sommeil puis finit par perdre toute mesure du temps. Lorsqu'il voulut se retourner, il sentit que c'était impossible : il vit qu'on lui avait posé une perfusion au bras.

« Comment allons-nous ce matin ? » demanda une voix enjouée.

C'était Gladys. « Ça a l'air d'aller mieux. Avec un peu de chance vous serez sorti dans une semaine ou deux, dit-elle.

— Avec les pieds devant, grommela-t-il.

— Mais vous allez bien mieux. Il y a quarante-huit heures je pensais ne plus vous revoir mais vous vous remettez bien. Aimeriez-vous recevoir des visites ?

— Non, répondit-il.

— Pas même Sophie ?

— Sophie ? Que fait-elle ici ? »

Avant qu'elle ait pu répondre Sophie apparut ; elle lui sauta au cou et pleura toutes les larmes de son corps.

« Que fais-tu ici ? C'est eux qui t'ont fait venir ? Alors je vais mourir. Non, je suis déjà mort. Regarde-moi droit dans les yeux, Sophie, et dis-moi si ce vieux *cacker*[1] édenté que tu vois est bien Nahum Raeburn. Je l'ai connu, c'était un bel homme, il a eu une belle vie et il est mort. Tu as devant toi un vieux *cacker* qui porte ses pyjamas et peut-être même son nom.

— Ne parle pas ainsi, père. Gladys pense que tu as de bonnes chances de t'en remettre.

— Qui ? Moi ou Nahum ? Parce que Nahum est mort hier ou la semaine dernière, je ne sais plus, sur la table d'opération. Je ne sais même pas quel mois nous sommes. Ces décorations là-bas, c'est déjà pour Noël ?

— Yankelson et les garçons t'envoient toute leur affection, ils... » Elle ne put retenir ses larmes et quitta son chevet.

Nahum somnola un instant et lorsqu'il ouvrit les yeux il aperçut un grand homme à barbe blanche qui se penchait sur lui. Il pensa qu'il était déjà dans l'autre monde et que le Prophète Elijah l'accueillait. Quand il essaya de s'asseoir, il remarqua que l'apparition portait un long manteau rouge.

« Joyeux Noël, dit le personnage. Voyons ce que nous avons pour vous », et il farfouilla dans un sac dont il sortit un chapeau de papier qu'il posa sur la tête de Nahum.

« Voilà, c'est la bonne taille en plus. Je crois que vous avez malheureusement manqué nos chants de Noël, alors savez-vous ce qu'a fait le père Noël ? Il a fait venir la chorale ici. N'est-ce pas merveilleux ? »

Et avant que Nahum ait pu dire un mot, ils commencèrent à chanter :

« Que Dieu accorde le repos aux hommes joyeux

Ne craignez rien... »

Il dut s'assoupir une minute — ou peut-être avait-il rêvé — car quand il se réveilla, ils étaient partis.

Nahum avait demandé un rabbin qui vint le voir en fin d'après-midi. C'était un petit homme ridé portant une barbe et de grosses lunettes.

« Vous ne semblez pas très bien, monsieur Raeburn, dit-il.

— Raeburn est mort, répondit Nahum.

---

1. *Cacker* : un emmerdeur.

— C'est un péché de parler ainsi. Là où il y a de la vie, il y a de l'espoir.

— Je suis toujours en vie d'une certaine façon, mais je ne suis pas Raeburn.

— Vous n'êtes pas Raeburn ?

— Est-ce que je ressemble à Raeburn ? »

Le rabbin se leva. « Oh ! excusez-moi, j'ai dû me tromper de chambre. On m'a dit que monsieur Raeburn voulait me voir, vous lui ressemblez un peu, vous savez.

— Monsieur Raeburn ne peut plus voir personne.

— Vous voulez dire que j'arrive trop tard. Quel dommage. Cela arrive souvent, malheureusement. Quand les gens demandent à me voir, ils sont déjà près de Dieu. Alors, Nahum Raeburn est mort. Il n'y a pas eu beaucoup de gens comme lui à Glasgow ou dans le monde. C'était un homme bon, pieux, généreux, un *tzadik bedoiroi*, le saint de sa génération. Vous savez, lorsqu'un homme gagne un peu d'argent il pense en général qu'il peut se passer de Dieu ; Nahum a fait exactement l'inverse. Quand il a eu de l'argent, il s'est souvenu " que le monde dans son entier était l'œuvre divine ". Il aidait les nécessiteux, les pauvres, et ceux qui connaissaient des difficultés se tournaient toujours en premier vers lui. En fait, il n'était pas si riche que cela et, croyez-moi, il a connu de rudes épreuves. Une année il possédait un château dans Mansion House Road et l'année suivante il était revenu dans les Gorbals. Mais Dieu lui est venu en aide et il a remonté la pente. Riche ou pauvre, il est toujours resté le même homme généreux. Il est donc mort ? Quelle tragédie. Pourquoi personne ne m'a prévenu ? » Il retira ses lunettes pour essuyer une larme et Nahum se mit aussi à pleurer.

« Vous le connaissiez ?

— Oh oui, très bien.

— C'était un saint. » Il se moucha et se reprit. « Mais il est à la droite de Dieu, je puis vous le certifier. En attendant, je dois me consacrer aux vivants. Vous êtes ici depuis longtemps ?

— Qui sait ? Des semaines, des mois ?

— Qu'est-ce qui ne va pas ?

— Dieu seul le sait.

— Nous sommes tous entre les mains de Dieu, les bien portants, les malades, les vivants et les morts.

— J'aimerais dire le *vidui*.

— Le *vidui* ? Le ciel m'en garde. Savez-vous ce que c'est ?

— Oui, la confession des mourants.

— Vous ne me semblez pas si mal en point.

— Je ne me sens pas bien.

— Ils font des miracles aujourd'hui grâce aux médicaments et grâce à tous ces médecins juifs si intelligents, des miracles.

— Malgré cela, on ne vit pas éternellement.

— Vous vivrez jusqu'à cent vingt ans.

— Ce n'est pas ce dont j'ai envie. Mais qui est le malade, vous ou moi ?

— C'est un péché que de perdre espoir.

— Je regarde les choses en face.

— Voilà qui est perdre l'espoir.

— Rabbin, je me sentirais mieux si je disais le *vidui.* » Le rabbin soupira : « Vous voulez le dire en anglais ou en hébreu ?

— Est-ce que cela fait une différence ?

— Non, Dieu parle les deux langues.

— Je crois que je préférerais le dire en hébreu.

— Très bien, alors répétez après moi. *Modeh* [1].

— *Modeh.*

— *Ani.*

— *Ani.* »

Le rabbin fit une pause.

« Qu'est-ce qu'il y a ?

— Je viens de remarquer que vous n'avez pas vos dents.

— Doit-on les avoir pour dire le *vidui ?*

— Non, mais c'est mieux.

— Je n'en ai plus.

— Alors c'est différent. *Lefonecho.*

— *Lefonecho...*

---

1. Modeh ani lefonecho : « Je viens devant toi te remercier. »

EPILOGUE

Hector est mort à la fin de 1968. Vingt ans jour pour jour après le décès de Nahum. La chaîne de cinéma dont il avait hérité ne se réduisait plus qu'à une seule salle, une sinistre bâtisse située dans une sinistre rue et que Nahum avait baptisée durant la guerre le *Volga*. Hector n'y projetait plus que les copies abîmées de vieux films des années trente.

Il n'a pas vu le manuscrit final de mon livre mais je lui en ai montré des extraits tandis que j'écrivais ; en les lisant son visage exprimait la réprobation.

« Mais ce n'est pas moi, se défendait-il, ce n'est pas moi du tout.

— Oh ! quel est ce pouvoir qui nous est donné de nous voir nous-même comme les autres nous voient, lui ai-je dit.

— Que veux-tu dire par là ?

— Tu crois qu'il ne s'agit pas de toi, ou plutôt du personnage que tu as essayé de jouer, mais tu es un comédien, un truqueur.

— Sans doute, mais tu n'aurais pu penser cela avec ce que tu as trouvé ici.

— Excuse-moi, oncle Hector, mais tu es un homme bon qui se déguise en filou. Je sais que certains Anglais considèrent la vertu comme un vice mais toi, tu as forcé la note. Toute l'histoire du méchant oncle est fausse. »

Il secoua lentement la tête et dit en me posant la main sur l'épaule : « Tu as mal fait ton travail, mon garçon. » Ce fut la dernière fois que je lui parlai.

Achevé d'imprimer en mars 1982
sur presse Cameron,
dans les ateliers de la S.E.P.C.
à Saint-Amand-Montrond (Cher)

N° d'Impression : 397-201.
Dépôt légal : Mars 1982.

Imprimé en France

HSC 82-3-67-0795-4
ISBN 2-7158-0356-7